C# 6.0 완벽 가이드 2

깊고 넓게 알려주는 레퍼런스 북

C# 6.0 in a Nutshell Sixth Edition
by Joseph Albahari and Ben Albahari

C# 6.0 완벽 가이드 2: 깊고 넓게 알려주는 레퍼런스 북

초판 1쇄 발행 2016년 10월 28일 **2쇄 발행** 2017년 3월 15일 **지은이** 조셉 앨버허리, 벤 앨버허리 **옮긴이** 류광 **펴낸이** 한기성 **펴낸곳** 인사이트 **편집** 정수진 **제작·관리** 박미경 **용지** 에이페이퍼 **출력·인쇄** 현문인쇄 **제본** 자현제책 **등록번호** 제10-2313호 **등록일자** 2002년 2월 19일 **주소** 서울시 마포구 잔다리로 119 석우빌딩 3층 **전화** 02-322-5143 **팩스** 02-3143-5579 **블로그** http://www.insightbook.co.kr **이메일** insight@insightbook.co.kr **ISBN** 978-89-6626-198-7 책값은 뒤표지에 있습니다. 잘못 만들어진 책은 바꾸어 드립니다. 이 책의 정오표는 http://www.insightbook.co.kr에서 확인하실 수 있습니다. 이 도서의 국립중앙도서관 출판예정도서목록(CIP)은 서지정보유통지원시스템 홈페이지(http://seoji.nl.go.kr)와 국가자료공동목록시스템(http://www.nl.go.kr/kolisnet)에서 이용하실 수 있습니다.(CIP제어번호: CIP2016024807)

ProgrammingInsight

C# 6.0 완벽 가이드 2

깊고 넓게 알려주는 레퍼런스 북

C# 6.0 IN A NUTSHELL
THE DEFINITIVE REFERENCE

조셉 앨버허리, 벤 앨버허리 지음
류광 옮김

인사이트 insight

차례

14장

C# 6.0 in a Nutshell

동시성과 비동기성

대부분의 응용 프로그램은 동시에 여러 개의 일을 수행해야 한다. 즉, 대부분의 응용 프로그램에는 **동시성**(concurrency)이 필요하다. 이번 장에서는 우선 동시성에 관한 필수 지식, 구체적으로 말하면 스레드 적용과 작업 객체의 기초를 설명한다. 그런 다음에는 비동기성 원리들과 C#의 비동기 함수들을 자세히 살펴본다.

제22장에서는 다중 스레드 적용을 좀 더 자세히 논의하고, 제23장에서는 관련 주제인 병렬 프로그래밍을 살펴본다.

소개

동시성이 필요한 상황은 대부분 다음 네 범주 중 하나에 속한다.

반응성 좋은 UI 작성

WPF나 모바일, Windows Forms 응용 프로그램에서 시간이 오래 걸리는 작업을 실행할 때 사용자 입력에 대한 반응성을 유지하려면, 그와 동시에 UI(사용자 인터페이스) 코드도 실행할 필요가 있다.

다수의 요청을 동시에 처리

한 서버에 다수의 클라이언트 요청이 동시에 도달할 수 있다. 규모가변성을 유지하려면 서버는 그 요청들을 병렬적으로 처리해야 한다. ASP.NET이나 WCF, Web Services를 사용하는 경우에는 .NET Framework가 그러한 처리를 자동으로 수행해 주지만, 그래도 공유 상태에 관해서는 프로그래머가 신경을 써야 한다(이를테면 정적 변수들을 캐싱으로 사용하는 것이 응용 프로그램의 작동에 미치는 영향 등).

병렬 프로그래밍

다중 코어/다중 프로세서 컴퓨터에서, 고도의 계산을 수행하는 코드의 작업 부하를 여러 코어에 나누어 실행하면 전체적인 계산 속도가 빨라질 수 있다(제23장 전체가 이 주제에 관한 것이다).

예측 실행

다중 코어 컴퓨터에서는, 해야 할 일들을 예측해서 미리 수행해 둠으로써 응용 프로그램의 전반적인 성능을 개선할 수 있는 경우가 종종 있다. LINQPad는 이 기법을 이용해서 새 질의의 생성 속도를 높인다. 또 다른 형태로, 서로 다른 여러 알고리즘으로 동시에 같은 과제를 풀게 하는 경우도 있다. 과제를 가장 먼저 해결한 알고리즘이 '승자'가 된다. 이 기법은 어떤 알고리즘이 가장 빨리 실행될지 미리 알 수 없을 때 효과적이다.

현재의 컴퓨터 구조에서, 프로그램은 **다중 스레드 적용**(multithreading)이라고 부르는 일반적인 메커니즘을 이용해서 여러 작업을 동시에 실행한다. 다중 스레드 적용은 동시성의 근본 개념 중 하나이며, CLR과 운영체제 모두 다중 스레드 적용을 지원한다. 따라서 동시적인 프로그램을 만들려면 스레드 적용의 기초, 특히 스레드들이 **공유 상태**에 미치는 영향을 이해하는 것이 꼭 필요하다.

스레드 적용

스레드thread는 독립적인 실행 흐름 또는 실행 경로이다. 한 스레드의 코드는 다른 모든 스레드와는 독립적으로 진행된다.

각 스레드는 운영체제의 한 프로세스 안에서 실행된다. 프로세스process는 프로그램이 실행되는 하나의 격리된 환경을 제공한다. **단일 스레드 프로그램**(single-threaded program)에서는 프로세스의 격리된 환경에서 스레드 하나만 실행되며, 따라서 그 스레드가 그 환경의 모든 것을 독차지한다. **다중 스레드 프로그램**(multithreaded program)에서는 한 프로세스 안에서 여러 스레드가 실행된다. 그 스레드들은 동일한 실행 환경(특히, 동일한 메모리)를 공유한다. 이는 다중 스레드 적용이 유용한 이유 중 하나이다. 예를 들어 한 스레드가 배경에서 자료를 만들어서 메모리에 저장하면, 다른 한 스레드가 메모리의 자료를 표시할 수 있다. 그러한 자료를 **공유되는 상태**(shared state), 줄여서 **공유 상태**라고 부른다.

스레드 생성

Windows 스토어 앱에서는 응용 프로그램이 직접 스레드를 만들어서 시작할 수 없다. 대신 반드시 과제 객체(이번 장의 'Task 클래스(p.722)' 참고)를 사용해야 한다. 작업 객체는 또 다른 간접층을 추가하기 때문에 공부하기가 좀 더 복잡해진다. 그래서 Windows 스토어 앱을 만들어야 하는 독자도 일단은 콘솔 응용 프로그램(또는 LINQPad)에서 스레드를 직접 생성하면서 다중 스레드 적용을 공부하고, 다중 스레드의 작동 방식에 익숙해지면 Windows 스토어 앱으로 가는 것이 최선이다.

기본적으로 **클라이언트 프로그램**(콘솔, WPF, Windows Store, Windows Forms 등등)은 운영체제가 자동으로 생성한 단일 스레드('주' 스레드(main thread))로 시작한다. 또 다른 스레드를 띄우지 않는 한, 프로그램은 단일 스레드 응용 프로그램으로서 수명을 마치게 된다.[1]

새 스레드를 띄우는 방법은 간단하다. Thread 객체를 인스턴스화해서 Start 메서드를 호출하면 된다. Thread의 가장 간단한 생성자는 ThreadStart 대리자 하나를 받는데, 그 대리자는 스레드 시동(startup) 메서드, 즉 스레드가 실행할 매개변수 없는 메서드를 가리켜야 한다. 예를 들면 다음과 같다.

```
// 주의: 이번 장의 모든 예제는 다음 두 이름공간이 도입되어 있다고 가정한다.
using System;
using System.Threading;

class ThreadTest
{
  static void Main()
  {
    Thread t = new Thread (WriteY);          // 새 스레드를 띄워서
    t.Start();                               // WriteY()를 실행한다.

    // 그와 동시에, 주 스레드도 나름의 작업을 진행한다.
    for (int i = 0; i < 1000; i++) Console.Write ("x");
  }

  static void WriteY()
  {
    for (int i = 0; i < 1000; i++) Console.Write ("y");
  }
}
```

1 단일 스레드 응용 프로그램에서도 CLR이 쓰레기 수거와 종료자 처리를 위해 내부적으로 다른 스레드들을 생성하나, 지금 논의와는 무관하다.

출력 예:

```
xxxxxxxxxxxxxxxxyyyyyyyyyyyyyyyyyyyyyyyyyyyyyyyyyyyyy
xxxxxxxxxxxxxxxxxxxxxxxxxxxxxxxxxxxxxxxxxxyyyyyyyyyyyy
yyyyyyyyyyyyyyyyyyyyyyyyyyyyyyyyxxxxxxxxxxxxxxxxxxxxxx
xxxxxxxxxxxxxxxxxxxxxxxyyyyyyyyyyyyyyyyyyyyyyyyyyyyyyy
yyyyyyyyyyyyxxxxxxxxxxxxxxxxxxxxxxxxxxxxxxxxxxxxxxxxx
...
```

주 스레드는 새 스레드 t를 만들고 문자 *y*를 거듭 출력하는 메서드를 그 스레드에서 실행한다. 그와 동시에 주 스레드 자신도 문자 *x*를 계속 출력한다. 그림 14-1에 두 스레드의 실행 흐름이 나와 있다. 단일 코어 컴퓨터에서는 동시성을 흉내 내기 위해 운영체제가 시간 '조각(slice)'들을 각 스레드에 할당한다(일반적으로 Windows에서 시간 조각 하나는 20ms이다). 다중 코어나 다중 프로세서 컴퓨터에서는 실제로 두 스레드가 병렬로 실행된다(단, 컴퓨터의 다른 활성 프로세스의 스레드들과 코어들을 두고 경쟁할 수 있다). 그래도 이 예제의 경우 출력은 여전히 *x*들과 *y*들이 뒤섞인 형태인데, 이는 `Console`이 동시적인 요청들을 처리하는 메커니즘의 세부사항 때문이다.

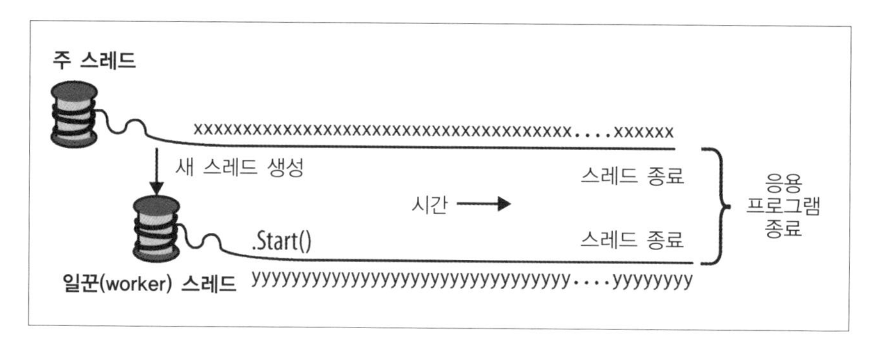

그림 14-1 새 스레드 띄우기

다른 스레드의 코드 실행 때문에 어떤 스레드의 실행이 잠시 중단된 것을 가리켜서 (스레드의 실행이) "**선점되었다**(preempted)"라고 말한다. 다중 스레드와 관련해서 뭔가가 잘못된 이유를 설명할 때 이 선점이라는 단어가 종종 등장한다.

스레드의 실행이 시작된 시점에서 스레드가 종료되기 전까지는 해당 인스턴스의 `IsAlive` 속성이 `true`를 돌려준다. 스레드는 `Thread`의 생성자에 전달한 대리자의 실행이 끝나면 종료된다. 일단 종료된 스레드를 다시 실행하지는 못한다.

각 스레드에는 `Name` 속성이 있다. 이 속성에 적당한 이름을 설정해 두면 디버깅이 편해진다. 특히 Visual Studio는 스레드 이름을 스레드 창과 디버그 위치 도구

모음에 표시해 주므로 아주 편하다. 스레드 이름은 한 번만 설정할 수 있다. 한 번 설정하고 다시 바꾸려 하면 예외가 발생한다.

정적 Thread.CurrentThread 속성은 해당 호출이 실행되고 있는 스레드를 돌려준다.

```
Console.WriteLine (Thread.CurrentThread.Name);
```

Join 메서드와 Sleep 메서드

현재 스레드에서 다른 스레드의 실행이 끝나길 기다리려면, 해당 스레드 객체에 대해 Join 메서드를 호출한다.

```
static void Main()
{
  Thread t = new Thread (Go);
  t.Start();
  t.Join();
  Console.WriteLine ("스레드 t가 종료되었음!");
}

static void Go() { for (int i = 0; i < 1000; i++) Console.Write ("y"); }
```

이 예제 코드는 'y'를 1,000번 출력한 다음 즉시 "스레드 t가 종료되었음!"을 출력한다. Join 호출 시 만료시간을 밀리초 단위의 정수 또는 TimeSpan 객체로 지정할 수 있다. 그런 경우 Join은 만일 스레드가 종료되었으면 true를, 시간이 만료되었으면 false를 돌려준다.

Thread.Sleep은 현재 스레드를 일정 시간 "재운다".

```
Thread.Sleep (TimeSpan.FromHours (1));  // 1시간 동안 수면
Thread.Sleep (500);                     // 500ms 동안 수면
```

Thread.Sleep(0)은 스레드의 현재 시간 조각을 즉시 포기하고 CPU 사용권을 다른 스레드들에게 자발적으로 양도한다. Thread.Yield()도 같은 효과를 내지만, 같은 프로세서에서 실행되는 스레드들에게만 양도한다는 점이 다르다.

실제 응용 프로그램에서 Sleep(0)이나 Yield는 종종 고급 성능 최적화 수단으로 쓰인다. 또한, 이들은 스레드 안전성 관련 문제점을 드러내는 훌륭한 진단 도구이기도 하다. 만일 코드의 어딘가에 Thread.Yield()를 추가했는데 프로그램이 오작동한다면, 프로그램에 버그가 있는 것이 거의 확실하다.

Sleep나 Join 호출이 반환되기까지는 스레드의 실행이 차단된다.

차단

어떤 이유로(이를테면 Sleep을 호출했거나 다른 스레드를 기다리기 위해 Join을 호출해서) 실행이 일시 정지된 스레드를 가리켜 **차단되었다**(blocked)고 말한다. 차단된 스레드는 즉시 자신의 CPU 시간 조각을 **양보**한다. 그때부터 차단 조건이 만족되어서 차단이 풀릴 때까지 그 스레드는 프로세서의 시간을 전혀 소비하지 않는다. 주어진 스레드가 차단되었는지는 ThreadState 속성으로 알 수 있다.

```
bool blocked = (someThread.ThreadState & ThreadState.WaitSleepJoin) != 0;
```

ThreadState는 자료의 세 '계층'을 비트별 연산으로 결합한 형태의 플래그 열거형이다. 그러나 이 열거형의 값들은 대부분 중복이거나, 쓰이지 않거나, 폐기 예정이다. 다음의 확장 메서드는 ThreadState에서 가장 유용한 네 플래그 Unstarted, Running, WaitSleepJoin, Stopped만 남기고 나머지는 제거한다.

```
public static ThreadState Simplify (this ThreadState ts)
{
  return ts & (ThreadState.Unstarted |
               ThreadState.WaitSleepJoin |
               ThreadState.Stopped);
}
```

ThreadState 속성은 진단용으로 유용하지만, 동기화에 사용하기에는 적합하지 않다. ThreadState 속성을 읽어서 스레드의 상태를 알아내는 시점과 그 상태에 근거해서 뭔가를 수행하는 시점 사이에서 스레드의 상태가 변할 수 있기 때문이다.

스레드가 차단되거나 차단이 풀리면 운영체제는 **문맥 전환**(context switch)을 수행한다. 문맥 전환에는 약간의 부담이 있기 때문에, 보통의 경우 1~2ms 정도의 시간 지연이 생긴다.

입출력 한정 대 계산량 한정

대부분의 시간을 뭔가가 일어나길 기다리는 데 소비하는 연산을 가리켜 **입출력에 한정되는**(I/O-bound) 연산이라고 부른다. 웹 페이지를 내려받거나 Console.ReadLine을 호출하는 것이 입출력 한정 연산의 예이다. (대체로 입출력 한정 연산은 입력이나 출력에 관여하지만, 꼭 그래야 하는 것은 아니다. Thread.Sleep 호출도 입출력 한정으로 간주한다.) 반면, 대부분의 시간을 CPU를 많이 사용하는 작업을 수행하는 데 소비하는 연산을 가리켜 **계산량에 한정되는**(compute-bound) 연산이라고 부른다.

차단 대 회전

입출력 한정 연산의 형태는 두 가지이다. 하나는 연산이 완료될 때까지 현재 스레드에서 **동기적으로** 기다리는 것이고(`Console.ReadLine`이나 `Thread.Sleep`, `Thread.Join`이 이에 해당한다), 또 하나는 연산이 완료되었을 때 어떤 콜백이 호출되는 것이다(이에 관해서는 나중에 좀 더 이야기한다).

연산 완료를 동기적으로 기다리는 입출력 한정 연산은 스레드를 차단한다. 루프에서 주기적으로 대기 연산을 실행할 수도 있는데, 이를 '회전(spinning)'[†]이라고 부른다.

```
while (DateTime.Now < nextStartTime)
  Thread.Sleep (100);
```

뭔가를 기다리는 데 사용할 수 있는 더 나은 기법들이 있긴 하지만(이를테면 타이머나 신호 전송 등) 나중에 이야기하고, 다음처럼 `Sleep` 호출 없이 그냥 루프를 돌려서 스레드를 회전할 수도 있다는 점을 언급하고 넘어가겠다.

```
while (DateTime.Now < nextStartTime);
```

대체로 이런 회전 연산은 프로세서 시간을 크게 낭비한다. CLR과 운영체제의 관점에서는 스레드가 뭔가 중요한 계산을 하는 것처럼 보이므로, 귀중한 자원들을 스레드에 할당하게 된다. 결과적으로, 사실상 입출력 한정 연산이 계산량 한정 연산으로 변하는 셈이 된다.

회전 및 차단과 관련해서 간과하기 쉬운 점이 두 가지 있다. 첫째로, 어떤 조건이 곧(몇 마이크로초 이내로) 만족될 상황에서는 **아주 잠깐**의 회전이 효과적일 수 있다. 그런 경우 문맥 전환의 부담과 잠복지연을 피할 수 있기 때문이다. .NET Framework는 이를 지원하기 위한 특별한 메서드들과 클래스들을 제공하는데, 이에 관해서는 웹의 글 "SpinLock and SpinWait"(*http://albahari.com/threading/*)을 참고하기 바란다.

† (옮긴이) thread의 원뜻인 '실'과 호응하자면 spinning은 원재료에서 실을 뽑아내는 '방적'에 해당한다. 그러나 지금 문맥의 spinning은 스레드의 실행이 한곳에서 맴도는 것이므로, 실패에 실이 감기는 모습(그림 14-1에 나온 것과는 반대의)을 연상하는 것이 이해에 더 도움이 될 것이다. 한편, 회전 연산의 비효율성을 좀 더 강조하는 취지에서 '공회전(현대적인 자동차 메커니즘에서 공회전은 그냥 연료를 낭비하고 공기 오염을 유발할 뿐이라고 한다)'이라는 용어도 생각할 수 있다.

둘째로, 차단의 비용이 반드시 *0*인 것은 아니다. 살아 있는 모든 스레드는 각각 약 1MB의 메모리를 차지하며, CLR과 운영체제는 차단된 스레드들도 계속해서 관리해야 한다. 따라서 수백, 수천의 동시적 연산들을 처리해야 하는, 고도로 I/O에 한정되는 프로그램에서는 차단이 문제가 될 수 있다. 그런 프로그램은 대기 시 스레드를 아예 폐기하고 콜백을 사용하는 접근방식을 사용해야 한다. 나중에 설명할 비동기 패턴의 한 용도는 그런 접근방식을 구현하는 것이다.

지역 상태 대 공유 상태

CLR은 각 스레드에 고유한 메모리 스택을 배정한다. 이 덕분에 스레드마다 지역 변수들이 따로 유지된다. 다음은 지역 변수가 하나 있는 메서드를 정의하고 그 메서드를 주 스레드와 새로 생성한 스레드에서 동시에 호출하는 예이다.

```
static void Main()
{
  new Thread (Go).Start();      // 새 스레드에서 Go를 호출한다.
  Go();                         // 주 스레드에서 Go를 호출한다.
}

static void Go()
{
  // cycles라는 지역 변수를 선언해서 사용한다.
  for (int cycles = 0; cycles < 5; cycles++) Console.Write ('?');
}
```

각 스레드의 메모리 스택에 cycles 변수의 개별적인 복사본이 만들어지므로, 이 예제는 예상대로 물음표를 10개 출력한다.

한편, 다음은 여러 스레드가 같은 객체 인스턴스를 가리키는 공통의 참조를 통해서 자료를 공유하는 예이다.

```
class ThreadTest
{
  bool _done;

  static void Main()
  {
    ThreadTest tt = new ThreadTest();   // 공통의 인스턴스를 생성한다.
    new Thread (tt.Go).Start();
    tt.Go();
  }

  void Go()   // 이것이 인스턴스 메서드임을 주목할 것
  {
     if (!_done) { _done = true; Console.WriteLine ("Done"); }
```

```
    }
  }
```

두 스레드가 같은 ThreadTest 인스턴스로 Go를 호출하므로, 두 스레드는 _done 필드를 공유하게 된다. 결과적으로 "Done"이 두 번이 아니라 한 번만 출력된다.

람다 표현식이나 익명 대리자(anonymous delegate)에 갈무리된 지역 변수는 컴파일러가 필드로 바꾸어서 컴파일하므로, 그런 변수들도 공유될 수 있다.

```
class ThreadTest
{
  static void Main()
  {
    bool done = false;
    ThreadStart action = () =>
    {
      if (!done) { done = true; Console.WriteLine ("Done"); }
    };
    new Thread (action).Start();
    action();
  }
}
```

다음처럼 정적 필드를 이용해서 스레드들이 자료를 공유할 수도 있다.

```
class ThreadTest
{
  static bool _done;    // 정적 필드는 같은 응용 프로그램 도메인의
                        // 모든 스레드가 공유한다.
  static void Main()
  {
    new Thread (Go).Start();
    Go();
  }

  static void Go()
  {
    if (!_done) { _done = true; Console.WriteLine ("Done"); }
  }
}
```

이상의 세 예제는 스레드 안전성(thread safety)이라는 또 다른 핵심 개념을 보여준다(안전성 '부족' 사례를 보여준다고 하는 것이 더 합당하겠다). "Done"이 두 번 출력될 수도 있다는 점에서, 이 예제들의 출력은 사실 비결정론적이다. 다행히 그럴 확률은 낮다. 그러나 Go 메서드의 문장들의 순서를 다음과 같이 바꾸면 "Done"이 두 번 출력될 확률이 극적으로 높아진다.

```
static void Go()
{
  if (!_done) { Console.WriteLine ("Done"); _done = true; }
}
```

이 예제의 문제점은, 한 스레드가 if 문의 조건을 평가하는 시점과 done을 true로 설정하는 시점 사이에서 다른 어떤 스레드가 WriteLine 문을 실행할 수 있다는 것이다.

이 예제는 **쓰기 가능 공유 상태**(shared writable state) 때문에 간헐적으로 오류가 발생하는 여러 상황 중 하나를 보여준다. 다중 스레드 적용 기법은 이런 골치 아픈 오류로 악명이 높다. 다음 절에서 잠금을 이용해서 이 문제를 해결하는 방법을 제시하겠지만, 가능하면 애초에 공유 상태를 피하는 것이 더 나은 해결책이다. 그런 접근방식에 도움이 되는 비동기 프로그래밍 패턴들을 잠시 후에 살펴볼 것이다.

잠금과 스레드 안전성

잠금(locking)과 스레드 안전성은 큰 주제들이다. 제22장의 '독점 잠금(p.1121)'과 '잠금과 스레드 안전성(p.1131)'에서 이들을 좀 더 완전하게 논의할 것이다.

앞의 예제에 있는 문제점을, 공유 필드를 읽고 쓰는 연산을 **독점 자물쇠**로 잠가서 해결할 수 있다. 그런 잠금 처리를 위해 C#은 lock이라는 키워드를 제공한다.

```
class ThreadSafe
{
  static bool _done;
  static readonly object _locker = new object();

  static void Main()
  {
    new Thread (Go).Start();
    Go();
  }

  static void Go()
  {
    lock (_locker)
    {
      if (!_done) { Console.WriteLine ("Done"); _done = true; }
    }
  }
}
```

두 스레드가 하나의 자물쇠(lock)를 두고 동시에 경합하면(여기서 자물쇠는 임의의 참조 형식 객체이다. 지금 예에서는 _locker가 자물쇠이다), 한 스레드만 자물쇠를 잠글 수 있고 다른 스레드는 그 자물쇠가 풀릴 때까지 기다려야 한다. 그리고 **lock** 문의 코드 블록은 자물쇠를 잠근(또는 획득한) 스레드만 실행할 수 있다. 결과적으로, **lock** 문의 코드 블록에는 한 번에 하나의 스레드만 진입하게 되며, 따라서 이 예제는 "Done"을 단 한 번만 출력한다. 이런 방식으로 보호되는(다중 스레드 문맥의 비결정성으로부터) 코드를 가리켜서 **스레드에 안전하다**(thread-safe)고 말한다.

변수 자신을 1 증가하는 간단한 연산조차도 반드시 스레드에 안전한 것은 아니다. x++라는 하나의 C# 표현식이 바탕 프로세서에서는 읽기, 증가, 쓰기라는 개별적인 세 개의 연산으로 실행될 수 있기 때문이다. 따라서, 두 스레드가 잠금 영역 x++를 동시에 실행하는 경우, 변수가 한 번이 아니라 두 번 증가할 수 있다(특정 조건에서는 기존 내용의 비트들에 새 내용의 비트들이 섞여서 x의 값이 **깨지는** 더 나쁜 결과가 빚어질 수도 있다).

잠금이 스레드 안전성의 특효약은 아니다. 필드 접근 코드를 잠그는 것을 까먹기 쉬우며, 잠금 자체의 고유한 문제점(교착 등)도 있다.

잠금 적용의 바람직한 예로, ASP.NET 응용 프로그램을 만들 때 응용 프로그램이 자주 사용하는 데이터베이스 객체를 위한 공유 메모리 내부 캐시에 접근하는 코드는 잠금으로 보호하는 것이 좋다. 그런 종류의 응용에는 코딩 시 실수할 부분이 별로 없으며, 교착(deadlock)이 발생할 여지도 없다. 제22장의 '응용 프로그램 서버의 스레드 안전성(p.1136)'에 이에 관한 예제가 나온다.

스레드에 자료 전달

스레드 시동 메서드에 인수들을 전달해야 할 때도 있다. 가장 간단한 방법은 해당 인수들로 메서드를 호출하는 람다식(람다 표현식)을 사용하는 것이다.

```
static void Main()
{
  Thread t = new Thread ( () => Print ("t에서 인사드립니다!!") );
  t.Start();
}

static void Print (string message) { Console.WriteLine (message); }
```

이 접근방식을 이용하면 메서드에 임의의 개수의 인수들을 전달할 수 있다. 또는, 다음처럼 전체 구현을 하나의 다중문 람다로 감쌀 수도 있다.

```
new Thread (() =>
{
  Console.WriteLine ("다른 스레드에서 실행 중!");
  Console.WriteLine ("참 쉽죠?");
}).Start();
```

C# 3.0 이전에는 람다식이 없었다. 당시에는 다음과 같이 Thread의 Start 메서드에 인수를 전달하는 기법을 사용했다.

```
static void Main()
{
  Thread t = new Thread (Print);
  t.Start ("t에서 인사드립니다!");
}

static void Print (object messageObj)
{
  string message = (string) messageObj;   // 여기에 캐스팅이 필요함
  Console.WriteLine (message);
}
```

이런 호출이 가능한 것은, Thread 생성자에 다음 두 대리자 형식을 받는 중복적재 버전들이 존재하기 때문이다.

```
public delegate void ThreadStart();
public delegate void ParameterizedThreadStart (object obj);
```

ParameterizedThreadStart에는 인수가 하나뿐이라는 한계가 있다. 또한, 그 인수의 형식이 object라서 대부분의 경우 명시적인 캐스팅이 필요하다.

람다식과 갈무리된 변수

앞의 예에서 보았듯이, 스레드에 자료를 전달하는 가장 편리하고도 강력한 수단은 람다식이다. 한 가지 주의할 점은, 람다식에 갈무리된 변수를 스레드가 시작된 후에 수정하는 실수를 저지르면 안 된다는 점이다. 다음 예를 보자.

```
for (int i = 0; i < 10; i++)
  new Thread (() => Console.Write (i)).Start();
```

이 예제 코드의 출력은 비결정론적이다. 이를테면 다음과 같은 출력이 나올 수도 있다.

```
0223557799
```

문제는, 루프가 돌아가는 동안 i 변수가 같은 메모리 장소를 참조한다는 것이다. 즉, 각 스레드는 실행 도중 값이 변할 수도 있는 변수로 Console.Write를 호출하는 상황이다. 해결책은 다음처럼 임시 변수를 사용하는 것이다.

```
for (int i = 0; i < 10; i++)
{
  int temp = i;
  new Thread (() => Console.Write (temp)).Start();
}
```

이렇게 하면 0에서 9까지의 숫자가 정확히 한 번씩 출력된다. (그 숫자들이 출력되는 순서는 여전히 비결정론적이다. 스레드들의 실행이 시작되는 시간이 비결정론적이기 때문이다.)

이는 제8장의 '갈무리된 변수(p.437)'에서 설명한 문제점과 비슷하다. 즉, 이는 다중 스레딩 적용에 관한 문제일 뿐만 아니라 for 루프의 변수 갈무리 관련 C# 규칙에 관한 문제이기도 하다.

이 문제점은 C# 5 이전의 foreach 루프에도 적용된다.

변수 temp는 각 루프 반복의 지역 범위에 속하므로, 각 스레드는 서로 다른 메모리 장소를 갈무리한다. 따라서 이제는 문제가 사라진다. 다음은 수정 전의 코드에 있는 문제점을 좀 더 명확히 보여주는 예이다.

```
string text = "t1";
Thread t1 = new Thread ( () => Console.WriteLine (text) );

text = "t2";
Thread t2 = new Thread ( () => Console.WriteLine (text) );

t1.Start(); t2.Start();
```

두 람다식 모두 같은 변수 text를 갈무리하므로, t2만 두 번 출력된다.

예외 처리

스레드를 생성, 실행하는 코드가 속한 try/catch/finally 블록은 생성, 실행된 스레드 자체와는 무관하다. 다음 프로그램을 생각해 보자.

```
public static void Main()
{
  try
  {
```

```
      new Thread (Go).Start();
    }
    catch (Exception ex)
    {
      // 여기에는 절대 도달하지 않는다!
      Console.WriteLine ("Exception!");
    }
  }

  static void Go() { throw null; }   // NullReferenceException을 던진다.
```

이 예의 try/catch 문은 아무 효과가 없다. 새로 생성한 스레드가 던진 NullReferenceException은 처리되지 않는다. 각 스레드가 독립적인 실행 경로라는 점을 생각하면 이런 행동 방식을 이해할 수 있을 것이다.

스레드의 예외를 처리하려면, 예외 처리부를 스레드 시동 메서드로 옮겨야 한다.

```
public static void Main()
{
   new Thread (Go).Start();
}

static void Go()
{
  try
  {
    ...
    throw null;    // NullReferenceException 예외가 아래의 catch 절에서 잡힌다.
    ...
  }
  catch (Exception ex)
  {
    // 여기서 흔히 예외를 기록하거나, 이 스레드의 실행이
    // 끝났음을 다른 스레드에 신호하는 등의 처리를 수행한다.
    ...
  }
}
```

주 스레드에 예외 처리부를 두는(주로 실행 스택의 좀 더 상위 수준에) 것과 마찬가지로, 실제 응용 프로그램에서는 모든 스레드 시동 메서드에 예외 처리부를 두어야 한다. 예외가 처리되지 않고 스레드를 벗어나면 응용 프로그램 전체가 종료되며, 사용자는 흉한 대화상자를 보게 된다!

그런 예외 처리 블록을 작성할 때, 오류를 **무시**하는 경우는 드물다. 보통은 그런 블록에서 예외의 세부사항을 기록한다. 그런 후, 그 세부사항을 프로그램 제작자의 웹 서버에 보내도

되는지 허락을 받는 대화상자를 띄우기도 한다. 마지막으로, 응용 프로그램을 재시작하는 것도 생각해 봐야 한다. 예기치 않은 예외 때문에 프로그램이 유효하지 않은 상태가 되었을 수 있기 때문이다.

중앙집중적 예외 처리

WPF, Windows Store, Windows Forms 응용 프로그램에서는 Application.DispatcherUnhandledException 이벤트나 AppDomain.CurrentDomain.UnhandledException 이벤트, Application.ThreadException 이벤트를 구독해서 프로그램 '전역' 범위에서 예외를 처리하는 것도 가능하다. 메시지 루프를 통해서 호출되는 코드(Application이 살아 있는 동안에는 주 스레드에서 실행되는 모든 코드에 해당한다)의 임의의 지점에서 미처리 예외(그 어떤 예외 처리부에서도 처리되지 않고 최상위 수준으로 떠오른 예외)가 발생하면 이 이벤트들이 발생한다. 이 이벤트들은 버그를 기록하고 보고하는 최종적인 기회를 제공한다는 점에서 유용하다(단, 프로그램이 따로 생성한 비 UI 스레드의 미처리 예외에 대해서는 이 이벤트들이 발생하지 않음을 주의해야 한다). 이 이벤트들을 처리하면 프로그램이 강제로 종료되는 일을 방지할 수 있다. 단, 그런 예외 때문에 프로그램의 상태가 깨지는(그리고 또 다른 미처리 예외로 이어지는) 문제를 피하려면 응용 프로그램을 다시 시작하는 것이 나을 수 있다.

AppDomain.CurrentDomain.UnhandledException 이벤트는 임의의 스레드의 임의의 미처리 예외에 대해 발생한다. 그러나 CLR 버전 2.0부터는 이벤트 처리부가 끝나면 기본적으로 CLR이 응용 프로그램을 강제로 종료한다. 강제 종료를 피하고 싶으면, 응용 프로그램 구성 파일에 다음과 같은 요소를 추가해야 한다.

```
<configuration>
  <runtime>
    <legacyUnhandledExceptionPolicy enabled="1" />
  </runtime>
</configuration>
```

이런 설정은 다수의 응용 프로그램 도메인(제24장)을 담는 프로그램에 유용할 수 있다. 응용 프로그램의 기본 도메인이 아닌 도메인에서 미처리 예외가 발생했을 때 응용 프로그램 전체를 재시작하지 않고 해당 도메인만 파괴한 후 다시 생성할 수 있기 때문이다.

전경 스레드 대 배경 스레드

기본적으로, 프로그램이 명시적으로 생성한 스레드는 **전경**前景 **스레드**(foreground thread)이다. 전경 스레드가 하나라도 살아 있으면 응용 프로그램은 종료되지 않는다. 반면 **배경 스레드**(background thread)는 그렇지 않다. 모든 전경 스레드가 종료되면 응용 프로그램이 종료되며, 그러면 실행 중이던 모든 배경 스레드는 즉시 강제로 종료된다.

스레드의 전경/배경 여부는 스레드의 **우선순위**와는 무관하다(우선순위는 스레드에 할당되는 실행 시간에 관한 것이다).

스레드의 배경 여부는 `IsBackground` 속성으로 조회 또는 변경할 수 있다.

```
static void Main (string[] args)
{
  Thread worker = new Thread ( () => Console.ReadLine() );
  if (args.Length > 0) worker.IsBackground = true;
  worker.Start();
}
```

이 프로그램을 아무 인수 없이 실행하면, 프로그램은 일꾼 스레드(`worker`)를 그대로 전경 스레드로 남겨둔다. 일꾼 스레드는 `ReadLine`을 호출하며, 이 호출은 사용자가 엔터 키를 눌러야 반환되므로 일꾼 스레드는 그때까지 기다린다. 그 전에 주 스레드가 종료되어도, 전경 스레드가 하나 살아 있으므로 응용 프로그램은 계속 실행 중인 상태로 남는다. 그러나 어떤 명령줄 인수를 주어서 이 프로그램을 실행하면 일꾼 스레드는 배경 스레드가 되기 때문에, 주 스레드가 끝나서 응용 프로그램이 종료되면 일꾼 스레드도 함께 종료된다(`ReadLine` 호출이 강제로 끝난다).

프로세스가 이런 식으로 종료되면 배경 스레드의 실행 스택에 있던 `finally` 블록들은 실행되지 않는다. 따라서 임시 파일 삭제 같은 어떤 정리 작업을 `finally` 블록(또는 `using` 문)을 이용해서 수행한다면, 응용 프로그램 종료 시 스레드 합류(`Join` 메서드를 이용한)나 신호 대기(이번 장의 '신호 대기(p.715)' 참고)를 이용해서 배경 스레드들이 정상적으로 종료되길 기다릴 필요가 있다. 어떤 방법을 사용하든 만료시간을 지정하는 것이 바람직하다. 그래야 어떤 이유로 스레드가 종료를 거부해도 일정 시간이 지나면 스레드가 종료되게 만들 수 있다. 그렇게 하지 않으면 응용 프로그램이 제대로 종료되지 않으며, 그러면 사용자는 번거롭게도 Windows의 작업 관리자를 이용해서 직접 프로그램을 종료해야 한다.

전경 스레드에는 이런 처리가 필요 없지만, 스레드가 종료되지 않는 버그를 피하는 데 신경을 써야 하는 것은 여전하다. 응용 프로그램이 제대로 종료되지 않는 흔한 이유 하나는 종료되었어야 할 전경 스레드가 여전히 살아 있는 것이다.

스레드 우선순위

스레드의 Priority 속성은 스레드에 할당되는 실행 시간(운영체제의 다른 활성 스레드들에 상대적인)을 결정한다. 설정 가능한 우선순위 값들은 다음과 같다.

```
enum ThreadPriority { Lowest, BelowNormal, Normal, AboveNormal, Highest }
```

스레드 우선순위는 여러 스레드가 동시에 활성화되었을 때 중요하다. 한 스레드의 우선순위를 높이면 다른 스레드들의 실행 기회가 고갈될 수 있으므로 조심해야 한다. 어떤 스레드의 우선순위를 다른 프로세스의 스레드들보다 높이려면 System.Diagnostics의 Process 클래스를 이용해서 프로세스 자체의 우선순위도 높여야 한다.

```
using (Process p = Process.GetCurrentProcess())
  p.PriorityClass = ProcessPriorityClass.High;
```

이러한 우선순위 상승은 최소한의 작업만 수행하는, 그리고 작업 수행 시 잠복지연이 적은(즉, 아주 빠르게 반응하는) 비UI 프로세스에 적합하다. 계산량이 많은 응용 프로그램(특히 UI도 갖춘)에서는 프로세스 우선순위를 높이면 다른 프로세스의 실행 기회가 고갈되어서 컴퓨터 전체가 느려질 수 있다.

신호 대기

종종 다른 어떤 스레드가 **신호할**(signal) 때까지 한 스레드를 대기 상태로 두어야 할 때가 있다. 가장 간단한 신호 대기 수단은 ManualResetEvent이다. 한 스레드에서 ManualResetEvent 객체에 대해 WaitOne을 호출하면, 그 스레드는 다른 스레드가 Set을 호출해서 신호할 때까지 기다린다. 이를 "신호를 보낸다" 또는 "신호를 연다(open)"라고 표현하기도 한다. 다음 예제는 먼저 스레드를 하나 띄운다. 그 스레드는 ManualResetEvent가 신호되길 기다린다. 주 스레드는 2초 기다린 후 그 스레드에 신호한다.

```
var signal = new ManualResetEvent (false);

new Thread (() =>
```

```
{
  Console.WriteLine ("신호 대기 중...");
  signal.WaitOne();
  signal.Dispose();
  Console.WriteLine ("신호 받았음!");
}).Start();

Thread.Sleep(2000);
signal.Set();        // 신호를 "연다".
```

Set을 호출하면 신호는 계속 열린(보낸) 상태로 남는다. 필요하다면 Reset을 호출해서 신호를 닫힌(아직 보내지 않은) 상태로 되돌릴 수 있다.

ManualResetEvent는 CLR이 제공하는 여러 신호 수단 중 하나이다. 제22장에서는 이것을 비롯한 모든 신호 수단을 설명한다.

리치 클라이언트 응용 프로그램의 다중 스레드 적용

WFP, Windows Store, Windows Forms 응용 프로그램에서, 시간이 오래 걸리는 연산을 주 스레드에서 실행하면 응용 프로그램의 반응성이 떨어진다. 주 스레드는 그런 연산 외에 UI를 갱신하고 키보드와 마우스 이벤트들을 처리하는 메시지 루프도 돌려야 하기 때문이다.

이 문제를 해결하는 데 흔히 쓰이는 접근방식은 '일꾼' 스레드(worker thread)를 따로 띄워서 시간이 오래 걸리는 연산을 수행하는 것이다. 일꾼 스레드는 시간이 오래 걸리는 연산을 수행하고, 그것이 끝나면 UI를 갱신한다. 그런데 모든 리치 클라이언트 응용 프로그램이 사용하는 스레드 적용 모형에는, UI 요소들과 컨트롤들에 접근할 수 있는 스레드는 그것들을 생성한 스레드(주로는 주 UI 스레드)뿐이라는 제약이 있다. 이를 위반하면 프로그램이 예기치 않은 방식으로 작동하거나 예외가 발생한다.

따라서 일꾼 스레드에서 UI를 갱신하려면, UI를 직접 갱신하는 것이 아니라 UI 갱신 요청을 UI 스레드에 전달하는 기법(이를 전문 용어로 '인도引導' 또는 '마샬링marshalling'이라고 부른다)을 사용해야 한다. 다음은 이를 수행하는 저수준 방식들이다(나중에 이들에 기초한 좀 더 고수준의 해법들을 제시하겠다).

- WPF에서는 UI 요소의 Dispatcher 객체에 대해 BeginInvoke나 Invoke를 호출한다.

- Windows 스토어 앱에서는 Dispatcher 객체에 대해 RunAsync나 Invoke를 호출한다.
- Windows Forms에서는 UI 컨트롤에 대해 BeginInvoke나 Invoke를 호출한다.

이 메서드들은 모두 실행하고자 하는 메서드를 참조하는 대리자를 받는다. BeginInvoke/RunAsync는 UI 스레드의 **메시지 대기열**(키보드, 마우스, 타이머 이벤트를 처리하는 데 쓰이는 그 대기열이다)에 그 대리자를 추가한다. Invoke도 그렇게 하지만, UI 스레드가 그 메시지를 읽어서 처리할 때까지 현재 스레드를 차단한다는 차이가 있다. 이 덕분에 Invoke는 대리자가 참조하는 그 메서드의 반환값을 현재 스레드에까지 돌려준다. 반환값이 필요하지 않다면, 호출자를 차단하지 않는, 그리고 교착(제22장의 '교착(p.1128)' 참고)의 여지가 없는 BeginInvoke/RunAsync가 낫다.

다음은 Application.Run이 하는 일을 의사코드로 표현한 것이다.

```
while (!thisApplication.Ended)
{
  메시지 대기열에 메시지가 들어오길 기다린다.
  메시지가 들어오면, 그 종류에 따라 다음과 같이 처리한다:
    키보드/마우스 메시지 -> 해당 이벤트 처리부 발동
    사용자 BeginInvoke 메시지 -> 대리자 실행
     사용자 Invoke 메시지 -> 대리자 실행 및 결과 게시
}
```

일꾼 스레드가 대리자를 인도해서 UI 스레드에서 실행되게 할 수 있는 것은 바로 이런 형태의 루프 덕분이다.

이해를 돕기 위한 예로, 한 WPF 창에 txtMessage라는 텍스트 상자가 있다고 하자. 그리고 그 텍스트 상자의 내용을, 일꾼 스레드가 시간이 오래 걸리는 어떤 작업을 수행한 후 갱신한다고 하자(시간이 오래 걸리는 작업은 그냥 Thread.Sleep을 호출해서 흉내 낸다). 다음이 그러한 코드이다.

```
partial class MyWindow : Window
{
  public MyWindow()
  {
    InitializeComponent();
    new Thread (Work).Start();
  }

  void Work()
  {
    Thread.Sleep (5000);           // 시간이 걸리는 작업을 흉내 낸다.
```

```
    UpdateMessage ("답은 42");
  }

  void UpdateMessage (string message)
  {
    Action action = () => txtMessage.Text = message;
    Dispatcher.BeginInvoke (action);
  }
}
```

이 코드를 실행하면 즉시 창이 뜨며, 그 창은 사용자의 입력에 잘 반응한다. 5초 후에 텍스트 상자의 내용이 갱신된다. Windows Forms용 코드도 이와 거의 같다. 다음에서 보듯이, Form의 BeginInvoke 메서드를 호출한다는 점이 다를 뿐이다.

```
void UpdateMessage (string message)
{
  Action action = () => txtMessage.Text = message;
  this.BeginInvoke (action);
}
```

다중 UI 스레드

한 응용 프로그램에 여러 개의 UI 스레드를 둘 수도 있다. UI 스레드들이 각자 다른 창을 소유하게만 하면 된다. 하나의 응용 프로그램에 최상위 창이 여러 개 있는 경우에 그런 구조가 흔히 쓰인다. 그런 응용 프로그램을 흔히 *SDI*(Single Document Interface; 단일 문서 인터페이스) 응용 프로그램이라고 부른다. 대표적인 예는 Microsoft Word이다. 일반적으로 각 SDI 창은 작업 표시줄에 개별적인 '응용 프로그램'으로 나타나며, 서로 격리되어서 작동한다. 그런 창마다 따로 UI 스레드를 두면 각 창이 사용자의 입력에 좀 더 잘 반응하게 된다.

동기화 문맥

System.ComponentModel 이름공간에는 '동기화 문맥'을 대표하는 SynchronizationContext라는 추상 클래스가 있다. 이 클래스는 리치 클라이언트 API마다 다른 스레드 인도 방식을 일반화하는 기반으로 쓰인다.

이동기기와 데스크톱을 위한 리치 클라이언트 API들(Windows Store, WPF, Windows Forms)은 각자 SynchronizationContext의 파생 클래스를 정의해서 인스턴스화한다. 정적 속성 SynchronizationContext.Current를 통해서 그 인스턴스에 접근할 수 있다(단, UI 스레드에서만). 특히, 이 속성을 갈무리함으로써, 일꾼 스레드에서 연산 결과를 UI 컨트롤에 '게시(posting)'할 수 있다.

```
partial class MyWindow : Window
{
  SynchronizationContext _uiSyncContext;

  public MyWindow()
  {
    InitializeComponent();
    // 현재 UI 스레드의 동기화 문맥을 갈무리한다.
    _uiSyncContext = SynchronizationContext.Current;
    new Thread (Work).Start();
  }

  void Work()
  {
    Thread.Sleep (5000);           // 시간이 걸리는 작업을 흉내 낸다.
    UpdateMessage ("답은 42");
  }

  void UpdateMessage (string message)
  {
    // 대리자를 UI 스레드에 인도한다.
    _uiSyncContext.Post (_ => txtMessage.Text = message, null);
  }
}
```

이러한 접근방식에는 모든 리치 클라이언트 사용자 인터페이스에 대해 같은 기법을 사용할 수 있다는 장점이 있다(ASP.NET도 SynchronizationContext를 자신에 맞게 파생한다. ASP.NET의 파생 클래스는 페이지 처리 이벤트들이 이후의 비동기 연산들에 따라 차례로 처리되게 하거나 HttpContext를 보존하는 등의 좀 더 정교한 처리도 수행한다).

Post를 호출하는 것은 Dispatcher나 Control에 대해 BeginInvoke를 호출하는 것에 해당한다. 또한, Invoke에 해당하는 Send 메서드도 있다.

.NET Framework 2.0에는 내부적으로 SynchronizationContext 클래스를 활용하는 BackgroundWorker라는 클래스가 도입되었다. 이 클래스를 이용하면 리치 클라이언트 응용 프로그램에서 일꾼 스레드들을 관리하는 작업을 약간 더 수월하게 수행할 수 있었다. 그러나 Task 클래스와 비동기 함수들이 도입되면서 이 클래스는 쓸모가 없어졌다. 잠시 후에 보겠지만, Task와 비동기 함수들도 SynchronizationContext를 활용한다.

스레드 풀

스레드 하나를 새로 띄우면, 지역 변수 스택 등을 마련하는 데 수백 마이크로초가 소비된다. **스레드 풀**thread pool은 재활용 가능한 스레드들을 미리 만들어서 풀에 담아 둠으로써 그런 지연을 제거한다. 스레드 풀은 효율적인 병렬 프로그래밍과 세밀한 동시성(fine-grained concurrency)을 구현하는 데 필수이다. 스레드 풀을 이용하면 스레드 시동에 필요한 추가부담에 압도당하지 않고도 짧은 연산들을 실행할 수 있다.

다음은 스레드 풀에서 가져온 스레드(줄여서 풀 스레드)를 사용할 때 주의할 점 몇 가지이다.

- 풀 스레드의 Name은 설정할 수 없다. 따라서 풀 스레드를 사용할 때에는 디버깅이 조금 어려워진다(그러나 Visual Studio에서 디버깅을 진행할 때에는 스레드 창에서 스레드에 설명을 붙일 수 있다).
- 풀 스레드는 항상 **배경 스레드**이다.
- 풀 스레드를 차단하면 성능이 떨어질 수 있다('스레드 풀의 건강 상태(p.721)' 참고).

풀 스레드의 우선순위를 변경하는 데에는 별다른 제약이 없다. 스레드를 다시 풀에 되돌리면 자동으로 우선순위가 보통 수준으로 복원된다.

현재 스레드가 풀 스레드인지는 `Thread.CurrentThread.IsThreadPoolThread` 속성으로 알아낼 수 있다.

풀 스레드 실행

풀 스레드에서 뭔가를 실행하는 가장 쉬운 방법은 `Task.Run` 메서드를 이용하는 것이다(Task 클래스에 관해서는 잠시 후에 좀 더 자세히 설명한다).

```
// Task는 System.Threading.Tasks에 있다.
Task.Run (() => Console.WriteLine ("여기는 스레드 풀"));
```

Task는 .NET Framework 4.0에서 도입되었다. 그 전에는 다음처럼 `ThreadPool.QueueUserWorkItem`을 호출하는 방법이 흔히 쓰였다.

```
ThreadPool.QueueUserWorkItem (notUsed => Console.WriteLine ("Hello"));
```

다음 구성요소들은 내부적으로 스레드 풀을 사용한다.

- WCF, Remoting, ASP.NET, ASMX Web Services 응용 프로그램 서버
- `System.Timers.Timer`와 `System.Threading.Timer`
- 제23장에서 설명하는 병렬 프로그래밍 수단들
- (이제는 쓸모없어진) `BackgroundWorker` 클래스
- 비동기 대리자(역시 이제는 쓸모없어짐)

스레드 풀의 건강 상태

스레드 풀은 일시적으로 계산량 한정 작업들이 늘어나도 CPU의 **초과구독**(over-subscription)이 발생하지 않게 한다는 또 다른 기능이 있다. 초과구독은 활성 스레드가 CPU 코어 개수보다 많은 상황을 뜻한다. 그런 경우 운영체제는 여러 스레드에 시간 조각을 할당해서 동시성을 흉내 낸다. 그러나 그렇게 하면 값비싼 문맥 전환이 발생할 뿐만 아니라 현대적인 프로세서들이 높은 성능을 달성하는 데 꼭 필요한 CPU 캐시가 무효화될 수 있기 때문에 성능이 나빠진다.

CLR은 작업들을 스레드 풀의 대기열에 집어넣고 그 실행을 적절히 제한함으로써 초과구독을 방지한다. CLR은 우선 하드웨어 코어 개수까지만 동시적인 작업들을 실행하고, 그 뒤부터는 언덕 오르기(hill-climbing) 알고리즘을 이용해 작업 부하를 끊임없이 특정 방향으로 조정함으로써 동시성 수준을 조율한다. 만일 처리량이 증가하면 같은 방향으로 계속 진행하고, 그렇지 않으면 반대 방향으로 간다. 이 덕분에, 프로세스들과 스레드들이 CPU를 두고 서로 경쟁하는 상황에서도 전체적인 처리량이 항상 최적의 성능 곡선을 따르게 된다.

CLR의 전략은 다음 두 조건이 만족될 때 아주 잘 작동한다.

- 작업 항목들이 대부분 짧게 끝나서(대략 250ms 미만, 이상적으로는 100ms 미만) CLR이 성능을 측정하고 조율할 기회가 많다.
- 풀 스레드들 중 대부분의 시간을 차단된 상태로 보내는 것들이 그렇지 않은 것들에 비해 소수이다.

스레드의 차단이 문제가 되는 이유는, 차단된 스레드가 마치 CPU를 열심히 활용하고 있는 것처럼 보이기 때문이다. CLR은 그런 상황을 검출해서 보정할(풀에 더 많은 스레드를 주입해서) 정도로 똑똑하지만, 그래도 그런 스레드들이 많으면 이후에 풀이 초과구독에 취약해질 수 있다. 또한, CLR이 새 스레드를 풀에 주입하는 속도를 제한함에 따라 잠복지연이 발생할 수 있다. 특히 응용 프로그램의 수명 주기 초반에서 그렇다(자원을 덜 소비하는 프로세스를 선호하는 클라이언트 운영체제에서는 더욱 그렇다).

스레드 풀을 건강하게 유지하는 것은 CPU를 최대한 활용하고자 할 때(이를테면 제23장의 병렬 프로그래밍 API를 통해서) 특히나 중요한 문제이다.

Task 클래스

스레드는 동시성 실현을 위한 저수준 도구이며, 그런 만큼 한계가 있다. 특히, 다음과 같은 단점이 존재한다.

- 스레드를 시작할 때 스레드에 자료를 전달하기는 쉽지만, Join으로 스레드를 현재 스레드에 합류시킬 때 스레드의 '반환값'을 간단하게 얻을 수는 없다. 어떤 형태로든 공유 필드를 만들어야 한다. 그리고 스레드의 연산이 예외를 던지는 경우, 그 예외를 잡아서 전파하기도 쉽지 않다.
- 스레드의 연산이 끝난 후 다른 뭔가를 수행하게 만들 수 없다. 반드시 Join으로 합류시켜야 한다(그러면 현재 스레드가 차단된다).

이러한 단점들은 세밀한 동시성을 구현하는 데 방해가 된다. 다른 말로 하면, 이 단점들 때문에 더 작은 동시적 연산들을 조합해서 더 큰 동시적 연산을 만들기가 어렵다(그러한 조합 능력은 이번 장에서 나중에 살펴볼 비동기 프로그래밍에 꼭 필요하다). 그러다 보니 직접적인 저수준 동기화 기법들(잠금, 신호 대기 등)에 더욱 의존하게 되며, 그로부터 또 다른 문제점들이 발생한다.

스레드를 직접 사용하는 것은 성능에도 해가 될 수 있다. 이에 관해서는 '스레드 풀(p.719)'에서 언급했다. 그리고 수백, 수천의 동시적 I/O 한정 연산들을 실행해야 하는 경우, 스레드 기반 접근방식에서는 단지 스레드들을 유지하는 데에만 수백, 수천 MB의 메모리를 소비하게 된다.

Task 클래스는 이 모든 문제를 푸는 데 도움이 된다. Task는 스레드보다 더 높은 수준의 추상이다. 하나의 Task 객체는 스레드로 구현될 수도 있고 아닐 수도 있는 하나의 동시적 연산(concurrent operation)을 대표한다. Task 객체는 조합할 수 있다(**연속**(continuation) 기능을 이용해서 여러 Task 객체들을 사슬처럼 이을 수 있다). Task 객체는 시동 잠복지연(startup latency)을 완화하기 위해 **스레드 풀**을 활용할 수 있다. 또한, TaskCompletionSource와 함께 사용하는 경우 콜백 방식으로도 활용할 수 있다. 즉, 스레드 없이도 I/O 한정 연산들을 기다리는 것이 가능하다.

Task 클래스와 관련 형식들은 .NET Framework 4.0에서 병렬 프로그래밍 라이브러리의 일부로 도입되었다. 그러나 이후 계속 개선되어서 이제는 좀 더 일반적인 동시성 시나리오들에서도 잘 작동하며(**대기자**의 활용을 통해서), C#의 비동기 함수들의 바탕이 되는 형식들로까지 자리 잡았다.

이번 장에서는 병렬 프로그래밍에 특화된 Task의 기능들은 무시한다. 그런 기능들은 제23장에서 다룬다.

Task를 이용한 동시 연산 시작

.NET Framework 4.5부터, 스레드 기반 Task 작업†을 시작하는 가장 쉬운 방법은 정적 메서드 Task.Run을 사용하는 것이다(Task 클래스는 System.Threading.Tasks 이름공간에 있다). 다음처럼 Action 형식의 대리자를 지정하기만 하면 된다.

```
Task.Run (() => Console.WriteLine ("Foo"));
```

Task.Run 메서드는 .NET Framework 4.5에서 도입되었다. .NET Framework 4.0에서는 Task.Factory.StartNew를 호출하면 된다. (대충 말하면, 전자는 후자의 단축 표기라 할 수 있다.)

Task 객체는 기본적으로 풀 스레드를 사용한다. 풀 스레드는 배경 스레드이므로, 주 스레드가 끝나면 프로그램이 생성한 Task 작업들도 모두 끝난다. 따라서 이번 절의 예제들을 콘솔 응용 프로그램 형태로 시험해 보려면 Task 작업을 띄운 후 반드시 주 스레드를 차단해야 한다(작업 객체에 대해 Wait를 호출하거나 Console.ReadLine으로 사용자 입력을 기다리는 등).

```
static void Main()
{
  Task.Run (() => Console.WriteLine ("Foo"));
  Console.ReadLine();
}
```

LINQPad의 이 책 관련 예제들에는 Console.ReadLine이 없는데, 이는 어차피 LINQPad 프로세스가 살아 있으면 배경 스레드들이 종료되지 않기 때문이다.

이런 식으로 Task.Run을 호출하는 것은 다음과 같이 스레드를 시동하는 것과 비슷하다(잠시 후에 이야기할 스레드 풀 관련 사항을 제외하면).

† (옮긴이) work나 job 등과의 변별력을 생각하면 task를 '작업' 대신 '과제' 같은 단어로 옮기는 것이 바람직하지만, 적어도 .NET Framework와 관련해서는 '작업'이라는 용어를 버리기가 힘들다. 왜냐하면, task-작업 조합은 Visual Studio나 MSDN 한국어판에 등장할 뿐만 아니라, 개발자들은 물론 일반 사용자에게도 노출되는 Windows 구성요소들에도 등장하기 때문이다. 대표적인 예가 '작업 관리자(Task Manger)'와 '작업 표시줄(Taskbar)'이다. 어쨌거나, 이 번역서에서는 넓은 의미의 '작업'(work와 job, task를 모두 아우르는)과 task에만 해당하는 '작업'을 구분해야 하는 경우 후자를 Task 객체, Task 작업, 작업 객체 등으로 부르기로 한다.

```
new Thread (() => Console.WriteLine ("Foo")).Start();
```

Task.Run은 하나의 Task 객체를 돌려준다. Thread 객체에서처럼, 그 객체를 이용해서 작업의 진행 상황을 조회할 수 있다. (그러나 Task.Run이 돌려준 객체에 대해 Start를 호출할 수는 없다. Task.Run은 소위 '뜨거운(이미 실행이 시작된)' 작업 객체를 돌려준다. '차가운' 작업 객체가 필요하다면 Task의 생성자를 직접 호출하면 되지만, 실제 응용에서 그럴 필요가 있는 경우는 드물다.)

한 Task 작업의 실행 상태는 해당 객체의 Status 속성으로 알아낼 수 있다.

Wait 메서드

어떤 작업 객체에 Wait를 호출하면 그 작업이 완료될 때까지 현재 스레드의 실행이 차단된다. 이는 어떤 스레드에 대해 Join을 호출하는 것과 비슷하다.

```
Task task = Task.Run (() =>
{
  Thread.Sleep (2000);
  Console.WriteLine ("Foo");
});
Console.WriteLine (task.IsCompleted);  // False
task.Wait();  // 작업이 완료될 때까지 차단됨
```

Wait에는 만료시간과 취소 토큰을 받는 버전이 있다. 이를 이용하면 작업이 완료되기 전에 대기를 끝낼 수 있다(이번 장의 '취소(p.760)' 참고).

오래 실행되는 작업

기본적으로 CLR은 작업 객체들을 풀 스레드에서 실행한다. 풀 스레드는 짧게 실행되는 계산량 한정 연산에 이상적이다. 오래 실행되는, 그리고 스레드를 차단하는 연산(조금 전 예제에 나온 것 같은)에서는 다음과 같이 풀 스레드를 사용하지 않도록 하는 것이 바람직하다.

```
Task task = Task.Factory.StartNew (() => ...,
                                   TaskCreationOptions.LongRunning);
```

오래 실행되는 Task 작업을 **하나만** 풀 스레드에서 돌리는 것은 별로 문제가 되지 않는다. 성능상의 문제는 그런 작업 객체들을 병렬로 여러 개 돌릴 때(특히 그중 일부가 실행을 차단할 때) 발생한다. 그런 상황에서는 TaskCreationOptions.LongRunning 대신 다음과 같은 해법들을 사용하는 것이 더 나은 경우가 많다.

- I/O 한정 연산의 경우에는 TaskCompletionSource와 **비동기 함수**들을 이용해서, 스레드 대신 콜백(연속 작업)으로 동시성을 구현한다.
- 계산량에 한정되는 연산에서는 **생산자/소비자 대기열**을 이용해서 그런 작업들의 동시성을 제한함으로써 다른 스레드나 프로세스들의 고갈을 피한다(제23장의 '생산자/소비자 대기열 작성(p.1222)' 참고).

작업 결과 반환

Task에는 Task<TResult>라는 제네릭 파생 클래스가 있다. 이 클래스의 인스턴스는 호출자에게 값을 돌려줄 수 있다. Task<TResult> 인스턴스를 생성하려면 Action 대신 Func<TResult> 형식의 대리자 객체(또는 그와 호환되는 람다식)로 Task.Run을 호출하면 된다.

```
Task<int> task = Task.Run (() => { Console.WriteLine ("Foo"); return 3; });
// ...
```

대리자의 반환값은 나중에 Result 속성으로 얻을 수 있다. 해당 작업이 아직 끝나지 않은 상태에서 이 속성에 접근하면, 작업이 끝날 때까지 현재 스레드가 차단된다.

```
int result = task.Result;      // 아직 끝나지 않았으면 차단됨
Console.WriteLine (result);    // 3
```

다음 예제는 LINQ를 이용해서 2에서 3백만까지의 정수들에 있는 소수素數(prime number)들의 개수를 세는 작업 객체를 생성한다.

```
Task<int> primeNumberTask = Task.Run (() =>
  Enumerable.Range (2, 3000000).Count (n =>
    Enumerable.Range (2, (int)Math.Sqrt(n)-1).All (i => n % i > 0)));

Console.WriteLine ("작업 실행 중...");
Console.WriteLine ("답은 " + primeNumberTask.Result);
```

이 예제를 실행하면 "작업 실행 중..."이 출력되고 몇 초 후에 "답은 216815"가 출력된다.

나중에, 즉 미래에 사용할 수 있게 될 결과(Result 속성)를 캡슐화한다는 점에서, Task<TResult> 인스턴스를 '미래(future)' 객체라고 생각해도 될 것이다.
실제로, 초기 CTP에서 Task와 Task<TResult>가 처음 등장했을 때 후자의 이름은 Future<TResult>였다.

예외

스레드와는 달리 작업 객체는 예외를 잘 전파한다. 작업 객체의 코드 안에서 발생한 예외가 처리되지 않으면(즉, 작업에 **장애**(fault)가 발생하면), CLR은 그 예외를 Wait를 호출하거나 Task<TResult>의 Result 속성에 접근한 코드 쪽으로 다시 던진다.

```
// NullReferenceException을 던지는 Task 객체를 시작한다.
Task task = Task.Run (() => { throw null; });
try
{
  task.Wait();
}
catch (AggregateException aex)
{
  if (aex.InnerException is NullReferenceException)
    Console.WriteLine ("Null!");
  else
    throw;
}
```

(병렬 프로그래밍 상황에서 예외가 잘 전파되게 하기 위해, CLR은 예외를 AggregateException으로 감싸서 전달한다. 이에 관해서는 제23장에서 이야기한다).

작업 객체에 장애가 있는지를 예외를 다시 던지지 않고도 파악할 수 있다. Task의 IsFaulted 속성과 IsCanceled 속성을 사용하면 된다. 만일 두 속성 모두 false이면 아무런 오류도 발생하지 않은 것이다. 만일 IsCanceled가 true이면 그 작업에서 OperationCanceledException 형식의 예외가 발생한 것이다('취소(p.760)' 참고). 만일 IsFaulted가 true이면 그 외의 예외가 발생한 것이며, 이 경우 Exception 속성을 통해서 오류의 종류를 알아낼 수 있다.

예외와 자율 작업

자율적인, "띄운 다음 그냥 잊어버리면 되는" 작업(즉, Wait 메서드나 Result 속성, 또는 이들에 해당하는 연속 작업(continuation task)을 통해서 현재 스레드와 합류하지 않을 작업)의 경우, 장애가 소리 없이 묻히지 않게 하려면 스레드에서처럼 작업 코드 자체에서 명시적으로 예외를 처리하는 것이 바람직하다.

자율 작업의 미처리 예외를 **관찰되지 않는 예외**(unobserved exceptions), 줄여서 미관찰 예외라고 부른다. CLR 4.0에서는 미관찰 예외가 발생하면 실제로 응용 프로그램이 종료된다(범위를 벗어난 작업 객체를 쓰레기 수거기가 수거할 때,

CLR은 객체의 종료자에서 그 예외를 다시 던진다). 알아채지 못했을 수도 있는 문제점을 드러내 준다는 점에서 이런 행동 방식은 프로그래머에게 도움이 되기도 했지만, 예외 발생 시점이 애매해서 오해의 여지가 많았다. 작업 객체에서 문제가 있는 코드가 실행되고 한참 후에야 쓰레기 수거기가 작동할 수도 있기 때문이다. 이것이 비동기성의 특정 패턴(이번 장의 '병렬성(p.752)'과 'WhenAll 메서드(p.766)' 참고)을 복잡하게 만든다는 점을 발견한 CLR 개발팀은 CLR 4.5에서 이런 행동 방식을 폐기했다.

어떤 결과를 얻지 못했다는 점을 나타내기만 하는 예외라면, 그리고 그 결과에 더 이상 관심이 없어진 상황이라면, 예외를 무시해도 무방하다. 예를 들어 사용자가 어떤 웹 페이지를 내려받으라고 요청했다가 그것을 취소했다면, 그 웹 페이지가 존재하지 않음을 알리는 예외는 무시해도 된다.

그러나 프로그램에 버그가 있음을 뜻하는 예외는 무시하지 않는 것이 좋다. 그 이유는 두 가지이다.

- 그 버그 때문에 프로그램이 유효하지 않은 상태가 될 수 있다.
- 그 버그 때문에 나중에 더 많은 예외가 발생할 수 있으며, 초기의 오류를 기록하지 않으면 진단이 어려워진다.

미관찰 예외를 전역 수준에서 잡으려면 정적 이벤트 `TaskScheduler.UnobservedTaskException`을 구독하면 된다. 이 이벤트에 대한 처리부에서 오류를 기록해 두는 것이 바람직하다.

미관찰 예외와 관련해서 놓치기 쉬운 미묘한 사항이 두 가지 있다.

- `Task` 객체의 작업이 끝나길 만료시간을 지정해서 기다릴 때, 만일 그 만료시간이 **지난 후에** 장애가 발생하면 미관찰 예외가 발생한다.
- `Task` 객체의 작업에 장애가 발생한 후에 `Exception` 속성을 조회하면 해당 예외가 '관찰되는 예외'로 바뀐다.

연속

연속(continuation)이란 작업 객체에게 "지금 하는 일을 마치면 계속해서 다른 일을 실행하라"고 지시하는 것이다. 일반적으로 연속 기능은 연산이 완료되었을 때 실행되는 콜백의 형태로 구현된다. 연속해서 실행될 콜백(줄여서 연속용 콜백)을 기존 작업 객체에 부착하는 방법은 두 가지이다. 첫 방법은 .NET Framework 4.5에 도입된 것으로, 잠시 후에 보겠지만 C#의 비동기 함수들을 사용한다는 점에서 특히나 의미가 크다. 다음은 이 방법을 보여주는 예로, 이전에 '작업 결과 반환(p.725)'의 예제에 나온 소수 세기를 연속 기능을 이용해서 다시 작성한 것이다.

```
Task<int> primeNumberTask = Task.Run (() =>
  Enumerable.Range (2, 3000000).Count (n =>
    Enumerable.Range (2, (int)Math.Sqrt(n)-1).All (i => n % i > 0)));

var awaiter = primeNumberTask.GetAwaiter();
awaiter.OnCompleted (() =>
{
  int result = awaiter.GetResult();
  Console.WriteLine (result);       // 결과를 출력한다.
});
```

작업 객체에 대해 GetAwaiter를 호출하면 **대기자**(awaiter) 객체가 반환된다. 이 객체에 대한 OnCompleted 호출은 **선행 작업**(antecedent task; 지금 예제에서는 primeNumberTask)이 완료되었을 때(또는 장애가 발생했을 때) 호출될 대리자를 지정한다. 이미 완료된 작업 객체에 대해 연속용 콜백을 부착해도 오류가 나지 않는다. 그런 경우 CLR은 그 콜백이 즉시 실행되도록 실행 일정을 잡는다.

> 앞의 예제에 나온 두 메서드(OnCompleted와 GetResult)를 제공하기만 한다면 어떤 객체도 **대기자**로 사용할 수 있다. 그런 모든 멤버를 단일하게 통합하는 인터페이스나 기반 클래스는 없다(단, OnCompleted는 INotifyCompletion 인터페이스의 일부이다). 이 패턴의 의미는 이번 장의 'C#의 비동기 함수(p.739)'에서 설명하겠다.

선행 작업에 장애가 발생한 경우, 연속 코드에서 awaiter.GetResult를 호출하면 예외가 다시 던져진다. GetResult를 호출하는 대신 그냥 선행 작업 객체의 Result 속성을 통해서 작업 결과를 얻을 수도 있다. GetResult 호출의 장점은, 선행 작업에 장애가 있는 경우 예외가 AggregateException으로 재포장되지 않고 그대로 던져진다는 것이다. 그 덕분에 catch 블록들을 좀 더 간단하고 깔끔하게 작성할 수 있다.

비제네릭 작업 객체의 경우 GetResult의 반환 형식은 void이다. 이 경우 GetResult의 유용한 기능은 그냥 예외들을 다시 던진다는 것뿐이다.

동기화 문맥이 존재하는 경우 OnCompleted는 그것을 자동으로 갈무리해서 해당 문맥에 대한 연속용 콜백에 전달한다. 이는 리치 클라이언트 응용 프로그램에서 아주 유용한 기능이다. 이를 통해서 동기화 문맥을 UI 스레드에까지 전달할 수 있기 때문이다. 그러나 라이브러리를 작성할 때에는 이것이 별 도움이 되지 않는 경우가 많다. 비교적 비용이 많이 드는 'UI 스레드 문맥 전달'은 라이브러리를 벗어날 때 한 번만 수행되어야지, 메서드 호출마다 수행되어서는 부담이 크기 때문이다. 그런 경우에는 다음처럼 ConfigureAwait 메서드를 이용해서 해당 기능을 비활성화하는 것이 좋다.

```
var awaiter = primeNumberTask.ConfigureAwait (false).GetAwaiter();
```

동기화 문맥이 없다면, 또는 ConfigureAwait(false)를 사용했다면, 연속용 콜백은 (일반적으로) 선행 작업과 같은 스레드에서 실행되므로 문맥 전환 비용이 발생하지 않는다.

작업 객체의 ContinueWith 메서드를 이용해서 연속용 콜백을 작업 객체에 부착할 수도 있다.

```
primeNumberTask.ContinueWith (antecedent =>
{
  int result = antecedent.Result;
  Console.WriteLine (result);          // 123을 출력한다.
});
```

ContinueWith 자체는 하나의 Task 객체를 돌려준다. 이 '연속 작업' 객체는 또 다른 연속용 콜백을 부착하려는 경우에 유용하다. 그러나 이 작업 객체에서 장애가 발생할 여지가 있다면 AggregateException을 직접 처리하는 예외 처리부를 작성해 주어야 하며, UI 응용 프로그램에서는 연속 작업을 인도(마샬링)하는 코드도 추가로 작성해야 한다(제23장의 '작업 스케줄러(p.1213)' 참고). 그리고 비 UI 문맥에서는, 만일 연속 작업이 같은 스레드에서 실행되게 하고 싶다면 반드시 TaskContinuationOptions.ExecuteSynchronously를 지정해야 한다. 그렇게 하지 않으면 연속용 콜백은 풀 스레드에서 실행된다. ContinueWith는 병렬 프로그래밍 시나리오에서 특히나 유용하다. 이에 관해서는 제23장의 '연속 작업(p.1207)'에서 자세히 다룬다.

TaskCompletionSource 클래스

풀 스레드(또는 보통의 스레드)에서 대리자를 실행하는 작업 객체를 Task.Run 메서드를 이용해서 생성하는 방법은 앞에서 보았다. 그 밖에, TaskCompletion Source 클래스를 이용해서 작업 객체를 생성할 수도 있다.

TaskCompletionSource를 이용하면 어떤 연산을 지금 바로가 아니라 잠시 후에 시작하는 작업 객체를 생성할 수 있다. 그 작업 객체는 일종의 '생산자'에 해당하며, 작업이 끝났거나 장애가 생겨서 더 이상 진행하지 못하게 되면 그 사실을 알려준다. 이는 I/O 한정 연산에 이상적이다. 연산이 진행되는 동안 스레드를 차단하지 않고도 작업 객체의 모든 장점(특히 결과 반환, 예외 전파, 연속 기능)을 누릴 수 있다.

TaskCompletionSource를 사용하는 방법은 간단하다. 원하는 결과 형식을 지정해서 TaskCompletionSource의 인스턴스를 생성하면 된다. 그 인스턴스의 Task 속성은 작업 객체 하나를 돌려주는데, 다른 작업 객체들과 마찬가지 방식으로 작업의 완료를 기다리거나 연속용 콜백을 부착할 수 있다. 다른 작업 객체들과의 차이점은, TaskCompletionSource 인스턴스의 여러 메서드를 통해서 작업의 진행을 제어할 수 있다는 것이다. 그런 메서드들은 다음과 같다.

```
public class TaskCompletionSource<TResult>
{
  public void SetResult (TResult result);
  public void SetException (Exception exception);
  public void SetCanceled();

  public bool TrySetResult (TResult result);
  public bool TrySetException (Exception exception);
  public bool TrySetCanceled();
  public bool TrysetCanceled (CancellationToken cancellationToken);
  ...
}
```

이 메서드 중 하나를 호출하면 작업 객체가 **신호를 받으며**, 그러면 작업 객체는 작업 완료 상태나 장애 상태, 취소 상태 중 하나로 귀결된다(취소 상태에 관해서는 '취소(p.760)' 절에서 이야기하겠다). 이 메서드들은 하나의 TaskCompletionSource 인스턴스에 대해 딱 한 번만 호출하도록 설계되어 있다. SetResult와 SetException, SetCanceled는 두 번째 호출부터 예외를 던지고, Try* 메서드들은 두 번째 호출부터 항상 false를 돌려준다.

다음 예제는 5초 대기 후 42를 출력한다.

```
var tcs = new TaskCompletionSource<int>();

new Thread (() => { Thread.Sleep (5000); tcs.SetResult (42); })
  { IsBackground = true }
  .Start();
```

```
Task<int> task = tcs.Task;          // '생산자' 작업 객체
Console.WriteLine (task.Result);    // 42
```

다음 예에서 보듯이, TaskCompletionSource에서는 Run 메서드를 직접 사용할 수 있다.

```
Task<TResult> Run<TResult> (Func<TResult> function)
{
  var tcs = new TaskCompletionSource<TResult>();
  new Thread (() =>
  {
    try { tcs.SetResult (function()); }
    catch (Exception ex) { tcs.SetException (ex); }
  }).Start();
  return tcs.Task;
}
...
Task<int> task = Run (() => { Thread.Sleep (5000); return 42; });
```

이 메서드를 호출하는 것은 TaskCreationOptions.LongRunning 옵션을 지정해서(풀 스레드가 아닌 보통 스레드를 사용하기 위해) Task.Factory.StartNew를 호출하는 것에 상응한다.

TaskCompletionSource의 진정한 위력은 스레드를 점유하지 않는 작업 객체를 생성하는 데 있다. 예를 들어 5초 기다린 후 42라는 수치를 돌려주는 작업을 생각해 보자. Timer 클래스를 이용하면 스레드 없이도 그런 작업을 구현할 수 있다. Timer 객체는 CLR의 기능을 이용해서(그리고 CLR은 운영체제의 기능을 이용해서) *x*밀리초가 지나면 이벤트를 발동한다.

```
Task<int> GetAnswerToLife()
{
  var tcs = new TaskCompletionSource<int>();
  // 5000ms가 지나면 이벤트를 발동하는 타이머를 생성한다.
  var timer = new System.Timers.Timer (5000) { AutoReset = false };
  timer.Elapsed += delegate { timer.Dispose(); tcs.SetResult (42); };
  timer.Start();
  return tcs.Task;
}
```

이 메서드는 5초 후에 완료되며 42라는 결과를 반환하는 하나의 작업 객체를 돌려준다. 이 작업 객체에 연속용 콜백을 부착함으로써, 그 어떤 스레드도 차단하지 않고도 원하는 결과가 출력되게 할 수 있다.

```
var awaiter = GetAnswerToLife().GetAwaiter();
awaiter.OnCompleted (() => Console.WriteLine (awaiter.GetResult()));
```

지연 시간을 매개변수로 지정하게 하고 반환값을 제거해서, 이를 좀 더 유용한 범용 메서드로 만들어 보기로 하자. 메서드 이름은 Delay가 적당하겠다. 그러한 메서드는 Task<int> 대신 Task 객체를 돌려주어야 할 것이다. 그러나 TaskCompletionSource의 비제네릭 버전이 없으므로, 비제네릭 Task 인스턴스를 직접 생성할 수는 없다. 우회책은 간단하다. Task<TResult>는 Task를 파생하므로, TaskCompletionSource<*임의의_형식*> 인스턴스를 생성한 후 그것을 Task<*임의의_형식*>으로 암묵적으로 변환해서 Task 객체를 얻으면 된다. 예를 들면 다음과 같다.

```
var tcs = new TaskCompletionSource<object>();
Task task = tcs.Task;
```

다음은 이상의 논의를 반영한 범용 Delay 메서드이다.

```
Task Delay (int milliseconds)
{
  var tcs = new TaskCompletionSource<object>();
  var timer = new System.Timers.Timer (milliseconds) { AutoReset = false };
  timer.Elapsed += delegate { timer.Dispose(); tcs.SetResult (null); };
  timer.Start();
  return tcs.Task;
}
```

이제 5초 후 '42'를 기록하는 연산을 다음과 같이 표현할 수 있다.

```
Delay (5000).GetAwaiter().OnCompleted (() => Console.WriteLine (42));
```

이처럼 TaskCompletionSource를 스레드 없이 사용하면, 스레드는 오직 5초 후에 연속용 콜백이 시작될 때에만 관여한다. 이 덕분에, 다음처럼 그런 연산들을 10,000개 띄워도 오류나 과도한 자원 소비 문제가 발생하지 않는다.

```
for (int i = 0; i < 10000; i++)
  Delay (5000).GetAwaiter().OnCompleted (() => Console.WriteLine (42));
```

타이머는 등록된 콜백을 풀 스레드에서 실행하므로, 스레드 풀은 5초 후에 TaskCompletionSource에 대해 SetResult(null)을 호출하라는 요청을 10,000개나 받게 된다. 만일 그런 요청들이 자신의 처리 능력을 넘는 속도로 밀려오면, 스레드 풀은 그 요청들을 대기열에 집어넣고 CPU에 대한 최적의 병렬성 수준에 맞는 속도로 처리함으로써 상황에 대처한다. 스레드에 묶이는(스레드로 실행할) 연산들이 짧게 끝나는 경우에는 이런 방식이 이상적이다.

지금 예가 그런 경우에 해당한다. 스레드에 묶이는 연산은 그냥 SetResult를 호출하고 연속용 콜백을 실행할(Console.WriteLine (42)) 뿐이다(UI 응용 프로그램이라면 연속용 콜백을 동기화 문맥에 전달하게 될 것이다).

Task.Delay 메서드

방금 작성한 Delay 메서드는 아주 유용하다. 실제로 Task 클래스에는 그 Delay와 같은 일을 하는 정적 메서드 Delay가 있다. 이 메서드는 이를테면

```
Task.Delay (5000).GetAwaiter().OnCompleted (() => Console.WriteLine (42));
```

나

```
Task.Delay (5000).ContinueWith (ant => Console.WriteLine (42));
```

처럼 사용한다. 이 Task.Delay는 Thread.Sleep의 **비동기** 버전이라 할 수 있다.

비동기성의 원칙들

TaskCompletionSource를 설명하는 과정에서 우리는 Delay라는 **비동기**(asynchronous) 메서드까지 작성해 보았다. 이번 절에서는 비동기 연산이 정확히 무엇인지 정의하고, 비동기 연산들을 이용해서 비동기 프로그래밍을 수행하는 방법을 살펴본다.

동기적 연산 대 비동기 연산

동기적 연산(synchronous operation)은 자신이 할 일을 마친 후에 실행의 흐름을 호출자에게 반환하는 연산이다.

비동기적 연산(asynchronous operation) 또는 비동기 연산은 자신이 할 일(의 대부분)을 다 마치기 전에 실행의 흐름을 호출자에게 반환한다.

독자가 앞으로 작성하고 호출할 대부분의 메서드는 동기적 연산에 해당한다. List<T>.Add나 Console.WriteLine, Thread.Sleep이 그러한 예이다. 비동기 메서드는 그보다 드물다. 비동기 메서드는 호출자와 병렬로 작업을 수행한다. 즉, 비동기 메서드는 **동시성**(concurrency)을 도입한다. 일반적으로 비동기 메서드는 호출자에게 빨리(또는 즉시) 반환된다. 그래서 비동기 메서드를 **비차단 메서드**(nonblocking methods)라고 부르기도 한다.

지금까지 본 대부분의 비동기 메서드는 '범용' 메서드라 할 수 있다. 특히 다음 메서드들이 그렇다.

- Thread.Start
- Task.Run
- 연속용 콜백을 작업 객체에 부착하는 메서드들

그 외에, 이전에 '동기화 문맥(p.718)'에서 논의한 Dispatcher.BeginInvoke, Control.BeginInvoke, SynchronizationContext.Post와 'TaskCompletionSource 클래스(p.729)'에서 작성한 여러 메서드(Delay 등)도 비동기 메서드이다.

비동기 프로그래밍이란 무엇인가?

비동기 프로그래밍의 원칙은, 오래 실행되는(또는 오래 실행될 가능성이 있는) 함수는 비동기 연산의 형태로 작성하라는 것이다. 이는, 오래 실행되는 함수를 그냥 동기적으로 작성하고, 필요하다면 새 스레드나 작업 객체에서 그런 함수를 호출함으로써 동시성을 도입하는 전통적인 접근방식과 대조된다.

그러한 전통적인 접근방식에 비한 비동기적 접근방식의 차이점은, 동시성이 함수 **외부**가 아니라 **내부**에서 시작한다는 것이다. 이로부터 다음 두 가지 장점이 비롯된다.

- 스레드에 묶이지 않고도 I/O에 한정되는 동시성을 구현할 수 있다('TaskCompletionSource 클래스(p.729)'에서 보았듯이). 그러면 규모가변성(scalability)과 효율성이 향상된다.
- 리치 클라이언트 응용 프로그램 작성 시 일꾼 스레드를 다루는 코드의 양을 줄일 수 있으며, 그러면 스레드 안전성을 보장하기가 쉬워진다.

이러한 장점들은 비동기 프로그래밍의 두드러진 용도 두 가지로 이어진다. 하나는 동시적 입출력 연산을 효율적으로 수행해야 하는 응용 프로그램(주로 서버 쪽)을 작성하는 것이다. 이때 난제는 스레드 **안전성**이 아니라(공유 상태를 최소한으로만 사용하므로), 스레드 **효율성**이다. 특히, 네트워크 요청 하나당 스레드 하나를 소비하는 방식을 피할 필요가 있다. 이 때문에, 이런 문맥에서 비동기성의 혜택을 받는 것은 I/O 한정 연산들뿐이다.

둘째 용도는 리치 클라이언트에서 스레드 안전성 문제를 단순화하는 것이다. 이는 프로그램의 덩치가 커짐에 따라 특히나 중요한 문제가 된다. 응용 프로그램이 커짐에 따라 증가하는 복잡도를 다스리기 위해 흔히 큰 메서드를 더 작은 메서드들로 리팩터링하는데, 그러면 메서드들이 메서드들을 연쇄적으로 호출하는 '메서드들의 사슬(chain of methods)'들이 생겨나기 때문이다. 그런 사슬들은 하나의 **호출 그래프**(call graph)를 형성한다.

전통적인 **동기적** 접근방식에서는, 호출 그래프에 오래 실행되는 연산이 끼어 있는 경우 UI의 반응성을 보장하려면 호출 그래프 전체를 스레드에서 실행해야 한다. 결과적으로 하나의 동시적 연산에 다수의 메서드들이 관여하게 되며(**성긴 동시성**(course-grained concurrency)), 프로그래머는 호출 그래프의 모든 메서드에 대해 스레드 안전성을 고려해야 한다.

그러나 **비동기적** 접근방식에서는 호출 그래프 전체를 스레드에서 실행할 필요가 없다. 그럴 필요가 있는 메서드에 대해서만 스레드를 띄우면 된다(일반적으로 스레드가 필요한 메서드는 그래프의 아래쪽에 있으며, I/O 한정 연산의 경우에는 그런 메서드가 아예 없을 수도 있다). 다른 모든 메서드는 모두 UI 스레드에서 실행할 수 있으며, 따라서 스레드 안전성이 훨씬 간단해진다. 이런 접근방식은 **세밀한 동시성**(fine-grained concurrency), 즉 작은 동시적 연산들로 이루어지며 그 실행이 UI 스레드와 개별 스레드를 오가는 형태의 동시성으로 이어진다.

이러한 동시성이 이득이 되려면 I/O 한정 연산들과 계산량 한정 연산들 모두를 비동기적으로 작성할 필요가 있다. 대략적인 원칙은, 50ms 이상 걸리는 것은 모두 비동기적으로 작성하라는 것이다. (한편, **과도하게** 세밀한 비동기성은 성능에 해가 될 수 있다. 비동기 연산들이 추가부담을 유발하기 때문이다. 이에 관해서는 '최적화(p.756)'를 참고하기 바란다.)

이번 장에서는 두 용도 중 더 복잡한 리치 클라이언트 시나리오에 주로 초점을 둔다. I/O 한정 연산에 관해서는 제16장에서 두 가지 예('TCP와 동시성(p.877)'과 'HTTP 서버 작성(p.866)')를 보게 될 것이다.

Windows 스토어(그리고 Silverlight) .NET 프로파일들은 몇몇 오래 실행되는 메서드의 동기적 버전을 아예 노출하지 않을 정도로 비동기 프로그래밍을 권장한다. 그런 프로파일들에서는 작업 객체(또는 AsTask 확장 메서드를 통해서 작업 객체로 변환할 수 있는 객체)를 돌려주는 비동기 메서드들을 사용해야 한다.

비동기 프로그래밍과 연속 기능

작업 객체는 비동기성에 필수인 연속 기능을 지원한다는 점에서 비동기 프로그래밍에 아주 적합하다. 'TaskCompletionSource 클래스(p.729)' 절에서 작성한 Delay 메서드가 그 점을 보여주는 예이다. Delay에서는 TaskCompletionSource를 이용해서 작업 객체를 생성했다. TaskCompletionSource는 '최하 수준' I/O 한정 비동기 메서드를 작성하는 표준적인 수단이다.

한편, 계산량 한정 메서드에서는 Task.Run을 이용해서 스레드 기반 동시성을 실현한다. 만일 그 메서드가 호출자에게 일찍(연산을 다 마치지 않고) 작업 객체를 돌려준다면, 그 메서드는 비동기 메서드이다. 비동기 프로그래밍의 특징은, 호출 그래프의 더 낮은 수준에서 그런 식으로 실행의 흐름을 호출자에게 돌려주려 한다는 것이다. 그렇게 하면, 예를 들어 리치 클라이언트 응용 프로그램에서 상위 수준의 메서드들이 여전히 UI 스레드에 남아서 UI 컨트롤들과 공유 상태에 접근할 수 있으며, 그래도 스레드 안전성에 문제가 생기지 않게 만들 수 있다. 이해를 돕기 위해, 가용 CPU 코어들을 모두 활용해서 소수들의 개수를 세는 다음과 같은 메서드를 생각해 보자(ParallelEnumerable은 제23장에서 논의한다).

```
int GetPrimesCount (int start, int count)
{
  return
    ParallelEnumerable.Range (start, count).Count (n =>
      Enumerable.Range (2, (int)Math.Sqrt(n)-1).All (i => n % i > 0));
}
```

이 메서드의 구현 세부사항은 중요하지 않다. 중요한 것은 이 메서드의 연산이 완료되기까지 시간이 좀 걸린다는 점이다. 이제 다음과 같은 메서드로 이 메서드를 실행해 보자.

```
void DisplayPrimeCounts()
{
  for (int i = 0; i < 10; i++)
    Console.WriteLine (GetPrimesCount (i*1000000 + 2, 1000000) +
      " primes between " + (i*1000000) + " and " + ((i+1)*1000000-1));
  Console.WriteLine ("Done!");
}
```

출력은 다음과 같다.

```
78498 primes between 0 and 999999
70435 primes between 1000000 and 1999999
```

```
67883 primes between 2000000 and 2999999
66330 primes between 3000000 and 3999999
65367 primes between 4000000 and 4999999
64336 primes between 5000000 and 5999999
63799 primes between 6000000 and 6999999
63129 primes between 7000000 and 7999999
62712 primes between 8000000 and 8999999
62090 primes between 9000000 and 9999999
```

이상의 코드는 DisplayPrimeCounts가 GetPrimesCount를 호출하는 관계로 구성된 하나의 **호출 그래프**를 형성한다. 단순함을 위해 DisplayPrimeCounts는 그냥 Console.WriteLine을 호출하지만, 리치 클라이언트 응용 프로그램에서는 UI 컨트롤들을 갱신하는 코드를 수행하는 것이 더 현실적이다(그런 예제가 잠시 후에 나온다). 이러한 호출 그래프를 다음처럼 실행하면 성긴(세밀도가 낮은) 동시성이 실현된다.

```
Task.Run (() => DisplayPrimeCounts());
```

세밀한 동시성을 위해서는, 먼저 GetPrimesCount의 비동기 버전을 작성해야 한다.

```
Task<int> GetPrimesCountAsync (int start, int count)
{
  return Task.Run (() =>
    ParallelEnumerable.Range (start, count).Count (n =>
      Enumerable.Range (2, (int) Math.Sqrt(n)-1).All (i => n % i > 0)));
}
```

언어 차원의 지원이 중요한 이유

다음으로, 방금 작성한 GetPrimesCount**Async**를 호출하도록 DisplayPrimeCounts를 수정해야 한다. 이때 C#의 새로운 키워드인 await와 async가 중요한 역할을 한다. 이 키워드들 없이 세밀한 동시성을 달성하기란 쉽지 않다. DisplayPrimeCounts의 루프를 그냥 다음과 같이 수정한다고 하자.

```
for (int i = 0; i < 10; i++)
{
  var awaiter = GetPrimesCountAsync (i*1000000 + 2, 1000000).GetAwaiter();
  awaiter.OnCompleted (() =>
    Console.WriteLine (awaiter.GetResult() + " primes between... "));
}
Console.WriteLine ("Done");
```

그러면 이 루프는 빠르게(메서드들이 비차단이므로) 10번 회전하며, 10개의 비동기 연산들이 모두 병렬로 실행된다(그래서 소수 개수들보다 "Done"이 먼저 출력될 수도 있다).

지금 예에서 이 작업들을 병렬로 실행하는 것은 바람직하지 않다. 어차피 해당 연산의 내부 구현들이 이미 병렬화되어 있기 때문이다. 이런 식으로 하면 그냥 첫 결과가 더 늦게 나타날 뿐이다(게다가 결과들의 순서도 뒤죽박죽이 된다).
그런데 작업들의 실행을 **직렬화**하는 것이 바람직한 좀 더 일반적인 상황이 존재한다. 바로, 작업 객체 B가 작업 객체 A의 결과에 의존하는 경우이다. 예를 들어 웹 페이지를 내려받으려면 DNS 조회를 HTTP 요청보다 먼저 실행해야 한다.

이들을 직렬로, 즉 차례로 실행하려면 연속용 콜백 자체에서 다음번 루프 반복을 유발해야 한다. 그렇게 하려면 for 루프를 제거하고, 연속용 콜백에서 재귀 호출을 이용해서 실행을 반복해야 하므로 코드가 좀 더 복잡해진다.

```
void DisplayPrimeCounts()
{
  DisplayPrimeCountsFrom (0);
}

void DisplayPrimeCountsFrom (int i)
{
  var awaiter = GetPrimesCountAsync (i*1000000 + 2, 1000000).GetAwaiter();
  awaiter.OnCompleted (() =>
  {
    Console.WriteLine (awaiter.GetResult() + " primes between...");
    if (i++ < 10) DisplayPrimeCountsFrom (i);
    else Console.WriteLine ("Done");
  });
}
```

만일 DisplayPrimesCount 자체를 비동기화하려면, 즉 DisplayPrimesCount가 작업 완료 시 신호를 보내는 작업 객체를 돌려주게 하려면 상황이 더욱 복잡해진다. 이를 위해서는 다음처럼 TaskCompletionSource 인스턴스를 생성할 필요가 있다.

```
Task DisplayPrimeCountsAsync()
{
  var machine = new PrimesStateMachine();
  machine.DisplayPrimeCountsFrom (0);
  return machine.Task;
}

class PrimesStateMachine
{
```

```
TaskCompletionSource<object> _tcs = new TaskCompletionSource<object>();
public Task Task { get { return _tcs.Task; } }

public void DisplayPrimeCountsFrom (int i)
{
  var awaiter = GetPrimesCountAsync (i*1000000+2, 1000000).GetAwaiter();

  awaiter.OnCompleted (() =>
  {
    Console.WriteLine (awaiter.GetResult());
    if (i++ < 10) DisplayPrimeCountsFrom (i);
    else { Console.WriteLine ("Done"); _tcs.SetResult (null); }
  });
}
}
```

다행히 C#의 **비동기 함수** 기능을 이용하면 이 모든 일이 자동으로 일어난다. 기존 메서드에 다음과 같이 async 키워드와 await 키워드를 추가하기만 하면 된다.

```
async Task DisplayPrimeCountsAsync()
{
  for (int i = 0; i < 10; i++)
    Console.WriteLine (await GetPrimesCountAsync (i*1000000 + 2, 1000000) +
      " primes between " + (i*1000000) + " and " + ((i+1)*1000000-1));
  Console.WriteLine ("Done!");
}
```

이 예에서 보듯이, 코드의 복잡도를 많이 증가하지 않고 비동기성을 구현하려면 async와 await가 필수이다. 그럼 이 키워드들의 작동 방식을 좀 더 자세히 살펴보자.

이 문제를 바라보는 또 다른 관점은, 명령식(imperative) 루프 구조(for, foreach 등)가 연속 기능과는 잘 맞지 않는다는 것이다. 이는 기본적으로 루프 구조가 메서드의 **현재 지역 상태**("루프를 몇 번 더 반복해야 하는가?")에 의존하기 때문이다.

async와 await가 하나의 해결책을 제공하지만, 명령식 루프 구조를 **함수적** 구조로 바꾸는(.NET의 경우 간단히 말해서 LINQ 질의를 사용하는) 것도 하나의 해결책이다. *Reactive Framework*(Rx)가 바로 그러한 접근방식을 바탕으로 한다. Rx를 사용하지 않더라도, 결과에 대해 질의 연산자들을 실행하려 하거나 여러 순차열을 결합하려는 경우에는 그런 접근방식이 좋은 선택일 수 있다. 한 가지 단점은, Rx는 차단을 피하려고 **밀어넣기**(push) 기반 순차열을 사용하는데, 그러한 개념을 이해하기가 조금 어려울 수 있다는 것이다.

C#의 비동기 함수

C# 5.0에는 async와 await라는 키워드들이 도입되었다. 이 키워드들을 이용하면 동기적 코드와 같은 구조를 가진 비동기적 코드를 동기적 코드만큼이나 간단하게

작성할 수 있다. 따라서 비동기 프로그래밍에 필요한 '배관 연결(plumbing)' 부담이 사라진다.

await 키워드를 이용한 대기

await 키워드는 연속용 콜백의 부착을 단순화한다. 간단한 예로, 컴파일러는 다음과 같은 코드를

```
var 결과 = await 표현식;
문장(들);
```

기능상으로 다음에 해당하는 코드로 바꾸어서 컴파일한다.

```
var awaiter = 표현식.GetAwaiter();
awaiter.OnCompleted (() =>
{
  var 결과 = awaiter.GetResult();
  문장(들);
});
```

컴파일러는 또한 동기적 완료 시 연속용 콜백을 생략하는('최적화(p.756)' 참고) 코드와 이후의 절들에서 살펴볼 여러 미묘한 사항을 처리하는 코드도 생성한다.

이해를 돕기 위해, 앞에서 소수들의 개수를 세는 비동기 메서드를 다시 살펴보자.

```
Task<int> GetPrimesCountAsync (int start, int count)
{
  return Task.Run (() =>
    ParallelEnumerable.Range (start, count).Count (n =>
      Enumerable.Range (2, (int)Math.Sqrt(n)-1).All (i => n % i > 0)));
}
```

다음은 await 키워드를 이용해서 이 메서드를 호출하는 예이다.

```
int result = await GetPrimesCountAsync (2, 1000000);
Console.WriteLine (result);
```

이 코드가 컴파일되려면, 이 코드를 포함한 메서드에 async 수정자를 추가해야 한다.

```
async void DisplayPrimesCount()
{
  int result = await GetPrimesCountAsync (2, 1000000);
  Console.WriteLine (result);
}
```

메서드 안에 있는 await에 중의성이 있는 경우, 즉 이를 식별자로 해석할 수도 있고 키워드로 해석할 수도 있는 경우, 만일 해당 메서드에 async 수정자가 지정되어 있으면 C# 컴파일러는 await를 키워드로 간주한다(이는 C# 5 이전에 작성된, await를 식별자로 사용하는 메서드도 오류 없이 컴파일되게 하기 위한 것이다). async 수정자는 반환 형식이 지금처럼 void이거나 Task, Task<TResult>인 메서드(그리고 람다식)에만 적용할 수 있다(반환 형식이 Task, Task<TResult>인 경우는 잠시 후에 나온다).

unsafe 수정자처럼, async 수정자는 메서드의 서명이나 공용 메타자료에 아무런 영향을 미치지 않는다. 이 수정자는 오직 메서드 **안에서** 일어나는 일에만 영향을 준다. 그래서 인터페이스에서 async를 사용하는 것은 별로 의미가 없다. 그렇긴 하지만, 예를 들어 async가 아닌 가상 메서드를 재정의할 때 async를 도입하는 것은 적법하다. 물론 서명은 동일하게 유지해야 한다.

async 수정자가 지정된 메서드를 **비동기 함수**라고 부른다. 그런 메서드는 그 자체가 비동기적인 경우가 많기 때문이다. 왜 그런지는 비동기 함수를 거치는 실행의 흐름을 살펴보면 이해가 될 것이다.

await가 지정된 표현식을 만나면 (보통은) 실행(의 흐름)이 메서드를 떠나서 호출자로 반환된다. 이는 반복자의 yield return 문과 상당히 비슷하다. 그런데 반환 전에 CLR은 대기 중인 작업 객체에 연속용 콜백을 부착한다. 이에 의해, 작업이 완료되면 실행이 이전에 메서드를 떠났던 지점으로 돌아온다. 만일 작업에 장애가 발생하면 해당 예외가 다시 던져지고, 그렇지 않으면 반환값이 await 표현식에 배정된다. 앞의 비동기 메서드를 지금까지 설명한 과정에 맞게 확장하면 다음과 같은 모습이 된다.

```
void DisplayPrimesCount()
{
  var awaiter = GetPrimesCountAsync (2, 1000000).GetAwaiter();
  awaiter.OnCompleted (() =>
  {
    int result = awaiter.GetResult();
    Console.WriteLine (result);
  });
}
```

일반적으로 await 키워드는 하나의 Task 작업 객체를 산출하는 표현식에 붙인다. 그러나 컴파일러는 **대기 가능 객체**(awaitable object; INotifyCompletion.

OnCompleted를 구현하며 적절한 형식이 지정된 GetResult 메서드와 bool 형식의 IsCompleted 속성을 갖춘 클래스의 인스턴스)를 돌려주는 GetAwaiter 메서드를 갖춘 객체를 산출하는 표현식이라면 그 어떤 것이라도 await를 허용한다.

지금 예에서 await 표현식이 최종적으로 하나의 int 값으로 평가된다는 점을 주목하기 바란다. 이는 대기하려는 표현식이 Task<int> 객체에 해당하며, 그 객체에 대한 GetAwaiter().GetResult()가 int를 돌려주기 때문이다.

비제네릭 Task 객체를 기다리는 것도 적법하다. 이 경우 해당 표현식은 void 표현식이다.

```
await Task.Delay (5000);
Console.WriteLine ("5초가 지났음!");
```

지역 상태 갈무리

await 표현식의 진정한 위력은, 코드에서 await 표현식을 거의 아무 곳에서나 사용할 수 있다는 점이다. 구체적으로, await 표현식은 lock 표현식이나 unsafe 문맥 또는 실행 파일의 진입점(main 메서드 등) 내부를 제외할 때, 비동기 함수 안에서 보통의 표현식을 둘 수 있는 곳이면 어떤 곳에도 둘 수 있다.

다음은 루프 안에 await 표현식을 둔 예이다.

```
async void DisplayPrimeCounts()
{
  for (int i = 0; i < 10; i++)
    Console.WriteLine (await GetPrimesCountAsync (i*1000000+2, 1000000));
}
```

GetPrimesCountAsync가 처음 실행되면, await 표현식에 의해 실행의 흐름이 호출자로 돌아온다. GetPrimesCountAsync의 작업이 끝나면(또는 장애가 발생하면) 이전에 실행이 떠났던 곳에서 실행이 재개되는데, 그 문맥에는 지역 변수들과 루프 카운터들의 값들이 유지되어 있다.

await 키워드 없이 이런 비동기 메서드를 작성하려 한다면, '언어 차원의 지원이 중요한 이유(p.737)'에 나온 형태의 코드가 최선일 것이다. 그러나 컴파일러는 그런 메서드를 상태기계(state machine)로 리팩터링하는 좀 더 일반적인 전략(반복자를 처리할 때와 비슷한 방식의)을 취한다.

컴파일러는 await 표현식 이후에 실행을 재개하기 위해 연속용 콜백(대기자 패턴을 통한)을 활용한다. 따라서, 만일 리치 클라이언트 응용 프로그램의 UI 스레드에서 이런 비동기 함수를 실행한다면, 동기화 문맥에 의해 실행이 UI 스레드에서 재개된다. 그 외의 경우에는 실제로 연산을 완료한 스레드에서 실행이 재개된다. 스레드 변경이 실행 순서에 영향을 미치지는 않으며, 스레드 친화도에 의존하는 어떤 특별한 논리(이를테면 제22장에서 설명하는 '스레드 지역 저장소(p.1161)'를 이용하는)를 사용하지 않는 한, 스레드가 바뀌지 않을 때와 다를 바가 없다. 이는 마치 어떤 도시로 여행을 가서 한 지점에서 다른 지점으로 택시를 타고 가는 것과 비슷하다. 동기화 문맥이 작용할 때에는 항상 같은 택시를 타게 되고, 동기화 문맥이 없으면 매번 다른 택시를 탈 가능성이 크다. 어떤 경우이든 여정 자체는 동일하다.

UI 스레드 안에서의 대기

비동기 함수의 좀 더 현실적인 용법을 보여주기 위해, 계산량 한정 메서드를 실행하는 도중에도 여전히 반응성을 유지하는 간단한 UI의 예를 제시하겠다. 우선 동기적 해법부터 보자.

```
class TestUI : Window
{
  Button _button = new Button { Content = "Go" };
  TextBlock _results = new TextBlock();

  public TestUI()
  {
    var panel = new StackPanel();
    panel.Children.Add (_button);
    panel.Children.Add (_results);
    Content = panel;
    _button.Click += (sender, args) => Go();
  }

  void Go()
  {
    for (int i = 1; i < 5; i++)
      _results.Text += GetPrimesCount (i * 1000000, 1000000) +
        " primes between " + (i*1000000) + " and " + ((i+1)*1000000-1) +
        Environment.NewLine;
  }

  int GetPrimesCount (int start, int count)
  {
    return ParallelEnumerable.Range (start, count).Count (n =>
```

```
        Enumerable.Range (2, (int) Math.Sqrt(n)-1).All (i => n % i > 0));
  }
}
```

'Go' 버튼을 클릭하면 계산량 한정 코드가 실행되며, 계산이 끝날 때까지는 응용 프로그램이 반응을 멈춘다. 이를 비동기화하는 과정은 두 단계이다. 첫째는 GetPrimesCount를 이전 예제들에서 사용한 비동기 버전으로 대체하는 것이다.

```
Task<int> GetPrimesCountAsync (int start, int count)
{
  return Task.Run (() =>
    ParallelEnumerable.Range (start, count).Count (n =>
      Enumerable.Range (2, (int) Math.Sqrt(n)-1).All (i => n % i > 0)));
}
```

둘째 단계는 이 GetPrimesCountAsync를 호출하도록 Go를 수정하는 것이다.

```
async void Go()
{
  _button.IsEnabled = false;
  for (int i = 1; i < 5; i++)
    _results.Text += await GetPrimesCountAsync (i * 1000000, 1000000) +
      " primes between " + (i*1000000) + " and " + ((i+1)*1000000-1) +
      Environment.NewLine;
  _button.IsEnabled = true;
}
```

이 예는 비동기 함수를 이용한 프로그래밍이 얼마나 간단한지를 잘 보여준다. 그냥 동기적인 코드를 작성할 때처럼 코드를 짜되, 실행을 차단하는 함수를 비동기 함수로 대체하고 그 함수를 호출하는 표현식에 await를 적용하면 된다. 일꾼 스레드에서 실행되는 코드는 GetPrimesCountAsync의 본문뿐이다. Go의 코드는 UI 스레드상에서 시간을 "빌린다". Go가 메시지 루프와 '유사동시적으로(pseudoconcurrently)' 실행된다고 말할 수도 있을 것이다(Go의 연산들이 UI 스레드가 수행하는 다른 이벤트 처리들 사이사이에 끼어서 실행된다는 점에서). 이러한 유사동시성 상황에서 선점은 오직 await 도중에만 발생할 수 있다. 이 덕분에 스레드 안전성이 간단해진다. 지금 예에서 문제가 될 만한 부분은 **재진입**(reentrancy), 즉 계산이 진행되는 도중에 사용자가 버튼을 다시 클릭해서 GetPrimesCountAsync에 다시 진입하는 상황뿐이다(이를 방지하는 한 방법은 계산 시작 시 버튼을 비활성화하는 것이다). 진정한 동시성은 호출 스택의 아래쪽에서, Task.Run이 호출하는 코드 안에서 발생한다. 이 모형의 장점을 취하기 위해, 그 코드(진정한 동시성이 일어나는)에서는 공유 상태나 UI 컨트롤에 접근하지 않는다.

또 다른 예로, 이번에는 소수들을 세는 대신 여러 웹 페이지를 내려받아서 그 길이의 총합을 구한다고 하자. .NET Framework 4.5부터는 작업 객체를 돌려주는 비동기 메서드들이 여럿 있는데, 그중 하나가 System.Net의 WebClient 클래스에 있는 DownloadDataTaskAsync 메서드이다. 이 메서드는 Task<byte[]> 객체를 돌려주며, 주어진 URI에서 자료를 내려받아서 바이트 배열에 넣는 작업을 비동기적으로 진행한다. 즉, 이 메서드를 호출하는 표현식에 await를 적용하면 byte[]를 얻게 된다. 그럼 Go 메서드를 다음과 같이 바꾸어 보자.

```
async void Go()
{
  _button.IsEnabled = false;
  string[] urls = "www.albahari.com www.oreilly.com www.linqpad.net".
Split();
  int totalLength = 0;
  try
  {
    foreach (string url in urls)
    {
      var uri = new Uri ("http://" + url);
      byte[] data = await new WebClient().DownloadDataTaskAsync (uri);
      _results.Text += "URL" + url + "의 길이는 " + data.Length +
                       Environment.NewLine;
      totalLength += data.Length;
    }
    _results.Text += "총 길이: " + totalLength;
  }
  catch (WebException ex)
  {
    _results.Text += "오류: " + ex.Message;
  }
  finally { _button.IsEnabled = true; }
}
```

이번에도, 이 메서드는 동일한 작업을 동기적으로 진행하는 메서드를 작성할 때의 구조를 반영한다. 특히, 동기적 버전에서도 이처럼 catch와 finally 블록을 사용했을 것이다. 첫 await 이후에 실행이 호출자에게 돌아가지만, finally 블록은 메서드가 논리적으로 완료된 후에야(메서드의 모든 코드가 실행된 후 또는 이른 return 문을 만나거나 미처리 예외가 발생한 후에) 실행된다.

내부적으로 정확히 어떤 일이 일어나는지 살펴보면 비동기 프로그래밍을 이해하는 데 도움이 될 것이다. 우선 UI 스레드의 메시지 루프에서 어떤 일이 일어나는지부터 살펴보자.

```
이 스레드에 대한 동기화 문맥을 WPF 동기화 문맥으로 설정한다.
while (!thisApplication.Ended)
{
  메시지 대기열에 메시지가 들어오길 기다린다.
  메시지가 들어오면, 그 종류에 따라 다음과 같이 처리한다:
    키보드/마우스 메시지 -> 해당 이벤트 처리부 발동
    사용자 BeginInvoke/Invoke 메시지 -> 대리자 실행
}
```

UI 요소들에 부착한 이벤트 처리부들은 바로 이러한 메시지 루프를 통해서 실행된다. Go 메서드가 호출되면, 실행은 await 표현식까지만 나아간 후 메시지 루프로 돌아온다(그러면 UI 스레드는 또 다른 이벤트들을 처리할 시간이 생긴다). 그런데 컴파일러는 실행이 메시지 루프로 돌아가기 전에, 작업이 끝나면 실행이 이 지점에서 재개되게 하는 연속용 콜백을 설정해 둔다. 그리고 지금은 UI 스레드 상에서 작업 완료를 기다리는 것이므로, 그 연속용 콜백은 메시지 루프가 실행되고 있는 동기화 문맥에 결과를 게시(post)한다. 결과적으로 Go 메서드 전체는 UI 스레드와 '유사동시적으로' 실행된다. 진정한 동시성(I/O에 한정되는)은 DownloadDataTaskAsync의 구현 안에서 발생한다.

성긴 동시성과의 비교

C# 5 이전에는 비동기 프로그래밍이 쉽지 않았다. 당시에는 언어 차원의 지원이 없었을 뿐만 아니라, .NET Framework가 비동기 기능성을 작업 개체를 돌려주는 메서드들이 아니라 EAP와 APM이라는 허술한 패턴들을 통해서 노출했기 때문이다('더 이상 필요 없는 패턴들(p.770)' 참고).

당시 인기 있던 우회책은 성긴 동시성을 사용하는 것이었다(실제로, 이를 돕기 위한 BackgroundWorker라는 형식도 있었다). GetPrimesCount를 사용하는 동시적 구현의 예로 돌아가서, 그 예제에 성긴 비동기성(coarse asynchrony) 해법을 적용해 보자. 우선 버튼의 이벤트 처리부를 다음과 같이 수정해야 한다.

```
...
_button.Click += (sender, args) =>
{
  _button.IsEnabled = false;
  Task.Run (() => Go());
};
```

BackgroundWorker 대신 Task.Run을 사용한 것은, 지금 예제에서는 BackgroundWorker를 사용한다고 해서 코드가 더 간단해지지 않기 때문이다. 어떤 것을 사

용하든, 결국에는 전체적인 동기적 호출 그래프(Go와 GetPrimesCount)가 일꾼 스레드에서 실행된다. 그리고 Go가 UI 요소들을 갱신하므로, 다음처럼 Dispatcher.BeginInvoke 호출들로 UI 요소 갱신 코드를 감쌀 필요가 있다.

```
void Go()
{
  for (int i = 1; i < 5; i++)
  {
    int result = GetPrimesCount (i * 1000000, 1000000);
    Dispatcher.BeginInvoke (new Action (() =>
      _results.Text += result + " primes between " + (i*1000000) +
      " and " + ((i+1)*1000000-1) + Environment.NewLine));
  }
  Dispatcher.BeginInvoke (new Action (() => _button.IsEnabled = true));
}
```

비동기 버전과는 달리 루프 자체가 일꾼 스레드에서 실행된다. 그것이 별문제가 아닐 것 같지만, 이처럼 간단한 예제에서도 다중 스레드 적용 때문에 '경쟁 조건(race condition)'이 발생할 여지가 존재한다. (어느 지점에서 경쟁 조건이 발생할까? 잘 모르겠다면 프로그램을 실행해 보기 바란다. 그러면 명확해질 것이다.)

실행 취소와 진행 정도 보고 기능을 구현하려면 스레드 안전성 관련 오류가 발생할 가능성이 더욱 커진다. 사실 메서드에 그 어떤 코드를 추가하든 오류의 여지는 커진다. 예를 들어 지금처럼 루프의 상한을 수치 리터럴로 두지 않고 어떤 메서드를 호출해서 얻은 값을 사용한다고 하자.

```
for (int i = 1; i < GetUpperBound(); i++)
```

그리고 GetUpperBound()가 지연 적재(lazy load) 방식으로 구성 파일을 읽어서(이를테면 첫 호출 시 비로소 디스크에서 파일을 읽어서) 어떤 값을 돌려준다고 하자. 그런 작업을 진행하는 코드는 스레드에 안전하지 않을 가능성이 크다. 그러나 그 모든 코드는 UI 스레드와는 다른 일꾼 스레드에 실행된다. 이상의 예에서 보듯이, 호출 그래프의 상위 수준에서 일꾼 스레드들을 시작하는 것은 위험한 일이다.

비동기 함수 작성

반환 형식이 void인 메서드가 있을 때, void를 Task로 바꾸고 async를 적용하면 메서드 자체가 await를 적용할 수 있는 유용한 비동기 버전으로 변한다. 다른 변경은 필요하지 않다.

```
async Task PrintAnswerToLife()   // void 대신 Task를 돌려준다.
{
  await Task.Delay (5000);
  int answer = 21 * 2;
  Console.WriteLine (answer);
}
```

메서드 본문에서 명시적으로 Task 객체를 돌려주지는 않음을 주목하기 바란다. 컴파일러는 Task 객체를 만들고, 메서드 실행이 완료되면(또는 미처리 예외가 발생하면) 그 작업 객체에 신호한다. 이 덕분에 비동기 호출 연쇄(비동기 함수 안에서 다른 비동기 함수를 호출하는)를 사용하기가 어렵지 않다.

```
async Task Go()
{
  await PrintAnswerToLife();
  Console.WriteLine ("Done");
}
```

그리고 Go의 반환 형식이 Task이므로 Go 자체도 대기 가능한(await를 적용할 수 있는) 함수이다.

컴파일러는 작업 객체를 돌려주는 비동기 함수를, TaskCompletionSource를 이용해서 작업 객체를 생성하고 완료 또는 장애 시 그 객체에 신호하는 코드로 확장한다.

사실 컴파일러가 TaskCompletionSource를 직접 인스턴스화하지는 않는다. 컴파일러는 System.CompilerServices 이름공간에 있는 Async*MethodBuilder라는 이름의 형식들을 거친다. 이 형식들은 OperationCanceledException 시 작업 객체를 취소된 상태로 설정한다거나 '비동기성과 동기화 문맥(p.754)'에서 설명하는 사항들을 구현하는 등의 추가적인 안전장치를 갖추고 있다.

개념적으로, 컴파일러는 PrintAnswerToLife를 다음과 같은 형태의 코드로 확장한다(미묘한 차이점들이 있겠지만).

```
Task PrintAnswerToLife()
{
  var tcs = new TaskCompletionSource<object>();
  var awaiter = Task.Delay (5000).GetAwaiter();
  awaiter.OnCompleted (() =>
  {
    try
    {
```

```
      awaiter.GetResult();    // 발생한 모든 예외를 다시 던진다.
      int answer = 21 * 2;
      Console.WriteLine (answer);
      tcs.SetResult (null);
    }
    catch (Exception ex) { tcs.SetException (ex); }
  });
  return tcs.Task;
}
```

따라서 작업 객체를 돌려주는 비동기 메서드가 완료되면 실행은 그 메서드의 완료를 기다리던 지점으로 돌아간다(연속용 콜백에 의해).

리치 클라이언트 응용 프로그램의 시나리오에서, 비동기 메서드 완료 시 실행은 UI 스레드로 돌아간다(이미 UI 스레드에 있었던 것이 아니라면). 그 외의 상황에서는 애초에 연속용 콜백을 호출했던 스레드로 돌아간다. 따라서, UI 스레드로의 첫 번째 '복귀'(동기성이 UI 스레드에서 시작된 경우에 필요한)를 제외하면, 그 어떤 잠복지연 비용도 비동기 호출 그래프의 하위에서 상위로 전파되지 않는다.

Task〈TResult〉를 돌려주는 비동기 함수

반환 형식이 void가 아닌 메서드를 비동기화할 때에는, 원래의 반환 형식이 TResult라고 할 때 반환 형식을 Task<TResult>로 바꾸면 된다. 다음은 TResult가 int인 경우이다.

```
async Task<int> GetAnswerToLife()
{
  await Task.Delay (5000);
  int answer = 21 * 2;
  return answer;     // int를 돌려주는 return이 있으므로,
}                    // 메서드 반환 형식을 Task<int>로 한다.
```

내부적으로 컴파일러는 TaskCompletionSource로 생성한 작업 객체에게 널이 아닌 값으로 신호한다. 그럼 PrintAnswerToLife에서 이 GetAnswerToLife를 호출해 보자(PrintAnswerToLife 자체는 Go에서 호출한다).

```
async Task Go()
{
  await PrintAnswerToLife();
  Console.WriteLine ("Done");
}

async Task PrintAnswerToLife()
{
```

```
    int answer = await GetAnswerToLife();
    Console.WriteLine (answer);
  }

  async Task<int> GetAnswerToLife()
  {
    await Task.Delay (5000);
    int answer = 21 * 2;
    return answer;
  }
```

결과적으로, 우리는 원래의 PrintAnswerToLife를 두 개의 메서드로 리팩터링했다. 동기적 코드를 리팩터링할 때보다 더 어렵지는 않았음을 주목하기 바란다. 동기적 프로그래밍과의 유사성은 의도적인 것이다. 다음은 이상의 비동기 호출 그래프에 상응하는 동기적 호출 그래프를 형성하는 코드이다. Go()를 호출하면 5초 후에 비동기 버전과 같은 결과가 출력된다.

```
void Go()
{
  PrintAnswerToLife();
  Console.WriteLine ("Done");
}

void PrintAnswerToLife()
{
  int answer = GetAnswerToLife();
  Console.WriteLine (answer);
}

int GetAnswerToLife()
{
  Thread.Sleep (5000);
  int answer = 21 * 2;

  return answer;
}
```

이상의 예제들에는 C#에서 비동기 함수를 설계할 때 사용하는 기본 원리들이 반영되어 있다. 정리하자면 다음과 같다.

1. 메서드를 동기적으로 작성한다.
2. **동기적** 메서드 호출들을 **비동기적** 메서드 호출들로 바꾸고 await를 적용한다.
3. '최상위' 메서드(흔히 UI 컨트롤에 대한 이벤트 처리부)를 제외한 비동기 메서드들의 반환 형식을 Task에서 Task<TResult>로 바꾼다(await를 적용해서 대기할 수 있도록)

비동기 함수를 위한 작업 객체를 컴파일러가 자동으로 만들어 주므로, 최하위 메서드에서 I/O 한정 동시성을 시작할 때를 제외하면 TaskCompletionSource를 독자가 직접 인스턴스화해야 하는 경우는 아주 드물다. (그리고 계산량 한정 동시성을 시작하는 메서드의 경우에는 Task.Run으로 작업 객체를 생성한다.)

비동기 호출 그래프의 실행

비동기 호출 그래프가 실행되는 과정을 좀 더 쉽게 이해할 수 있도록, 앞의 예제 코드를 다음과 같이 재배치해보자.

```
async Task Go()
{
  var task = PrintAnswerToLife();
  await task; Console.WriteLine ("Done");
}

async Task PrintAnswerToLife()
{
  var task = GetAnswerToLife();
  int answer = await task; Console.WriteLine (answer);
}

async Task<int> GetAnswerToLife()
{
  var task = Task.Delay (5000);
  await task; int answer = 21 * 2; return answer;
}
```

Go는 PrintAnswerToLife를 호출하고, PrintAnswerToLife는 GetAnswerToLife를 호출하고, GetAnswerToLife는 Delay를 호출한 후 완료를 기다린다. await 때문에 실행은 다시 PrintAnswerToLife로 돌아가는데, 그 호출 역시 await로 대기 중이므로 실행은 Go로 돌아가며, 마찬가지 이유로 실행은 호출자에게로 돌아간다. Go를 호출하는 스레드에서 이 모든 일은 동기적으로 일어난다. 이는 이 비동기 호출 그래프에서 실행이 잠시 **동기적**으로 진행되는 단계에 해당한다.

5초 후에 Delay에 대한 연속용 콜백이 발동해서 실행이 풀 스레드에 있는 GetAnswerToLife로 돌아간다. (만일 전체 호출을 UI 스레드에서 시작했다면, 실행은 이제 UI 스레드로 돌아간다). 그 스레드에서 GetAnswerToLife의 나머지 문장들이 모두 실행되며, 그 후 이 메서드의 Task<int> 객체의 작업이 완료되어서 42라는 결과가 산출된다. 이제 PrintAnswerToLife의 연속용 콜백이 호출되어서 메서드의 나머지 문장들이 실행된다. 이런 과정이 반복되어서 Go의 작업 객체가 신호를 받으며, 해당 출력문이 실행되면 모든 과정이 끝난다.

이러한 실행 흐름은 앞에서 본 동기적 호출 그래프와 일치한다. 이는 우리가 모든 비동기 메서드 호출 직후에 await를 적용했기 때문이다. 이 때문에 호출 그래프 안에서 실행의 흐름들이 병렬로 진행되거나 중첩되는 경우가 없다. 각 await 표현식은 실행의 흐름에 '틈(실행이 잠시 떠났다가 다시 돌아오기까지의)'을 만들어 낸다.

병렬성

await 없이 비동기 메서드를 호출하면 실행이 병렬로 진행된다. 이전 예제들에서, 어떤 버튼의 클릭 이벤트 처리부에서 Go를 호출했음을 기억할 것이다.

```
_button.Click += (sender, args) => Go();
```

Go는 비동기 메서드이지만, 이 이벤트 처리부는 Go의 완료를 기다리지 않는다. UI의 반응성을 유지하는 데 필요한 동시성은 바로 이 부분 때문에 발생한다.

같은 원리를 이용해서 두 비동기 연산을 병렬로 실행할 수 있다.

```
var task1 = PrintAnswerToLife();
var task2 = PrintAnswerToLife();
await task1; await task2;
```

(두 연산에 대한 await 표현식들은 그 지점에서 해당 병렬성을 "끝내는" 역할을 한다. 나중에 이런 패턴을 좀 더 손쉽게 적용하는 데 도움이 되는 WhenAll이라는 작업 조합기 메서드를 소개하겠다.)

이런 형태의 동시성은 연산들을 UI 스레드에서 시작하는지 아닌지와는 무관하게 일어난다. 그러나 구체적인 발생 방식은 다르다. 두 경우 모두, 호출 그래프의 최하위 연산들(Task.Delay, 또는 Task.Run 호출을 담은 코드 등)에서는 '진정한' 동시성이 발생한다. 호출 스택의 더 상위에 있는 메서드들은 해당 연산을 동기화 문맥 없이 시작한 경우에만 진정한 동시성이 적용된다. 동기화 문맥이 존재하면 이전에 언급한 유사동시성(그리고 단순화된 스레드 안전성)이 적용된다. 이 경우 선점이 일어날 만한 지점은 await 문장뿐이다. 이 덕분에, 이를테면 GetAnswerToLife에서 _x라는 공유 필드를 잠금 없이도 증가할 수 있다.

```
async Task<int> GetAnswerToLife()
{
  _x++;
  await Task.Delay (5000);
  return 21 * 2;
}
```

(단, await 이전과 이후에 _x가 같은 값이라고 가정할 수는 없다.)

비동기 람다 표현식

통상적인 메서드, 즉 이름이 붙은 메서드를 비동기화하면 다음과 같은 형태가 된다.

```
async Task NamedMethod()
{
  await Task.Delay (1000);
  Console.WriteLine ("Foo");
}
```

이와 비슷하게, 이름이 없는 메서드(람다식과 익명 메서드)도 async 키워드를 붙여서 비동기화할 수 있다.

```
Func<Task> unnamed = async () =>
{
  await Task.Delay (1000);
  Console.WriteLine ("Foo");
};
```

이들을 비동기적으로 호출하는 구문은 동일하다.

```
await NamedMethod();
await unnamed();
```

다음은 비동기 람다식을 이벤트 처리부로 등록하는 예이다.

```
myButton.Click += async (sender, args) =>
{
  await Task.Delay (1000);
  myButton.Content = "Done";
};
```

다음은 이름 있는 메서드를 이용해서 같은 효과를 내는 코드로, 앞의 익명 버전보다 장황하다.

```
myButton.Click += ButtonHandler;
...
async void ButtonHander (object sender, EventArgs args)
{
  await Task.Delay (1000);
  myButton.Content = "Done";
};
```

비동기 람다식 역시 Task<TResult>를 돌려줄 수 있다.

```
Func<Task<int>> unnamed = async () =>
{
  await Task.Delay (1000);
  return 123;
};
int answer = await unnamed();
```

WinRT의 비동기 메서드

WinRT에서 Task에 해당하는 것은 IAsyncAction이고 Task<TResult>에 해당하는 것은 IAsyncOperation<TResult>이다(둘 다 Windows.Foundation 이름공간에 정의되어 있다).

확장 메서드 AsTask를 이용해서 IAsyncAction 또는 IAsyncOperation<TResult> 객체를 Task 또는 Task<TResult> 객체로 변환할 수 있다. 그 확장 메서드가 있는 System.Runtime.WindowsRuntime.dll 어셈블리에는 GetAwaiter라는 메서드도 있다. 이 메서드를 IAsyncAction이나 IAsyncOperation<TResult> 인스턴스에 대해 호출하면, 해당 작업의 완료를 기다리는 데 사용할 수 있는 대기자(TaskAwaiter 객체)가 반환된다. 다음은 AsTask의 예이다.

```
Task<StorageFile> fileTask = KnownFolders.DocumentsLibrary.CreateFileAsync
                             ("test.txt").AsTask();
```

다음은 IAsyncOperation<TResult>에 await를 직접 적용하는 예이다.

```
StorageFile file = await KnownFolders.DocumentsLibrary.CreateFileAsync
                         ("test.txt");
```

COM의 형식 체계(type system)에 있는 한계 때문에, 예상외로 IAsyncOperation<TResult>는 IAsyncAction을 상속하지 않는다. 대신 둘 다 IAsyncInfo라는 공통 기반 형식을 상속한다.

AsTask 메서드에는 취소 토큰('취소(p.760)' 참고)과 IProgress<T> 객체('진행 정도 보고(p.762)' 참고)를 받도록 중복적재된 버전도 있다.

비동기성과 동기화 문맥

앞의 여러 논의에서, 연속용 콜백의 전달에서 동기화 문맥의 존재 여부가 중요하다는 점을 보았다. 그 외에도 동기화 문맥은 void를 돌려주는 비동기 함수들의 작동방식에 좀 더 미묘한 방식으로 영향을 미친다. 이는 C# 컴파일러의 코드 확장에서 직접 비롯된 결과가 아니라, 그러한 확장에 쓰이는 System.CompilerServices 이름공간의 Async*MethodBuilder 형식들이 가진 좀 더 미묘한 다음 두 기능 때문이다.

예외 전달

리치 클라이언트 응용 프로그램에서는 UI 스레드에서 던진 미처리 예외들을 중앙 집중적 예외 처리 이벤트(WPF의 경우 Application.DispatcherUnhandledException)를 이용해서 처리하는 것이 흔한 관례이다. ASP.NET 응용 프로그램에서는 *global.asax*의 Application_Error가 비슷한 용도로 쓰인다. 내부적으로 이들은 독자적인 try/catch 블록 안에서(ASP.NET에서는 페이지 처리 메서드들의 파이프라인에서) UI 이벤트들을 발동하는 식으로 작동한다.

최상위 비동기 함수는 이러한 처리 과정에 방해가 될 수 있다. 버튼 클릭 사건에 대한 다음과 같은 이벤트 처리부를 생각해 보자.

```
async void ButtonClick (object sender, RoutedEventArgs args)
{
  await Task.Delay(1000);
  throw new Exception ("이 예외가 무시될까?");
}
```

사용자가 버튼을 클릭해서 이벤트 처리부가 실행되면, 보통의 경우 실행은 await 문을 넘어간 후에 메시지 루프로 돌아온다. 따라서, 클릭 후 1초가 지나서 발생한 예외는 메시지 루프의 catch 블록에 잡히지 않는다.

이 문제를 완화하기 위해, 동기화 문맥이 존재하는 경우 AsyncVoidMethodBuilder는 미처리 예외를 잡아서(void를 돌려주는 비동기 함수 안에서) 동기화 문맥에 전달한다. 따라서, 동기화 문맥이 존재한다면 전역 예외 처리 이벤트들이 여전히 발생하게 된다.

컴파일러는 이러한 논리를 *void*를 돌려주는 비동기 함수에만 적용한다. 따라서 ButtonClick이 void가 아니라 Task를 반환하도록 수정하면, 미처리 예외(해당 Task 작업이 장애를 일으키게 했을)는 아무 데에서도 잡히지 않는다(결과적으로 **관찰되지 않는** 예외가 된다).

여기서 흥미로운 점 하나는, 예외를 await 이전에 던지든 이후에 던지든 차이가 없다는 점이다. 예를 들어 동기화 문맥이 존재하는 경우 다음 메서드가 던진 예외는 동기화 문맥으로 전달될 뿐, 호출자에게는 절대 전달되지 않는다.

```
async void Foo() { throw null; await Task.Delay(1000); }
```

동기화 문맥이 없으면 예외는 관찰되지 않는다. 예외가 호출자에게 도달하지 않는다는 점이 이상하겠지만, 사실 반복자에서도 이와 비슷한 일이 벌어진다.

```
IEnumerable<int> Foo() { throw null; yield return 123; }
```

이 예에서 예외는 결코 호출자에게 직접 전달되지 않는다. 예외는 순차열을 열거해야 비로소 던져진다.

OperationStarted 메서드와 OperationCompleted 메서드

동기화 문맥이 void를 돌려주는 비동기 함수에 미치는 영향이 또 있다. 동기화 문맥이 존재하면, 실행이 void 반환 비동기 함수에 진입할 때 OperationStarted 메서드가 호출되고 함수의 실행이 끝났을 때 OperationCompleted 메서드가 호출된다. ASP.NET의 동기화 문맥은 이 메서드들을 이용해서 페이지 처리 파이프라인의 순차적 실행을 보장한다.

void 반환 비동기 함수에 대해 단위 검사를 적용할 때에는 커스텀 동기화 문맥을 작성해서 이 메서드를 재정의하는 것이 유용하다. 이에 관한 논의를 Microsoft의 Parallel Programming 블로그(*http://blogs.msdn.com/b/pfxteam*)에서 볼 수 있다.

최적화

동기적 완료

비동기 함수가 대기 이전에 반환될 수도 있다. 웹 페이지를 내려받는 연산에 캐싱을 적용하는 다음과 같은 메서드를 생각해 보자.

```
static Dictionary<string,string> _cache = new Dictionary<string,string>();

async Task<string> GetWebPageAsync (string uri)
{
  string html;
  if (_cache.TryGetValue (uri, out html)) return html;
  return _cache [uri] =
```

```
    await new WebClient().DownloadStringTaskAsync (uri);
}
```

이 메서드는 주어진 URI가 캐시에 존재하면 대기를 수행하지 않고 즉시 결과를 반환한다. 이때 결과는 **이미 신호된** 작업 객체이다. 이러한 방식을 동기적 완료(synchronous completion)라고 부른다.

동기적으로 완료된 작업에 await를 적용하면, 실행은 연속용 콜백을 통해서 호출자로 복귀하는 것이 아니라 그냥 바로 그다음 문장으로 넘어간다. 컴파일러는 대기자 객체의 IsCompleted 속성을 점검해서 이러한 최적화를 구현한다. 좀 더 구체적으로, 동기적 완료의 경우 컴파일러는 await 표현식이 있는 다음과 같은 문장을

```
Console.WriteLine (await GetWebPageAsync ("http://oreilly.com"));
```

다음과 같이 연속용 콜백을 건너뛰는 형태의 코드로 확장한다.

```
var awaiter = GetWebPageAsync().GetAwaiter();
if (awaiter.IsCompleted)
  Console.WriteLine (awaiter.GetResult());
else
  awaiter.OnCompleted (() => Console.WriteLine (awaiter.GetResult());
```

동기적으로 반환되는 비동기 함수에 대한 대기가 추가부담을 전혀 유발하지 않는 것은 아니다. 2015년 기준 PC에서 약 50~100나노초 정도의 지연이 있을 수 있다.
반면, 실행이 스레드 풀로 돌아갈 때에는 문맥 전환이 발생하며, 그러면 1~2마이크로초 정도의 지연이 생길 수 있다. 그리고 UI 메시지 루프로의 반환 시 지연은 문맥 전환 지연의 적어도 10배이다(UI 스레드가 바쁘다면 훨씬 더 길 수 있다).

심지어, 다음처럼 대기가 **전혀** 없는 비동기 메서드도 허용된다. 단, 이 경우 컴파일러는 경고 메시지를 발생한다.

```
async Task<string> Foo() { return "abc"; }
```

이런 방식은 기반 클래스의 비동기적인 가상/추상 메서드를 비동기성이 필요하지 않은 구체 클래스에서 재정의할 때 유용할 수 있다. (한 예가 제15장에 나오는 MemoryStream의 ReadAsync/WriteAsync 메서드들이다.) Task.FromResult로도 같은 결과를 얻을 수 있다. 이 메서드는 이미 신호된 작업 객체를 돌려준다.

```
Task<string> Foo() { return Task.FromResult ("abc"); }
```

지금 예제의 GetWebPageAsync 메서드는 UI 스레드에서 호출하는 경우 암묵적으로 스레드에 안전하다. 다른 말로 하면, 이 메서드를 여러 번 연달아 호출한다고 해도(따라서 다수의 다운로드 작업이 동시에 진행되어도) 캐시를 보호하기 위해 어떤 잠금 기법을 적용할 필요는 없다. 그러나 같은 URI로 이 메서드를 여러 번 호출하면 다수의 다운로드 연산들이 결국은 캐시의 같은 항목을 갱신하게 된다(마지막으로 갱신된 내용이 남는다). 이것이 오류는 아니지만, 만일 같은 URI에 대한 추가 호출들이 진행 중인 요청의 완료를 기다리게(비동기적으로) 한다면 좀 더 효율적일 것이다.

그런 식의 대기를 잠금이나 신호 전달 수단을 사용하지 않고 손쉽게 구현하는 방법이 있다. 문자열들의 캐시 대신 '미래' 객체(즉, Task<string> 인스턴스)들의 캐시를 만들면 된다.

```
static Dictionary<string,Task<string>> _cache =
   new Dictionary<string,Task<string>>();

Task<string> GetWebPageAsync (string uri)
{
  Task<string> downloadTask;
  if (_cache.TryGetValue (uri, out downloadTask)) return downloadTask;
  return _cache [uri] = new WebClient().DownloadStringTaskAsync (uri);
}
```

(이 메서드에 async를 지정하지는 않았음을 주목하기 바란다. 이는 이 메서드가 WebClient의 메서드를 호출해서 얻은 작업 객체를 직접 돌려주기 때문이다.)

이제는 같은 URI로 GetWebPageAsync 메서드를 거듭 호출해도 동일한 Task<string> 객체가 반환된다. (쓰레기 수거기의 작업 부하를 최소화한다는 추가적인 장점도 있다.) 그 작업 객체가 이미 완료된 상태라면, 방금 설명한 컴파일러의 최적화 덕분에 그 작업 객체에 대한 대기는 아주 적은 비용만 유발한다.

이 예제를 좀 더 연장해서, 동기화 문맥을 보호하지 않고도 스레드에 안전하게 만들어 보자. 다음처럼 메서드 본문 전체를 잠그면 된다.

```
lock (_cache)
{
  Task<string> downloadTask;
  if (_cache.TryGetValue (uri, out downloadTask)) return downloadTask;
```

```
    return _cache [uri] = new WebClient().DownloadStringTaskAsync (uri);
  }
```

이것이 유효한 해법인 이유는, 하나의 웹 페이지를 내려받는 내내 코드를 잠그는 것이 아니라, 캐시를 점검하고 필요하다면 새 작업 객체를 시작한 후 그 작업 객체의 결과로 캐시를 갱신하는 짧은 기간만 잠그기 때문이다.

과도한 실행 복귀 피하기

어떤 비동기 메서드를 루프 안에서 여러 번 호출하는 경우, UI 메시지 루프로의 거듭되는 복귀의 비용이 부담스러울 수 있다. 한 가지 해결책은 false를 인수로 해서 ConfigureAwait 메서드를 호출하는 것이다. 그러면 작업 객체는 연속용 콜백을 동기화 문맥으로 되돌려보내지 않으며, 따라서 전체적인 부담이 한 번의 문맥 전환 비용에 가까워진다(대기하는 메서드가 동기적으로 완료되는 경우에는 비용이 그보다 훨씬 적다). 다음 예를 보자.

```
async void A() { ... await B(); ... }

async Task B()
{
  for (int i = 0; i < 1000; i++)
    await C().ConfigureAwait (false);
}

async Task C() { ... }
```

ConfigureAwait (false) 호출 때문에, 메서드 B와 C에 대해서는 UI 응용 프로그램의 단순화된 스레드 안전성 모형(코드가 UI 스레드에서 실행되며 오직 await 문에서만 선점이 일어날 수 있다는)이 적용되지 않는다. 그러나 메서드 A는 이에 영향을 받지 않는다. A는 여전히 UI 스레드에서 실행된다(애초에 UI 스레드에서 호출했다면).

이러한 최적화는 라이브러리를 작성할 때 특히나 중요하다. 라이브러리에서는 단순화된 스레드 모형의 장점이 필요하지 않다. 일반적으로 라이브러리의 코드는 호출자와 상태를 공유하지는 않으며, UI 컨트롤들에 접근하지도 않기 때문이다. (또한, 지금 예제의 경우 만일 메서드 C의 연산이 짧게만 실행될 것임을 알고 있다면 C의 완료를 동기적으로 기다리는 것이 합당하다).

비동기 패턴

취소

동시적 작업을 실행하는 능력만큼이나, 실행 중인 작업을 취소할 수 있는(이를테면 사용자의 요청에 따라) 능력도 중요하다. 한 가지 간단한 방법은 취소 플래그를 두는 것이다. 다음은 그러한 기법을 캡슐화한 '취소 토큰' 클래스이다.

```
class CancellationToken
{
  public bool IsCancellationRequested { get; private set; }
  public void Cancel() { IsCancellationRequested = true; }
  public void ThrowIfCancellationRequested()
  {
    if (IsCancellationRequested)
      throw new OperationCanceledException();
  }
}
```

다음은 이 클래스를 이용해서 취소 가능한 비동기 메서드를 작성한 예이다.

```
async Task Foo (CancellationToken cancellationToken)
{
  for (int i = 0; i < 10; i++)
  {
    Console.WriteLine (i);
    await Task.Delay (1000);
    cancellationToken.ThrowIfCancellationRequested();
  }
}
```

작업의 취소를 원하는 호출자는 애초에 Foo에 전달했던 취소 토큰에 대해 Cancel을 호출한다. 그러면 IsCancellationRequested 속성이 true가 되며, 잠시 후 Foo는 그 사실을 알아채고 OperationCanceledException(이런 용도로 만들어진 예외로, System 이름공간에 미리 정의되어 있다)을 던진다.

스레드 안전성을 위해서는 IsCancellationRequested 주변을 잠글 필요가 있지만, 그 점을 제외한다면 이 예제는 효과적인 비동기 패턴 하나를 보여준다. 실제로 CLR은 방금 이 예제의 것과 아주 비슷한 CancellationToken이라는 형식을 제공한다. 단, 이 형식에는 Cancel 메서드가 없다. 대신 CancellationTokenSource라는 또 다른 형식이 그 메서드를 제공한다. 이처럼 두 가지 형식을 둔 것은 일종의 보안 기능을 제공하기 위한 것이다. CancellationToken 객체에만 접근할 수 있는 메서드는 취소 여부를 점검할 수는 있지만, 취소 과정을 시작할 수는 없다.

CLR에서 취소 토큰을 얻으려면 먼저 CancellationTokenSource를 인스턴스화해야 한다.

```
var cancelSource = new CancellationTokenSource();
```

이 인스턴스의 Token 속성은 CancellationToken 인스턴스를 돌려준다. 그것으로 Foo 메서드를 호출하면 된다.

```
var cancelSource = new CancellationTokenSource();
Task foo = Foo (cancelSource.Token);
...
... (시간이 좀 지나서)
cancelSource.Cancel();
```

CLR에 있는 비동기 메서드들은 대부분 이러한 취소 토큰을 지원한다. 특히 Delay가 그렇다. 만일 Foo를 다음처럼 수정해서 Delay 메서드 호출 시 취소 토큰을 지정하면, 취소 요청 시 작업이 즉시 취소된다(1초까지 기다리는 대신).

```
async Task Foo (CancellationToken cancellationToken)
{
  for (int i = 0; i < 10; i++)
  {
    Console.WriteLine (i);
    await Task.Delay (1000, cancellationToken);
  }
}
```

이제는 ThrowIfCancellationRequested를 호출할 필요가 없다는 점도 주목하기 바란다. Task.Delay가 대신 호출하기 때문이다. 취소 토큰은 호출 스택을 따라 아래로 잘 전파된다(마찬가지로, 취소 요청들은 예외라는 수단을 통해서 호출 스택을 따라 위로 올라온다).

WinRT의 비동기 메서드들은 이보다 못한 프로토콜을 따라서 취소를 처리한다. WinRT에서는 메서드 호출 시 지정한 CancellationToken 인스턴스가 아니라 IAsyncInfo 형식이 제공하는 Cancel 메서드를 이용해서 취소를 요청한다. 그러나 AsTask 확장 메서드는 취소 토큰을 받도록 중복적재되어 있기 때문에, 격차가 조금은 좁혀졌다고 할 수 있다.

동기적 메서드들도 취소를 지원한다(이를테면 Task의 Wait가 그렇다). 이 경우 취소를 비동기적으로(즉, 다른 작업 객체에서) 요청해야 한다. 예를 들면 다음과 같다.

```
var cancelSource = new CancellationTokenSource();
Task.Delay (5000).ContinueWith (ant => cancelSource.Cancel());
...
```

사실 .NET Framework 4.5부터는 CancellationTokenSource 인스턴스를 생성할 때 시간을 지정해서, 그 시간이 지나면 취소가 시작되게 할 수도 있다. 다음이 그러한 예이다. 이런 기법은 시간 만료 기능(동기적이든 비동기적이든)을 구현할 때 유용하다.

```
var cancelSource = new CancellationTokenSource (5000);
try { await Foo (cancelSource.Token); }
catch (OperationCanceledException ex) { Console.WriteLine ("취소됨"); }
```

CancellationToken 구조체는 Register라는 메서드를 제공한다. 이 메서드는 취소 시 발동될 콜백 대리자를 등록하며, 처분 시 등록을 철회할 수 있는 객체를 돌려준다.

컴파일러의 비동기 함수들이 생성하는 작업 객체는 미처리 OperationCanceledException 발생 시 자동으로 '취소됨' 상태가 된다(이 경우 IsCanceled는 true를, IsFaulted는 false를 돌려준다). Task.Run 호출 시 (같은) CancellationToken 인스턴스를 지정해서 얻은 작업 객체 역시 마찬가지이다. 비동기적 시나리오에서는 장애가 생긴 작업과 취소된 작업의 차이가 중요하지 않다. 어차피 둘 다 대기 시 OperationCanceledException을 던진다. 둘의 차이는 고급 병렬 프로그래밍 시나리오에서(특히 조건부 실행 연속에서) 중요하다. 이 주제는 제23장의 '작업 취소(p.1206)'에서 다시 이야기하겠다.

진행 정도 보고

종종, 실행 중인 비동기 연산의 진행 정도를 알아야 할 때가 있다. 한 가지 간단한 해법은 비동기 메서드에 Action 대리자를 전달하고, 비동기 메서드에서 필요할 때마다(이를테면 진행 정도가 어느 정도 변했을 때) 그 대리자를 실행하는 것이다.

```
Task Foo (Action<int> onProgressPercentChanged)
{
  return Task.Run (() =>
  {
    for (int i = 0; i < 1000; i++)
    {
      if (i % 10 == 0) onProgressPercentChanged (i / 10);
      // 어떤 계산량 한정 연산을 수행한다...
```

```
    }
  });
}
```

다음은 이 메서드를 호출하는 예이다.

```
Action<int> progress = i => Console.WriteLine (i + " %");
await Foo (progress);
```

콘솔 응용 프로그램에서는 이 정도로 충분하겠지만, 리치 클라이언트 응용 프로그램에서는 그리 이상적이지 않다. 왜냐하면, 이 메서드는 일꾼 스레드에서 진행 정도를 보고하는데, 그러면 소비자 쪽에서 잠재적으로 스레드 안전성 문제가 발생할 수 있기 때문이다. (실제로 이 예제에서는 동시성의 부수 효과가 외부 세계로 "유출"될 수 있다. 그렇지만 않았다면 UI 스레드에서 호출했을 때 이 메서드가 외부 세계와 완전히 격리되었을 것이라는 점에서, 이는 안타까운 일이다.)

IProgress〈T〉와 Progress〈T〉

CLR은 이 문제를 해결해주는 한 쌍의 형식들을 제공한다. 바로, `IProgress<T>`라는 인터페이스와 그 인터페이스를 구현하는 `Progress<T>`라는 클래스이다. 본질적으로 이들은 UI 응용 프로그램이 동기화 문맥을 통해서 진행 정도를 안전하게 보고할 수 있도록 하나의 대리자를 '감싸는' 역할을 한다.

`IProgress<T>` 인터페이스는 메서드 하나만 정의한다.

```
public interface IProgress<in T>
{
  void Report (T value);
}
```

`IProgress<T>` 클래스를 사용하는 방법은 간단하다. 이전 예제와의 차이는 아주 적다.

```
Task Foo (IProgress<int> onProgressPercentChanged)
{
  return Task.Run (() =>
  {
    for (int i = 0; i < 1000; i++)
    {
      if (i % 10 == 0) onProgressPercentChanged.Report (i / 10);
      // 계산량이 많은 어떤 일을 수행한다...
    }
  });
}
```

Progress<T>에는 Action<T> 형식의 대리자를 받는 생성자가 있다. 이 생성자는 주어진 대리자를 감싸는 Progress<T> 인스턴스를 돌려준다.

```
var progress = new Progress<int> (i => Console.WriteLine (i + " %"));
await Foo (progress);
```

(Progress<T>에는 또한 ProgressChanged라는 이벤트가 있다. 생성자에 대리자를 지정하는 대신(또는 생성자에 지정한 대리자와 함께) 이 이벤트에 적절한 진행 보고용 대리자를 등록해도 된다.) 동기화 문맥이 존재하는 상황에서 Progress<int>를 인스턴스화했다면 그 인스턴스에 해당 문맥이 갈무리된다. 이후 Foo에서 Report를 호출하면 그 문맥을 통해서 대리자가 호출된다.

비동기 메서드에서 좀 더 정교한 진행 보고 기능을 구현하려면, int 대신 다양한 속성들을 가진 커스텀 형식을 사용해야 할 것이다.

Reactive Framework에 익숙한 독자라면, 비동기 함수가 돌려준 작업 객체와 IProgress<T>의 조합이 IObserver<T>와 비슷한 기능성을 제공한다는 점을 알아챘을 것이다. 둘의 차이는, 작업 객체에서는 IProgress<T>가 노출하는 값들뿐만 **아니라** '최종적인(그리고 다른 형식의)' 반환값도 얻을 수 있다는 것이다.

일반적으로 IProgress<T>가 노출하는 값들은 한번 쓰고 버릴 '일회용' 값들(이를테면 현재의 작업 완료 비율이나 지금까지 내려받은 바이트 수)이다. 반면 IObserver<T>의 OnNext로 얻는 값들은 애초에 연산을 수행해서 얻고자 했던 결과 자체를 구성하는 값들인 경우가 많다.

WinRT의 비동기 메서드들도 진행 보고 기능을 제공하나, COM의 (상대적으로) 뒤처진 형식 체계 때문에 프로토콜이 좀 복잡하다. WinRT에서 진행 정도를 보고하는 기능을 가진 비동기 메서드들은 IProgress<T> 객체를 받지 않는다. 대신, IAsyncAction이나 IAsyncOperation<TResult>가 아니라 다음 인터페이스 중 하나의 인스턴스를 돌려준다.

```
IAsyncActionWithProgress<TProgress>
IAsyncOperationWithProgress<TResult, TProgress>
```

흥미롭게도, 두 인터페이스 모두 IAsyncInfo를 상속한다(IAsyncAction이나 IAsyncOperation<TResult>가 아니라).

한 가지 다행인 점은, 위의 인터페이스들을 위해 IProgress<T>를 받는 AsTask 확장 메서드 중복적재 버전이 있다는 점이다. 따라서 .NET 프로그래밍에서는 COM의 인터페이스들을 무시하고 그냥 다음과 같이 하면 된다.

```
var progress = new Progress<int> (i => Console.WriteLine (i + " %"));
CancellationToken cancelToken = ...
var task = someWinRTobject.FooAsync().AsTask (cancelToken, progress);
```

Task 기반 비동기 패턴(TAP)

버전 4.5 이상의 .NET Framework는 await로 대기할 수 있는 수백 개의 Task 반환 비동기 메서드들(주로 입출력 연산에 관련된)을 제공한다. 이 메서드들은 대부분 소위 Task 기반 비동기 패턴(Task-based Asynchronous Pattern, TAP)을 따른다(적어도 부분적으로는). TAP은 지금까지 설명한 내용을 패턴 형태로 적절히 형식화한 것이다. TAP을 따르는 메서드는 다음과 같은 조건들을 만족한다.

- '뜨거운(이미 실행이 시작된)' Task 또는 Task<TResult> 인스턴스를 돌려준다.
- 메서드 이름이 'Async'로 끝난다(작업 조합기 같은 특별한 경우를 제외할 때).
- 취소나 진행 보고를 지원하는 경우에는 취소 토큰 또는 IProgress<T>(또는 둘 다)를 받도록 중복적재된 버전도 제공한다.
- 최대한 빨리 호출자에게 반환된다(초기 **동기화 단계**가 짧다).
- I/O에 한정되는 경우 스레드를 점유하지 않는다.

차차 보겠지만, C#의 비동기 함수 기능을 이용하면 이러한 TAP 메서드를 손쉽게 작성할 수 있다.

작업 조합기

비동기 함수들이 하나의 일관된 프로토콜(항상 작업 객체를 돌려준다는)을 따르는 덕분에, **작업 조합기**(task combinator)를 작성하고 사용하는 것이 가능하다. 작업 조합기는 말 그대로 작업 객체들을 조합해서 또 다른 작업 객체를 산출하는 메서드로, 주어진 각 작업 객체가 수행하는 구체적인 연산과는 무관하게 작업 객체들을 유용한 방식으로 조합해 준다.

CLR에는 두 개의 작업 조합기가 있다. 바로 Task.WhenAny와 Task.WhenAll이다. 이 둘의 설명을 위해, 다음과 같은 메서드들이 정의되어 있다고 가정하겠다.

```
async Task<int> Delay1() { await Task.Delay (1000); return 1; }
async Task<int> Delay2() { await Task.Delay (2000); return 2; }
async Task<int> Delay3() { await Task.Delay (3000); return 3; }
```

WhenAny 메서드

Task.WhenAny는 주어진 작업 객체 중 하나라도 완료되면 완료되는 작업 객체를 돌려준다. 다음은 1초 후에 완료된다.

```
Task<int> winningTask = await Task.WhenAny (Delay1(), Delay2(), Delay3());
Console.WriteLine ("Done");
Console.WriteLine (winningTask.Result);   // 1
```

Task.WhenAny가 돌려준 작업 객체에 대한 await 문 자체는 가장 먼저 완료된 작업 객체를 돌려준다. 지금 예제는 전적으로 비차단(nonblocking)이다. Result 속성에 접근하는 마지막 문장조차도 비차단이다(winningTask가 이미 완료되었으므로). 그렇긴 하지만, 일반적으로 다음처럼 winningTask에 await를 적용하는 것이 더 낫다.

```
Console.WriteLine (await winningTask);   // 1
```

이렇게 하면 AggregateException으로 감싸지 않아도 미처리 예외들이 다시 던져지기 때문이다. 사실 두 await를 한 단계로 적용할 수도 있다.

```
int answer = await await Task.WhenAny (Delay1(), Delay2(), Delay3());
```

경쟁에서 진(1등으로 완료되지 못한) 작업 객체에 장애가 발생한 경우, 그런 작업 객체에 대해서도 await를 적용하지 않는 한(또는 Exception 속성을 조회하지 않는 한) 해당 예외는 관찰되지 않는다.

WhenAny는 시간 만료나 취소를 자체적으로 지원하지 않는 연산에 대해 시간 만료나 취소를 적용할 때 유용하다.

```
Task<string> task = SomeAsyncFunc();
Task winner = await (Task.WhenAny (task, Task.Delay(5000)));
if (winner != task) throw new TimeoutException();
string result = await task;   // 결과를 복원하거나 예외를 다시 던진다.
```

이 예에서는 WhenAny에 서로 다른 형식의 작업 객체들을 지정했다. 이 경우 승자는 보통의 Task 객체로(Task<string> 객체가 아니라) 반환된다.

WhenAll 메서드

Task.WhenAll은 주어진 작업 객체들이 **모두** 완료되면 완료되는 작업 객체를 돌려준다. 다음은 3초 후에 완료된다(이 예제는 **분기/합류**(fork/join) 패턴을 보여준다).

```
await Task.WhenAll (Delay1(), Delay2(), Delay3());
```

WhenAll을 사용하는 대신, task1, task2, task3을 차례로 대기해도 비슷한 결과를 얻을 수 있다.

```
Task task1 = Delay1(), task2 = Delay2(), task3 = Delay3();
await task1; await task2; await task3;
```

앞의 버전과의 차이점은(await를 세 번이나 수행해야 하므로 덜 효율적이라는 점은 빼고), 만일 task1에서 장애가 발생하면 task2와 task3의 대기는 수행되지 않으며, 그 둘에서 발생한 예외들은 모두 관찰되지 않는다는 점이다. 사실 이는 CLR 4.5에서 작업 객체의 미관찰 예외에 관한 규칙이 느슨해진 이유이다. 위의 코드 블록 전체를 하나의 예외 처리 블록으로 감쌌는데도 task2나 task3에서 발생한 예외 때문에 나중에 쓰레기 수거가 진행될 때 응용 프로그램이 강제로 종료된다면, 프로그래머로서는 좀 어리둥절할 수밖에 없다.

반면 Task.WhenAll은 모든 작업이 완료되기 전에는 완료되지 않는다. 심지어 일부 작업에 장애가 있어도 그렇다. 여러 작업 객체에서 장애가 발생했다면, 해당 예외들이 조합 작업 객체(Task.WhenAll이 돌려준)의 AggregateException 속성으로 합쳐진다(이는 AggregateException이 실제로 유용하게 쓰이는 사례이다—물론 발생한 모든 예외가 예외 처리에 필요하다고 할 때). 그러나 조합 작업 객체를 대기하면 첫 예외만 던져지므로, 모든 예외를 봐야 한다면 다음과 같이 해야 한다.

```
Task task1 = Task.Run (() => { throw null; } );
Task task2 = Task.Run (() => { throw null; } );
Task all = Task.WhenAll (task1, task2);
try { await all; }
catch
{
  Console.WriteLine (all.Exception.InnerExceptions.Count);   // 2
}
```

Task<TResult> 형식의 작업 객체들로 WhenAll을 호출하면 Task<TResult[]> 인스턴스가 반환된다. 이 작업 객체는 모든 작업 객체의 결과들을 담고 있으며, 이에 대한 await는 TResult[]를 돌려준다.

```
Task<int> task1 = Task.Run (() => 1);
Task<int> task2 = Task.Run (() => 2);
int[] results = await Task.WhenAll (task1, task2);   // { 1, 2 }
```

좀 더 현실적인 예로, 다음은 여러 URI를 동시에 내려받아서 그 내용의 길이를 모두 합하는 메서드이다.

```
async Task<int> GetTotalSize (string[] uris)
{
  IEnumerable<Task<byte[]>> downloadTasks = uris.Select (uri =>
    new WebClient().DownloadDataTaskAsync (uri));

  byte[][] contents = await Task.WhenAll (downloadTasks);
  return contents.Sum (c => c.Length);
}
```

그런데 모든 작업이 완료된 후에야 바이트 배열들의 길이를 계산한다는 것은 좀 비효율적이다. 그보다는, 각 URI를 내려받은 직후에 바이트 배열의 길이를 구해서 그것을 해당 작업의 결과로 두는 것이 더 효율적일 것이다. 이때 비동기 람다식이 유용하다. 다음처럼 await 표현식을 LINQ의 Select 질의 연산자에 직접 지정하면 된다.

```
async Task<int> GetTotalSize (string[] uris)
{
  IEnumerable<Task<int>> downloadTasks = uris.Select (async uri =>
    (await new WebClient().DownloadDataTaskAsync (uri)).Length);

  int[] contentLengths = await Task.WhenAll (downloadTasks);
  return contentLengths.Sum();
}
```

커스텀 작업 조합기

이런 작업 조합기를 독자의 필요에 맞게 직접 작성하면 더욱 유용할 것이다. 가장 단순한 '조합기'는 다음 예처럼 작업을 하나만 받는 형태이다. 이 작업 조합기는 임의의 작업에 시간만료 대기 기능을 추가해준다.

```
async static Task<TResult> WithTimeout<TResult> (this Task<TResult> task,
                                                  TimeSpan timeout)
{
  Task winner = await (Task.WhenAny (task, Task.Delay (timeout)));
  if (winner != task) throw new TimeoutException();
  return await task;   // 결과를 복원하거나 예외를 다시 던진다.
}
```

또 다른 예로, 다음은 CancellationToken을 이용해서 작업을 "폐기"할 수 있는 기능을 부여하는 작업 조합기이다.

```
static Task<TResult> WithCancellation<TResult> (this Task<TResult> task,
                                          CancellationToken cancelToken)
{
  var tcs = new TaskCompletionSource<TResult>();
  var reg = cancelToken.Register (() => tcs.TrySetCanceled ());
  task.ContinueWith (ant =>
  {
    reg.Dispose();
    if (ant.IsCanceled)
      tcs.TrySetCanceled();
    else if (ant.IsFaulted)
      tcs.TrySetException (ant.Exception.InnerException);
    else
      tcs.TrySetResult (ant.Result);
  });
  return tcs.Task;
}
```

물론 작업 조합기는 이보다 작성하기가 훨씬 복잡할 수 있다. 종종 제22장에서 다루는 신호 처리 기법들이 요구되기도 한다. 동시성 관련 복잡성을 프로그램의 업무 논리(business logic)에서 분리해서 개별적으로 검사할 수 있는 재사용 가능한 메서드에 집어넣는다는 점에서, 이는 사실 좋은 일이다.

다음 작업 조합기는 WhenAll과 비슷하되, 작업 중 하나라도 장애가 있으면 조합 작업이 즉시 실패한다.

```
async Task<TResult[]> WhenAllOrError<TResult>
  (params Task<TResult>[] tasks)
{
  var killJoy = new TaskCompletionSource<TResult[]>();
  foreach (var task in tasks)
    task.ContinueWith (ant =>
    {
      if (ant.IsCanceled)
        killJoy.TrySetCanceled();
      else if (ant.IsFaulted)
        killJoy.TrySetException (ant.Exception.InnerException);
    });
  return await await Task.WhenAny (killJoy.Task, Task.WhenAll (tasks));
}
```

이 메서드는 우선 TaskCompletionSource 인스턴스를 생성한다. 이 인스턴스는 작업 객체 하나가 장애를 일으키면 전체 작업을 끝내는 역할만 담당한다. 따라서 인스턴스에 대해 SetResult 메서드를 호출하지는 않는다. 단지 TrySetCanceled와 TrySetException 메서드만 호출할 뿐이다. 이런 용도에서는 GetAwaiter().OnCompleted보다 ContinueWith가 더 유용하다. 작업들의 결과에 접근하려는 것이 아니고, 그 지점에서 UI 스레드로 실행이 복귀하는 것도 바람직하지 않기 때문이다.

더 이상 필요 없는 패턴들

작업 객체와 비동기 함수들이 도입되기 전에도 .NET Framework에는 비동기성을 위한 여러 패턴이 있었다. .NET Framework 4.5부터는 작업 기반 비동기성이 주된 패턴이 되었기 때문에, 그 패턴들은 이제 거의 필요 없다.

APM(비동기 프로그래밍 모형)

가장 오래된 패턴은 APM(Asynchronous Programming Model; 비동기 프로그래밍 모형)이다. 이 모형은 'Begin'과 'End'로 시작하는 메서드 쌍들과 IAsyncResult라는 인터페이스를 사용한다. 이해를 돕기 위해, System.IO에 있는 Stream 클래스의 Read 메서드를 살펴보자. 이 메서드의 동기적 버전은 다음과 같다.

```
public int Read (byte[] buffer, int offset, int size);
```

아마 짐작했겠지만, 작업 기반 비동기 버전은 다음과 같은 모습이다.

```
public Task<int> ReadAsync (byte[] buffer, int offset, int size);
```

AMP 버전은 다음과 같다.

```
public IAsyncResult BeginRead (byte[] buffer, int offset, int size,
                               AsyncCallback callback, object state);
public int EndRead (IAsyncResult asyncResult);
```

Begin* 메서드를 호출하면 연산이 시작되며, 비동기 연산을 위한 일종의 토큰 역할을 하는 IAsyncResult 객체가 반환된다. 연산이 완료되면(또는 장애가 발생하면) Begin* 호출 시 지정한 AsyncCallback 대리자가 호출된다.

```
public delegate void AsyncCallback (IAsyncResult ar);
```

이 대리자는 End* 메서드를 호출해서 연산의 반환값을 얻거나 장애 발생 시 예외를 다시 던지는 작업을 수행할 기회를 제공한다.

APM은 사용하기가 불편할 뿐만 아니라 제대로 구현하기가 놀랄 만큼 어렵다. APM 메서드들을 다루는 가장 쉬운 방법은 적응자(adapter) 메서드인 Task.

Factory.FromAsync를 호출하는 것이다. 이 메서드는 APM 메서드 쌍을 감싸는 Task 객체를 돌려준다. 내부적으로 이 메서드는 APM 연산이 완료되거나 장애가 생겼을 때 TaskCompletionSource를 이용해서 해당 작업 객체에 신호한다.

FromAsync 메서드는 다음과 같은 인수들을 받는다.

- Begin*XXX* 메서드를 지정하는 대리자
- End*XXX* 메서드를 지정하는 대리자
- 이 메서드들에 전달할 추가 인수들

FromAsync는 .NET Framework에 있는 거의 모든 비동기 메서드 서명들에 부합하는 대리자 형식들과 인수들을 받아들이도록 중복적재되어 있다. 예를 들어 stream이 Stream 형식이고 buffer가 byte[] 형식이라 할 때, 다음과 같은 코드가 가능하다.

```
Task<int> readChunk = Task<int>.Factory.FromAsync (
  stream.BeginRead, stream.EndRead, buffer, 0, 1000, null);
```

비동기 대리자

CLR은 **비동기 대리자**(asynchronous delegate)도 여전히 지원한다. 이는 APM 스타일의 BeginInvoke/EndInvoke 메서드들을 이용해서 임의의 대리자를 비동기적으로 호출할 수 있는 기능이다.

```
Func<string> foo = () => { Thread.Sleep(1000); return "foo"; };
foo.BeginInvoke (asyncResult =>
  Console.WriteLine (foo.EndInvoke (asyncResult)), null);
```

비동기 대리자는 놀랄 만큼 큰 비용을 유발한다. 게다가 비동기 대리자로 할 수 있는 일은 대부분 작업 객체로 수행할 수 있다.

```
Func<string> foo = () => { Thread.Sleep(1000); return "foo"; };
Task.Run (foo).ContinueWith (ant => Console.WriteLine (ant.Result));
```

EAP(이벤트 기반 비동기 패턴)

EAP(Event-based Asynchronous Pattern; 이벤트 기반 비동기 패턴)은 특히 UI 시나리오에서 APM보다 좀 더 단순한 대안을 제공하기 위해 .NET Framework 2.0에 도입된 패턴이다. 이 패턴을 구현한 형식은 그리 많지 않은데, 가장 주목

할 만한 것은 System.Net의 WebClient이다. EAP는 단지 하나의 패턴일 뿐이며, 이를 보조하기 위한 형식은 없다. 본질적으로 EAP는 내부적으로 동시성을 관리하는 일단의 멤버들을 가진 클래스에 관한 것이다. 다음이 EAP를 구현하는 데 필요한 멤버들의 예이다.

```
// 다음은 EAP와 관련된 WebClient 클래스의 멤버들이다.

public byte[] DownloadData (Uri address);    // 동기적 버전
public void DownloadDataAsync (Uri address);
public void DownloadDataAsync (Uri address, object userToken);
public event DownloadDataCompletedEventHandler DownloadDataCompleted;

public void CancelAsync (object userState);  // 연산을 취소한다.
public bool IsBusy { get; }                  // 연산이 실행 중인지를 나타낸다.
```

*Async 메서드들은 연산을 비동기적으로 시작한다. 연산이 완료되면 *Completed 이벤트가 발동한다(동기화 문맥이 갈무리되어 있다면, 이벤트가 자동으로 그 문맥에 전달된다). 이 이벤트는 하나의 이벤트 인수 객체를 다시 넘겨주는데, 그 객체에는 다음과 같은 것들이 들어 있다.

- 연산이 취소되었는지(호출자가 CancelAsync를 호출해서)를 나타내는 플래그 하나
- 던져진 예외를 가리키는 Error 객체(예외가 던져진 경우)
- Async 호출 시 지정한 userToken 객체(지정한 경우)

EAP를 따르는 형식이 다음과 같은 진행 보고 이벤트를 노출할 수도 있다. 그 이벤트는 진행 정도가 변할 때마다 발동된다(역시 동기화 문맥을 통해 전달된다).

```
public event DownloadProgressChangedEventHandler DownloadProgressChanged;
```

EAP를 구현하려면 틀에 박힌 코드(boilerplate code)를 대량으로 작성해야 한다. 그래서 이 패턴을 따르는 형식들은 조합해서 사용하기가 어렵다.

BackgroundWorker 클래스

System.ComponentModel의 BackgroundWorker는 EAP의 한 범용 구현이다. 이 클래스를 이용하면, 리치 클라이언트 앱에서 동기화 문맥을 명시적으로 갈무리하지 않고도 일꾼 스레드를 띄워서 완료 여부와 진행 정도(퍼센트)를 보고받을 수 있다. 예를 들면 다음과 같다.

```
var worker = new BackgroundWorker { WorkerSupportsCancellation = true };
worker.DoWork += (sender, args) =>
{                                     // 이 블록은 일꾼 스레드에서 실행된다.
  if (args.Cancel) return;
  Thread.Sleep(1000);
  args.Result = 123;
};
worker.RunWorkerCompleted += (sender, args) =>
{                                           // 이 블록은 UI 스레드에서 실행된다.
  // ...여기서 UI 컨트롤들을 안전하게 갱신할 수 있다...
  if (args.Cancelled)
    Console.WriteLine (취소됨);
  else if (args.Error != null)
    Console.WriteLine ("오류: " + args.Error.Message);
  else
    Console.WriteLine ("결과: " + args.Result);
};
worker.RunWorkerAsync();   // 동기화 문맥을 갈무리하고 연산을 시작한다.
```

RunWorkerAsync 메서드는 스레드 풀의 일꾼 스레드에 DoWork 이벤트를 발동함으로써 연산을 시작한다. 또한, 이 메서드는 동기화 문맥을 갈무리하며, 연산이 완료되면(또는 장애가 생기면) 그 동기화 문맥을 통해서 RunWorkerCompleted 이벤트 처리부가 호출된다(연속용 콜백처럼).

DoWork 이벤트 처리부 전체가 일꾼 스레드에서 실행된다는 점에서, BackgroundWorker는 성긴 동시성을 실현한다. 그 이벤트 처리부에서 UI 컨트롤들을 갱신해야 한다면, 반드시 Dispatcher.BeginInvoke나 그와 비슷한 메서드를 사용해야 한다(단, 퍼센트 단위의 완료/진행 정도 메시지를 게시하는 것은 이벤트 처리부에서 직접 해도 된다).

BackgroundWorker에 관한 좀 더 자세한 논의를 *http://albahari.com/threading*에서 볼 수 있다.

15장

C# 6.0 in a Nutshell

스트림과 입출력

이번 장에서는 .NET의 입력과 출력에 꼭 필요한 형식들을 설명한다. 특히 다음 주제들을 강조한다.

- .NET의 스트림 구조, 그리고 그 구조를 기반으로 해서 다양한 입출력 형식들에 대해 동일한 방식으로 읽기 및 쓰기 연산을 수행할 수 있는 일관된 프로그래밍 인터페이스
- 디스크의 파일과 디렉터리를 다루는 클래스들
- 압축, 명명된 파이프, 메모리 대응 파일에 특화된 스트림들

이번 장에서 설명하는 형식들은 대부분 저수준 입출력 기능성을 담당하는 `System.IO` 이름공간에 속한다. .NET Framework는 그보다 고수준의 입출력 기능성도 제공한다. SQL 연결과 명령, LINQ to SQL, LINQ to XML, WCF(Windows Communication Foundation), Web Services, Remoting Framework가 그러한 고수준 입출력 기능들을 제공하는 구성요소들이다.

스트림 구조

.NET 스트림 구조는 배경 저장소(backing store)†, 장식자(decorator), 적응자(adapter)라는 세 가지 개념으로 구성된다. 그림 15-1에 이들이 나와 있다.

† (옮긴이) MSDN 한국어 페이지들 중에 backing store를 '백업 저장소'로 번역한 사례가 있으나, 데이터베이스나 클라우드 서비스의 백업 및 복원에 쓰이는 'backup store'와의 구별을 위해 이 책에서는 배경 저장소라는 용어를 사용하기로 한다. '배경'이라는 용어에 대해서는 제3장에서 속성의 배경 필드를 소개하는 문단의 역주에서 이야기했다.

배경 저장소는 입·출력 연산이 실제로 효과를 발휘하는 종점(endpoint)이다. 이를테면 파일이나 네트워크 연결이 배경 저장소에 해당한다. 좀 더 정확히 말하면, 배경 저장소는 다음 둘 중 하나 또는 둘 다이다.

- 바이트들을 차례로(순차적) 읽을 수 있는 원본(source)
- 바이트들을 차례로 기록할 수 있는 대상(destination)

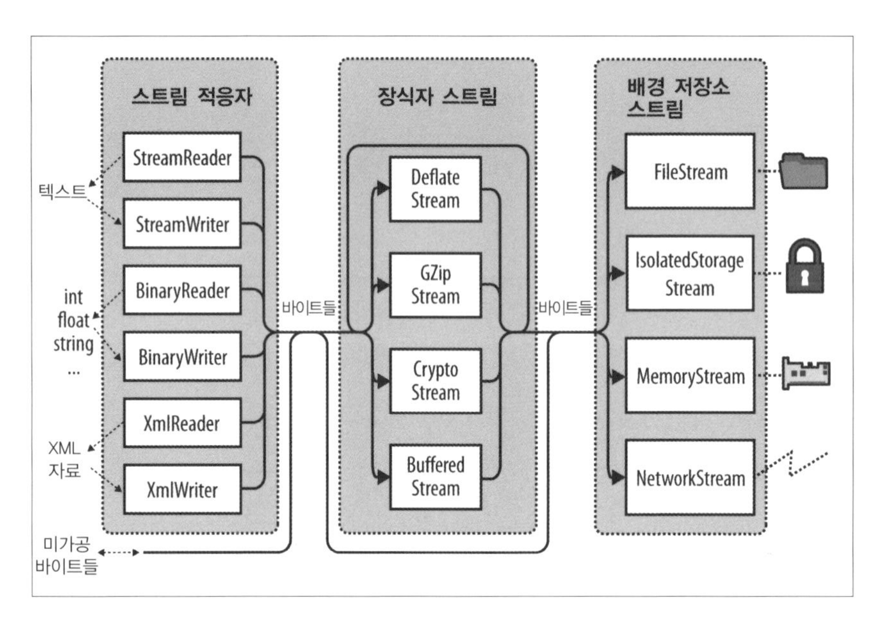

그림 15-1 스트림 구조

그런데 배경 저장소가 쓸모가 있으려면 프로그래머가 접근할 수 있어야 한다. 그런 용도로 쓰이는 표준 .NET 클래스가 바로 `Stream`이다. 이 클래스는 읽기, 쓰기, 위치 지정을 위한 일단의 메서드를 제공한다. 모든 지원 자료가 메모리에 들어 있는 배열과는 달리, 스트림은 자료를 직렬로(serially) 다룬다. 스트림에서는 한 번에 1바이트씩 또는 관리 가능한 크기의 블록 하나씩만 읽거나 쓸 수 있다. 따라서 배경 저장소가 아무리 커도, 스트림을 사용하는 데에는 아주 적은 양의 메모리만 필요하다.

스트림은 크게 두 종류로 나뉜다.

배경 저장소 스트림

배경 저장소의 구체적인 종류에 맞게 특화된 스트림이다. 이를테면 `FileStream`이나 `NetworkStream`이 이 종류에 해당한다.

장식자 스트림

장식자 스트림은 다른 스트림의 자료를 적절히 변환하는 기능을 제공한다. 이를테면 `DeflateStream`나 `CryptoStream`이 장식자 스트림이다.

장식자 스트림에는 다음과 같은 구조적 장점들이 있다.

- 압축이나 암호화 같은 기능을 배경 저장소 스트림마다 따로 구현할 필요가 없다.
- 스트림의 자료를 변환('장식')하기 위해 스트림의 인터페이스를 변경할 필요가 없다.
- 장식자를 실행시점에서 스트림에 연결할 수 있다.
- 여러 장식자를 사슬처럼 이을 수 있다(이를테면 압축한 후 암호화하는 등).

배경 저장소 스트림과 장식자 스트림은 바이트만 다룬다. 이것이 유연하고 효율적인 방식이긴 하지만, 응용 프로그램은 텍스트나 XML 같은 좀 더 높은 수준의 자료를 다루는 경우가 많다. 그러한 간극을 메우는 것이 **적응자**(adapter)이다. 적응자는 특정 서식에 대응되는 형식으로 특화된 메서드들을 가진 클래스로 스트림을 감싼다. 예를 들어 텍스트 읽기 적응자는 `ReadLine`이라는 메서드를 제공하고, XML 쓰기 적응자는 `WriteAttributes`라는 메서드를 제공한다.

장식자처럼 적응자도 스트림을 감싸는 래퍼wrapper 클래스이다. 그러나 장식자와는 달리, 적응자 자체는 스트림이 **아니다**. 일반적으로 적응자는 바이트 지향적 메서드들을 완전히 감춘다.

정리하자면, 배경 저장소 스트림은 미가공 자료(raw data; 생 자료)를 제공한다. 장식자 스트림은 암호화 같은 변환을 수행하되, 역시 바이트(미가공 자료) 수준에서 작동한다. 적응자는 문자열이나 XML 같은 고수준 형식을 다루기 위한 형식 있는 메서드들을 제공한다. 그림 15-1에 이 세 구성요소의 관계가 나와 있다. 이들을 하나의 사슬로 이으려면, 그냥 한 객체를 다른 객체의 생성자에 넣으면 된다.

스트림 사용

추상 `Stream` 클래스는 모든 스트림 클래스의 기반 클래스이다. `Stream`은 **읽기**(reading; 판독), **쓰기**(writing; 기록), **탐색**(seeking)이라는 세 가지 근본 연산을 위한 메서드들과 속성들을 정의하며, 스트림 닫기와 배출, 시간 만료 설정 같은 관리 작업을 위한 메서드들과 속성들도 정의한다(표 15-1 참고).

표 15-1 Stream 클래스의 멤버들

범주	멤버
읽기	public abstract bool CanRead { get; }
	public abstract int Read (byte[] buffer, int offset, int count)
	public virtual int ReadByte();
쓰기	public abstract bool CanWrite { get; }
	public abstract void Write (byte[] buffer, int offset, int count);
	public virtual void WriteByte (byte value);
탐색	public abstract bool CanSeek { get; }
	public abstract long Position { get; set; }
	public abstract void SetLength (long value);
	public abstract long Length { get; }
	public abstract long Seek (long offset, SeekOrigin origin);
닫기/배출	public virtual void Close();
	public void Dispose();
	public abstract void Flush();
시간만료	public virtual bool CanTimeout { get; }
	public virtual int ReadTimeout { get; set; }
	public virtual int WriteTimeout { get; set; }
기타	public static readonly Stream Null; // '널' 스트림
	public static Stream Synchronized (Stream stream);

.NET Framework 4.5부터는 Read/Write 메서드들의 비동기 버전들도 생겼다. 비동기 메서드들은 모두 Task를 돌려주며, 선택적 인수로 취소 토큰을 받는다.

다음은 파일 스트림을 이용해서 파일을 읽고, 쓰고, 탐색하는 예이다.

```
using System;
using System.IO;

class Program
{
  static void Main()
  {
    // 현재 디렉터리에 test.txt라는 파일을 생성한다.
    using (Stream s = new FileStream ("test.txt", FileMode.Create))
```

```
    {
      Console.WriteLine (s.CanRead);       // True
      Console.WriteLine (s.CanWrite);      // True
      Console.WriteLine (s.CanSeek);       // True

      s.WriteByte (101);
      s.WriteByte (102);
      byte[] block = { 1, 2, 3, 4, 5 };
      s.Write (block, 0, block.Length);     // 5바이트 블록을 기록한다.

      Console.WriteLine (s.Length);         // 7
      Console.WriteLine (s.Position);       // 7
      s.Position = 0;                       // 시작 위치로 돌아간다.

      Console.WriteLine (s.ReadByte());     // 101
      Console.WriteLine (s.ReadByte());     // 102

      // 스트림을 읽어서 block 배열을 다시 채운다:
      Console.WriteLine (s.Read (block, 0, block.Length));   // 5

      // 위의 Read 호출이 5를 돌려주었다고 가정하면 현재 위치는
      // 파일의 끝이므로, 다음 Read는 0을 돌려준다.
      Console.WriteLine (s.Read (block, 0, block.Length));   // 0
    }
  }
}
```

비동기 읽기/쓰기는 그냥 Read/Write 대신 ReadAsync/WriteAsync를 호출하고, 해당 호출문에 await를 적용하면 된다. (또한, 그런 식으로 비동기 입출력을 수행하는 메서드 자체에는 제14장에서 설명했듯이 async 키워드를 추가해야 한다.)

```
async static void AsyncDemo()
{
  using (Stream s = new FileStream ("test.txt", FileMode.Create))
  {
    byte[] block = { 1, 2, 3, 4, 5 };
    await s.WriteAsync (block, 0, block.Length);    // 비동기 쓰기

    s.Position = 0;                       // 시작 위치로 돌아간다.

    // 다시 스트림을 읽어서 block 배열을 채운다.
    Console.WriteLine (await s.ReadAsync (block, 0, block.Length));   // 5
  }
}
```

잠재적으로 느린 스트림(특히 네트워크 스트림)을 다루는 응용 프로그램을 작성할 때 비동기 메서드들을 이용하면 스레드를 점유하지 않고도 응용 프로그램의 반응성과 규모가변성을 높일 수 있다.

간결함을 위해 이번 장의 예제들은 대부분 그냥 동기적 메서드들을 사용한다. 그러나 네트워크 입출력이 관여하는 대부분의 시나리오에서는 비동기 Read/Write 연산이 더 나은 선택임을 기억하기 바란다.

스트림 읽기와 쓰기

하나의 스트림은 읽기와 쓰기 중 하나만 지원할 수도 있고 둘 다 지원할 수도 있다. CanWrite 속성이 false인 스트림은 읽기 전용이고, CanRead가 false이면 쓰기 전용이다.

Read 메서드는 스트림에서 한 블록의 자료를 읽어서 바이트 배열에 넣는다. 이 메서드는 읽은(수신한) 바이트 개수를 돌려주는데, 그 개수는 항상 count 인수와 같거나 더 작다. count보다 작다는 것은 스트림의 끝에 도달했거나 스트림이 count 인수로 지정한 것보다 더 작은 단위로 자료를 제공한다는 뜻이다(네트워크 스트림에서는 그런 경우가 많다). 어떤 경우이든, 배열에 있는 여분의 바이트들, 즉 요청한 개수와 실제 개수의 차이만큼의 바이트들은 덮어 쓰이지 않는다(따라서 이전 값을 유지한다).

Read 메서드에서, 스트림의 끝에 도달했음을 확신할 수 있는 유일한 기준은 Read가 0을 돌려주는 것뿐이다. 따라서, 만일 스트림의 전체 크기가 1,000바이트라 할 때, 다음 코드는 1,000바이트 전체를 메모리에 읽어 들이지 못할 수도 있다.

```
// s가 스트림이라고 가정:
byte[] data = new byte [1000];
s.Read (data, 0, data.Length);
```

이 Read 호출은 1바이트에서 1,000바이트 사이의 임의의 크기를 읽을 수 있으며, 스트림의 여분의 바이트들은 읽히지 않은 상태로 남는다.

다음은 1,000바이트 스트림을 모두 읽는 올바른 방법을 보여주는 예제이다.

```
byte[] data = new byte [1000];

// 스트림의 크기가 1000 미만이라고 해도
// 결국에는 bytesRead가 1000에 도달한다.

int bytesRead = 0;
int chunkSize = 1;
while (bytesRead < data.Length && chunkSize > 0)
  bytesRead +=
    chunkSize = s.Read (data, bytesRead, data.Length - bytesRead);
```

다행히 BinaryReader 클래스를 이용하면 같은 결과를 좀 더 간단하게 얻을 수 있다.

```
byte[] data = new BinaryReader (s).ReadBytes (1000);
```

스트림 크기(길이)가 1,000바이트 미만인 경우, 반환된 바이트 배열은 실제 스트림 크기를 반영한다. 스트림이 탐색 가능이면 1000 대신 (int)s.Length를 사용해서 스트림의 내용 전체를 읽을 수 있다.

BinaryReader 형식은 이번 장의 '스트림 적응자(p.794)'에서 좀 더 설명한다.

더 간단한 메서드로 ReadByte가 있다. 이 메서드는 바이트 하나를 읽어서 돌려주며, 만일 스트림의 끝에 도달했으면 -1을 돌려준다. ReadByte의 반환 형식은 byte가 아니라 int인데, 이는 byte 형식으로는 -1을 표현할 수 없기 때문이다.

Write/WriteByte 메서드는 자료를 스트림에 기록(전송)한다. 지정된 개수만큼의 바이트들을 보낼 수 없으면 예외를 던진다.

Read 메서드와 Write 메서드의 둘째 매개변수 offset은 buffer 배열 안에서 읽기/쓰기가 시작되는 위치(색인)를 뜻한다. 스트림 안의 위치가 아님을 주의해야 한다.

탐색

CanSeek 속성이 true인 스트림은 탐색이 가능하다. 탐색 가능 스트림(파일 스트림 등)에서는 Length 속성을 이용해서 스트림의 길이를 조회할 수 있으며, SetLength 메서드로 길이를 변경할 수도 있다. 또한, 언제라도 Position 속성을 이용해서 읽기·쓰기 위치를 조회 또는 변경할 수 있다. Position 속성은 스트림의 시작에 상대적이다. 반면 Seek 메서드를 이용하면 현재 위치나 스트림의 끝을 기준으로 한 위치를 지정할 수 있다.

FileStream의 Position 변경에는 일반적으로 수 마이크로초가 걸린다. 이를 루프에서 수백만 번 수행해야 한다면 FileStream보다 MemoryMappedFile 클래스가 나은 선택일 수 있다(이번 장의 '메모리 대응 파일(p.823)' 참고).

탐색 불가 스트림(암호화 장식자 스트림 등)에서 스트림의 길이를 알아내는 유일한 방법은 스트림을 끝까지 읽는 것이다. 더 나아가서, 이전 위치를 읽으려면 스트림을 닫고 새로 시작해야 한다.

스트림 닫기와 배출

스트림을 다 사용한 다음에는 반드시 처분(disposal)해 주어야 한다. 그래야 파일이나 소켓 핸들 같은 바탕 자원들이 해제된다. 이를 보장하는 간단한 방법은 스트림을 using 블록 안에서 인스턴스화하는 것이다. 일반적으로 스트림들은 다음과 같은 표준적인 처분 의미론을 따른다.

- Dispose와 Close가 같은 기능을 수행한다.
- 스트림을 여러 번 처분하거나 닫아도 오류가 발생하지 않는다.

장식자 스트림을 닫으면 장식자와 배경 저장소 스트림이 모두 닫힌다. 장식자들의 사슬에서 가장 바깥쪽 장식자(사슬의 시작에 있는)을 닫으면 사슬의 모든 장식자가 닫힌다.

어떤 스트림은 왕복 통신 횟수를 줄임으로써 성능을 향상하기 위해, 배경 저장소와 주고받는 자료를 일시적으로 내부 버퍼를 담아 둔다(파일 스트림이 좋은 예이다). 이는, 스트림에 자료를 기록해도 그 즉시 배경 저장소가 갱신되지는 않을 수도 있음을 뜻한다. 버퍼가 다 차야 실제로 배경 저장소에 자료가 기록된다. Flush 메서드를 호출하면 내부 버퍼의 내용이 즉시 배경 저장소에 기록('배출')된다. 스트림을 닫으면 Flush가 자동으로 호출되므로, 굳이 다음처럼 할 필요는 없다.

```
s.Flush(); s.Close();
```

시간 만료

읽기나 쓰기 연산의 시간 만료를 지원하는 스트림은 CanTimeout 속성이 true이다. 네트워크 스트림은 시간 만료를 지원하지만 파일 스트림과 메모리 스트림은 시간 만료를 지원하지 않는다. 시간 만료를 지원하는 스트림에서 읽기 또는 쓰기 만료시간을 지정하려면 ReadTimeout 속성이나 WriteTimeout 속성에 밀리초 단위의 시간을 설정하면 된다. 0은 시간 만료가 없다는 뜻이다. 지정된 시간이 만료된 경우, Read, Write 메서드들은 예외를 던짐으로써 그 사실을 알린다.

스레드 안전성

애초에 스트림은 스레드에 안전하지 않다. 이는 하나의 규칙이다. 따라서 두 스레드가 같은 스트림을 동시에 읽거나 쓰면 오류가 발생할 여지가 있다. 이에 대한 해결책으로 Stream 클래스는 Synchronized라는 정적 메서드를 제공한다. 이 메서드는 임의의 형식의 스트림을 받아서 스레드에 안전한 래퍼를 돌려준다. 그 래퍼는 각각의 읽기, 쓰기, 탐색 연산에 대해 독점 자물쇠를 걸어서, 그러한 연산을 오직 한 번에 한 스레드만 수행할 수 있게 한다. 이를 이용하면 여러 스레드가 같은 스트림에 자료를 동시에 추가할 수 있다. 그러나 그 외의 활동을 위해서는 추가적인 보호 장치가 필요할 수 있다. 예를 들어 여러 스레드가 동시에 스트림을 읽어야 한다면, 추가적인 잠금을 통해서 각 스레드가 스트림의 원하는 부분에 접근할 수 있게 해야 한다. 스레드 안전성에 관해서는 제22장에서 좀 더 자세히 논의한다.

배경 저장소 스트림

.NET Framework가 제공하는 주요 배경 저장소 스트림들이 그림 15-2에 나와 있다. 그림에 나온 것들 외에, `Stream`의 정적 `Null` 필드로 제공되는 '널 스트림'도 있다.

다음 두 절에서 `FileStream`과 `MemoryStream`을 설명하고, 이번 장의 마지막 절에서 `IsolatedStorageStream`을 설명한다. 제16장에서는 `NetworkStream`을 다룬다.

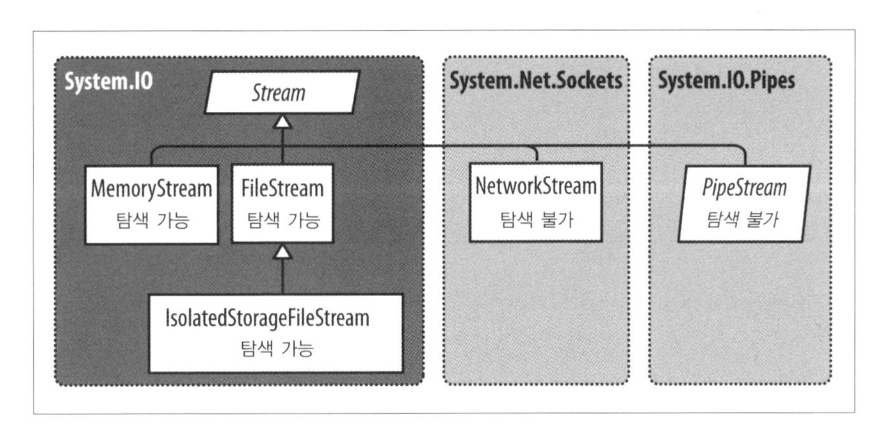

그림 15-2 배경 저장소 스트림들.

FileStream

앞에서, `FileStream`을 이용해서 바이트 자료를 읽고 쓰는 기본적인 방법을 예제를 통해서 제시했다. 이제부터는 이 클래스의 특별한 기능들을 살펴본다.

> Windows 스토어 앱에서는 `FileStream`을 사용할 수 없다. 대신 `Windows.Storage`에 있는 WinRT 형식들을 사용해야 한다(이번 장의 'WinRT의 파일 입출력(p.821)' 참고).

FileStream 객체 생성

FileStream을 인스턴스화하는 가장 간단한 방법은 File 클래스에 있는 다음과 같은 정적 퍼사드façade 메서드 중 하나를 사용하는 것이다.

```
FileStream fs1 = File.OpenRead  ("readme.bin");           // 읽기 전용
FileStream fs2 = File.OpenWrite (@"c:\temp\writeme.tmp");  // 쓰기 전용
FileStream fs3 = File.Create    (@"c:\temp\writeme.tmp");  // 읽기/쓰기
```

OpenWrite와 Create의 차이는 파일이 이미 존재할 때 나타난다. Create는 기존 파일의 내용을 폐기해서 파일의 길이를 0으로 만들지만('절단'), OpenWrite는 기존 내용을 보존하고 스트림 접근 위치를 시작 위치(0)로 옮긴다. 그 상태에서 기존 파일에 있던 것보다 더 적은 개수의 바이트들을 기록하면 파일은 기존 내용과 새 내용이 섞여 있는 상태가 된다.

FileStream 인스턴스를 직접 생성할 수도 있다. FileStream은 다양한 생성자들을 제공한다. 이들을 통해서 파일 이름 대신 저수준 파일 핸들을 지정할 수 있으며, 모든 파일 생성 및 접근 모드를 선택할 수 있고, 공유나 버퍼링, 보안 관련 옵션들도 세밀하게 지정할 수 있다. 다음은 기존 파일을 읽기/쓰기용으로 열되 덮어쓰지는 않도록 하는 예이다.

```
var fs = new FileStream ("readwrite.tmp", FileMode.Open);  // 읽기/쓰기
```

FileMode에 관해서는 잠시 후에 좀 더 이야기하겠다.

File 클래스의 단축 메서드들

다음은 파일 전체를 한번에 메모리에 읽어 들이는 정적 메서드들이다.

- File.ReadAllText (문자열을 돌려줌)
- File.ReadAllLines (문자열 배열을 돌려줌)
- File.ReadAllBytes (바이트 배열을 돌려줌)

다음은 파일 전체를 한번에 기록하는 메서드들이다.

- File.WriteAllText
- File.WriteAllLines
- File.WriteAllBytes
- File.AppendAllText (로그 파일에 항목을 추가하는 데 아주 적합하다)

또한, File.ReadLines라는 정적 메서드도 있다. 이 메서드는 ReadAllLines와 비슷하되, 지연 평가 방식의 IEnumerable<string>을 돌려준다는 점이 다르다. 파일 전체를 한 번에 메모리에 적재하지 않는다는 점에서 이 메서드가 더 효율적이다. 읽은 자료를 소비하는 데에는 LINQ가 이상적이다. 다음은 텍스트 파일에서 길이가 80자를 넘는 행의 수를 세는 예이다.

```
int longLines = File.ReadLines ("파일 경로")
                    .Count (l => l.Length > 80);
```

파일 이름 지정

파일 이름은 절대 경로(이를테면 *c:\temp\test.txt*)일 수도 있고 현재 디렉터리에 상대적인 경로일 수도 있다(이를테면 *test.txt*나 *temp\test.txt*). 현재 디렉터리는 정적 Environment.CurrentDirectory 속성으로 조회하거나 변경할 수 있다.

> 프로그램 시작 시 현재 디렉터리가 반드시 프로그램의 실행 파일이 있는 디렉터리라는 보장은 없다. 따라서 프로그램의 실행 파일과 함께 설치된 자원 파일들을 찾을 때 현재 디렉터리에 의존하는 것은 위험한 일이다.

AppDomain.CurrentDomain.BaseDirectory는 응용 프로그램 기준 디렉터리를 돌려준다. 보통의 경우 이 디렉터리는 프로그램의 실행 파일이 담긴 폴더에 해당한다. 이 디렉터리에 상대적인 파일 이름을 지정하려면, 다음과 같이 Path.Combine 메서드를 사용하면 된다.

```
string baseFolder = AppDomain.CurrentDomain.BaseDirectory;
string logoPath = Path.Combine (baseFolder, "logo.jpg");
Console.WriteLine (File.Exists (logoPath));
```

*\\JoesPC\PicShare\pic.jpg*나 *\\10.1.1.2\PicShare\pic.jpg* 같은 UNC 경로를 이용해서 네트워크에 있는 파일을 읽거나 쓰는 것도 가능하다.

FileMode 지정

파일 이름을 받는 FileStream의 모든 생성자는 FileMode 열거형 인수도 받는다. 그림 15-3은 용도에 맞는 FileMode 값을 선택하는 과정을 나타낸 것이다. 같은 결과를 내는 File의 정적 메서드도 제시되어 있다.

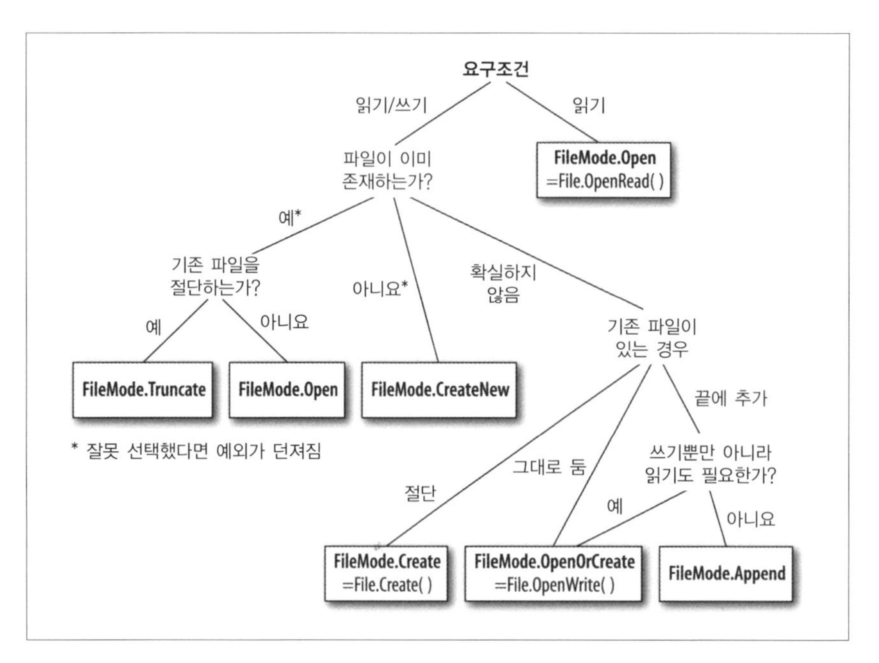

그림 15-3 FileMode 선택

> 숨겨진 파일에 대해 File.Create나 FileMode.Create를 호출하면 예외가 발생한다. 숨겨진 파일을 덮어쓰려면 먼저 삭제한 후 다시 생성해야 한다.
>
> ```
> if (File.Exists ("hidden.txt")) File.Delete ("hidden.txt");
> ```

파일 이름과 FileMode만 지정해서 FileStream 인스턴스를 생성하면, 한 가지 경우만 제외하고 읽기와 쓰기가 모두 가능한 스트림이 만들어진다. 읽기나 쓰기 중 하나만 가능하게 하려면 FileAccess 인수를 지정하면 된다.

```
[Flags]
public enum FileAccess { Read = 1, Write = 2, ReadWrite = 3 }
```

다음은 읽기 전용 스트림을 돌려준다. File.OpenRead를 호출해도 같은 결과가 나온다.

```
using (var fs = new FileStream ("x.bin", FileMode.Open, FileAccess.Read))
  ...
```

앞에서 말한 "한 가지 경우만 제외"에 해당하는 옵션은 FileMode.Append이다. 이 '추가' 모드를 지정하면 **쓰기 전용** 스트림이 된다. 읽기/쓰기용 추가 모드로 파일을 열려면, FileMode.Open이나 FileMode.OpenOrCreate 모드로 파일을 연 후 접근 위치를 스트림의 끝으로 옮겨야 한다.

```
using (var fs = new FileStream ("myFile.bin", FileMode.Open))
{
  fs.Seek (0, SeekOrigin.End);
  ...
```

FileStream의 고급 기능

다음은 FileStream 생성 시 지정할 수 있는 기타 선택적 인수들이다.

- 현재 프로세스가 파일 스트림을 사용하는 동안 다른 프로세스가 그 스트림에 어떤 모드로 접근할 수 있는지를 결정하는 FileShare 열거형(가능한 값은 None, Read(기본), ReadWrite, Write).
- 내부 버퍼의 크기(바이트 단위; 현재 기본은 4KB).
- 비동기 입출력을 운영체제에 맡길 것인지를 나타내는 플래그
- 새 파일에 부여할 사용자 및 역할(role) 권한들을 서술하는 FileSecurity 객체
- 운영체제 암호화 요청(Encrypted), 스트림 종료 시 임시 파일 자동 삭제 여부(DeleteOnClose), 최적화 힌트(RandomAccess와 SequentialScan) 등을 지정하는 FileOptions 플래그 열거형. 또한, 쓰기 지연 캐싱(write-behind caching)을 비활성화하라고 운영체제에 요청하는 WriteThrough 플래그도 있다. 이는 트랜잭션 파일이나 로그를 위한 것이다.

FileShare.ReadWrite를 지정해서 파일을 열면 다른 프로세스나 사용자가 같은 파일을 동시에 읽고 쓸 수 있다. 혼란을 피하려면, 스트림에 접근하는 모든 프로세스는 읽기 또는 쓰기 연산을 시작하기 전에 자신이 접근하고자 하는 부분을 다음 메서드들을 이용해서 잠가야 한다.

```
// 이들은 FileStream 클래스에 정의되어 있다.
public virtual void Lock   (long position, long length);
public virtual void Unlock (long position, long length);
```

만일 파일의 해당 부분이 이미 잠겨 있으면 Lock은 예외를 던진다. Access나 FoxPro 같은 파일 기반 데이터베이스들이 사용하는 것이 바로 이 시스템이다.

MemoryStream

MemoryStream은 배열을 배경 저장소로 사용한다. 따라서 스트림의 장점 중 하나인 배경 저장소 전체를 메모리에 담아 둘 필요가 없다는 점이 무의미해진다. 그래도 MemoryStream은 쓸모가 있다. 한 가지 용도는 탐색 불가 스트림에 대한 임

의 접근을 가능하게 하는 것이다. 원본 스트림의 크기가 적당하다는 것을 알고 있는 경우, 다음처럼 스트림 전체를 MemoryStream으로 복사하고 나면 얼마든지 임의의 위치에 접근할 수 있다.

```
var ms = new MemoryStream();
sourceStream.CopyTo (ms);
```

ToArray 메서드를 이용해서 MemoryStream을 바이트 배열로 변환할 수도 있다. 비슷한 용도로 GetBuffer 메서드도 있는데, 이 메서드는 배경 저장소의 바탕 배열에 대한 직접적인 참조를 돌려준다는 점에서 더 효율적이다. 단점은, 일반적으로 그 배열이 스트림의 실제 길이보다 더 길다는 것이다.

MemoryStream은 굳이 닫거나 배출할 필요가 없다. MemoryStream을 닫으면 더 이상 스트림을 읽고 쓸 수 없게 되지만, ToArray를 호출해서 바탕 자료를 얻는 것은 여전히 가능하다. 메모리 스트림에 대한 Flush는 아무 일도 하지 않는다.

MemoryStream에 관한 예제들이 이번 장의 '압축 스트림(p.804)'과 제21장의 '암·복호화 개요(p.1102)'에 나온다.

PipeStream

PipeStream은 .NET Framework 3.5에서 도입되었다. PipeStream은 현재 프로세스가 Windows의 **파이프 프로토콜**을 이용해서 다른 프로세스와 통신하는 과정을 단순화해준다. 사용할 수 있는 파이프는 두 종류이다.

익명 파이프

같은 컴퓨터에 있는 부모 프로세스와 자식 프로세스 사이의 단방향 통신에 쓰인다.

명명된 파이프

같은 컴퓨터 또는 Windows 네트워크의 서로 다른 컴퓨터에 있는 임의의 두 프로세스 사이의 양방향 통신이 가능하다.

파이프는 한 컴퓨터 안에서의 프로세스 간 통신(interprocess communication, IPC)에 적합하다. 파이프는 네트워크 전송에 의존하지 않으므로 성능이 좋고, 방화벽 관련 문제도 없다. Windows 스토어 앱에서는 파이프를 사용할 수 없다.

파이프는 스트림 기반이므로, 쓰기 프로세스가 일련의 바이트들을 전송하는 동안 읽기 프로세스는 전송이 끝나길 기다려야 한다. 파이프 대신 공유 메모리를 프로세스 간 통신에 사용할 수도 있다. 이에 관해서는 이번 장의 '메모리 대응 파일(p.823)'에서 설명한다.

`PipeStream`은 추상 클래스이다. .NET Framework는 이를 구현하는 네 가지 구체 클래스를 제공하는데, 둘은 익명 파이프용이고 다른 둘은 명명된 파이프용이다.

익명 파이프

`AnonymousPipeServerStream`과 `AnonymousPipeClientStream`

명명된 파이프

`NamedPipeServerStream`과 `NamedPipeClientStream`

그럼 사용하기가 더 쉬운 명명된 파이프부터 살펴보자.

파이프는 바이트들(또는 일련의 바이트들로 이루어진 '메시지')만 주고받을 수 있는 저수준 수단이다. WCF와 Remoting API는 좀 더 고수준의 메시징 프레임워크를 제공하는데, 원한다면 IPC 채널을 통신에 사용할 수도 있다.

명명된 파이프

명명된 파이프에서, 두 통신 단위는 같은 이름의 파이프 하나를 이용해서 통신한다. 명명된 파이프 프로토콜은 명확히 구분되는 두 가지 역할을 정의한다. 바로 클라이언트와 서버이다. 클라이언트와 서버 사이의 통신이 벌어지는 과정은 다음과 같다.

- 서버가 `NamedPipeServerStream` 인스턴스를 생성해서 `WaitForConnection`을 호출한다.
- 클라이언트가 `NamedPipeClientStream` 인스턴스를 생성해서 `Connect`를 호출한다(이때 만료시간을 지정할 수도 있다).
- 각자 스트림 인스턴스에 자료를 쓰거나 읽음으로써 통신을 진행한다.

다음은 서버에서 바이트 하나(100)를 보낸 후 바이트 하나가 오길 기다렸다가 출력하는 예이다.

```
using (var s = new NamedPipeServerStream ("pipedream"))
{
  s.WaitForConnection();
  s.WriteByte (100);
  Console.WriteLine (s.ReadByte());
}
```

다음은 그에 대응되는 클라이언트 쪽의 코드이다.

```
using (var s = new NamedPipeClientStream ("pipedream"))
{
  s.Connect();
  Console.WriteLine (s.ReadByte());
  s.WriteByte (200);                 // 200이라는 값을 돌려 보낸다.
}
```

명명된 파이프 스트림은 기본적으로 양방향이다. 즉, 두 당사자 모두 자신의 스트림을 읽거나 쓸 수 있다. 따라서, 두 당사자가 동시에 뭔가를 보내거나 받는 혼란을 피하려면 클라이언트와 서버가 자료를 주고받는 절차를 합의해서 지켜야 한다.

또한, 각 전송의 길이도 합의해야 한다. 앞의 예제는 그냥 한 바이트를 읽고 쓸 뿐이므로 이 문제가 아주 간단하다. 여러 바이트로 이루어진 **메시지**를 주고받으려면 좀 더 정교한 방식이 필요한데, 이를 돕기 위해 파이프 스트림은 **메시지 전송 모드**라는 것을 지원한다. 이 모드를 활성화한 경우, Read를 호출하는 쪽에서는 하나의 메시지를 구성하는 바이트들이 모두 도착했는지를 IsMessageComplete 속성으로 알아낼 수 있다. 그럼 구체적인 예제를 보자. 우선, 다음은 메시지 전송 모드가 활성화된 PipeStream에서 하나의 메시지 전체를 읽는 보조 메서드이다. 이 메서드가 하는 일은 IsMessageComplete가 true가 될 때까지 바이트들을 거듭 읽는 것일 뿐이다.

```
static byte[] ReadMessage (PipeStream s)
{
  MemoryStream ms = new MemoryStream();
  byte[] buffer = new byte [0x1000];      // 4KB 블록 단위로 읽어 들인다.

  do    { ms.Write (buffer, 0, s.Read (buffer, 0, buffer.Length)); }
  while (!s.IsMessageComplete);

  return ms.ToArray();
}
```

(이를 비동기화하려면 "s.Read"를 "await s.ReadAsync"로 대체하면 된다.)

> PipeStream에서 메시지 하나를 완전히 읽었는지를 Read의 반환값이 0인지로 판단해서는 안 된다. 다른 대부분의 스트림과는 달리 파이프 스트림과 네트워크 스트림에는 명확한 '끝'이 없기 때문이다. 파이프 스트림과 네트워크 스트림은 끝나지 않는다. 이런 스트림들은 메시지 전송이 없는 동안 그냥 "말라붙을" 뿐이다(가뭄에 개울(stream)이 말라붙듯이).

다음으로, 메시지 전송 모드를 켜는 방법을 보자. 서버에서는 스트림 인스턴스를 생성할 때 PipeTransmissionMode.Message를 지정하면 된다.

```
using (var s = new NamedPipeServerStream ("pipedream", PipeDirection.InOut,
                                           1, PipeTransmissionMode.Message))
{
  s.WaitForConnection();

  byte[] msg = Encoding.UTF8.GetBytes ("Hello");
  s.Write (msg, 0, msg.Length);

  Console.WriteLine (Encoding.UTF8.GetString (ReadMessage (s)));
}
```

클라이언트에서는 Connect 호출 후 ReadMode를 설정하면 된다.

```
using (var s = new NamedPipeClientStream ("pipedream"))
{
  s.Connect();
  s.ReadMode = PipeTransmissionMode.Message;

  Console.WriteLine (Encoding.UTF8.GetString (ReadMessage (s)));

  byte[] msg = Encoding.UTF8.GetBytes ("Hello right back!");
  s.Write (msg, 0, msg.Length);
}
```

익명 파이프

익명 파이프는 부모 프로세스와 자식 프로세스 사이의 양방향 통신 기능을 제공한다. 익명 파이프를 사용할 때에는 시스템 전역에 알려진 이름이 아니라 전용(private) 핸들을 통해서 통신 채널을 확립한다.

명명된 파이프처럼 익명 파이프에서도 두 당사자는 클라이언트와 서버의 역할을 나누어 맡는다. 그러나 통신 체계는 조금 다르다. 익명 파이프를 이용한 통신 과정은 다음과 같다.

1. 부모 프로세스는 PipeDirection 인수를 In 또는 Out으로 지정해서 Anonymous PipeServerStream을 인스턴스화한다.

2. 부모 프로세스는 GetClientHandleAsString을 호출해서 파이프 식별자를 얻고 그것을 클라이언트에게 넘겨준다(보통은 자식 프로세스를 띄울 때 이 식별자를 명령줄 인수로 지정한다).
3. 자식 프로세스는 부모와는 반대 방향의 PipeDirection 인수를 지정해서 AnonymousPipeClientStream을 인스턴스화한다.
4. 부모는 DisposeLocalCopyOfClientHandle을 호출해서 지역 핸들(단계 2에서 얻은)을 해제한다.
5. 부모와 자식이 파이프에 자료를 쓰거나 읽으면서 통신한다.

익명 파이프는 단방향이므로, 양방향 통신을 위해서는 부모가 파이프를 두 개 생성해야 한다. 다음은 부모 프로세스가 자식 프로세스에게 바이트 하나를 보내고, 그에 대한 응답으로 자식 프로세스가 보낸 바이트를 읽는 예이다.

```
string clientExe = @"d:\PipeDemo\ClientDemo.exe";

HandleInheritability inherit = HandleInheritability.Inheritable;

using (var tx = new AnonymousPipeServerStream (PipeDirection.Out, inherit))
using (var rx = new AnonymousPipeServerStream (PipeDirection.In, inherit))
{
  string txID = tx.GetClientHandleAsString();
  string rxID = rx.GetClientHandleAsString();

  var startInfo = new ProcessStartInfo (clientExe, txID + " " + rxID);
  startInfo.UseShellExecute = false;      // 자식 프로세스 실행에 필요한 설정
  Process p = Process.Start (startInfo);

  tx.DisposeLocalCopyOfClientHandle();    // 비관리 핸들 자원들을
  rx.DisposeLocalCopyOfClientHandle();    // 해제한다.

  tx.WriteByte (100);
  Console.WriteLine ("Server received: " + rx.ReadByte());

  p.WaitForExit();
}
```

다음은 자식 프로세스(*d:\PipeDemo\ClientDemo.exe*) 쪽의 코드이다.

```
string rxID = args[0];    // 자식에서는 수신자/송신자
string txID = args[1];    // 역할이 반대이다.

using (var rx = new AnonymousPipeClientStream (PipeDirection.In, rxID))
using (var tx = new AnonymousPipeClientStream (PipeDirection.Out, txID))
{
  Console.WriteLine ("Client received: " + rx.ReadByte());
```

```
    tx.WriteByte (200);
  }
```

명명된 파이프에서처럼, 부모 프로세스와 자식 프로세스는 자료를 주고받는 절차와 각 전송의 크기를 합의해야 한다. 안타깝게도 익명 파이프는 메시지 전송 모드를 지원하지 않으므로, 메시지의 길이에 관한 규약을 직접 만들어서 구현해야 한다. 한 가지 해법은 메시지를 전송할 때 먼저 메시지의 길이를 4바이트에 담아서 보내는 것이다. 4바이트 배열과 정수 사이의 변환은 `BitConverter` 클래스의 메서드들을 이용하면 된다.

BufferedStream

`BufferedStream`은 기존의 스트림을 감싸서 버퍼링 기능을 부여하는 장식자이다. 이 형식은 핵심 .NET Framework의 여러 장식자 스트림 형식(그림 15-4) 중 하나이다.

버퍼링은 배경 저장소와의 왕복 통신 횟수를 줄여서 성능을 향상한다. 다음은 `FileStream`을 20KB짜리 버퍼를 가진 `BufferedStream`으로 감싸는 예이다.

```
// 파일에 100KB의 자료를 기록한다.
File.WriteAllBytes ("myFile.bin", new byte [100000]);

using (FileStream fs = File.OpenRead ("myFile.bin"))
using (BufferedStream bs = new BufferedStream (fs, 20000))  //20KB 버퍼
{
  bs.ReadByte();
  Console.WriteLine (fs.Position);         // 20000
}
```

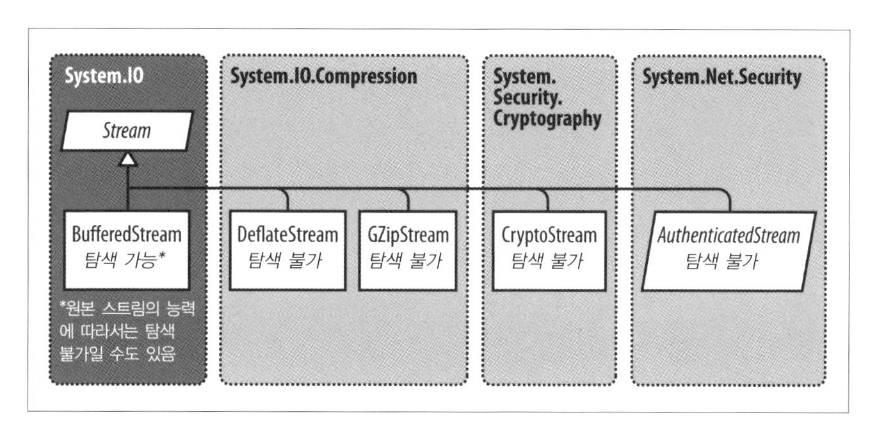

그림 15-4 장식자 스트림들

이 예제에서, 장식된 스트림에서 바이트 하나만 읽어도 원본 스트림에서는 20,000바이트가 읽힌다. 이는 BufferedStream의 미리 읽기(read-ahead) 버퍼링 때문이다. 이후 ReadByte를 19,999회 더 호출해야 FileStream에 대한 읽기가 다시 실행된다. 사실 FileStream 자체에 이미 버퍼링 기능이 있으므로, FileStream을 BufferedStream으로 감싸는 것은 그리 쓸모가 없다. 이 조합은 FileStream의 내부 버퍼보다 더 큰 버퍼를 적용하려는 경우에나 의미가 있다.

BufferedStream을 닫으면 바탕 배경 저장소 스트림도 자동으로 닫힌다.

스트림 적응자

Stream은 바이트들만 다룬다. 문자열이나 정수, XML 요소 같은 자료를 읽고 쓰려면 스트림에 적응자(adapter)를 끼워 넣어야 한다. 다음은 .NET Framework가 제공하는 스트림 적응자들이다.

텍스트 적응자(문자열과 문자 자료를 위한)

TextReader, TextWriter

StreamReader, StreamWriter

StringReader, StringWriter

이진 적응자(int, bool, string, float 같은 기본 형식들을 위한)

BinaryReader, BinaryWriter

XML 적응자(제11장에서 다루었음)

XmlReader, XmlWriter

이 형식들 사이의 관계가 그림 15-5에 나와 있다.

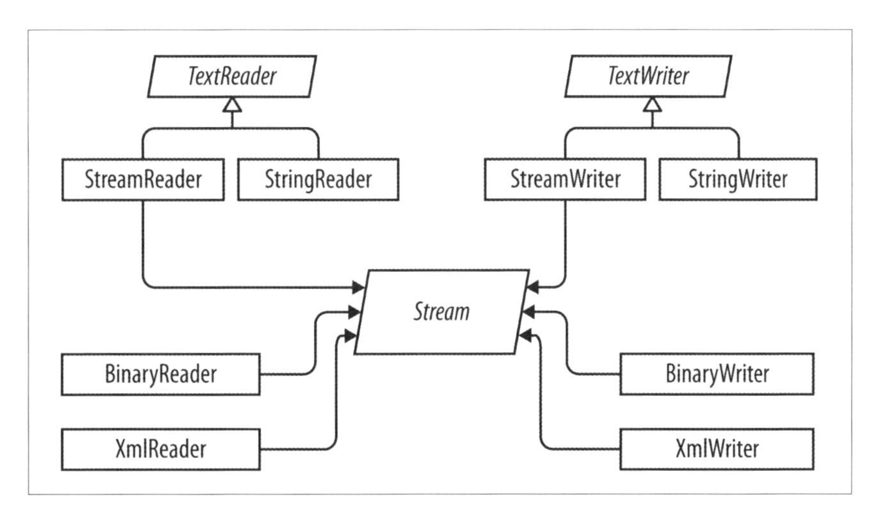

그림 15-5 스트림 읽기/쓰기 적응자들

텍스트 적응자

TextReader와 TextWriter는 문자 또는 문자열 형식의 자료만을 다루는 적응자들을 위한 추상 기반 클래스이다. .NET Framework는 이 두 형식에 대해 각각 두 종류의 구현 클래스를 제공한다.

StreamReader/StreamWriter

Stream을 미가공 자료 저장소로 사용해서, 스트림의 바이트들을 문자들 또는 문자열로 변환한다.

StringReader/StringWriter

메모리 내부 문자열을 이용해서 TextReader/TextWriter를 구현한다.

표 15-2에 TextReader의 멤버들이 범주별로 나열되어 있다. Peek는 스트림의 다음 문자를 돌려주되, 스트림 내부의 접근 위치는 변경하지 않는다. Peek와 매개변수가 없는 Read는 스트림의 끝에 도달했을 때 -1을 돌려주며, 그 외의 경우에는 정수를 돌려준다. 그 정수를 char로 직접 캐스팅하면 해당 문자가 된다. char[] 배열을 받도록 중복적재된 Read는 ReadBlock 메서드와 기능이 같다. ReadLine은 새 줄(줄 바꿈) 표시를 만날 때까지 문자들을 읽어서 새 줄 표시를 제외한 문자들로 이루어진 문자열을 돌려준다. 이 메서드는 CR(문자 부호 13)이나 LF(문자 부호 10) 또는 CR+LF 쌍을 새 줄 표시로 인식한다.

표 15-2 TextReader의 멤버들

범주	멤버
문자 하나 읽기	`public virtual int Peek(); // 반환값을 char로 캐스팅해야 함`
	`public virtual int Read(); // 반환값을 char로 캐스팅해야 함`
여러 문자 읽기	`public virtual int Read (char[] buffer, int index, int count);`
	`public virtual int ReadBlock (char[] buffer, int index, int count);`
	`public virtual string ReadLine();`
	`public virtual string ReadToEnd();`
닫기	`public virtual void Close();`
	`public void Dispose(); // Close와 같음`
기타	`public static readonly TextReader Null;`
	`public static TextReader Synchronized (TextReader reader);`

Windows의 기본 새 줄 표시인 CR+LF는 기계식 타자기의 줄 바꿈 과정과 비슷하다. CR(carriage return)은 타자기의 '나르개(carriage)'를 왼쪽으로 되돌리는(return) 것에 해당하고, LF(line feed)는 타자 용지를 한 행(line)만큼 위로 공급(feed)하는 것에 해당한다. 이에 해당하는 C# 문자열은 "\r\n"이다("ReturN"을 연상하면 기억하기 쉬울 것이다). 순서가 틀리면("\n\r") 새 줄이 두 번 나오거나 아예 나오지 않을 수 있다.

TextWriter에도 이와 비슷한(물론 읽기가 아니라 쓰기를 위한) 메서드들이 있다(표 15-3). Write 메서드와 WriteLine 메서드에는 또한 모든 기본 형식과 object 형식을 위한 중복적재 버전들도 있다. 이 메서드들은 주어진 인수에 대해 그냥 ToString 메서드를 호출한다(메서드 호출 시 또는 TextWriter 생성 시 IFormatProvider를 지정했다면 그것도 적용한다).

표 15-3 TextWriter의 멤버들

범주	멤버
문자 하나 쓰기	`public virtual void Write (char value);`
여러 문자 쓰기	`public virtual void Write (string value);`
	`public virtual void Write (char[] buffer, int index, int count);`
	`public virtual void Write (string format, params object[] arg);`
	`public virtual void WriteLine (string value);`
닫기와 배출	`public virtual void Close();`
	`public void Dispose(); // Close와 같음`
	`public virtual void Flush();`

범주	멤버
서식화와 부호화	public virtual IFormatProvider FormatProvider { get; }
	public virtual string NewLine { get; set; }
	public abstract Encoding Encoding { get; }
기타	public static readonly TextWriter Null;
	public static TextWriter Synchronized (TextWriter writer);

WriteLine은 그냥 주어진 텍스트에 CR+LF를 추가해서 출력하기만 한다. 다른 새 줄 표시를 사용하고 싶다면 NewLine 속성을 변경하면 된다(이는 Unix 파일 형식들과의 상호운용성에 유용하다).

Stream처럼, TextReader와 TextWriter는 작업 기반 비동기 방식의 읽기/쓰기 메서드들도 제공한다.

StreamReader와 StreamWriter

다음은 StreamWriter를 이용해서 파일에 두 행의 텍스트를 기록하고 StreamReader를 이용해서 그것들을 다시 읽어 들이는 예이다.

```
using (FileStream fs = File.Create ("test.txt"))
using (TextWriter writer = new StreamWriter (fs))
{
  writer.WriteLine ("Line1");
  writer.WriteLine ("Line2");
}

using (FileStream fs = File.OpenRead ("test.txt"))
using (TextReader reader = new StreamReader (fs))
{
  Console.WriteLine (reader.ReadLine());       // Line1
  Console.WriteLine (reader.ReadLine());       // Line2
}
```

텍스트 적응자를 파일 입출력에 사용하는 경우가 많다. 그래서 File 클래스는 적절한 텍스트 적응자를 돌려주는 편리한 정적 메서드들을 제공한다. CreateText와 AppendText, OpenText가 바로 그것이다.

```
using (TextWriter writer = File.CreateText ("test.txt"))
{
  writer.WriteLine ("Line1");
  writer.WriteLine ("Line2");
}
```

```
using (TextWriter writer = File.AppendText ("test.txt"))
  writer.WriteLine ("Line3");

using (TextReader reader = File.OpenText ("test.txt"))
  while (reader.Peek() > -1)
    Console.WriteLine (reader.ReadLine());     // Line1
                                               // Line2
                                               // Line3
```

이 예제는 파일의 끝을 판정하는 방법도 보여준다(reader.Peek() 부분). 이 방법 대신, reader.ReadLine이 null을 돌려줄 때까지 읽을 수도 있다.

정수 같은 다른 형식들을 읽거나 쓰는 것도 가능하나, TextWriter는 해당 형식에 대해 ToString을 호출하므로, 그것을 다시 읽을 때에는 문자열을 해당 형식으로 파싱해야 한다.

```
using (TextWriter w = File.CreateText ("data.txt"))
{
  w.WriteLine (123);          // "123"을 기록한다.
  w.WriteLine (true);         // 단어 "True"를 기록한다.
}

using (TextReader r = File.OpenText ("data.txt"))
{
  int myInt = int.Parse (r.ReadLine());     // myInt == 123
  bool yes = bool.Parse (r.ReadLine());     // yes == true
}
```

문자 부호화

TextReader와 TextWriter 자체는 그냥 추상 클래스일 뿐이므로, 특정 스트림이나 배경 저장소와 직접 연결되지는 않는다. 그러나 StreamReader 형식이나 StreamWriter 형식의 객체는 구체적인 바이트 지향적 스트림과 실제로 연결되므로, 문자와 바이트 사이의 변환을 수행해야 한다. 이를 위해 이 형식들은 System.Text 이름공간의 Encoding 클래스를 이용한다. StreamReader나 StreamWriter를 생성할 때 문자 부호화 방식을 지정할 수 있으며, 부호화 방식을 지정하지 않으면 기본 부호화인 UTF-8이 쓰인다.

> 부호화 방식을 명시적으로 지정하면 기본적으로 StreamWriter는 부호화 방식을 나타내는 접두어를 스트림의 시작에 기록한다. 보통은 그런 접두어가 없는 것이 바람직하다. 접두어를 기록하지 않게 하려면 부호화 객체를 다음과 같이 생성하면 된다.

```
var encoding = new UTF8Encoding (
  encoderShouldEmitUTF8Identifier:false,
  throwOnInvalidBytes:true);
```

둘째 인수는 주어진 부호화 방식으로 직접 변환할 수 없는 바이트들을 만났을 때 StreamWriter(또는 StreamReader)가 예외를 던지게 한다. 부호화 방식을 아예 지정하지 않았을 때에도 이 옵션이 적용된다.

가장 간단한 부호화 방식은 ASCII이다. ASCII 부호화에서는 각 문자가 한 바이트로 표현되기 때문이다. ASCII 부호화는 유니코드 문자 집합의 처음 127자를 각각 하나의 바이트에 대응시킨다. 여기에는 북미 스타일의 키보드에 보이는 모든 문자가 포함된다. 그 외의 대부분의 문자, 특히 특수 기호들과 비영어 문자들은 ASCII로 표현할 수 없다. 그런 문자들은 □자로 변환된다. 스트림의 기본 부호화 방식인 UTF-8은 할당된 모든 유니코드 문자를 적절한 부호에 대응시키는데, 그 대응 방식이 다소 복잡하다. ASCII와의 호환성을 위해, 유니코드 문자 집합의 처음 127자는 각각 하나의 바이트에 대응된다. 그 나머지 문자들은 가변 길이 다중 바이트열로 부호화된다(대부분은 2바이트 또는 3바이트). 다음 예를 생각해 보자.

```
using (TextWriter w = File.CreateText ("but.txt"))    // 기본 UTF-8 부호화를
  w.WriteLine ("but—");                               // 사용한다.

using (Stream s = File.OpenRead ("but.txt"))
  for (int b; (b = s.ReadByte()) > -1;)
    Console.WriteLine (b);
```

단어 "but" 다음의 기호는 보통의 하이픈(마이너스) 기호가 아니라 그보다 긴 엠 대시em dash(—)† 문자로, 유니코드 부호는 U+2104이다. 언뜻 보기에 구별이 잘 안 되므로 책을 조판하는 사람은 이런 문자를 별로 반기지 않을 것이다. 이 코드의 출력을 살펴보자.

```
98      // b
117     // u
116     // t
226     // 엠 대시 바이트 1      이런 다중 바이트열의
128     // 엠 대시 바이트 2      모든 바이트가 128보다
148     // 엠 대시 바이트 3      큰 값임을 주목할 것
13      // <CR>
10      // <LF>
```

† (옮긴이) 한글 문장에는 별로 쓰이지 않는 문장 부호로, 대문자 M의 너비에 해당하는 대시라서 엠 대시라고 부른다. 이보다 짧은 엔(N) 대시도 있다.

엠 대시처럼 유니코드 문자 집합의 처음 127자에 속하지 않는 문자는 UTF-8에서 하나의 바이트로 표현되지 않는다(엠 대시는 정확히 3바이트로 표현된다). 서구 알파벳 체계에서는 자주 쓰이는 대부분의 문자가 1바이트만 소비하므로 UTF-8이 효율적이다. 또한, 그냥 127 이상의 바이트를 모두 무시하기만 하면 간단하게 ASCII로 변환(하향)된다. 단점은, 스트림 안에서 문자의 위치가 바이트 위치와 일치하지 않으므로 스트림 안에서 위치를 지정하기 어렵다는 점이다. 대안은 UTF-16이다(Encoding에서는 그냥 'Unicode'라고 칭한다). 다음은 앞의 예제와 같은 문자열을 UTF-16으로 기록하는 예이다.

```
using (Stream s = File.Create ("but.txt"))
using (TextWriter w = new StreamWriter (s, Encoding.Unicode))
  w.WriteLine ("but-");

foreach (byte b in File.ReadAllBytes ("but.txt"))
  Console.WriteLine (b);
```

출력은 다음과 같다.

```
255    // 바이트 순서 표시(BOM) 1
254    // 바이트 순서 표시 2
98     // 'b' 바이트 1
0      // 'b' 바이트 2
117    // 'u' 바이트 1
0      // 'u' 바이트 2
116    // 't' 바이트 1
0      // 't' 바이트 2
20     // '—' 바이트 1
32     // '—' 바이트 2
13     // <CR> 바이트 1
0      // <CR> 바이트 2
10     // <LF> 바이트 1
0      // <LF> 바이트 2
```

기술적으로, UTF-16은 문자당 2바이트 또는 4바이트를 사용한다(유니코드에는 1백만 개에 가까운 문자가 할당 또는 예약되어 있기 때문에, 2바이트로는 표현할 수 없는 문자들이 존재한다). 그런데 C#의 char 형식 자체는 너비가 16비트 밖에 되지 않으므로, .NET Framework의 UTF-16 부호화는 항상 .NET char 문자 하나당 정확히 2바이트를 사용한다. 이 덕분에 스트림 안에서 색인을 이용해서 특정 문자에 접근하기가 아주 쉽다.

UTF-16은 하나의 문자를 나타내는 바이트쌍이 '리틀엔디안little-endian' 순서(최하위 바이트가 먼저)인지 아니면 '빅엔디안big-endian' 순서(최상위 바이트가 먼저)

인지를 나타내는 2바이트 접두어를 사용한다. Windows 기반 시스템에서는 리틀엔디언 순서가 표준이다.

StringReader와 StringWriter

StringReader 적응자와 StringWriter 적응자는 스트림을 감싸지 않는다. 이들은 문자열이나 StringBuilder를 바탕 자료원으로 사용한다. 따라서 이들은 바이트 수준의 변환을 수행하지 않는다. 사실 이들로 할 수 있는 모든 일은 문자열/StringBuilder와 색인 변수의 조합으로도 할 수 있다. 이들의 장점은 StreamReader/StreamWriter와 공통의 기반 클래스를 상속한다는 점에서 비롯된다. 예를 들어 XML 자료를 담은 문자열을 XmlReader로 파싱한다고 하자. XmlReader.Create는 다음 중 하나를 받는다.

- URI 객체
- Stream 객체
- TextReader 객체

그렇다면, String 형식의 문자열을 이 메서드로 파싱하려면 어떻게 해야 할까? 다행히 StringReader는 TextReader의 파생 클래스이므로, 다음과 같이 StringReader 인스턴스를 만들어서 넘겨주면 된다.

```
XmlReader r = XmlReader.Create (new StringReader (myString));
```

이진 적응자

이진 적응자 BinaryReader와 BinaryWriter는 bool, byte, char, decimal, float, double, short, int, long, sbyte, ushort, uint, ulong 같은 기본 자료 형식들과 string 형식, 그리고 이들의 배열을 읽고 쓴다.

StreamReader나 StreamWriter와는 달리 이진 적응자들은 기본 자료 형식들을 메모리에 표현되는 그대로 저장하므로 저장 효율성이 좋다. 예를 들어 int 하나를 저장하는 데에는 4바이트, double 하나를 저장하는 데에는 8바이트를 사용한다. 문자열은 텍스트 부호화를 거쳐서 저장하되(StreamReader나 StreamWriter처럼), 제일 앞에 문자열의 길이를 첨부한다. 이 덕분에 특별한 구분 기호 없이도 일련의 문자열들을 읽어 들일 수 있다.

다음과 같은 간단한 형식이 있다고 하자.

```
public class Person
{
  public string Name;
  public int    Age;
  public double Height;
}
```

다음은 이러한 Person 형식의 객체의 자료를 이진 적응자를 이용해서 스트림에 저장하거나 스트림에서 불러오는 메서드들이다.

```
public void SaveData (Stream s)
{
  var w = new BinaryWriter (s);
  w.Write (Name);
  w.Write (Age);
  w.Write (Height);
  w.Flush();          // BinaryWriter의 버퍼를 확실히 비운다.
                      // BinaryWriter 자체가 닫히거나 처분되지는 않으므로,
}                     // 계속해서 스트림에 자료를 쓸 수 있다.

public void LoadData (Stream s)
{
  var r = new BinaryReader (s);
  Name   = r.ReadString();
  Age    = r.ReadInt32();
  Height = r.ReadDouble();
}
```

BinaryReader는 스트림의 내용을 바이트 배열로 읽어 들이는 메서드도 제공한다. 다음은 탐색 가능 스트림의 내용 전체를 읽어 들이는 예이다.

```
byte[] data = new BinaryReader (s).ReadBytes ((int) s.Length);
```

모든 자료가 읽혔는지 점검하는 루프가 필요 없다는 점에서, 스트림을 직접 읽는 것보다 이처럼 이진 적응자를 사용하는 것이 더 편리하다.

스트림 적응자 닫기와 처분

다 사용한 스트림 적응자를 정리하는 방법은 네 가지이다.

1. 적응자만 닫는다.
2. 적응자를 닫은 후 스트림을 닫는다.
3. (쓰기 적응자의 경우) 적응자를 배출한 후 스트림을 닫는다.
4. (읽기 적응자의 경우) 그냥 스트림만 닫는다.

 스트림과 마찬가지로, 적응자에서는 Close와 Dispose가 동의어이다.

1번과 2번은 같은 의미이다. 어차피 적응자를 닫으면 바탕 스트림도 자동으로 닫히기 때문이다. using 문을 중첩해서 사용하는 것은 2번에 해당한다.

```
using (FileStream fs = File.Create ("test.txt"))
using (TextWriter writer = new StreamWriter (fs))
  writer.WriteLine ("Line");
```

중첩된 using 문에서 객체들의 처분은 안쪽에서 바깥쪽으로 진행되므로, 이 예의 경우 적응자가 먼저 닫히고 스트림이 닫힌다. 더 나아가서, 만일 적응자의 생성자에서 예외가 발생해도 스트림은 여전히 닫힌다. 이처럼, 중첩된 using 문을 사용하면 뭔가 잘못될 여지가 별로 없다.

쓰기 적응자를 닫거나 배출하기 전에 바탕 스트림을 닫아서는 절대 안 된다. 그러면 적응자의 버퍼에 남아 있는 자료가 소실된다.

3번과 4번이 문제가 되지 않는 이유는, 적응자가 **선택적** 처분 가능 객체라는 흔치 않은 범주에 속하기 때문이다. 예를 들어 적응자를 다 사용한 후 적응자의 바탕 스트림을 더 사용해야 하는 경우에는 적응자를 처분하지 말아야 한다. 다음이 그러한 예이다.

```
using (FileStream fs = new FileStream ("test.txt", FileMode.Create))
{
  StreamWriter writer = new StreamWriter (fs);
  writer.WriteLine ("Hello");
  writer.Flush();

  fs.Position = 0;
  Console.WriteLine (fs.ReadByte());
}
```

이 예제는 파일에 문자열을 기록한 후 스트림을 다시 시작 위치로 되돌려서 첫 바이트를 읽는다. 그런 다음 using 문에 의해 스트림이 닫힌다. 만일 StreamWriter를 처분했다면 바탕 FileStream도 닫히므로 이후의 스트림 읽기가 실패할 것이다. 이후의 읽기가 의도대로 작동하려면 Flush를 호출해서 StreamWriter의 버퍼가 바탕 스트림에 확실히 기록되게 해야 한다는 점도 주목하기 바란다.

스트림 적응자는 선택적 처분 의미론을 사용하며, 그런 만큼 확장된 처분 패턴(종료자에서 Dispose를 호출하는)은 구현하지 않는다. 그래서 다 쓴 적응자가 쓰레기 수거기에 의해 자동으로 처분되지는 않는다.

.NET Framework 4.5에서는 처분 이후에도 스트림을 계속 열어 두게 하는 새로운 생성자가 StreamReader와 StreamWriter에 추가되었다. 다음은 그 생성자를 이용해서 앞의 예제를 다시 작성한 것이다.

```
using (var fs = new FileStream ("test.txt", FileMode.Create))
{
  using (var writer = new StreamWriter (fs, new UTF8Encoding (false, true),
                                        0x400, true))
    writer.WriteLine ("Hello");

  fs.Position = 0;
  Console.WriteLine (fs.ReadByte());
  Console.WriteLine (fs.Length);
}
```

압축 스트림

System.IO.Compression 이름공간에는 두 범용 압축 스트림 DeflateStream과 GZipStream이 있다. 둘 다 ZIP 형식에 쓰이는 것과 비슷한 유명한 압축 알고리즘을 사용한다. 둘의 차이는, GZipStream은 스트림의 시작과 끝에 추가적인 정보(오류 검출을 위한 CRC를 포함한)를 기록한다는 것이다. 또한, GZipStream은 다른 소프트웨어들이 인식하는 표준을 준수한다.

두 스트림 모두 읽기와 쓰기를 허용한다. 단, 다음과 같은 제약이 있다.

- 압축 시에는 스트림이 **쓰기 전용**으로 작동한다.
- 압축을 풀 때에는 스트림이 **읽기 전용**으로 작동한다.

DeflateStream과 GZipStream은 생성 시 지정한 스트림의 자료를 압축하거나 푸는 장식자이다. 다음 예제는 FileStream을 배경 저장소로 사용해서 일련의 바이트들을 압축하고 푼다.

```
using (Stream s = File.Create ("compressed.bin"))
using (Stream ds = new DeflateStream (s, CompressionMode.Compress))
  for (byte i = 0; i < 100; i++)
    ds.WriteByte (i);
```

```
using (Stream s = File.OpenRead ("compressed.bin"))
using (Stream ds = new DeflateStream (s, CompressionMode.Decompress))
  for (byte i = 0; i < 100; i++)
    Console.WriteLine (ds.ReadByte());     // 0에서 99까지 값들을 출력
```

두 알고리즘 중 더 작은 결과를 내는 것을 적용했지만, 그래도 압축된 파일의 길이는 241바이트이다. 이는 원본보다 더 길다! 지금 예제처럼 '빽빽한', 반복이 없는 이진 자료는 원래 압축이 잘 안 된다(사실 이 예제의 바이트 자료는 모든 암호화된 자료 중 최악에 해당하는, 압축에 활용할 만한 규칙성이 전혀 없는 형태로 만들어진 것이다). 대부분의 텍스트 파일은 압축이 잘 된다. 다음 예제는 길지 않은 문장의 단어들을 무작위로 선택해서 만든 1,000단어 텍스트 스트림을 압축하고 해제한다. 이 예제는 또한 배경 저장소 스트림과 장식자 스트림, 적응자를 사슬로 잇는(이번 장 시작의 그림 15-1에 나온 형태로) 방법과 비동기 메서드를 사용하는 방법도 보여준다.

```
string[] words = "The quick brown fox jumps over the lazy dog".Split();
Random rand = new Random();

using (Stream s = File.Create ("compressed.bin"))
using (Stream ds = new DeflateStream (s, CompressionMode.Compress))
using (TextWriter w = new StreamWriter (ds))
  for (int i = 0; i < 1000; i++)
    await w.WriteAsync (words [rand.Next (words.Length)] + " ");

Console.WriteLine (new FileInfo ("compressed.bin").Length);      // 1073

using (Stream s = File.OpenRead ("compressed.bin"))
using (Stream ds = new DeflateStream (s, CompressionMode.Decompress))
using (TextReader r = new StreamReader (ds))
  Console.Write (await r.ReadToEndAsync());
```

출력:

```
lazy lazy the fox the quick The brown fox jumps over fox over fox The
brown brown brown over brown quick fox brown dog dog lazy fox dog brown
over fox jumps lazy lazy quick The jumps fox jumps The over jumps dog...
```

이 경우 DeflateStream은 텍스트를 1,073바이트로 압축했다. 단어당 1바이트를 약간 넘는 수준이다.

메모리 내 압축

압축을 전적으로 메모리 안에서 수행해야 할 때도 종종 있다. 다음 예제는 이를 위해 MemoryStream을 활용하는 방법을 보여준다.

```
byte[] data = new byte[1000];          // 빈 배열에 대해서는 좋은 압축
                                       // 비율을 기대할 수 있다!
var ms = new MemoryStream();
using (Stream ds = new DeflateStream (ms, CompressionMode.Compress))
  ds.Write (data, 0, data.Length);

byte[] compressed = ms.ToArray();
Console.WriteLine (compressed.Length);       // 11

// 압축을 해제해서 다시 data 배열에 넣는다.
ms = new MemoryStream (compressed);
using (Stream ds = new DeflateStream (ms, CompressionMode.Decompress))
  for (int i = 0; i < 1000; i += ds.Read (data, i, 1000 - i));
```

DeflateStream을 포함하는 using 문은 DeflateStream을 교과서적으로 닫는다. 그 과정에서 아직 기록되지 않은 버퍼도 배출한다. 또한, DeflateStream이 감싼 MemoryStream도 자동으로 닫힌다. 따라서 압축 결과를 얻으려면 ToArray를 호출해야 한다.

다음 예제는 MemoryStream이 자동으로 닫히지 않게 만드는 방법을 보여준다. 또한, 이 예제는 비동기 읽기, 쓰기 메서드들을 사용하는 방법도 보여준다.

```
byte[] data = new byte[1000];

MemoryStream ms = new MemoryStream();
using (Stream ds = new DeflateStream (ms, CompressionMode.Compress, true))
  await ds.WriteAsync (data, 0, data.Length);

Console.WriteLine (ms.Length);             // 113
ms.Position = 0;
using (Stream ds = new DeflateStream (ms, CompressionMode.Decompress))
  for (int i = 0; i < 1000; i += await ds.ReadAsync (data, i, 1000 - i));
```

DeflateStream 생성자에 추가로 지정한 true는 처분 시 바탕 스트림을 닫지 말라는 뜻이다. 이 때문에 using 문이 끝나도 MemoryStream은 열린 상태를 유지한다. 그 스트림의 위치를 0으로 되돌린 후 자료를 다시 읽을 수 있는 것은 그 덕분이다.

ZIP 파일 다루기

.NET Framework 4.5에는 널리 쓰이는 압축 파일 형식인 ZIP을 읽고 쓸 수 있는 ZipArchive 클래스와 ZipFile 클래스가 추가되었다. 이들이 속한 이름공간은 System.IO.Compression이다(이 이름공간은 *System.IO.Compression.FileSystem.*

*dll*이라는 어셈블리에 있다). DeflateStream이나 GZipStream이 사용하는 압축 형식에 비한 ZIP 형식의 장점은 다수의 파일을 담는 컨테이너 역할을 한다는 점과 Windows 탐색기나 기타 압축 유틸리티로 생성한 ZIP 파일들과 호환된다는 점이다.

ZipArchive는 스트림을 압축하거나 해제하는 데 쓰이고, ZipFile은 좀 더 흔한 경우인 파일들을 압축하거나 해제하는 데 쓰인다(ZipFile은 ZipArchive의 기능을 좀 더 쉽게 사용하기 위한 정적 보조 클래스이다).

ZipFile의 CreateFromDirectory 메서드는 지정된 디렉터리의 모든 파일을 하나의 ZIP 파일에 추가한다.

```
ZipFile.CreateFromDirectory (@"d:\MyFolder", @"d:\compressed.zip");
```

반대로 ExtractToDirectory 메서드는 ZIP 파일의 내용을 추출해서 디렉터리에 넣는다.

```
ZipFile.ExtractToDirectory (@"d:\compressed.zip", @"d:\MyFolder");
```

압축 시, 최적화 방식(파일 크기 또는 속도)이나 압축 파일에 원본 디렉터리 이름을 포함시킬 것인지의 여부 등을 지정할 수 있다. 앞의 예제에서 원본 디렉터리 이름을 포함시킨다면, 압축 파일 안에 *MyFolder*라는 하위 디렉터리가 만들어진다.

압축 파일의 개별 항목을 읽거나 쓸 때에는 ZipFile의 Open 메서드를 사용한다. 이 메서드는 ZipArchive 객체를 돌려준다(Stream 객체로 ZipArchive를 직접 인스턴스화하는 것도 가능하다). Open 호출 시 반드시 파일 이름을 지정해야 하며, 파일을 읽을 것인지(Read), 새로 만들 것인지(Create), 갱신할 것인지(Update)도 지정해야 한다. 일단 ZipArchive 객체를 얻었으면, Entries 속성을 이용해서 기존 항목들을 열거하거나 GetEntry 메서드로 특정 파일을 찾을 수 있다.

```
using (ZipArchive zip = ZipFile.Open (@"d:\zz.zip", ZipArchiveMode.Read))
  foreach (ZipArchiveEntry entry in zip.Entries)
    Console.WriteLine (entry.FullName + " " + entry.Length);
```

ZipArchiveEntry에는 또한 Delete 메서드와 ExtractToFile 메서드(사실 이는 ZipFileExtensions 클래스에 정의된 확장 메서드이다), 그리고 읽기 가능/쓰기

가능 Stream을 돌려주는 Open 메서드가 있다. 새 항목을 만들 때에는 ZipArchive에 대해 CreateEntry를(또는 확장 메서드 CreateEntryFromFile을) 호출한다. 다음은 *d:\zz.zip*이라는 압축 파일을 생성한 후, *foo.dll* 파일을 그 압축 파일 안의 *bin\X86*이라는 디렉터리 구조 안에 추가하는 예이다.

```
byte[] data = File.ReadAllBytes (@"d:\foo.dll");
using (ZipArchive zip = ZipFile.Open (@"d:\zz.zip", ZipArchiveMode.Update))
  zip.CreateEntry (@"bin\X64\foo.dll").Open().Write (data, 0, data.Length);
```

이러한 연산들을 전적으로 메모리 안에서 수행할 수도 있다. MemoryStream으로 ZipArchive 객체를 생성하면 된다.

파일과 디렉터리 연산

System.IO 이름공간은 복사, 이동, 디렉터리 생성, 파일 특성과 권한 설정 같은 "일상적인" 파일 및 디렉터리 연산들을 수행하는 일단의 형식들을 제공한다. 대부분의 기능에 두 가지 선택이 존재한다. 주어진 기능을 정적 클래스의 정적 메서드로 수행할 수도 있고, 적절한 인스턴스를 생성한 후 인스턴스 메서드로 수행할 수도 있다.

정적 클래스

File과 Directory

인스턴스 메서드 클래스(파일 또는 디렉터리 이름을 지정해서 인스턴스를 생성)

FileInfo와 DirectoryInfo

또한, Path라는 정적 클래스도 있다. 이 클래스가 파일이나 디렉터리를 직접 다루지는 않는다. 이 클래스는 파일 이름과 디렉터리 경로에 특화된 문자열 조작 메서드들을 제공한다. Path는 또한 임시 파일 이름을 위한 수단도 제공한다.

Windows 스토어 앱에서는 File과 Directory, Path 클래스를 사용할 수 없다(이번 장의 'WinRT의 파일 입출력(p.821)' 참고).

File 클래스

File은 정적 메서드들로 이루어진 정적 클래스이다. 이 클래스의 메서드들은 모두 파일 이름을 인수로 받는다. 파일 이름은 현재 디렉터리에 상대적인 경로일 수도 있고 모든 디렉터리가 지정된 전체 경로일 수도 있다. 다음은 이 클래스의 메서드들이다(모두 public이자 static).

```
bool Exists (string path);      // 파일이 존재하면 true를 돌려준다.

void Delete  (string path);
void Copy    (string sourceFileName, string destFileName);
void Move    (string sourceFileName, string destFileName);
void Replace (string sourceFileName, string destinationFileName,
                                     string destinationBackupFileName);

FileAttributes GetAttributes (string path);
void SetAttributes           (string path, FileAttributes fileAttributes);

void Decrypt (string path);
void Encrypt (string path);

DateTime GetCreationTime   (string path);      // UTC 버전들도 있음
DateTime GetLastAccessTime (string path);
DateTime GetLastWriteTime  (string path);

void SetCreationTime   (string path, DateTime creationTime);
void SetLastAccessTime (string path, DateTime lastAccessTime);
void SetLastWriteTime  (string path, DateTime lastWriteTime);

FileSecurity GetAccessControl (string path);
FileSecurity GetAccessControl (string path,
                               AccessControlSections includeSections);
void SetAccessControl (string path, FileSecurity fileSecurity);
```

Move 메서드와 Replace는 파일 이름을 변경하거나 파일을 다른 디렉터리로 옮기는 데 쓰인다. 만일 대상 파일이 이미 존재하면 Move는 예외를 던지지만, Replace는 예외를 던지지 않는다.

Delete 메서드는 파일을 삭제한다. 만일 파일이 읽기 전용이면 Unauthorized AccessException을 던진다. 파일이 읽기 전용인지는 GetAttributes로 얻은 파일 특성들을 점검해서 알아낼 수 있다. 다음은 GetAttributes가 돌려주는 FileAttribute 열거형의 멤버들이다.

```
Archive, Compressed, Device, Directory, Encrypted,
Hidden, Normal, NotContentIndexed, Offline, ReadOnly,
ReparsePoint, SparseFile, System, Temporary
```

이 열거형의 멤버들은 조합이 가능하다. 다음은 다른 파일 특성들은 그대로 두고 특정 특성 하나만 변경하는 방법을 보여주는 예이다.

```
string filePath = @"c:\temp\test.txt";

FileAttributes fa = File.GetAttributes (filePath);
if ((fa & FileAttributes.ReadOnly) != 0)
{
    fa ^= FileAttributes.ReadOnly;
    File.SetAttributes (filePath, fa);
}

// 이제 파일이 읽기 전용이 아니므로 삭제할 수 있다.
File.Delete (filePath);
```

 파일의 읽기 전용 특성은 다음과 같이 FileInfo를 이용해서 변경하는 것이 더 쉽다.

```
new FileInfo (@"c:\temp\test.txt").IsReadOnly = false;
```

압축 특성과 암호화 특성

FileAttribute의 Compressed와 Encrypted는 Windows 탐색기에서 파일 또는 디렉터리의 속성 대화상자를 통해 접근할 수 있는 '압축 또는 암호화 특성' 체크상자들에 해당하는 속성들이다. 이런 종류의 압축과 암호화는 **투명하게** 작동한다. 다른 말로 하면, 이런 압축과 암호화에 관련된 모든 작업은 운영체제가 배경에서 수행하며, 사용자는 그냥 보통의 파일을 읽고 쓸 때와 같은 방법으로 파일을 읽고 쓸 수 있다.

파일의 Compressed나 Encrypted 특성은 SetAttributes 메서드로 변경할 수 없다. 변경하려 하면 오류 없이 실패한다. 암호화 특성(Encrypted)에 대한 해결책은 간단하다. 그냥 File 클래스의 Encrypt 메서드나 Decrypt 메서드를 사용하면 된다. 그러나 압축 특성을 변경하는 것은 좀 더 복잡하다. 한 가지 해결책은 System.Management에 있는 WMI(Windows Management Instrumentation) API를 사용하는 것이다. 다음 메서드는 지정된 디렉터리의 압축을 시도해서 성공 시 0을(실패 시에는 WMI 오류 부호를) 돌려준다.

```
static uint CompressFolder (string folder, bool recursive)
{
  string path = "Win32_Directory.Name='" + folder + "'";
  using (ManagementObject dir = new ManagementObject (path))
  using (ManagementBaseObject p = dir.GetMethodParameters ("CompressEx"))
  {
    p ["Recursive"] = recursive;
    using (ManagementBaseObject result = dir.InvokeMethod ("CompressEx",
                                                            p, null))
```

```
      return (uint) result.Properties ["ReturnValue"].Value;
    }
  }
```

압축 특성을 해제하려면 CompressEx 대신 UncompressEx를 사용하면 된다.

Windows의 투명한 파일 암호화 시스템은 로그인한 사용자의 패스워드에 기초한 키를 사용한다. 이 시스템은 인증된 사용자가 패스워드를 변경해도 안정적으로 작동한다. 그러나 관리자가 패스워드를 재설정하면 암호화된 파일의 자료를 복원하는 것이 불가능하다.

> 투명한 암호화와 압축을 위해서는 파일 시스템의 특별한 지원이 필요하다. NTFS(하드 드라이브에서 주로 쓰이는 파일 시스템)는 이 기능들을 지원하지만 CDFS(CD-ROM)와 FAT(이동식 매체)는 지원하지 않는다.

주어진 디스크 볼륨이 압축과 암호화를 지원하는지는 Win32 상호운용 기능(Interop)으로 알아낼 수 있다.

```
using System;
using System.IO;
using System.Text;
using System.ComponentModel;
using System.Runtime.InteropServices;

class SupportsCompressionEncryption
{
  const int SupportsCompression = 0x10;
  const int SupportsEncryption = 0x20000;

  [DllImport ("Kernel32.dll", SetLastError = true)]
  extern static bool GetVolumeInformation (string vol, StringBuilder name,
    int nameSize, out uint serialNum, out uint maxNameLen, out uint flags,
    StringBuilder fileSysName, int fileSysNameSize);

  static void Main()
  {
    uint serialNum, maxNameLen, flags;
    bool ok = GetVolumeInformation (@"C:\", null, 0, out serialNum,
                                    out maxNameLen, out flags, null, 0);
    if (!ok)
      throw new Win32Exception();

    bool canCompress = (flags & SupportsCompression) != 0;
    bool canEncrypt = (flags & SupportsEncryption) != 0;
  }
}
```

파일 보안

GetAccessControl 메서드와 SetAccessControl 메서드를 이용하면 사용자와 역할(role)에 배정된 운영체제 권한들을 조회하거나 변경할 수 있다. 두 메서드 모두 FileSecurity 객체를 사용한다(FileSecurity 클래스는 System.Security.AccessControl 이름공간에 있다). 또한, 새 파일을 생성할 때 FileStream의 생성자에 FileSecurity 객체를 지정해서 새 파일의 권한들을 설정할 수도 있다.

다음은 파일의 기존 권한들을 나열하고 'Users' 그룹에 실행 권한을 부여하는 예이다.

```
using System;
using System.IO;
using System.Security.AccessControl;
using System.Security.Principal;

...

FileSecurity sec = File.GetAccessControl (@"d:\test.txt");
AuthorizationRuleCollection rules = sec.GetAccessRules (true, true,
                                                        typeof (NTAccount));
foreach (FileSystemAccessRule rule in rules)
{
  Console.WriteLine (rule.AccessControlType);         // Allow 또는 Deny
  Console.WriteLine (rule.FileSystemRights);          // 이를테면 FullControl
  Console.WriteLine (rule.IdentityReference.Value);   // 이를테면 MyDomain/Joe
}

var sid = new SecurityIdentifier (WellKnownSidType.BuiltinUsersSid, null);
string usersAccount = sid.Translate (typeof (NTAccount)).ToString();

FileSystemAccessRule newRule = new FileSystemAccessRule
  (usersAccount, FileSystemRights.ExecuteFile, AccessControlType.Allow);

sec.AddAccessRule (newRule);
File.SetAccessControl (@"d:\test.txt", sec);
```

이번 장의 '특수 폴더(p.816)'에 또 다른 예제가 나온다.

Directory 클래스

정적 Directory 클래스는 File 클래스의 메서드들에 대응되는 일단의 메서드들을 제공한다. 디렉터리 존재 여부를 점검하는 Exists, 디렉터리의 이동과 삭제를 위한 Move와 Delete가 있고, 디렉터리 생성 시간과 최종 접근 시간을 조회·설정하는 메서드들과 보안 권한들을 조회·설정하는 메서드들이 있다. Directory는 또한 다음과 같은 정적 메서드들도 제공한다.

```
string GetCurrentDirectory ();
void   SetCurrentDirectory (string path);

DirectoryInfo CreateDirectory  (string path);
DirectoryInfo GetParent        (string path);
string        GetDirectoryRoot (string path);

string[] GetLogicalDrives();

// 다음 메서드들은 모두 전체 경로를 돌려준다:

string[] GetFiles             (string path);
string[] GetDirectories       (string path);
string[] GetFileSystemEntries (string path);

IEnumerable<string> EnumerateFiles             (string path);
IEnumerable<string> EnumerateDirectories       (string path);
IEnumerable<string> EnumerateFileSystemEntries (string path);
```

마지막 세 메서드는 .NET Framework 4.0에서 추가되었다. 이들은 게으르게 평가되므로, 즉 실제로 순차열을 열거해야 비로소 파일 시스템에서 자료를 가져오므로, Get* 메서드들보다 더 효율적일 수 있다. 이들은 특히 LINQ 질의에 잘 맞는다.

Enumerate* 메서드들과 Get* 메서드들에는 searchPattern(문자열)과 searchOption(열거형)을 받도록 중복적재된 버전들도 있다. SearchOption.SearchAllSubDirectories를 지정하면 재귀적인 하위 디렉터리 검색이 수행된다. *FileSystemEntries 메서드들은 *Files의 결과들과 *Directories의 결과들을 합친다.

다음은 디렉터리가 존재하지 않을 때에만 디렉터리를 생성하는 예이다.

```
if (!Directory.Exists (@"d:\test"))
  Directory.CreateDirectory (@"d:\test");
```

FileInfo와 DirectoryInfo

File과 Directory의 정적 메서드들은 하나의 파일 또는 디렉터리 연산을 수행하는 데 편리하다. 그러나 여러 메서드를 연달아 호출해야 한다면 FileInfo 클래스와 DirectoryInfo 클래스가 제공하는 객체 모형을 사용하는 것이 더 편리하다.

FileInfo에는 File의 정적 메서드들 대부분에 대응되는 인스턴스 메서드들이 있다. FileInfo는 또한 Extension이나 Length, IsReadOnly, Directory(DirectoryInfo

객체를 돌려준다) 같은 추가적인 속성들도 제공한다. 다음은 이들을 사용하는 예이다.

```
FileInfo fi = new FileInfo (@"c:\temp\FileInfo.txt");
Console.WriteLine (fi.Exists);         // False

using (TextWriter w = fi.CreateText())
  w.Write ("Some text");

Console.WriteLine (fi.Exists);         // False (아직 갱신되지 않았음)
fi.Refresh();
Console.WriteLine (fi.Exists);         // True

Console.WriteLine (fi.Name);           // FileInfo.txt
Console.WriteLine (fi.FullName);       // c:\temp\FileInfo.txt
Console.WriteLine (fi.DirectoryName);  // c:\temp
Console.WriteLine (fi.Directory.Name); // temp
Console.WriteLine (fi.Extension);      // .txt
Console.WriteLine (fi.Length);         // 9

fi.Encrypt();
fi.Attributes ^= FileAttributes.Hidden;   // (숨김 플래그 변경)
fi.IsReadOnly = true;

Console.WriteLine (fi.Attributes);    // ReadOnly,Archive,Hidden,Encrypted
Console.WriteLine (fi.CreationTime);

fi.MoveTo (@"c:\temp\FileInfoX.txt");

DirectoryInfo di = fi.Directory;
Console.WriteLine (di.Name);             // temp
Console.WriteLine (di.FullName);         // c:\temp
Console.WriteLine (di.Parent.FullName);  // c:\
di.CreateSubdirectory ("SubFolder");
```

다음 예제는 DirectoryInfo를 이용해서 파일들과 하위 디렉터리들을 열거하는 방법을 보여준다.

```
DirectoryInfo di = new DirectoryInfo (@"e:\photos");

foreach (FileInfo fi in di.GetFiles ("*.jpg"))
  Console.WriteLine (fi.Name);

foreach (DirectoryInfo subDir in di.GetDirectories())
  Console.WriteLine (subDir.FullName);
```

Path 클래스

정적 Path 클래스는 경로와 파일 이름을 다루는 메서드들과 필드들을 제공한다. 다음과 같은 설정 코드가 실행되었다고 하자.

```
string dir  = @"c:\mydir";
string file = "myfile.txt";
string path = @"c:\mydir\myfile.txt";

Directory.SetCurrentDirectory (@"k:\demo");
```

다음은 Path의 메서드들과 필드들을 범주별로 나열한 것으로, '결과' 열은 위의 설정에 기초한 것이다.

표현식	결과
Directory.GetCurrentDirectory()	k:\demo\
Path.IsPathRooted (file)	False
Path.IsPathRooted (path)	True
Path.GetPathRoot (path)	c:\
Path.GetDirectoryName (path)	c:\mydir
Path.GetFileName (path)	myfile.txt
Path.GetFullPath (file)	k:\demo\myfile.txt
Path.Combine (dir, file)	c:\mydir\myfile.txt
파일 확장자	
Path.HasExtension (file)	True
Path.GetExtension (file)	.txt
Path.GetFileNameWithoutExtension (file)	myfile
Path.ChangeExtension (file, ".log")	myfile.log
구분자와 문자	
Path.AltDirectorySeparatorChar	/
Path.PathSeparator	;
Path.VolumeSeparatorChar	:
Path.GetInvalidPathChars()	문자 부호 0에서 31까지의 문자들과 "<>|
Path.GetInvalidFileNameChars()	문자 부호 0에서 31까지의 문자들과 "<>|:*?\/
임시 파일	
Path.GetTempPath()	*<지역 사용자 폴더>*\Temp
Path.GetRandomFileName()	*d2dwuzjf.dnp*
Path.GetTempFileName()	*<지역 사용자 폴더>*\Temp*tmp14B.tmp*

Combine 메서드는 특히나 유용하다. 이 메서드는 디렉터리 이름과 파일 이름 또는 두 디렉터리 이름을 결합한 결과를 돌려주는데, 이름 끝의 역슬래시를 자동으로 점검 또는 추가해 주기 때문에 편리하다.

GetFullPath 메서드는 현재 디렉터리를 기준으로 한 상대 경로를 절대 경로로 변환한다. 이 메서드는 이를테면 *..\..\file.txt* 같은 값을 받아들인다.

GetRandomFileName 메서드는 고유함이 보장되는 8.3자 파일 이름을 돌려준다. 그 이름의 파일을 실제로 생성하지는 않는다. GetTempFileName 메서드는 파일 65,000개마다 순환되는 자동 증가 카운터를 이용해서 만든 임시 파일 이름을 돌려준다. 이 메서드는 지역 임시 디렉터리에 실제로 그 이름의 파일(길이가 0바이트인)을 생성한다.

> GetTempFileName으로 생성한 파일을 다 사용했으면 반드시 삭제해야 한다. 삭제하지 않으면 언젠가는(GetTempFileName을 65,000회 호출한 후에) 예외가 발생한다. 그것이 문제가 된다면, 대신 GetTempPath의 결과와 GetRandomFileName의 결과를 Combine으로 합친 임시 파일 이름을 사용하면 된다. 실수로 사용자의 하드 드라이브를 임시 파일들로 채우지는 말기를!

특수 폴더

Path와 Directory에 없는 기능 하나는 *My Documents*나 *Program Files*, *Application Data* 같은 특수 폴더들의 실제 경로를 알려주는 기능이다. 이 기능은 System.Environment 클래스의 GetFolderPath 메서드가 제공한다.

```
string myDocPath = Environment.GetFolderPath
  (Environment.SpecialFolder.MyDocuments);
```

Environment.SpecialFolder는 하나의 열거형으로, Windows의 모든 특수 폴더에 대응되는 다음과 같은 멤버들로 구성되어 있다.

```
AdminTools                CommonVideos           Personal
ApplicationData           Cookies                PrinterShortcuts
CDBurning                 Desktop                ProgramFiles
CommonAdminTools          DesktopDirectory       ProgramFilesX86
CommonApplicationData     Favorites              Programs
CommonDesktopDirectory    Fonts                  Recent
CommonDocuments           History                Resources
CommonMusic               InternetCache          SendTo
CommonOemLinks            LocalApplicationData   StartMenu
CommonPictures            LocalizedResources     Startup
CommonProgramFiles        MyComputer             System
CommonProgramFilesX86     MyDocuments            SystemX86
```

```
CommonPrograms      MyMusic            Templates
CommonStartMenu     MyPictures         UserProfile
CommonStartup       MyVideos           Windows
CommonTemplates     NetworkShortcuts
```

아쉽게도 .NET Framework 디렉터리는 이 메서드가 알려주지 않는다. 그 디렉터리는 다음 메서드로 알아낼 수 있다.

```
System.Runtime.InteropServices.
RuntimeEnvironment.GetRuntimeDirectory()
```

추가 설명이 필요한 값이 몇 개 있다. ApplicationData에 해당하는 디렉터리에 응용 프로그램의 자료를 저장하면 그 자료는 같은 네트워크에서 사용자를 따라다닌다(사용자가 네트워크 도메인에 대해 로밍roaming 프로파일을 활성화한 경우). 비로밍 자료(현재 로그인한 사용자에게만 국한된)는 LocalApplicationData 디렉터리에 저장하면 된다. CommonApplicationData 디렉터리는 현재 컴퓨터의 모든 사용자가 공유하는 자료를 저장하도록 마련된 장소이다. 응용 프로그램의 자료를 Windows의 레지스트리보다는 이 폴더들에 저장하는 것이 권장된다. 이 폴더들에 자료를 저장할 때에는 다음 예처럼 응용 프로그램과 같은 이름의 하위 디렉터리를 만들어서 저장하는 것이 관례이다.

```
string localAppDataPath = Path.Combine (
  Environment.GetFolderPath (Environment.SpecialFolder.ApplicationData),
  "MyCoolApplication");

if (!Directory.Exists (localAppDataPath))
  Directory.CreateDirectory (localAppDataPath);
```

아주 제한된 모래상자 안에서 실행되는 프로그램(Silverlight 응용 프로그램 등)은 이 폴더들에 접근할 수 없다. 그런 프로그램은 격리된 저장소를 사용한다(이번 장의 마지막 절 참고). Windows 스토어 앱의 경우에는 WinRT 라이브러리를 사용한다(이번 장의 'WinRT의 파일 입출력(p.821)' 참고).

CommonApplicationData와 관련해서 아주 고약한 함정이 하나 있다. 사용자가 프로그램을 관리자 권한으로 실행한 상태에서 프로그램이 CommonApplicationData에 폴더와 파일을 생성한 경우, 나중에 제한된 Windows 로그인 세션에서 프로그램을 실행하면 프로그램은 CommonApplicationData의 해당 폴더들과 파일들을 갱신할 수 없다. (권한이 제한된 다른 사용자 계정으로 전환해서 프로그램을 실행하는 경우에도 마찬가지이다.) 한 가지 해결책은 그런 폴더를 프로그램 설치 시에 생성해 두는 것이다(모든 사용자에 배정된 권한들을 적용해서). 아니면, CommonApplicationData에 폴더를 생성한 즉시(다른 파일들을 기록하기 전에) 다음 코드를 실행하는 방법도 있다. 이 코드는 'Users' 그룹의 모든 계정이 해당 폴더에 제한 없이 접근할 수 있게 한다.

```
public void AssignUsersFullControlToFolder (string path)
{
  try
  {
    var sec = Directory.GetAccessControl (path);
    if (UsersHaveFullControl (sec)) return;

    var rule = new FileSystemAccessRule (
      GetUsersAccount().ToString(),
      FileSystemRights.FullControl,
      InheritanceFlags.ContainerInherit | InheritanceFlags.ObjectInherit,
      PropagationFlags.None,
      AccessControlType.Allow);

      sec.AddAccessRule (rule);
      Directory.SetAccessControl (path, sec);
  }
  catch (UnauthorizedAccessException)
  {
    // 해당 폴더를 다른 사용자가 이미 생성했음
  }
}

bool UsersHaveFullControl (FileSystemSecurity sec)
{
  var usersAccount = GetUsersAccount();
  var rules = sec.GetAccessRules (true, true, typeof (NTAccount))
                .OfType<FileSystemAccessRule>();

  return rules.Any (r =>
    r.FileSystemRights == FileSystemRights.FullControl &&
    r.AccessControlType == AccessControlType.Allow &&
    r.InheritanceFlags == (InheritanceFlags.ContainerInherit |
                           InheritanceFlags.ObjectInherit) &&
    r.IdentityReference == usersAccount);
}

NTAccount GetUsersAccount()
{
  var sid = new SecurityIdentifier (WellKnownSidType.BuiltinUsersSid, null);
  return (NTAccount)sid.Translate (typeof (NTAccount));
}
```

응용 프로그램의 구성 파일이나 로그 파일을 응용 프로그램의 기준 디렉터리에 저장하기도 한다. 기준디렉터리는 AppDomain.CurrentDomain.BaseDirectory로 얻을 수 있다. 그러나 이 방법은 권장되지 않는다. 최초 설치 이후에는 응용 프로그램이 그 폴더에 접근하는 것을 운영체제가 허용하지 않을 가능성이 크기 때문이다(응용 프로그램을 관리자 권한으로 상승해서 실행하지 않는 한).

볼륨 정보 얻기

컴퓨터에 설치된 드라이브에 대한 정보는 DriveInfo 클래스를 이용해서 얻을 수 있다.

```
DriveInfo c = new DriveInfo ("C");       // C: 드라이브를 질의한다.

long totalSize = c.TotalSize;            // 크기(바이트 단위)
long freeBytes = c.TotalFreeSpace;       // 디스크 할당량(쿼터)은 무시한 가용 용량
long freeToMe  = c.AvailableFreeSpace;   // 디스크 할당량도 포함한 가용 용량

foreach (DriveInfo d in DriveInfo.GetDrives())    // 정의된 모든 드라이브를 나열
{
  Console.WriteLine (d.Name);             // C:\
  Console.WriteLine (d.DriveType);        // Fixed
  Console.WriteLine (d.RootDirectory);    // C:\

  if (d.IsReady)   // 드라이브가 준비되지 않은 상태이면
                   // 다음 속성들이 예외를 던진다.
  {
    Console.WriteLine (d.VolumeLabel);    // The Sea Drive
    Console.WriteLine (d.DriveFormat);    // NTFS
  }
}
```

정적 GetDrives 메서드는 마운팅된 모든 드라이브(CD-ROM, 매체 카드, 네트워크 연결 포함)를 돌려준다. DriveType은 다음과 같은 값들을 가진 열거형이다.

```
Unknown, NoRootDirectory, Removable, Fixed, Network, CDRom, Ram
```

파일 시스템 활동 감시

FileSystemWatcher 클래스를 이용하면 한 디렉터리의(그리고 필요하다면 모든 하위 디렉터리의) 활동을 감시할 수 있다. FileSystemWatcher는 파일 또는 하위 디렉터리 생성, 수정, 이름 변경, 삭제나 파일 또는 디렉터리의 특성 변경 같은 사건에 대한 이벤트들을 제공한다. 이 이벤트들은 해당 변경을 어떤 사용자 또는 프로세스가 수행했는지와는 무관하게 항상 발동한다. 다음은 이 클래스를 사용하는 예이다.

```
static void Main() { Watch (@"c:\temp", "*.txt", true); }

static void Watch (string path, string filter, bool includeSubDirs)
```

```
{
  using (var watcher = new FileSystemWatcher (path, filter))
  {
    watcher.Created += FileCreatedChangedDeleted;
    watcher.Changed += FileCreatedChangedDeleted;
    watcher.Deleted += FileCreatedChangedDeleted;
    watcher.Renamed += FileRenamed;
    watcher.Error   += FileError;

    watcher.IncludeSubdirectories = includeSubDirs;
    watcher.EnableRaisingEvents = true;

    Console.WriteLine ("이벤트 청취 중 - 종료하려면 Enter 키를 누르세요");
    Console.ReadLine();
  }
  // FileSystemWatcher를 처분하면 이벤트가 더 이상 발동되지 않는다.
}

static void FileCreatedChangedDeleted (object o, FileSystemEventArgs e)
  => Console.WriteLine ("파일 {0}: {1}", e.FullPath, e.ChangeType);

static void FileRenamed (object o, RenamedEventArgs e)
  => Console.WriteLine ("이름 바뀜: {0}->{1}", e.OldFullPath, e.FullPath);

static void FileError (object o, ErrorEventArgs e)
  => Console.WriteLine ("오류: " + e.GetException().Message);
```

FileSystemWatcher는 개별 스레드에서 이벤트를 발동하기 때문에, 이벤트 처리 코드를 예외 처리 블록으로 감싸지 않으면 응용 프로그램이 강제로 종료될 수 있다. 좀 더 자세한 내용은 제14장의 '예외 처리(p.711)'를 보기 바란다.

Error 이벤트는 파일 시스템의 오류에 관한 것이 아니다. 이 이벤트는 Changed나 Created, Deleted, Renamed 이벤트가 너무 많이 발생해서 FileSystemWatcher의 내부 이벤트 버퍼가 넘쳤음을 뜻한다. 그 버퍼의 크기는 InternalBufferSize 속성을 이용해서 변경할 수 있다.

IncludeSubdirectories는 재귀적으로 적용된다. 따라서, 만일 *C:*에 대해 FileSystemWatcher를 생성해서 IncludeSubdirectories를 true로 설정하면 C 드라이브의 모든 파일과 디렉터리의 변화에 대해 이벤트가 발동한다.

FileSystemWatcher를 사용할 때 한 가지 조심할 점은, 파일을 새로 생성하거나 갱신할 때 파일의 내용이 완전히 채워지거나 갱신되기 전에 변경 이벤트가 발동될 수 있다는 것이다. 파일을 생성하는 다른 소프트웨어와 연동해서 작동하는 프로그램을 만들 때에는, 감시되지 않는 확장자로 파일을 생성하고 내용을 모두 기록한 후에 확장자를 변경하는 등의 전략을 사용해서 이 문제를 완화할 필요가 있다.

WinRT의 파일 입출력

Windows 스토어 앱에서는 FileStream과 Directory/File 클래스를 사용할 수 없다. 대신 Windows.Storage 이름공간에 있는 디렉터리/파일 관련 형식들을 사용해야 한다. 주된 클래스는 StorageFolder와 StorageFile이다.

디렉터리 다루기

StorageFolder는 하나의 디렉터리를 나타낸다. 원하는 폴더의 전체 경로를 지정해서 StorageFolder의 정적 메서드 GetFolderFromPathAsync를 호출하면 그 폴더에 대한 StorageFolder 객체가 반환된다. 그런데 WinRT에서 응용 프로그램은 특정 장소들의 파일에만 접근할 수 있으므로, KnownFolders 클래스를 이용하는 것이 더 쉬운 방법이다. 이 클래스는 접근할 수 있는 폴더에 대한 StorageFolder 객체를 돌려주는 다음과 같은 정적 속성들을 제공한다.

```
public static StorageFolder DocumentsLibrary { get; }
public static StorageFolder PicturesLibrary { get; }
public static StorageFolder MusicLibrary { get; }
public static StorageFolder VideosLibrary { get; }
```

파일 접근은 패키지 매니페스트의 설정에 따라 더욱 제한된다. 특히, Windows 스토어 앱은 매니페스트에 선언된 파일 연관 설정에 해당하는 확장자를 가진 파일에만 접근할 수 있다.

또한, Package.Current.InstalledLocation은 현재 응용 프로그램이 설치된 디렉터리에 대한 StorageFolder(읽기 전용으로만 접근할 수 있다)를 돌려준다.

KnownFolders는 이동식 장치와 홈 그룹 폴더들에 접근하기 위한 속성들도 제공한다.

StorageFolder에는 통상적인 속성들(Name, Path, DateCreated, DateModified, Attributes 등), 폴더를 삭제하거나 폴더 이름을 바꾸는 메서드들, 그리고 파일 및 하위 폴더를 나열하는 메서드들(GetFilesAsync와 GetFoldersAsync)이 있다.

이름에서 알 수 있듯이 이 메서드들은 비동기 함수이다. 이 메서드들이 돌려주는 객체를 확장 메서드 AsTask를 이용해서 작업 객체로 변환하거나, 직접 await로 대기할 수 있다. 다음은 문서 폴더의 모든 파일을 나열하는 예이다.

```
StorageFolder docsFolder = KnownFolders.DocumentsLibrary;
IReadOnlyList<StorageFile> files = await docsFolder.GetFilesAsync();
```

```
foreach (IStorageFile file in files)
  Debug.WriteLine (file.Name);
```

특정한 확장자를 가진 파일들만 나열하려면 CreateFileQueryWithOptions 메서드를 사용하면 된다.

```
StorageFolder docsFolder = KnownFolders.DocumentsLibrary;
var queryOptions = new QueryOptions (CommonFileQuery.DefaultQuery,
                                     new[] { ".txt" });
var txtFiles = await docsFolder.CreateFileQueryWithOptions (queryOptions)
                               .GetFilesAsync();
foreach (StorageFile file in txtFiles)
  Debug.WriteLine (file.Name);
```

QueryOptions 클래스는 검색 방식을 좀 더 구체적으로 지정할 수 있는 속성들을 제공한다. 예를 들어 FolderDepth 속성을 다음과 같이 설정하면 하위 디렉터리들을 재귀적으로 검색하게 된다.

```
queryOptions.FolderDepth = FolderDepth.Deep;
```

파일 다루기

WinRT에서 파일을 다룰 때 기본적으로 사용하는 클래스는 StorageFile이다. StorageFile 인스턴스는 전체 경로로 얻을 수도 있고 상대 경로로 얻을 수도 있다. 전체 경로를 사용하는 경우에는 StorageFile의 정적 메서드 StorageFile.GetFileFromPathAsync를 호출하고(단, 해당 파일에 대한 접근 권한이 있어야 함), 상대 경로를 사용하는 경우에는 다음처럼 StorageFolder(또는 IStorageFolder) 객체에 대해 GetFileAsync를 호출한다.

```
StorageFolder docsFolder = KnownFolders.DocumentsLibrary;
StorageFile file = await docsFolder.GetFileAsync ("foo.txt");
```

파일이 존재하지 않으면, GetFileAsync는 그 사실을 알게 된 시점에서 FileNotFoundException 예외를 던진다.

StorageFile은 Name이나 Path 같은 통상적인 속성들과 MoveAsync, RenameAsync, CopyAsync, DeleteAsync 같은 파일 조작 메서드들을 제공한다. 파일을 복사하는 CopyAsync 메서드는 새로 만들어진 파일에 해당하는 StorageFile 객체를 돌려준다. 또한, 대상의 이름과 폴더가 아니라 대상을 나타내는 StorageFile 객체를 받는 CopyAndReplaceAsync라는 메서드도 있다.

StorageFile은 파일을 열어서 읽기용 .NET 스트림 또는 쓰기용 .NET 스트림을 돌려주는 OpenStreamForReadAsync 메서드와 OpenStreamForWriteAsync 메서드도 제공한다. 예를 들어 다음은 문서 폴더에 *test.txt*라는 파일을 생성해서 텍스트를 기록한다.

```
StorageFolder docsFolder = KnownFolders.DocumentsLibrary;

StorageFile file = await docsFolder.CreateFileAsync
  ("test.txt", CreationCollisionOption.ReplaceExisting);

using (Stream stream = await file.OpenStreamForWriteAsync())
using (StreamWriter writer = new StreamWriter (stream))
  await writer.WriteLineAsync ("This is a test");
```

CreationCollisionOption.ReplaceExisting을 지정하지 않고 CreateFileAsync를 호출했는데 해당 파일이 이미 존재한다면, CreateFileAsync는 자동으로 파일 이름에 번호를 추가해서 고유한 파일 이름을 만든 후 그것으로 새 파일을 생성한다.

다음은 이 예제가 기록한 파일을 다시 읽는 예이다.

```
StorageFolder docsFolder = KnownFolders.DocumentsLibrary;
StorageFile file = await docsFolder.GetFileAsync ("test.txt");

using (var stream = await file.OpenStreamForReadAsync ())
using (StreamReader reader = new StreamReader (stream))
  Debug.WriteLine (await reader.ReadToEndAsync());
```

Windows 스토어 앱의 격리된 저장소

Windows 스토어 앱은 다른 응용 프로그램과는 격리된 자신만의 폴더들에 접근할 수 있다. 응용 프로그램 고유의 자료를 저장하는 데 그 폴더들을 활용할 수 있다.

```
Windows.Storage.ApplicationData.Current.LocalFolder
Windows.Storage.ApplicationData.Current.RoamingFolder
Windows.Storage.ApplicationData.Current.TemporaryFolder
```

이 정적 속성들은 모두 StorageFolder 객체를 돌려준다. 그 객체를 이용해서, 앞에서 설명한 방식으로 파일들을 읽고 쓰거나 열거할 수 있다.

메모리 대응 파일

메모리 대응 파일(memory-mapped file)의 핵심 특징은 다음 두 가지이다.

- 파일 자료에 대한 임의 접근이 효율적이다.
- 같은 컴퓨터의 서로 다른 프로세스가 자료를 공유하는 매개체로 유용하다.

메모리 대응 파일을 위한 형식들은 System.IO.MemoryMappedFiles 이름공간에 있다. 이들은 .NET Framework 4.0에서 도입되었다. 내부적으로 이들은 메모리 대응 파일 관련 Win32 API를 사용한다. Windows 스토어 앱에서는 이 형식들을 사용할 수 없다.

메모리 대응 파일과 임의 접근 파일 입출력

보통의 FileStream에서도 임의 접근 파일 입출력이 가능하지만(스트림의 Position 속성을 설정함으로써), FileStream은 기본적으로 순차적인 입출력에 최적화되어 있다. 대략적인 수치를 제시하자면 다음과 같다.

- 순차적인 입출력에서는 FileStream이 메모리 대응 파일보다 10배 빠르다.
- 임의 접근 입출력에서는 메모리 대응 파일이 FileStream보다 10배 빠르다.

FileStream의 Position 변경에는 수 마이크로초가 소비된다. 루프 안에서 Position을 변경하면 시간이 꽤 많이 지연될 수 있다. 또한, 스트림을 읽거나 쓸 때마다 접근 위치가 바뀌므로, FileStream은 다중 스레드 접근에 적합하지 않다.

메모리 대응 파일을 생성하는 과정은 다음과 같다.

1. 보통의 방식으로 FileStream 객체를 얻는다.
2. 파일 스트림(FileStream 객체)을 인수로 지정해서 MemoryMappedFile 인스턴스를 생성한다.
3. 그 인스턴스에 대해 CreateViewAccessor를 호출한다.

3번의 호출은 MemoryMappedViewAccessor 객체를 반환한다. MemoryMappedViewAccessor 형식은 단순 형식들과 구조체, 배열의 임의 접근 읽기/쓰기를 위한 메서드들을 제공한다(이에 관해서는 '뷰 접근자 다루기(p.826)'에서 좀 더 이야기하겠다).

다음은 1백만 바이트짜리 파일을 하나 생성한 후 메모리 대응 파일 API를 이용해서 500,000번 위치에 있는 바이트 하나를 읽고 쓰는 예제이다.

```
File.WriteAllBytes ("long.bin", new byte [1000000]);
```

```
using (MemoryMappedFile mmf = MemoryMappedFile.CreateFromFile ("long.bin"))
using (MemoryMappedViewAccessor accessor = mmf.CreateViewAccessor())
{
  accessor.Write (500000, (byte) 77);
  Console.WriteLine (accessor.ReadByte (500000));   // 77
}
```

CreateFromFile을 호출할 때 메모리 대응 파일의 이름을 지정할 수도 있다. 널이 아닌 문자열 이름을 지정해서 생성한 맵을 이용하면 다른 프로세스와 메모리 블록을 공유할 수 있다(다음 절 참고). 용량도 지정할 수 있는데, 그러면 메모리 대응 파일이 그 크기만큼 자동으로 확장된다. 다음은 1,000바이트짜리 메모리 대응 파일을 생성하는 예이다.

```
using (var mmf = MemoryMappedFile.CreateFromFile
                 ("long.bin", FileMode.Create, null, 1000))
  ...
```

메모리 대응 파일과 공유 메모리

앞에서 이야기했듯이, 메모리 대응 파일을 같은 컴퓨터에 있는 프로세스들이 메모리를 공유하는 수단으로 사용할 수 있다. 이 경우 한 프로세스가 적절한 이름으로 MemoryMappedFile.CreateNew를 호출해서 메모리 대응 파일을 생성하고, 다른 프로세스는 같은 이름으로 MemoryMappedFile.OpenExisting을 호출해서 그 메모리 대응 파일을 얻는다. 그런 다음에는 두 프로세스가 메모리 대응 파일을 하나의 공유 메모리 블록으로 사용해서 자료를 주고받는다. 이런 식으로 쓰이는 메모리 대응 파일은 비록 이름에 '파일'이 있긴 하지만 전적으로 메모리 안에만 존재하며, 디스크에 있는 그 어떤 것과도 무관하다.

다음 예제는 500바이트짜리 공유 메모리 대응 파일을 생성해서 0번 위치에 정수 12345를 기록한다.

```
using (MemoryMappedFile mmFile = MemoryMappedFile.CreateNew ("Demo", 500))
using (MemoryMappedViewAccessor accessor = mmFile.CreateViewAccessor())
{
  accessor.Write (0, 12345);
  Console.ReadLine();   // 사용자가 Enter 키를 누를 때까지 공유 메모리를 살려 둔다.
}
```

다음은 같은 메모리 대응 파일을 열어서 그 정수를 읽는 코드이다.

```
// 다음을 개별적인 실행 파일(EXE)에서 실행할 수도 있다:
using (MemoryMappedFile mmFile = MemoryMappedFile.OpenExisting ("Demo"))
```

```
using (MemoryMappedViewAccessor accessor = mmFile.CreateViewAccessor())
  Console.WriteLine (accessor.ReadInt32 (0));   // 12345
```

뷰 접근자 다루기

MemoryMappedFile에 대해 CreateViewAccessor를 호출하면 임의의 위치에서 값들을 읽고 쓸 수 있는 하나의 뷰 접근자(view accessor)가 반환된다.

뷰 접근자는 수치 형식들과 bool, char 형식을 받는, 그리고 그러한 값 형식의 원소 또는 필드로 구성된 배열 또는 구조체를 받는 Read*/Write* 메서드들을 제공한다. 참조 형식들이나 참조 형식의 원소/필드를 담은 배열 또는 구조체는 지원하지 않는데, 그런 형식들은 관리되지 않는 메모리에 대응시킬 수 없기 때문이다. 따라서 문자열을 기록하려면 먼저 바이트 배열로 부호화해야 한다. 다음이 그러한 예이다.

```
byte[] data = Encoding.UTF8.GetBytes ("시험용 텍스트");
accessor.Write (0, data.Length);
accessor.WriteArray (4, data, 0, data.Length);
```

제일 먼저 길이를 기록했음을 주목하기 바란다. 이는 나중에 이 문자열을 읽을 때 바이트를 몇 개나 읽어야 할지 알 수 있게 하기 위한 것이다.

```
byte[] data = new byte [accessor.ReadInt32 (0)];
accessor.ReadArray (4, data, 0, data.Length);
Console.WriteLine (Encoding.UTF8.GetString (data));   // 시험용 텍스트
```

다음은 구조체를 읽고 쓰는 예이다.

```
struct Data { public int X, Y; }
...
var data = new Data { X = 123, Y = 456 };
accessor.Write (0, ref data);
accessor.Read (0, out data);
Console.WriteLine (data.X + " " + data.Y);   // 123 456
```

Read/Write 메서드들은 놀랄 만큼 느리다. 포인터를 이용해서 바탕 비관리 메모리에 직접 접근하는 것이 성능이 훨씬 낫다. 다음은 앞의 예제의 비관리 메모리 접근 버전이다.

```
unsafe
{
  byte* pointer = null;
  try
```

```
  {
    accessor.SafeMemoryMappedViewHandle.AcquirePointer (ref pointer);
    int* intPointer = (int*) pointer;
    Console.WriteLine (*intPointer);              // 123
  }
  finally
  {
    if (pointer != null)
      accessor.SafeMemoryMappedViewHandle.ReleasePointer();
  }
}
```

포인터가 주는 성능상의 이점은 필드가 많은 구조체를 다룰 때 더욱 커진다. Read/Write를 이용해서 관리되는 메모리와 비관리 메모리 사이에서 필드들을 일일이 **복사**하는 것보다, 포인터를 이용해서 비관리 메모리의 미가공 자료를 직접 다루는 것이 훨씬 빠르다. 이 주제에 관해서는 제25장에서 좀 더 이야기하겠다.

격리된 저장소

모든 .NET 프로그램에는 프로그램이 접근할 수 있는 지역 저장소가 주어진다. 그러한 저장소를 **격리된 저장소**(isolated storage)라고 부른다. 격리된 저장소는 표준 파일 시스템에 접근할 수 없는, 그래서 ApplicationData, LocalApplicationData, CommonApplicationData, MyDocuments 같은 폴더('특수 폴더(p.816)' 참고)에 파일을 만들어서 자료를 저장할 수 없는 프로그램에 아주 유용하다. 제한된 '인터넷' 권한으로 설치된 Silverlight 응용 프로그램과 ClickOnce 응용 프로그램이 바로 그러한 프로그램의 예이다.

격리된 저장소는 다음과 같은 단점을 가지고 있다.

- API가 사용하기 까다롭다.
- IsolatedStorageStream을 통해서만 자료를 읽고 쓸 수 있다. 파일이나 디렉터리 객체를 얻어서 보통의 파일 입출력 수단을 사용할 수는 없다.
- 제한된 OS 권한을 가진 사용자는 컴퓨터의 공용 저장소(CommonApplicationData에 해당)에 있는, 다른 사용자가 생성한 파일을 삭제하거나 덮어쓸 수 없다(수정은 가능). 이는 사실상 버그이다.

보안의 관점에서, 격리된 저장소는 외부로부터 독자의 프로그램을 보호하기 위한 울타리라기보다는 독자의 프로그램을 가두는(외부에 해를 입히지 않도록) 울타리에 가깝다. 아주 제한된 권한을 가진(즉, '인터넷' 영역에 속하는) 다른 .NET 응용 프로그램의 침범은 확실하게 막아주지만, 그 외의 경우에는 보안이 강하지 않다. 필요하다면 다른 프로그램의 격리된 저장소에 접근하는 코드를 작성하는 것이 얼마든지 가능하다. 격리된 저장소는 의도적인 침범을 막기 위한 보안 장치가 아니라, 실수 또는 부주의로 다른 응용 프로그램의 영역에 침범하지 않게 하기 위한 보호 장치라 할 수 있다.

일반적으로, 모래상자 안에서 실행되는 응용 프로그램에 주어지는 격리된 저장소의 용량은 제한적이다. 그 용량은 권한에 따라 다른데, 인터넷 영역에 속하는 응용 프로그램과 Silverlight 응용 프로그램에 주어지는 격리된 저장소의 기본 용량은 1MB이다.

Silverlight처럼 다른 런타임에 호스팅되는 UI 기반 응용 프로그램은 사용자에게 격리된 저장소의 용량을 증가할 권한을 요청할 수 있다. `IsolatedStorageFile` 객체의 `IncreaseQuotaTo` 메서드를 호출하면 된다. 이 메서드는 반드시 버튼 클릭처럼 사용자가 주도한 이벤트에서 호출해야 한다. 사용자가 동의하면 이 메서드는 `true`를 돌려준다. 격리된 저장소의 현재 최대 용량은 `Quota` 속성으로 알아낼 수 있다.

격리 저장소 종류

격리된 저장소는 프로그램에 따라, 그리고 사용자에 따라 여러 구획으로 나뉜다. 격리된 저장소는 기본적으로 다음 세 가지 구획(compartment)으로 구성된다.

지역 사용자 구획들

사용자당, 프로그램당, 컴퓨터당 하나씩

로밍 사용자 구획들

사용자당, 프로그램당 하나씩

컴퓨터 구획들

프로그램당, 컴퓨터당 하나씩(한 프로그램의 모든 사용자가 한 구획을 공유)

적절한 운영체제와 도메인의 지원이 있는 경우, 로밍roaming 사용자 구획의 자료는 한 네트워크 안에서 사용자를 따라 다닌다. 그러한 지원이 없으면 로밍 사용자 구획은 그냥 지역 사용자 구획처럼 작동한다.

그런데 격리된 저장소의 구획과 관련해서 '프로그램'은 격리 모드에 따라 다음 둘 중 하나를 의미한다.

- 어셈블리
- 특정 응용 프로그램의 문맥 안에서 실행되는 어셈블리

전자는 **어셈블리 격리** 모드의 경우이고 후자는 **도메인 격리** 모드의 경우이다. 도메인 격리가 어셈블리 격리보다 더 흔하게 쓰인다. 도메인 격리 모드는 현재 실행 중인 어셈블리와 애초에 그 어셈블리를 실행한 실행 파일 또는 웹 응용 프로그램이라는 두 가지 기준으로 저장소를 격리한다. 반면 어셈블리 격리 모드는 현재 실행 중인 어셈블리만 고려한다. 따라서 서로 다른 응용 프로그램들이 같은 어셈블리를 호출한 경우 그 응용 프로그램들은 모두 같은 저장소를 공유한다.

> 어셈블리와 응용 프로그램은 '강력한 이름(strong name; 또는 강한 이름)'으로 식별된다. 강력한 이름이 없는 어셈블리(약한 이름 어셈블리)는 전체 파일 경로 또는 URI로 식별한다. 따라서, 약한 이름 어셈블리의 위치를 옮기거나 이름을 변경하면 해당 격리된 저장소가 초기화된다.

이 둘을 앞의 세 종류와 조합하면 총 여섯 종류가 된다. 표 15-4는 각 종류가 제공하는 격리 기능을 비교한 것이다.

표 15-4 격리된 저장소 구획들

종류	컴퓨터당?	응용 프로그램당?	어셈블리당?	사용자당?	저장소 획득용 메서드
도메인/사용자(기본)	✓	✓	✓	✓	GetUserStoreForDomain
도메인/로밍		✓	✓	✓	
도메인/컴퓨터	✓	✓	✓		GetMachineStoreForDomain
어셈블리/사용자	✓		✓	✓	GetUserStoreForAssembly
어셈블리/로밍			✓	✓	
어셈블리/컴퓨터	✓		✓		GetMachineStoreForAssembly

도메인만 고려하는 격리 저장소 구획은 없다. 그러나 한 응용 프로그램의 모든 어셈블리가 하나의 격리된 저장소를 공유하게 하고 싶다면, 간단한 해결책이 존재한다. 그냥 어셈블리 중 하나에서 IsolatedStorageFileStream 객체를 인스턴스화해서 돌려주는 공용 메서드를 노출하면 된다. 그 어떤 어셈블리라도, 일단

IsolatedStorageFile 객체를 얻기만 하면 그 객체를 이용해서 해당 격리된 저장소 파일에 접근할 수 있다. 격리의 제약은 생성 시점에서 적용될 뿐, 이후의 사용에는 적용되지 않는다.

마찬가지로, 컴퓨터만 고려하는 격리 저장소 구획도 없다. 한 컴퓨터의 여러 응용 프로그램이 하나의 격리된 저장소를 공유하게 하고 싶다면, 어셈블리별로 격리되는 IsolatedStorageFileStream 객체를 돌려주는 공용 메서드를 노출하는 어셈블리를 만들어서 여러 응용 프로그램이 그것을 참조하게 하는 수밖에 없다. 이 방식이 작동하려면 그 공용 어셈블리에 반드시 강력한 이름을 부여해야 한다.

격리된 저장소 읽기/쓰기

격리된 저장소를 읽고 쓸 때에는 스트림을 사용한다. 작동 방식은 보통의 파일 스트림과 별로 다르지 않다. 격리된 저장소 스트림을 얻으려면 우선 표 15-4에 나온 IsolatedStorageFile의 정적 메서드 중 하나를 호출해서 원하는 종류의 격리 저장소 구획 객체를 얻어야 한다. 그런 다음에는 그 객체와 파일 이름, 그리고 파일 모드(FileMode 열거형)를 지정해서 IsolatedStorageFileStream 인스턴스를 생성한다.

```
// IsolatedStorage 클래스는 System.IO.IsolatedStorage에 있다.

using (IsolatedStorageFile f =
       IsolatedStorageFile.GetMachineStoreForDomain())
using (var s = new IsolatedStorageFileStream ("hi.txt",FileMode.Create,f))
using (var writer = new StreamWriter (s))
  writer.WriteLine ("Hello, World");

// 다시 읽어 들인다.

using (IsolatedStorageFile f =
       IsolatedStorageFile.GetMachineStoreForDomain())
using (var s = new IsolatedStorageFileStream ("hi.txt", FileMode.Open, f))
using (var reader = new StreamReader (s))
  Console.WriteLine (reader.ReadToEnd());        // Hello, world
```

IsolatedStorageFile의 이름은 그리 적절하지 않다. 이 클래스는 파일이 아니라 파일들을 담는 **컨테이너**(기본적으로는 디렉터리)를 대표한다.

IsolatedStorageFile 객체를 얻는 더 나은(그러나 좀 더 장황한) 방법은 적절한 IsolatedStorageScope 플래그들(그림 15-6 참고)의 조합을 지정해서 IsolatedStorageFile.GetStore를 호출하는 것이다.

```
var flags = IsolatedStorageScope.Machine
          | IsolatedStorageScope.Application
          | IsolatedStorageScope.Assembly;

using (IsolatedStorageFile f = IsolatedStorageFile.GetStore (flags,
  typeof (StrongName), typeof (StrongName)))
{
  ...
```

이 방법의 장점은, CLR이 적절한 격리된 저장소를 선택하기 위해 현재 프로그램을 식별하는 과정에서 고려할 **증거**들의 종류를 IsolatedStorageScope 플래그들을 통해서 명시적으로 지정할 수 있다는 점이다. 일반적으로는 프로그램 어셈블리들의 강력한 이름을 사용하는 것이 바람직하다. 강력한 이름은 고유하며, 어셈블리의 버전이 바뀌어도 일관되게 유지할 수 있기 때문이다.

> 증거들을 명시적으로 지정하지 않고 자동으로 선택하게 하면, CLR이 Authenticode 서명(제18장 참고)까지 고려할 수도 있다. Authenticode 관련 사항이 바뀌면 응용 프로그램의 신원까지 바뀐다는 점에서, 대체로 이는 바람직하지 않은 일이다. 특히 처음에는 Authenticode 없이 응용 프로그램을 만들었다가 나중에 추가한 경우 CLR은 새 응용 프로그램을 이전 버전과는 다른 것으로 간주할 수 있으며, 그러면 이전 버전에서 저장한 자료에 접근할 수 없는 사태가 벌어질 수 있다.

IsolatedStorageScope는 플래그 열거형이다. 이 열거형의 플래그들을 제대로 조합해서 지정하지 않으면 유효한 저장소를 얻지 못한다. 그림 15-6에 올바른 조합들이 나와 있다. 로밍 저장소에 대한 접근이 허용됨을 주목하기 바란다(로밍 저장소는 지역 저장소와 비슷하되 Windows 로밍 프로파일을 통해서 사용자를 따라다니는 '로밍' 능력이 있다).

	어셈블리	어셈블리 및 도메인
지역 사용자	Assembly | User	Assembly | Domain | User
로밍 사용자	Assembly | User | Roaming	Assembly | Domain | User | Roaming
컴퓨터	Assembly | Machine	Assembly | Domain | Machine

그림 15-6 유효한 IsolatedStorageScope 플래그 조합

다음은 어셈블리 및 로밍 사용자별 격리된 저장소에 자료를 기록하는 예이다.

```
var flags = IsolatedStorageScope.Assembly
          | IsolatedStorageScope.User
```

```
                | IsolatedStorageScope.Roaming;

using (IsolatedStorageFile f = IsolatedStorageFile.GetStore (flags,
                                                              null, null))
using (var s = new IsolatedStorageFileStream ("a.txt", FileMode.Create, f))
using (var writer = new StreamWriter (s))
  writer.WriteLine ("Hello, World");
```

저장소 위치

.NET이 격리된 저장소 파일들을 실제로 기록하는 디렉터리들은 다음과 같다.

범위	위치
지역 사용자	[LocalApplicationData]\IsolatedStorage
로밍 사용자	[ApplicationData]\IsolatedStorage
컴퓨터	[CommonApplicationData]\IsolatedStorage

대괄호쌍으로 표시된 폴더의 실제 위치는 `Environment.GetFolderPath` 메서드로 알아낼 수 있다. 다음은 Windows Vista 이상에서의 기본 위치들이다.

범위	위치
지역 사용자	\Users\<사용자>\AppData\Local\IsolatedStorage
로밍 사용자	\Users\<사용자>\AppData\Roaming\IsolatedStorage
컴퓨터	\ProgramData\IsolatedStorage#

Windows XP에서는 다음과 같다.

범위	위치
지역 사용자	\Documents and Settings\<사용자>\Local Settings\Application Data\IsolatedStorage
로밍 사용자	\Documents and Settings\<사용자>\Application Data\IsolatedStorage
컴퓨터	\Documents and Settings\All Users\Application Data\IsolatedStorage

이들은 단지 기준 폴더들일 뿐이다. 실제 자료 파일은 난해한 이름(어셈블리 이름의 해시 코드로 만든)을 가진 하위 디렉터리들의 미궁 속 깊은 곳에 들어 있다. 이는 격리된 저장소를 사용하는 것이 좋은 이유이자 좋지 않은 이유이다. 한편으로는, 불순한 응용 프로그램이 다른 응용 프로그램의 격리된 저장소에 접근하려는 시도를 그냥 상위 디렉터리 내용의 나열을 막기만 하면 효과적으로 차단

할 수 있다는(구체적인 디렉터리 이름을 추측하는 것이 어려우므로) 장점이 있지만, 또 한편으로는 응용 프로그램 외부에서 사용자가 응용 프로그램의 자료를 관리하기가 어렵다는 단점이 있다. 응용 프로그램이 제대로 시동되게 하려면 XML 구성 파일을 메모장으로 편집하는 것이 편리한(또는 필수적인) 경우가 종종 있는데, 격리된 저장소 때문에 그렇게 하기가 불가능하거나 몹시 어렵다.

격리된 저장소 열거

`IsolatedStorageFile` 객체는 저장소에 있는 파일들을 나열하는 메서드들도 제공한다.

```
using (IsolatedStorageFile f = IsolatedStorageFile.GetUserStoreForDomain())
{
  using (var s = new IsolatedStorageFileStream ("f1.x",FileMode.Create,f))
    s.WriteByte (123);

  using (var s = new IsolatedStorageFileStream ("f2.x",FileMode.Create,f))
    s.WriteByte (123);

  foreach (string s in f.GetFileNames ("*.*"))
    Console.Write (s + " ");                    // f1.x f2.x
}
```

파일은 물론이고 하위 디렉터리도 생성 또는 제거할 수 있다.

```
using (IsolatedStorageFile f = IsolatedStorageFile.GetUserStoreForDomain())
{
  f.CreateDirectory ("subfolder");

  foreach (string s in f.GetDirectoryNames ("*.*"))
    Console.WriteLine (s);                             // 하위 폴더

  using (var s = new IsolatedStorageFileStream (@"subfolder\sub1.txt",
                                               FileMode.Create, f))

    s.WriteByte (100);

  f.DeleteFile (@"subfolder\sub1.txt");
  f.DeleteDirectory ("subfolder");
}
```

적절한 권한이 있다면 현재 사용자가 생성한 모든 격리된 저장소와 현재 컴퓨터의 모든 격리된 저장소를 나열하는 것도 가능하다. 이를 통해서 다른 프로그램의 고유한 자료에 접근할 수 있지만, 그렇다고 이것이 사용자의 개인정보를 침해하는 것은 아니다. 다음은 이 기능을 사용하는 예이다.

```
System.Collections.IEnumerator rator =
  IsolatedStorageFile.GetEnumerator (IsolatedStorageScope.User);

while (rator.MoveNext())
{
  var isf = (IsolatedStorageFile) rator.Current;

  Console.WriteLine (isf.AssemblyIdentity);      // 강력한 이름 또는 URI
  Console.WriteLine (isf.CurrentSize);
  Console.WriteLine (isf.Scope);                 // User 등
}
```

다른 여러 GetEnumerator 메서드들과는 달리, IsolatedStorageFile 클래스의 GetEnumerator는 인수를 하나 받는다(이 때문에 IsolatedStorageFile은 foreach와 호환되지 않는다). GetEnumerator의 인수로 사용할 수 있는 값은 다음 세 가지이다.

IsolatedStorageScope.User
: 현재 사용자에 속한 모든 지역 저장소 구획을 열거한다.

IsolatedStorageScope.User | IsolatedStorageScope.Roaming
: 현재 사용자에 속한 모든 로밍 저장소 구획을 열거한다.

IsolatedStorageScope.Machine
: 현재 컴퓨터의 모든 컴퓨터 저장소 구획을 열거한다.

일단 IsolatedStorageFile 객체를 얻고 나면 GetFiles와 GetDirectories를 호출해서 저장소의 파일들과 디렉터리들을 나열할 수 있다.

16장

C# 6.0 in a Nutshell

네트워킹

.NET Framework의 System.Net.* 이름공간들에는 HTTP나 TCP/IP, FTP 같은 표준 네트워크 프로토콜을 이용해서 통신을 수행하는 데 사용할 수 있는 다양한 클래스가 있다. 핵심 구성요소들을 요약하자면 다음과 같다.

- HTTP나 FTP를 통한 간단한 다운로드/업로드 연산을 위한 퍼사드 클래스 WebClient
- 클라이언트 쪽 HTTP나 FTP 연산들을 저수준에서 제어할 수 있는 WebRequest 클래스와 WebResponse 클래스
- HTTP 웹 API와 RESTful 서비스의 소비를 위한 HttpClient 클래스
- HTTP 서버 작성을 위한 HttpListener 클래스
- SMTP를 통한 메일 메시지 작성 및 전송을 위한 SmtpClient 클래스
- 도메인 이름과 주소의 변환을 위한 Dns 클래스
- 전송 계층과 네트워크 계층에 직접 접근하는 데 쓰이는 TcpClient, UdpClient, TcpListener Socket 클래스

Windows 스토어 앱은 이 형식 중 일부에만, 구체적으로 말하면 WebRequest와 WebResponse, HttpClient에만 접근할 수 있다. 그러나 Windows 스토어 앱은 Windows.Networking.Sockets에 있는 TCP 및 UDP 통신용 WinRT 형식들도 사용할 수 있다. 이들의 사용법은 이번 장의 마지막 절에서 살펴본다.

이번 장의 .NET 형식들은 System.Net.* 및 System.IO 이름공간들에 있다.

네트워크 구조

그림 16-1은 .NET 프레임워크의 네트워킹 형식들을 해당 통신 계층별로 배치한 그림이다. 대부분의 형식은 **전송 계층**(transport layer)과 **응용 계층**(application layer)에 있다. 전송 계층은 바이트 송·수신을 위한 기본 프로토콜들(TCP와 UDP)을 정의한다. 응용 계층은 구체적인 응용을 위한 고수준 프로토콜들을 정의한다. 이를테면 웹 페이지 조회(HTTP), 파일 전송(FTP), 메일 전송(SMTP), 도메인 이름과 IP 주소 사이의 변환(DNS) 등이 이 계층에 속한다.

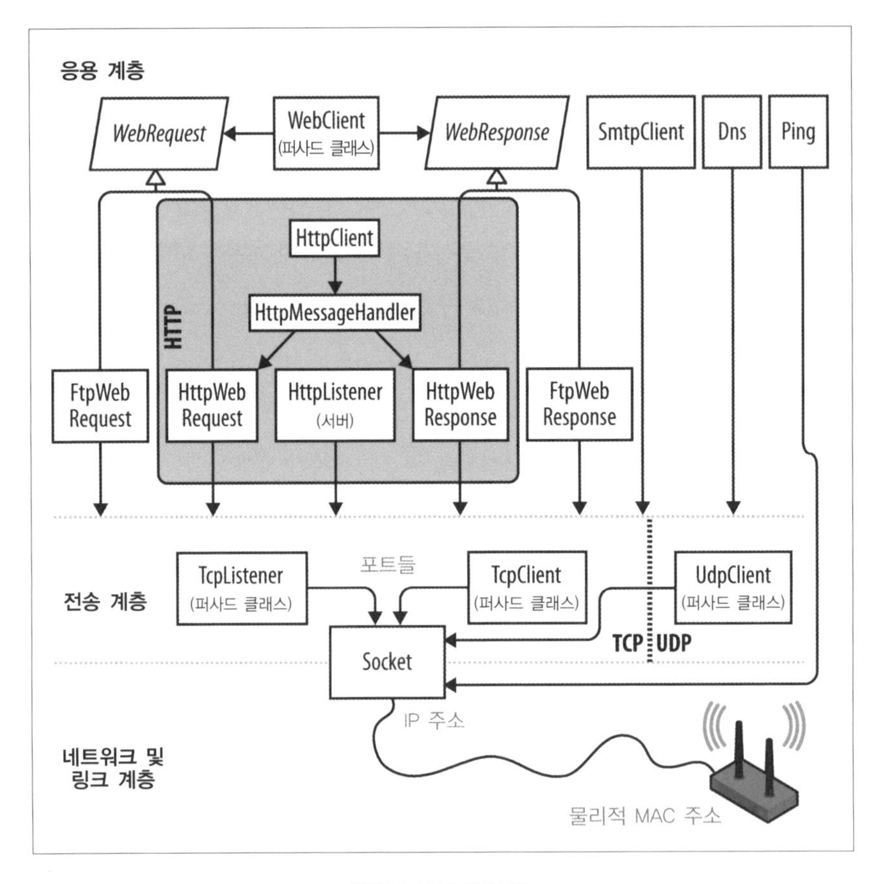

그림 16-1 네트워크 구조

프로그래밍하기에는 응용 계층이 가장 편하다. 그러나 전송 계층을 직접 다루어야 하는 때도 있다. 크게 두 가지인데, 하나는 .NET Framework가 제공하지 않는 기존 프로토콜을 응용 프로그램이 사용해야 하는 경우이다. 이를테면 POP3으로 메일을 조회하는 응용 프로그램을 만들려면 전송 계층에서 작업해야 한다.

또 하나는 P2P(peer-to-peer) 클라이언트 같은 특별한 응용 프로그램을 위해 커스텀 프로토콜을 고안해야 하는 경우이다.

응용 계층의 프로토콜 중 하나인 HTTP는 흔히 생각하는 웹 브라우징 이외의 다양한 용도로 활용할 수 있다는 점에서 특별하다. HTTP의 기본 용법인 "이 URL에 해당하는 웹 페이지를 가져온다(get)"를, "이 인수들로 이 끝점(endpoint)을 호출한 결과를 가져온다"라는 용법으로 바꾸는 것은 간단한 일이다. (HTTP에는 'get' 외에 'put'과 'post', 'delete'라는 동사들이 있다. REST 기반 서비스의 작동 방식은 이 네 동사에 기초한다.)

HTTP는 다층(multitier) 업무 응용 프로그램과 서비스 지향적 구조(SOA)에 유용한 여러 기능을 갖추고 있다. 이를테면 인증과 암호화를 위한 프로토콜들, 메시지 분할 전송, 확장 가능한 헤더와 쿠키, 그리고 여러 서버 응용 프로그램이 하나의 포트와 IP 주소를 공유하는 능력 등이 그러한 기능의 예이다. HTTP는 이처럼 유용하고 중요한 프로토콜이라서, .NET Framework도 HTTP를 잘 지원한다. 이번 장에서 설명하는 형식들을 통해서 직접 지원할 뿐만 아니라, WCF나 Web Services, ASP.NET 같은 기술들을 통해서 고수준에서 간접적으로도 지원한다.

.NET Framework는 파일 송수신에 널리 쓰이는 인터넷 프로토콜인 FTP의 클라이언트 쪽 기능을 지원한다. 서버 쪽 기능은 IIS나 Unix 기반 서버 소프트웨어의 형태로 지원된다.

지금까지의 문단들에서 보듯이 네트워킹에는 각종 두문자어(acronym)가 난무한다. 표 16-1은 가장 흔히 쓰이는 두문자어들이다.

표 16-1 네트워크 두문자어들

두문자어	원문	참고
DNS	Domain Name Service	도메인 이름(이를테면 ebay.com)과 IP 주소(이를테면 199.54.213.2)
FTP	File Transfer Protocol	파일 송수신을 위한 인터넷 기반 프로토콜
HTTP	Hypertext Transfer Protocol	웹 페이지 조회 및 웹 서비스 운영
IIS	Internet Information Services	Microsoft의 웹 서버 서비스
IP	Internet Protocol	TCP와 UDP 아래에 있는 네트워크 계층 프로토콜
LAN	Local Area Network	대부분의 LAN은 TCP/IP 같은 인터넷 기반 프로토콜들을 사용한다.

두문자어	원문	참고
POP	Post Office Protocol	인터넷 메일 조회
REST	REpresentational State Transfer	MS의 Web Services 대신 널리 쓰이는 구조로, 응답에 컴퓨터가 따라갈 수 있는 링크들을 활용한다는 점과 기본 HTTP상에서 운용할 수 있다는 점이 특징이다.
SMTP	Simple Mail Transfer Protocol	인터넷 메일 전송
TCP	Transmission and Control Protocol	대부분의 상위 계층 서비스들이 기반으로 사용하는 전송 계층 인터넷 프로토콜
UDP	Universal Datagram Protocol	VoIP 같은 저부하(low-overhead) 서비스들에 쓰이는 전송 계층 인터넷 프로토콜
UNC	Universal Naming Convention	*컴퓨터**공유이름**파일이름*
URI	Uniform Resource Identifier	보편적인 자원 명명 체계(이를테면 http://www.amazon.com이나 mailto:joe@bloggs.org)
URL	Uniform Resource Locator	흔히 URI와 같은 뜻으로 쓰인다. 엄밀히 말하면 URI의 한 부분집합이지만, 그런 의미로 쓰이는 경우는 점점 줄고 있다.

주소와 포트

통신이 작동하려면 컴퓨터 또는 장치에 주소가 있어야 한다. 인터넷에 쓰이는 주소 체계는 다음 두 가지이다.

IPv4

현재 지배적으로 쓰이는 주소 체계이다. IPv4 주소는 32비트이다. IPv4 주소를 문자열로 표현할 때에는 십진수 네 개를 마침표로 구분한 형태가 흔히 쓰인다(이를테면 101.102.103.104). 하나의 IPv4 주소는 전 지구적으로 고유하거나, 특정 **서브넷**subnet(부분망; 이를테면 회사 내부망 등) 안에서 고유하다.

IPv6

IPv4보다 새로운 128비트 주소 체계이다. IPv6 주소의 문자열 표현은 16비트 십육진수 여덟 개를 콜론으로 연결한 형태로, .NET 프레임워크에서는 주소 전체를 대괄호 쌍으로 감싸야 한다(이를테면 `[3EA0:FFFF:198A:E4A3:4FF2:54FA:41BC:8D31]`).

`System.Net` 이름공간의 `IPAddress` 클래스는 IPv4 또는 IPv6 주소를 대표한다. 이 클래스에는 바이트 배열을 받는 생성자와 적절한 형태의 문자열을 받는 정적 `Parse` 메서드가 있다.

```
IPAddress a1 = new IPAddress (new byte[] { 101, 102, 103, 104 });
IPAddress a2 = IPAddress.Parse ("101.102.103.104");
Console.WriteLine (a1.Equals (a2));                     // True
Console.WriteLine (a1.AddressFamily);                   // InterNetwork

IPAddress a3 = IPAddress.Parse
  ("[3EA0:FFFF:198A:E4A3:4FF2:54fA:41BC:8D31]");
Console.WriteLine (a3.AddressFamily);   // InterNetworkV6
```

TCP 프로토콜과 UDP 프로토콜은 하나의 IP 주소에 대해 65,535개의 포트port를 할당한다. 이 덕분에 한 주소의 한 컴퓨터에서 여러 응용 프로그램을 돌릴 수 있다(각 응용 프로그램에 하나의 포트를 사용해서). 여러 응용 프로토콜에는 표준 포트 번호가 배정되어 있는데, 예를 들어 HTTP는 기본적으로 포트 80을, SMTP는 포트 25를 사용한다.

49152에서 65535까지의 TCP, UDP 포트들은 그 어떤 표준 용도로도 배정되어 있지 않으므로, 시험용이나 소규모 배치 상황에 적합하다.

IP 주소와 포트 번호의 조합은 하나의 고유한 '종점(endpoint)'을 나타낸다. 이를 대표하는 .NET 프레임워크의 클래스는 `IPEndPoint`이다.

```
IPAddress a = IPAddress.Parse ("101.102.103.104");
IPEndPoint ep = new IPEndPoint (a, 222);           // 222번 포트
Console.WriteLine (ep.ToString());                 // 101.102.103.104:222
```

방화벽은 포트들을 차단한다. 특히 기업 환경에서는 포트 80(암호화되지 않은 HTTP용)이나 포트 443(보안 HTTP용) 같은 특정 포트 몇 개만 열어 두는 경우가 많다.

URI

URI는 인터넷이나 LAN의 한 자원(웹 페이지나 파일, 이메일 주소 등)을 서술하는, 특별한 서식을 따르는 문자열이다. 예를 들어 *http://www.ietf.org*나 *ftp://myisp/doc.txt*, *mailto:joe@bloggs.com*이 URI이다. URI의 정확한 서식은 IETF(Internet Engineering Task Force)가 정의한다.

하나의 URI는 여러 개의 요소로 구성된다. 흔히 쓰이는 구성요소는 **스킴**scheme, **출처**(authority; 전거), **경로**(path)이다. `System` 이름공간의 `Uri` 클래스는 주어진 URI 문자열을 자동으로 분해해서 각 구성요소에 대한 속성을 설정한다. 그림 16-2에 그러한 속성들이 나와 있다.

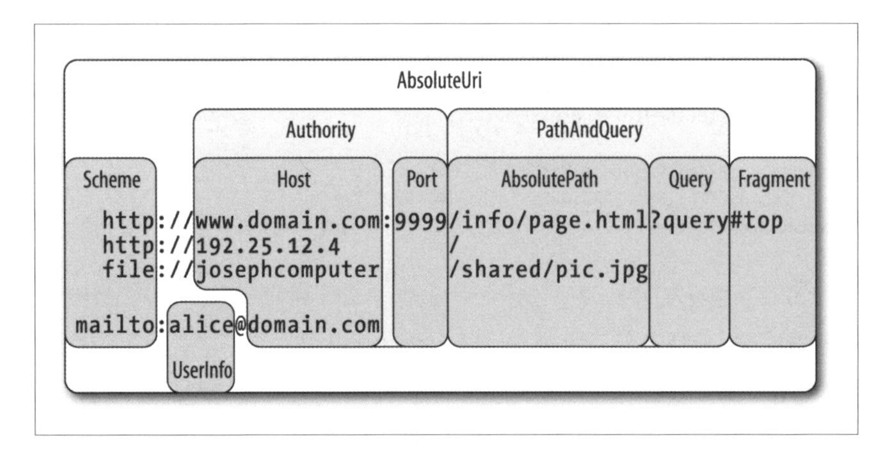

그림 16-2 URI 구성요소들에 대응되는 Uri의 속성들

Uri 클래스는 URI 문자열이 서식에 맞는지 점검하거나 URI 문자열을 그 구성요소들로 분해해야 할 때 유용하다. 그 외의 경우에는 그냥 문자열 형태의 URI를 사용하면 된다. 대부분의 네트워킹 메서드들은 Uri 객체를 받도록 중복적재된 버전과 문자열을 받도록 중복적재된 버전을 함께 제공한다.

Uri 객체를 생성할 때 생성자에 지정할 수 있는 문자열은 다음 세 종류이다.

- URI 문자열, 이를테면 *http://www.ebay.com*이나 *file://janespc/sharedpics/dolphin.jpg*.
- 하드 디스크에 있는 지역 파일의 절대 경로, 이를테면 *c:\myfiles\data.xls*.
- LAN에 있는 파일의 UNC 경로, 이를테면 *\\janespc\sharedpics\dolphin.jpg*.

파일 경로나 UNC 경로는 자동으로 URI 문자열로 변환된다. 제일 앞에 'file:' 프로토콜(스킴)이 추가되고, 역슬래시들이 모두 슬래시로 바뀐다. Uri 생성자들은 인스턴스를 실제로 생성하기 전에 문자열의 기본적인 전처리 작업도 수행한다. 이를테면 스킴과 호스트 이름을 소문자로 변경하고, 기본 포트 번호와 빈 포트 번호를 제거한다. "*www.test.com*"처럼 스킴이 없는 URI 문자열을 지정하면 생성자는 UriFormatException 예외를 던진다.

Uri 클래스에는 해당 URI가 지역 호스트(IP 주소 127.0.0.1)를 가리키는지를 뜻하는 IsLoopback 속성과 지역 파일인지를 뜻하는 IsFile 속성, UNC 경로인지를 뜻하는 IsUnc 속성이 있다. 어떤 Uri 인스턴스의 IsFile 속성이 true인 경우, 그 인스턴스의 LocalPath 속성에는 AbsolutePath 속성의 절대 경로를 지역 운영체제에 맞는 방식으로 변환한 경로가 들어 있다. 그 경로로는 이를테면 `File.Open`을 호출할 수 있다.

`Uri` 인스턴스의 속성들은 읽기 전용이다. 기존 `Uri` 객체를 수정하려면 쓰기 가능 속성들을 제공하는 `UriBuilder` 객체를 생성해서 속성들을 변경해야 한다. `UriBuilder` 객체의 `Uri` 속성은 변경된 속성들을 가진 `Uri` 객체를 돌려준다.

`Uri`는 경로들을 비교하거나 구성요소를 추출하는 메서드들도 제공한다.

```
Uri info = new Uri ("http://www.domain.com:80/info/");
Uri page = new Uri ("http://www.domain.com/info/page.html");

Console.WriteLine (info.Host);     // www.domain.com
Console.WriteLine (info.Port);     // 80
Console.WriteLine (page.Port);     // 80  (Uri는 기본 HTTP 포트 번호를 알고 있음)

Console.WriteLine (info.IsBaseOf (page));         // True
Uri relative = info.MakeRelativeUri (page);
Console.WriteLine (relative.IsAbsoluteUri);       // False
Console.WriteLine (relative.ToString());          // page.html
```

이 예제에서 `relative` 변수는 *page.html*이라는 상대적인 URI를 나타내는 `Uri` 인스턴스를 참조한다. 이런 상대적 `Uri` 인스턴스에 대해 `IsAbsoluteUri`와 `ToString` 이외의 속성이나 메서드를 호출하면 예외가 발생한다. 상대적 `Uri` 객체를 직접 생성하려면 다음과 같이 하면 된다.

```
Uri u = new Uri ("page.html", UriKind.Relative);
```

URI에서 후행 슬래시(제일 끝에 있는 슬래시)는 중요한 의미가 있다. URI에 경로 구성요소가 있는 경우, 후행 슬래시 존재 여부에 따라 서버가 요청을 처리하는 방식이 달라진다.
예를 들어 클라이언트가 *http://www.albahari.com/nutshell/*라는 URI를 요청했다면 HTTP 웹 서버는 사이트의 웹 루트 폴더에 있는 *nutshell* 하위 디렉터리에서 기본 문서(보통은 *index.html*)를 돌려줄 것이다.
그러나 후행 슬래시가 없는 URI를 요청했다면 웹 서버는 사이트의 웹 루트에 있는 *nutshell*이라는 파일(확장자가 없는)을 찾을 것이다. 아마도 클라이언트가 요청한 것은 그 파일이 아닐 가능성이 크다. 그런 파일이 없으면 대부분의 웹 서버는 사용자가 오타를 냈다고 가정하고 301 *Moved Permanently* 오류와 함께 후행 슬래시가 붙은 URI를 클라이언트에게 제시해서 다시 시도하게 한다. .NET의 `HttpClient`는 기본적으로 301 오류를 보통의 웹 브라우저와 같은 방식으로 투명하게 처리한다. 즉, 웹 서버가 제시한 URI로 다시 시도한다. 따라서, 프로그램이나 사용자가 후행 슬래시를 포함시켜야 할 URI에서 후행 슬래시를 실수로 빼먹은 경우에도 요청은 여전히 만족된다. 단, 불필요한 왕복 통신이 1회 추가된다.

Uri 클래스는 또한 여러 정적 보조 메서드도 제공한다. 예를 들어 EscapeUriString 메서드는 주어진 문자열에서 ASCII 부호 값이 127보다 큰 모든 문자를 16진 표현으로 바꾸어서 유효한 URL을 만들어 준다. CheckHostName 메서드와 CheckSchemeName 메서드는 주어진 문자열의 호스트 이름과 스킴 이름이 유효한 형태인지 점검해 준다(단, 해당 호스트나 URI가 실제로 존재하는지를 점검하지는 않는다).

클라이언트 쪽 클래스들

WebRequest와 WebResponse는 HTTP와 FTP, 그리고 'file:' 프로토콜의 클라이언트 쪽 활동을 위한 공통의 기반 클래스이다. 이들은 이 프로토콜들이 공통으로 따르는 '요청/응답' 모형, 즉 클라이언트가 서버에게 요청을 보내고 서버의 응답을 기다리는 통신 방식을 캡슐화한다.

WebClient는 WebRequest와 WebResponse의 메서드들을 적절히 호출해 주는 편리한 퍼사드 클래스이다. 이 클래스를 이용하면 코딩을 어느 정도 줄일 수 있다. WebClient는 문자열뿐만 아니라 바이트 배열이나 파일, 스트림으로도 사용할 수 있다. 그러나 WebRequest/WebResponse는 스트림만 지원한다. 안타깝게도 WebClient만으로 모든 문제가 해결되지는 않는다. 이 클래스에는 쿠키 같은 일부 기능이 빠져 있기 때문이다.

HttpClient도 WebRequest와 WebResponse에(좀 더 구체적으로는 HttpWebRequest와 HttpWebResponse에) 기초한 클래스로, .NET Framework 4.5에서 도입되었다. WebClient는 대체로 요청/응답 클래스들에 기초한 얇은 계층으로 작동하지만, HttpClient는 HTTP 기반 웹 API나 REST 기반 서비스, 커스텀 인증 스킴을 좀 더 사용하기 쉽게 해주는 추가적인 기능들도 제공한다.

간단하게 파일이나 문자열, 바이트 배열을 주고받는 용도라면 WebClient와 HttpClient 둘 다 적합하다. 둘 다 비동기 메서드들을 제공한다. 단, 진행 정도 보고 기능은 WebClient만 제공한다.

WinRT 응용 프로그램은 WebClient를 전혀 사용할 수 없다. 대신 WebRequest/WebResponse나 HttpClient(HTTP의 경우)를 사용해야 한다.

기본적으로 CLR은 HTTP 동시성을 제한한다. 만일 비동기 메서드나 다중 스레드를 이용해서 한 번에 셋 이상의 요청을 보내야 한다면(WebRequest를 통해서든, WebClient나 HttpClient를 통해서든), 먼저 정적 속성 ServicePointManager.DefaultConnectionLimit를 통해서 동시성 한계를 증가해야 한다. 이 주제에 관한 좋은 글이 MSDN 블로그에 있다(*http://tinyurl.com/44axxby*).

WebClient 클래스

다음은 WebClient를 사용하는 단계들이다.

1. WebClient 객체를 인스턴스화한다.
2. Proxy 속성을 설정한다.
3. 인증이 필요한 경우에는 Credentials 속성도 설정한다.
4. 원하는 URL을 지정해서 Download*XXX* 메서드나 Upload*XXX* 메서드를 호출한다.

서버의 자원을 내려받는 메서드들은 다음과 같다.

```
public void   DownloadFile   (string address, string fileName);
public string DownloadString (string address);
public byte[] DownloadData   (string address);
public Stream OpenRead       (string address);
```

이들은 문자열 주소 대신 Uri 객체를 받는 중복적재 버전들도 제공한다. 이와 비슷하게, 클라이언트에서 서버로 자원을 올리는 메서드들도 있다. 이 메서드들의 반환값에는 서버의 응답이 들어 있다(서버가 응답을 보낸 경우).

```
public byte[] UploadFile  (string address, string fileName);
public byte[] UploadFile  (string address, string method, string fileName);
public string UploadString(string address, string data);
public string UploadString(string address, string method, string data);
public byte[] UploadData  (string address, byte[] data);
public byte[] UploadData  (string address, string method, byte[] data);
public byte[] UploadValues(string address, NameValueCollection data);
public byte[] UploadValues(string address, string method,
                                            NameValueCollection data);
public Stream OpenWrite    (string address);
public Stream OpenWrite    (string address, string method);
```

UploadValues 메서드들은 method 인수를 'POST'로 해서 HTTP 양식(form)을 제출하는 용도로 사용할 수 있다. WebClient는 또한 BaseAddress라는 속성도 제공한다. 이 속성에 설정한 접두사(이를테면 *http://www.mysite.com/data/*)는 자동으로 이후의 모든 주소 앞에 붙는다.

다음은 이 책의 예제 코드 페이지를 현재 폴더의 한 파일로 내려받아서 기본 웹 브라우저로 표시하는 예이다.

```
WebClient wc = new WebClient { Proxy = null };
wc.DownloadFile ("http://www.albahari.com/nutshell/code.aspx", "code.htm");
System.Diagnostics.Process.Start ("code.htm");
```

WebClient는 IDisposable을 구현하는데, 이는 **단지** Component를 상속하다 보니 자동으로 그렇게 된 것일 뿐이다(Component를 상속한 덕분에 WebClient를 Visual Studio 디자이너의 구성요소 모음에 넣을 수 있게 되었다). 실행시점에서 WebClient의 Dispose 메서드는 그 어떤 쓸모 있는 일도 하지 않으므로, WebClient 인스턴스는 굳이 처분할 필요가 없다.

.NET Framework 4.5부터는 WebClient가 오래 실행되는 메서드들의 **비동기** 버전들을 제공한다. 비동기 버전들은 await로 기다릴 수 있는 작업 객체(제14장)를 돌려준다.

```
await wc.DownloadFileTaskAsync ("http://oreilly.com", "webpage.htm");
```

(메서드 이름의 접미사 "TaskAsync"는 접미사 "Async"를 사용하는 구식 EAP 기반 비동기 메서드들과의 혼동을 피하기 위한 것이다.) 안타깝게도 새 비동기 메서드들은 취소와 진행 보고에 표준적으로 쓰이는 'TAP' 패턴을 지원하지 않는다. 작업을 취소하려면 반드시 WebClient 객체에 대해 CancelAsync 메서드를 호출해야 하며, 진행 보고를 위해서는 DownloadProgressChanged/UploadProgressChanged 이벤트를 처리해야 한다. 다음 예제는 웹 페이지를 내려받으면서 진행 정도를 보고하되, 5초를 넘기면 다운로드를 취소한다.

```
var wc = new WebClient();

wc.DownloadProgressChanged += (sender, args) =>
  Console.WriteLine (args.ProgressPercentage + "% complete");

Task.Delay (5000).ContinueWith (ant => wc.CancelAsync());

await wc.DownloadFileTaskAsync ("http://oreilly.com", "webpage.htm");
```

요청이 취소되면 Status 속성이 WebExceptionStatus.RequestCanceled인 WebException 예외가 발생한다. (역사적인 이유로, OperationCanceledException 예외는 발생하지 않는다.)

진행 보고 관련 이벤트들은 활성 동기화 문맥을 갈무리해서 전송하므로, 해당 이벤트 처리부에서 Dispatcher.BeginInvoke를 호출하지 않고도 UI 컨트롤을 갱신할 수 있다.

취소나 진행 보고에 의존하는 경우, 하나의 WebClient 객체로 여러 연산을 연달아 수행하는 것은 피해야 한다. 경쟁 조건이 발생할 수도 있기 때문이다.

WebRequest와 WebResponse

WebRequest와 WebResponse는 WebClient보다 사용하기가 좀 더 복합하지만, 대신 좀 더 유연하다. 다음은 이 클래스들의 기본적인 사용 방법이다.

1. 원하는 URI로 WebRequest.Create를 호출해서 웹 요청 객체를 얻는다.
2. 그 객체의 Proxy 속성을 설정한다.
3. 인증이 필요한 경우에는 Credentials 속성도 설정한다.

자료 올리기:

4. 요청 객체에 대해 GetRequestStream을 호출해서 요청 스트림을 얻고 그 스트림에 원하는 자료를 기록한다. 서버의 응답을 받아야 하면 단계 5로 간다.

자료 내려받기:

5. 요청 객체에 대해 GetResponse를 호출해서 웹 응답 객체를 생성한다.
6. 응답 객체에 대해 GetResponseStream을 호출해서 응답 스트림을 얻고 그 스트림에서 자료를 읽어 들인다(이때 StreamReader가 도움이 된다).

다음은 이 책의 예제 코드 페이지를 내려받아서 표시하는 이전 예제를 이 클래스들을 이용해서 다시 작성한 것이다.

```
WebRequest req = WebRequest.Create
                ("http://www.albahari.com/nutshell/code.html");
req.Proxy = null;
using (WebResponse res = req.GetResponse())
```

```
using (Stream rs = res.GetResponseStream())
using (FileStream fs = File.Create ("code.html"))
  rs.CopyTo (fs);
```

다음은 비동기 메서드들을 사용하는 버전이다.

```
WebRequest req = WebRequest.Create
                ("http://www.albahari.com/nutshell/code.html");
req.Proxy = null;
using (WebResponse res = await req.GetResponseAsync())
using (Stream rs = res.GetResponseStream())
using (FileStream fs = File.Create ("code.html"))
  await rs.CopyToAsync (fs);
```

웹 응답 객체에는 ContentLength라는 속성이 있다. 이 속성은 응답 스트림의 바이트 단위 길이를 담고 있는데, 그 값은 서버가 응답 헤더를 통해서 알려준 값일 뿐 실제 길이와는 다를 수 있다(또한, 응답 헤더에 이 정보를 아예 넣지 않은 서버도 있다). 특히, HTTP 서버가 큰 응답을 여러 조각으로 나누어서 보내는 경우('chunked' 모드), ContentLength가 실제보다 한 바이트 모자란 경우가 많다. 동적으로 생성된 페이지의 경우에도 마찬가지이다.

정적 Create 메서드는 HttpWebRequest나 FtpWebRequest 같은 WebRequest 파생 클래스의 인스턴스를 생성한다. 구체적으로 어떤 파생 형식이 선택되는지는 URI의 스킴에 따라 다른데, 표 16-2에 선택 규칙이 나와 있다.

표 16-2 URI 스킴과 웹 요청 형식

스킴	웹 요청 형식
http: 또는 https:	HttpWebRequest
ftp:	FtpWebRequest
file:	FileWebRequest

하나의 웹 요청 객체를 구체적인 형식(HttpWebRequest나 FtpWebRequest)으로 캐스팅하면 해당 프로토콜에 고유한 기능들에 접근할 수 있다.

또한 WebRequest.RegisterPrefix를 호출해서 새로운 커스텀 스킴을 등록할 수도 있다. 이를 위해서는 호출 시 스킴뿐만 아니라 적절한 웹 요청 객체를 생성하는 Create 메서드가 있는 팩토리 객체도 지정해야 한다.

'https:' 프로토콜은 SSL(Secure Sockets Layer; 보안 소켓 계층)을 통한 안전한(암호화된) HTTP 통신에 쓰인다. WebClient와 WebRequest 모두 이 스킴을 인식해서 자동으로 SSL을 활성화한다(이번 장의 'HTTP 다루기(p.859)' 절 중 'SSL(p.865)' 참고). 'file:' 프로토콜은 그냥 요청을 `FileStream` 객체에 전달하기만 한다. 이 프로토콜은 웹 페이지와 FTP 사이트뿐만 아니라 지역 파일에도 URI를 통해서 일관된 방식으로 접근할 수 있게 하기 위한 것이다.

`WebRequest`에는 `Timeout` 속성이 있다. 이 속성은 밀리초 단위의 만료시간이다. 만일 시간이 만료되면 `WebRequest`는 `Status` 속성이 `WebExceptionStatus.Timeout`인 `WebException` 예외를 던진다. 기본 만료시간은 HTTP는 100초이고 FTP는 무제한이다.

하나의 `WebRequest` 객체를 여러 요청에 재활용하면 안 된다. 한 인스턴스는 하나의 요청에만 사용하는 것이 좋다.

HttpClient 클라이언트

.NET Framework 4.5에 새로 추가된 `HttpClient` 클래스는 `WebClient`처럼 요청·응답 클래스들(구체적으로는 `HttpWebRequest`와 `HttpWebResponse`) 위에 놓인 하나의 얇은 계층이다. 이 클래스는 HTTP 기반 웹 API와 REST 서비스의 성장에 대응하기 위해 작성된 것으로, 단순한 웹 페이지 가져오기 이상의 프로토콜들을 다루어야 할 때 `WebClient`보다 편하다. 특히 다음과 같은 장점이 있다.

- 하나의 `HttpClient` 인스턴스로 다수의 동시적 요청들을 처리할 수 있다. `WebClient`로 동시성을 얻으려면 동시적 요청마다 새 인스턴스가 필요한데, 거기에 커스텀 헤더나 쿠키, 인증 스킴 같은 것들까지 도입하면 코드가 다소 지저분해진다.
- 커스텀 메시지 처리부를 작성해서 `HttpClient`에 등록할 수 있다. 이 능력은 단위 검사(unit test)를 위한 모의 객체(mock up)를 만들 때나 로깅, 압축, 암호화 등을 위한 커스텀 파이프라인을 만들 때 요긴하다. 반면, `WebClient`를 사용하는 코드에 대한 단위 검사는 작성하기가 괴롭다.
- `HttpClient`는 HTTP 헤더와 내용을 위한 다양한 형식을 지원하며, 확장도 가능하다.

그렇지만 `HttpClient`로 `WebClient`를 완전히 대체할 수는 없다. 특히, `HttpClient`는 진행 보고 기능을 지원하지 않는다. 또한, `WebClient`는 FTP, *file://*, 커스텀 URI 스킴을 지원한다는 장점이 있으며, 버전 4.5 이전의 .NET Framework에서도 사용할 수 있다.

HttpClient를 사용하는 가장 간단한 방법은 인스턴스를 하나 생성한 후 원하는 URI로 Get* 메서드 중 하나를 호출하는 것이다.

```
string html = await new HttpClient().GetStringAsync ("http://linqpad.net");
```

(GetStringAsync 외에 GetByteArrayAsync와 GetStreamAsync도 있다). HttpClient의 모든 I/O 한정 메서드들은 비동기적이다(동기적 버전들도 있다).

WebClient와는 달리, HttpClient에서 최고의 성능을 얻으려면 같은 인스턴스를 **반드시** 재사용해야 한다(그렇지 않으면 DNS 조회 같은 연산을 쓸데없이 여러 번 수행하게 된다). HttpClient는 동시적 연산을 지원하므로, 다음과 같이 두 웹 페이지를 동시에 내려받는 코드가 적법하다.

```
var client = new HttpClient();
var task1 = client.GetStringAsync ("http://www.linqpad.net");
var task2 = client.GetStringAsync ("http://www.albahari.com");
Console.WriteLine (await task1);
Console.WriteLine (await task2);
```

HttpClient에는 시간 만료 기능을 위한 Timeout 속성이 있으며, 모든 요청에 공통으로 적용되는 URI 접두사를 지정하는 BaseAddress 속성도 있다. HttpClient는 다소 얇은 껍데기이다. 이 클래스가 제공하는 대부분의 속성은 사실 HttpClientHandler라는 다른 클래스에 정의되어 있다. 이 클래스에 접근하려면, 다음처럼 먼저 인스턴스를 생성한 후 HttpClient의 생성자에 그 인스턴스를 넘겨주어야 한다.

```
var handler = new HttpClientHandler { UseProxy = false };
var client = new HttpClient (handler);
...
```

이는 HTTP 클라이언트 처리부에게 프록시를 사용하지 말라고 지정하는 예이다. 이 예에 나온 속성 외에도 쿠키, 자동 재지정, 인증 등을 제어하는 여러 속성이 있다(이들에 관해서는 이번 장의 'HTTP 다루기(p.859)'에서 다시 이야기하겠다).

GetAsync와 응답 메시지

사실 GetStringAsync, GetByteArrayAsync, GetStreamAsync 메서드는 좀 더 일반적인 GetAsync라는 메서드를 호출해주는 단축 버전이다. GetAsync는 하나의 응답 메시지를 나타내는 객체를 돌려준다.

```
var client = new HttpClient();
// GetAsync 메서드는 CancellationToken 객체도 받는다.
HttpResponseMessage response = await client.GetAsync ("http://...");
response.EnsureSuccessStatusCode();
string html = await response.Content.ReadAsStringAsync();
```

HttpResponseMessage는 헤더들에 접근하기 위한 속성들('HTTP 다루기(p.859)' 참고)과 HTTP 상태 코드를 담은 StatusCode 속성을 제공한다. WebClient와는 달리 HttpClient는 서버가 404(Not Found) 같은 오류성 상태 코드를 돌려주어도 예외를 던지지 않는다. 예외는 명시적으로 EnsureSuccessStatusCode를 호출해야 던져진다. 단, 좀 더 저수준의 통신이나 DNS 오류가 발생하면 예외를 던진다(제14장의 '예외 처리' 참고).

HttpContent 클래스에는 응답 내용을 다른 스트림에 기록하는 CopyToAsync라는 메서드가 있다. 이 메서드는 응답을 파일에 기록할 때 유용하다.

```
using (var fileStream = File.Create ("linqpad.html"))
  await response.Content.CopyToAsync (fileStream);
```

GetAsync는 HTTP의 네 동사에 해당하는 네 가지 메서드 중 하나이다(다른 메서드들은 PostAsync, PutAsync, DeleteAsync이다). PostAsync는 이번 장의 'HTML 양식 자료 올리기(p.861)'에서 예제와 함께 설명한다.

SendAsync와 요청 메시지

지금까지 설명한 네 Get* 메서드들은 모두 하나의 저수준 메서드 SendAsync를 호출해서 실제 작업을 진행한다. 이 메서드를 사용하려면 먼저 요청 메시지를 나타내는 HttpRequestMessage 객체를 만들어야 한다.

```
var client = new HttpClient();
var request = new HttpRequestMessage (HttpMethod.Get, "http://...");
HttpResponseMessage response = await client.SendAsync (request);
response.EnsureSuccessStatusCode();
...
```

이처럼 HttpRequestMessage 객체를 직접 생성하면 요청의 여러 속성을 세세하게 커스텀화할 수 있다. 이를테면 HTTP 헤더들(이번 장의 'HTTP 헤더(p.859)' 참고)과 요청의 내용 자체를 필요에 따라 설정해서 원하는 자료를 서버에 올릴 수 있다.

자료 올리기와 HttpContent

HttpRequestMessage 객체를 인스턴스화한 후에는 서버에 올리고자 하는 내용을 그 객체의 Content 속성에 설정한다. 이 속성의 형식은 HttpContent라는 추상 클래스이다. .NET Framework에는 여러 내용 형식에 대응되는 다음과 같은 구체적인 구현 클래스들이 있다(또한, 독자가 커스텀 구현 클래스를 직접 작성해서 사용할 수도 있다).

- ByteArrayContent
- StringContent
- FormUrlEncodedContent ('HTML 양식 자료 올리기(p.861)' 참고).
- StreamContent

다음은 문자열 내용을 서버에 보내는 예이다.

```
var client = new HttpClient (new HttpClientHandler { UseProxy = false });
var request = new HttpRequestMessage (
  HttpMethod.Post, "http://www.albahari.com/EchoPost.aspx");
request.Content = new StringContent ("시험용 텍스트");
HttpResponseMessage response = await client.SendAsync (request);
response.EnsureSuccessStatusCode();
Console.WriteLine (await response.Content.ReadAsStringAsync());
```

HttpMessageHandler 클래스

앞에서, 요청을 커스텀화하는 데 쓰이는 대부분의 속성이 HttpClient가 아니라 HttpClientHandler 클래스에 정의되어 있다고 말했다. HttpClientHandler는 추상 클래스 HttpMessageHandler의 한 파생 클래스이다. HttpMessageHandler의 정의는 다음과 같다.

```
public abstract class HttpMessageHandler : IDisposable
{
  protected internal abstract Task<HttpResponseMessage> SendAsync
    (HttpRequestMessage request, CancellationToken cancellationToken);

  public void Dispose();
  protected virtual void Dispose (bool disposing);
}
```

HttpClient의 SendAsync 메서드가 호출되면 결국에는 이 클래스(의 구현 클래스)의 SendAsync 메서드가 호출된다.

HttpMessageHandler는 정의가 간단하기 때문에 쉽게 파생할 수 있다. 이 클래스는 HttpClient의 기능을 확장하는 수단으로 쓰인다.

단위 검사와 모의 처리부

HttpMessageHandler의 한 용도는 단위 검사를 위한 **모의**(mocking) 처리부 클래스를 파생하는 것이다. 다음이 그러한 예이다.

```
class MockHandler : HttpMessageHandler
{
  Func <HttpRequestMessage, HttpResponseMessage> _responseGenerator;

  public MockHandler
    (Func <HttpRequestMessage, HttpResponseMessage> responseGenerator)
  {
    _responseGenerator = responseGenerator;
  }

  protected override Task <HttpResponseMessage> SendAsync
    (HttpRequestMessage request, CancellationToken cancellationToken)
  {
    cancellationToken.ThrowIfCancellationRequested();
    var response = _responseGenerator (request);
    response.RequestMessage = request;
    return Task.FromResult (response);
  }
}
```

이 클래스의 생성자는 주어진 요청에 대한 응답을 생성해 주는 함수를 받는다. 같은 처리부로 여러 요청을 검사할 수 있다는 점에서, 이것이 가장 융통성 있는 접근방식이다.

이 클래스의 SendAsync는 이름과는 달리 동기적으로 작동한다. 끝에서 Task.FromResult를 호출하기 때문이다. 응답 생성 함수가 Task<HttpResponseMessage>를 돌려주게 하면 SendAsync의 비동기성을 유지할 수 있지만, 어차피 단위 검사를 위한 모의 처리부는 대부분 짧게 실행된다고 가정하므로 비동기성이 꼭 필요하지는 않다. 다음은 이 모의 처리부를 사용하는 예이다.

```
var mocker = new MockHandler (request =>
  new HttpResponseMessage (HttpStatusCode.OK)
  {
    Content = new StringContent ("요청된 URI: " + request.RequestUri)
  });

var client = new HttpClient (mocker);
```

```
var response = await client.GetAsync ("http://www.linqpad.net");
string result = await response.Content.ReadAsStringAsync();
Assert.AreEqual ("요청된 URI: http://www.linqpad.net/", result);
```

(Assert.AreEqual은 NUnit 같은 단위 검사 프레임워크에서 흔히 볼 수 있는 비슷한 이름의 메서드와 같은 방식으로 작동한다.)

DelegatingHandler를 이용한 처리부 연쇄

한 메시지 처리부에서 다른 메시지 처리부를 호출하려면(그럼으로써 처리부들이 연쇄적으로 실행되게 하려면) DelegatingHandler라는 클래스를 파생해야 한다. 이를테면 커스텀 인증이나 압축, 암호화 프로토콜을 구현할 때 이러한 처리부 연쇄 기법이 유용하다. 다음은 간단한 로깅 처리부의 예이다.

```
class LoggingHandler : DelegatingHandler
{
  public LoggingHandler (HttpMessageHandler nextHandler)
  {
     InnerHandler = nextHandler;
  }

  protected async override Task <HttpResponseMessage> SendAsync
    (HttpRequestMessage request, CancellationToken cancellationToken)
  {
    Console.WriteLine ("요청 중: " + request.RequestUri);
    var response = await base.SendAsync (request, cancellationToken);
    Console.WriteLine ("받은 응답: " + response.StatusCode);
    return response;
  }
}
```

비동기성을 유지하기 위해 SendAsync를 재정의했음을 주목하기 바란다. 작업 객체를 돌려주는 메서드를 재정의할 때 async 수정자를 추가하는 것은 완벽하게 적법하다. 사실 이 경우는 그렇게 하는 것이 바람직하다.

지금 예는 로그 메시지를 콘솔에 기록하지만, 실용적인 로깅 처리부라면 생성자에서 어떤 로깅 객체를 받아서 저장해 두고 그 객체에 메시지를 기록해야 할 것이다. 아마도 더 나은 방법은, 요청 메시지의 기록과 응답 메시지의 기록을 담당하는 Action<T> 대리자들을 받아서 그 대리자들에게 처리를 맡기는 것이다.

프록시 활용

프록시 서버proxy server는 실제 서버와 클라이언트 사이에서 HTTP와 FTP 요청/응답을 중계하는 서버이다. 일부 기업은 직원들이 오직 프록시를 통해서만 인터넷에 접속하게 한다. 그러면 보안이 간단해지기 때문이다. 프록시는 자신만의 주소를 가지며, LAN의 특정 사용자들만 인터넷에 접속할 수 있도록 인증을 요구할 수도 있다.

`WebClient`나 `WebRequest` 객체가 요청을 프록시 서버로 보내게 하려면 다음처럼 `WebProxy` 객체를 사용한다.

```
// 프록시 서버의 IP 주소와 포트를 지정해서 WebProxy 객체를 생성한다.
// 프록시에 사용자 이름/패스워드가 필요하면 Credentials 속성을 적절히 설정해준다.

WebProxy p = new WebProxy ("192.178.10.49", 808);
p.Credentials = new NetworkCredential ("사용자이름", "패스워드");
// 또는:
p.Credentials = new NetworkCredential ("사용자이름", "패스워드", "도메인");

WebClient wc = new WebClient();
wc.Proxy = p;
  ...

// WebRequest 객체도 마찬가지이다.
WebRequest req = WebRequest.Create ("...");
req.Proxy = p;
```

`HttpClient`에서 프록시를 사용할 때에는 먼저 `HttpClientHandler` 객체를 생성해서 `Proxy` 속성을 적절히 설정하고 그 객체를 `HttpClient`의 생성자에 넘겨준다.

```
WebProxy p = new WebProxy ("192.178.10.49", 808);
p.Credentials = new NetworkCredential ("사용자이름", "패스워드", "도메인");

var handler = new HttpClientHandler { Proxy = p };
var client = new HttpClient (handler);
...
```

> 프록시가 없다는 점이 확실한 경우에는 `WebClient`나 `WebRequest` 객체의 `Proxy` 속성을 `null`로 설정하는 것이 좋다. 그렇게 하지 않으면 .NET Framework가 프록시 설정들을 자동으로 검출하려 들 수 있기 때문이다. 프록시 설정 자동 검출 때문에 요청 처리 시간이 많게는 30초나 길어질 수 있다. 웹 요청이 이상하게 느리게 진행된다면, 아마 이 프록시 검출 문제 때문일 것이다.

`HttpClientHandler`에는 `UseProxy`라는 속성이 있다. `Proxy` 속성을 널로 설정하는 대신 이 속성을 `false`로 설정해도 프록시 자동 검출이 비활성화된다.

`NetworkCredential` 객체를 생성할 때 도메인†을 지정하면 Windows 기반 인증 프로토콜을 통해서 사용자 인증이 일어난다. 현재 인증(로그인)된 Windows 사

† (옮긴이) 여기서 말하는 도메인은 *occamsrazr.net* 같은 인터넷 도메인이 아니라 'Microsoft 네트워크'의 도메인이다.

용자의 신원을 사용하고 싶으면 정적 속성 CredentialCache.DefaultNetwork Credentials의 값을 프록시 객체의 Credentials 속성에 배정하면 된다.

매번 Proxy를 설정하는 대신 다음과 같이 전역 기본 프록시를 설정할 수도 있다.

```
WebRequest.DefaultWebProxy = myWebProxy;
```

또는 다음처럼 프록시를 사용하지 않는 것을 기본으로 할 수도 있다.

```
WebRequest.DefaultWebProxy = null;
```

어떻게 설정하든, 응용 프로그램 도메인의 수명 전체에 적용된다(다른 어떤 코드가 변경하지 않는 한!)

인증

HTTP나 FTP 사이트에 사용자 이름과 패스워드를 제공해야 한다면, Network Credential 객체를 적절히 생성해서 WebClient나 WebRequest의 Credentials 속성에 설정하면 된다. 다음이 그러한 예이다.

```
WebClient wc = new WebClient { Proxy = null };
wc.BaseAddress = "ftp://ftp.albahari.com";

// 사용자 인증 후 FTP 서버에서 파일을 하나 내려받아서 수정 후
// 다시 올린다. HTTP나 HTTPS에서도 같은 방식으로 진행하면 된다.

string username = "nutshell";
string password = "oreilly";
wc.Credentials = new NetworkCredential (username, password);

wc.DownloadFile ("guestbook.txt", "guestbook.txt");

string data = "Hello from " + Environment.UserName + "!\r\n";
File.AppendAllText ("guestbook.txt", data);

wc.UploadFile ("guestbook.txt", "guestbook.txt");
```

HttpClient를 사용할 때에는 클라이언트 처리부(HttpClientHandler)의 Credentials 속성을 설정해야 한다.

```
var handler = new HttpClientHandler();
handler.Credentials = new NetworkCredential (username, password);
var client = new HttpClient (handler);
...
```

이 방법은 기본(Basic Authentication) 인증과 다이제스트 인증(Digest Authentication) 같은 대화상자 기반 인증 프로토콜들을 지원하며, AuthenticationManager 클래스를 통해서 더 확장하는 것도 가능하다. 이 방법은 Windows의 NTLM과 Kerberos 프로토콜도 지원한다(NetworkCredential 객체 생성 시 도메인 이름을 지정했다고 할 때). 현재 인증된 Windows 사용자로 인증하려면 Credentials 속성은 null로 두고 UseDefaultCredentials 속성을 true로 설정하면 된다.

웹 페이지 자체의 HTML 양식(form)을 거치는 인증에는 Credentials 속성을 설정하는 방법이 통하지 않는다. 양식 기반 인증은 이번 장의 'HTML 양식을 이용한 인증(p.864)'에서 따로 이야기한다.

이러한 인증을 실제로 처리하는 것은 WebRequest의 파생 형식(앞의 예제에서는 FtpWebRequest)이다. WebRequest 파생 형식은 자동으로 호환 프로토콜을 협상해서 인증을 진행한다. HTTP의 경우 여러 인증 프로토콜 중 하나를 선택할 수 있는데, 예를 들어 Microsoft Exchange 서버 웹 메일 페이지가 처음 보내는 응답을 살펴보면 다음과 같은 헤더들이 있다.

```
HTTP/1.1 401 Unauthorized
Content-Length: 83
Content-Type: text/html
Server: Microsoft-IIS/6.0
WWW-Authenticate: Negotiate
WWW-Authenticate: NTLM
WWW-Authenticate: Basic realm="exchange.somedomain.com"
X-Powered-By: ASP.NET
Date: Sat, 05 Aug 2006 12:37:23 GMT
```

401이라는 HTTP 상태 부호는 해당 자원에 접근하려면 적절한 권한이 있어야 함을 뜻한다. 'WWW-Authenticate' 헤더들은 서버가 지원하는 프로토콜들을 알려주는 역할을 한다. WebClient나 WebRequest 객체에 적절한 사용자 이름과 패스워드를 설정한 경우에는 이런 헤더들을 보지 못한다. .NET Framework가 자동으로 호환되는 인증 프로토콜을 선택하고, 원래의 요청에 관련 헤더들을 추가해서 다시 요청을 보내기 때문이다. 이를테면 다음과 같은 헤더를 추가한다.

```
Authorization: Negotiate TlRMTVNTUAAABAAAt5II2gjACDArAAACAwACACgAAAAQ
ATmKAAAAD0lVDRdPUksHUq9VUA==
```

이러한 메커니즘은 인증을 투명하게 처리해주긴 하지만, 요청마다 추가적인 왕복 통신이 일어난다는 단점이 있다. PreAuthenticate 속성을 true로 설정하면 같은 URI에 대한 여러 요청에서 추가적인 왕복 통신이 일어나지 않는다. 이 속성은 WebRequest 클래스에 정의되어 있다(그리고 HttpWebRequest에서만 실제로 작동한다). WebClient는 이 기능을 전혀 제공하지 않는다.

CredentialCache 클래스

사용하고 싶은 또는 사용하고 싶지 않은 특정 인증 프로토콜들이 있다면, CredentialCache 객체로 대표되는 신원 정보 캐시를 활용하면 된다. 신원 정보 캐시는 하나 이상의 NetworkCredential 객체를 담는데, 각 객체를 가리키는 키는 특정 프로토콜과 URI 접두어의 조합이다. 예를 들어 기본 인증 프로토콜은 패스워드를 평문으로 전송하므로 중요한 서버에 로그인할 때에는 피하는 것이 바람직하다. 다음은 Microsoft Exchange 서버에 로그인할 때 기본(Basic) 인증 프로토콜을 협상 대상에서 제외하는 예이다.

```
CredentialCache cache = new CredentialCache();
Uri prefix = new Uri ("http://exchange.somedomain.com");
cache.Add (prefix, "Digest",  new NetworkCredential ("joe", "passwd"));
cache.Add (prefix, "Negotiate", new NetworkCredential ("joe", "passwd"));

WebClient wc = new WebClient();
wc.Credentials = cache;
...
```

인증 프로토콜은 문자열로 지정한다. 유효한 값은 다음 다섯 가지이다.

```
Basic, Digest, NTLM, Kerberos, Negotiate
```

앞에서 서버가 보낸 응답 헤더들을 보면 서버는 Digest를 지원하지 않으므로, 지금 예에서 WebClient는 Negotiate 인증을 선택하게 된다. Negotiate는 Windows의 한 인증 프로토콜로, 서버의 능력에 따라 Kerberos나 NTLM 중 하나로 환원된다.

정적 CredentialCache.DefaultNetworkCredentials 속성을 이용하면 현재 인증된 Windows 사용자를 패스워드를 지정하지 않고도 신원 정보 캐시에 추가할 수 있다. 다음과 같이 하면 된다.

```
cache.Add (prefix, "Negotiate", CredentialCache.DefaultNetworkCredentials);
```

HttpClient와 헤더 전송을 이용한 인증

HttpClient를 사용할 때에는 다음 예처럼 인증 헤더를 직접 전송해서 인증을 진행할 수도 있다.

```
var client = new HttpClient();
client.DefaultRequestHeaders.Authorization =
  new AuthenticationHeaderValue ("Basic",
    Convert.ToBase64String (Encoding.UTF8.GetBytes ("username:password")));
...
```

이 전략은 OAuth 같은 커스텀 인증 시스템에도 적용할 수 있다. HTTP 헤더에 관해서는 잠시 후에 좀 더 자세히 논의한다.

예외 처리

WebRequest, WebResponse, WebClient와 해당 스트림들은 모두 네트워크 오류나 프로토콜 오류가 발생했을 때 WebException을 던진다. HttpClient는 WebException을 감싼 HttpRequestException을 던진다. 구체적인 오류는 WebException의 Status 속성을 보면 알 수 있다. 이 속성은 다음과 같은 멤버들이 있는 WebExceptionStatus 열거형의 값을 돌려준다.

```
CacheEntryNotFound
ConnectFailure
ConnectionClosed
KeepAliveFailure
MessageLengthLimitExceeded
NameResolutionFailure
Pending
PipelineFailure
ProtocolError
ProxyNameResolutionFailure
ReceiveFailure
RequestCanceled
RequestProhibitedByCachePolicy
RequestProhibitedByProxy
SecureChannelFailure
SendFailure
ServerProtocolViolation
Success
Timeout
TrustFailure
UnknownError
```

NameResolutionFailure는 도메인 이름이 유효하지 않은 경우이고, ConnectFailure는 네트워크 자체가 죽은 경우이다. Timeout은 WebRequest.Timeout에 설정된 밀리초 단위의 만료시간을 넘겼음을 뜻한다.

"Page not found", "Moved Permanently", "Not Logged In" 같은 오류 메시지는 HTTP나 FTP 프로토콜 자체에 정의된 문구이므로 프로토콜 오류를 뜻하는 ProtocolError 속성에서 볼 수 있다. HttpClient는 이런 오류들이 발생해도 예외를 던지지 않는다. 응답 객체에 대해 EnsureSuccessStatusCode를 호출해야 비로소 예외가 발생한다. 그 전에라도, StatusCode 속성을 보면 구체적인 상태 코드를 알 수 있다.

```
var client = new HttpClient();
var response = await client.GetAsync ("http://linqpad.net/foo");
HttpStatusCode responseStatus = response.StatusCode;
```

WebClient와 WebRequest/WebResponse에서는 실제로 WebException을 잡은 후 다음과 같은 과정을 거쳐야 한다.

1. WebException의 Response 속성을 HttpWebResponse나 FtpWebResponse로 캐스팅한다.
2. 그 응답 객체의 Status 속성(HttpStatusCode 또는 FtpStatusCode 열거형)이나 StatusDescription 속성(문자열)을 조사한다.

예를 들면 다음과 같다.

```
WebClient wc = new WebClient { Proxy = null };
try
{
  string s = wc.DownloadString ("http://www.albahari.com/notthere");
}
catch (WebException ex)
{
  if (ex.Status == WebExceptionStatus.NameResolutionFailure)
    Console.WriteLine ("잘못된 도메인 이름");
  else if (ex.Status == WebExceptionStatus.ProtocolError)
  {
    HttpWebResponse response = (HttpWebResponse) ex.Response;
    Console.WriteLine (response.StatusDescription);      // "Not Found"
    if (response.StatusCode == HttpStatusCode.NotFound)
      Console.WriteLine ("찾을 수 없음!");                // "찾을 수 없음!"
  }
  else throw;
}
```

401이나 404 같은 세 자리 상태 부호를 얻으려면 HttpStatusCode나 FtpStatusCode 열거형을 그냥 정수로 캐스팅하면 된다.

기본적으로 재지정(redirection) 오류를 만나는 일은 없다. 왜냐하면, WebClient와 WebRequest는 재지정 응답을 자동으로 따라가기 때문이다. 이러한 자동 재지정 처리를 원하지 않으면 WebRequest 객체의 AllowAutoRedirect 속성을 false로 설정하면 된다.

재지정 오류는 세 가지로, 301(Moved Permanently)과 302(Found/Redirect), 307(Temporary Redirect)이다.

통신상의 문제가 아니라 코드에서 WebClient나 WebRequest 클래스를 잘못 사용해서 오류가 발생한다면 WebException이 아니라 InvalidOperationException이나 ProtocolViolationException 예외가 발생할 가능성이 크다.

HTTP 다루기

이번 절에서는 WebClient와 HttpWebRequest/HttpWebResponse, HttpClient 클래스의 HTTP 관련 기능들을 설명한다.

HTTP 헤더

WebClient와 WebRequest, HttpClient는 요청에 커스텀 HTTP 헤더를 추가하는 기능과 응답에 있는 헤더들을 열거하는 기능을 제공한다. HTTP 헤더header는 그냥 요청 또는 응답에 관한 메타자료를 담은 키/값 쌍이다. 클라이언트와 서버는 이를테면 메시지 내용 형식이나 서버 소프트웨어 종류 같은 정보를 헤더를 통해서 주고받는다. 다음은 WebClient를 이용해서 통신할 때 요청에 커스텀 헤더를 추가하는 방법과 응답 메시지에 있는 모든 헤더를 나열하는 방법을 보여주는 예제이다.

```
WebClient wc = new WebClient { Proxy = null };
wc.Headers.Add ("CustomHeader", "JustPlaying/1.0");
wc.DownloadString ("http://www.oreilly.com");

foreach (string name in wc.ResponseHeaders.Keys)
  Console.WriteLine (name + "=" + wc.ResponseHeaders [name]);
```

출력:

```
Age=51
X-Cache=HIT from oregano.bp
X-Cache-Lookup=HIT from oregano.bp:3128
Connection=keep-alive
Accept-Ranges=bytes
Content-Length=95433
Content-Type=text/html
...
```

HttpClient에서는 구체적인 형식이 있는 컬렉션 형태의 속성들을 이용해서 표준 HTTP 헤더들에 접근해야 한다. 예를 들어 DefaultRequestHeaders 속성은 모든 요청에 적용되는 헤더들을 담는다.

```
var client = new HttpClient (handler);

client.DefaultRequestHeaders.UserAgent.Add (
  new ProductInfoHeaderValue ("VisualStudio", "2015"));

client.DefaultRequestHeaders.Add ("CustomHeader", "VisualStudio/2015");
```

한편, HttpRequestMessage 클래스의 Headers 속성은 요청에 국한된 헤더들만 지원한다.

질의 문자열

질의 문자열(query string)은 URI에 물음표와 함께 추가하는 문자열로, 클라이언트가 간단한 자료를 서버에 보내는 용도로 쓰인다. 다음과 같이, 하나의 질의 문자열에 여러 개의 키/값 쌍을 &로 구분해서 지정할 수 있다.

```
?키1=값1&키2=값2&키3=값3...
```

WebClient를 사용할 때에는 사전 스타일의 속성을 통해서 질의 문자열을 손쉽게 추가할 수 있다. 다음은 Google에서 'WebClient'라는 단어를 찾되 결과 페이지를 프랑스어로 표시하는 예이다.

```
WebClient wc = new WebClient { Proxy = null };
wc.QueryString.Add ("q", "WebClient");     // "WebClient"를 검색
wc.QueryString.Add ("hl", "fr");           // 결과를 프랑스어로 표시
wc.DownloadFile ("http://www.google.com/search", "results.html");
System.Diagnostics.Process.Start ("results.html");
```

WebRequest나 HttpClient로 같은 결과를 얻으려면 적절한 형태의 질의 문자열을 요청 URI에 직접 추가해야 한다.

```
string requestURI = "http://www.google.com/search?q=WebClient&hl=fr";
```

키나 값에 기호나 빈칸이 있는 질의 문자열을 그대로 추가하면 유효한 URI가 되지 않는다. 유효한 URI를 만드는 한 가지 방법은 Uri의 EscapeDataString 메서드를 이용하는 것이다.

```
string search = Uri.EscapeDataString ("(WebClient OR HttpClient)");
string language = Uri.EscapeDataString ("fr");
string requestURI = "http://www.google.com/search?q=" + search +
                    "&hl=" + language;
```

이 코드는 다음과 같은 URI를 만들어 낸다.

```
http://www.google.com/search?q=(WebClient%20OR%20HttpClient)&hl=fr
```

(EscapeDataString 메서드는 EscapeUriString 메서드와 비슷하되, &와 = 같은 문자도 부호화한다는 점이 다르다. 그런 문자가 키나 값 자체에 들어 있으면 질의 문자열에 담긴 키/값 쌍들의 구분이 엉망이 된다.)

Microsoft의 Web Protection 라이브러리는 교차 사이트 스크립팅(cross-site scripting) 취약점까지 고려하는 또 다른 부호화/복호화 해법을 제공한다.

HTML 양식 자료 올리기

WebClient는 HTML 양식(form) 자료를 서버에 전송해주는 UploadValues라는 메서드를 제공한다.

```
WebClient wc = new WebClient { Proxy = null };

var data = new System.Collections.Specialized.NameValueCollection();
data.Add ("Name", "Joe Albahari");
data.Add ("Company", "O'Reilly");

byte[] result = wc.UploadValues ("http://www.albahari.com/EchoPost.aspx",
                                 "POST", data);

Console.WriteLine (Encoding.UTF8.GetString (result));
```

NameValueCollection은 키/값 쌍들을 담는다. 이 예제의 Name이나 Company 같은 키들은 HTML 양식의 입력 상자 이름과 대응된다.

WebRequest로 양식 자료를 제출하려면 수고가 더 든다. (쿠키 같은 기능을 사용하려면 WebRequest를 사용해야 한다.) 그 과정은 다음과 같다.

1. 요청 객체의 ContentType 속성을 "application/x-www-form-urlencoded"로, Method 속성을 "POST"로 설정한다.
2. 서버에 보낼 양식 자료를 다음처럼 "이름=값" 쌍들의 목록 형태로 부호화한 문자열을 만든다.

```
이름1=값1&이름2=값2&이름3=값3...
```

3. 그 문자열을 Encoding.UTF8.GetBytes를 이용해서 바이트 배열로 변환한다.

4. 웹 요청 객체의 ContentLength 속성에 그 바이트 배열의 길이를 설정한다.
5. 웹 요청 객체의 GetRequestStream 메서드를 호출해서 그 바이트 배열을 전송한다.
6. GetResponse를 호출해서 서버의 응답을 읽는다.

다음은 앞의 예제를 WebRequest를 이용해서 다시 작성한 것이다.

```
var req = WebRequest.Create ("http://www.albahari.com/EchoPost.aspx");
req.Proxy = null;
req.Method = "POST";
req.ContentType = "application/x-www-form-urlencoded";

string reqString = "Name=Joe+Albahari&Company=O'Reilly";
byte[] reqData = Encoding.UTF8.GetBytes (reqString);
req.ContentLength = reqData.Length;

using (Stream reqStream = req.GetRequestStream())
  reqStream.Write (reqData, 0, reqData.Length);

using (WebResponse res = req.GetResponse())
using (Stream resSteam = res.GetResponseStream())
using (StreamReader sr = new StreamReader (resSteam))
  Console.WriteLine (sr.ReadToEnd());
```

HttpClient에서는 FormUrlEncodedContent 객체를 생성해서 양식 자료를 채운 후 PostAsync 메서드를 호출하거나 요청 객체의 Content 속성을 설정하면 된다.

```
string uri = "http://www.albahari.com/EchoPost.aspx";
var client = new HttpClient();
var dict = new Dictionary<string,string>
{
    { "Name", "Joe Albahari" },
    { "Company", "O'Reilly" }
};
var values = new FormUrlEncodedContent (dict);
var response = await client.PostAsync (uri, values);
response.EnsureSuccessStatusCode();
Console.WriteLine (await response.Content.ReadAsStringAsync());
```

쿠키

쿠키cookie는 HTTP 서버가 응답 헤더에 담아서 클라이언트에게 보내는 이름/값 쌍 문자열이다. 웹 브라우저 클라이언트는 서버가 보낸 쿠키들을 일정 기간 저장해 두었다가, 나중에 같은 주소를 다시 방문할 때 그 쿠키들을 요청에 담아 보낸다. 흔히 쿠키는 몇 분 또는 며칠 사이에 재방문한 클라이언트를 서버가 식별하는 용도로 쓰인다. 쿠키를 이용하면 URI에 지저분한 질의 문자열을 추가할 필요가 없다.

기본적으로 HttpWebRequest는 서버가 보낸 쿠키를 모두 무시한다. 쿠키를 받으려면 먼저 CookieContainer 객체를 생성해서 WebRequest에 배정해야 한다. 그러면 웹 응답 객체를 통해서 쿠키들을 열거할 수 있다.

```
var cc = new CookieContainer();

var request = (HttpWebRequest) WebRequest.Create ("http://www.google.com");
request.Proxy = null;
request.CookieContainer = cc;
using (var response = (HttpWebResponse) request.GetResponse())
{
  foreach (Cookie c in response.Cookies)
  {
    Console.WriteLine (" 이름:   " + c.Name);
    Console.WriteLine (" 값:     " + c.Value);
    Console.WriteLine (" 경로:   " + c.Path);
    Console.WriteLine (" 도메인: " + c.Domain);
  }
  // 응답 스트림을 읽어 들인다...
}
```

출력 예:

```
이름:   PREF
값:     ID=6b10df1da493a9c4:TM=1179025486:LM=1179025486:S=EJCZri0aWEHlk4tt
경로:   /
도메인: .google.com
```

HttpClient에서는 다음처럼 HttpClientHandler 인스턴스에 쿠키 컨테이너를 배정해야 한다.

```
var cc = new CookieContainer();
var handler = new HttpClientHandler();
handler.CookieContainer = cc;
var client = new HttpClient (handler);
...
```

WebClient 퍼사드 클래스는 쿠키를 지원하지 않는다.

받은 쿠키를 나중에 요청과 함께 보내려면, 같은(이전에 쿠키를 받았던) CookieContainer 객체를 각 WebRequest 객체에 배정하면 된다. HttpClient의 경우에는 그냥 쿠키를 받을 때 사용했던 것과 같은 HttpClient 객체로 요청을 보내면 그만이다. CookieContainer는 직렬화를 지원하므로, 쿠키들을 디스크에 기록하는 것도 가능하다. 직렬화에 관해서는 제17장을 보기 바란다. 아니면 새 CookieContainer 객체를 만들어서 다음처럼 쿠키를 직접 추가할 수도 있다.

```
Cookie c = new Cookie ("PREF",
                       "ID=6b10df1da493a9c4:TM=1179...",
                       "/",
                       ".google.com");
freshCookieContainer.Add (c);
```

Cookie 생성자의 셋째 인수와 넷째 인수는 쿠키 출처의 경로와 도메인이다. 클라이언트 쪽의 한 CookieContainer 객체에 서로 다른 여러 출처의 쿠키들을 담을 수 있다. WebRequest는 경로와 도메인이 요청 대상 서버와 부합하는 쿠키들만 전송한다.

HTML 양식을 이용한 인증

이전 절에서 NetworkCredentials 객체를 이용해서 기본 인증이나 NTLM 인증 같은 인증 체계(웹 브라우저가 대화상자를 띄우는 방식의)를 만족하는 방법을 이야기했다. 그런데 사용자 인증을 요구하는 대부분의 웹사이트는 웹 페이지 안의 HTML 양식(form)을 이용해서 사용자 인증을 처리한다. 적절한 기업 로고 이미지들로 장식된 HTML 양식에 있는 텍스트 상자들에 사용자가 사용자 이름과 패스워드를 입력한 후 버튼을 클릭하면 브라우저가 그 양식 자료를 서버에 보낸다. 인증이 성공한 경우 서버는 적절한 쿠키를 응답에 담아 보낸다. 이후 그 쿠키는 사용자가 특정 수준 이상의 권한이 필요한 페이지들에 접근할 수 있는 열쇠 역할을 한다. 앞에서 이야기한 WebRequest나 HttpClient의 여러 기능을 이용하면 이상의 모든 클라이언트 쪽 활동을 프로그램 안에서 수행할 수 있다. 이러한 접근방식은 웹 사이트를 검사하거나 적당한 API를 제공하지 않는 웹 서비스의 활용을 자동화하는 데 유용하다.

양식 기반 인증을 사용하는 웹사이트의 HTML 양식 코드는 대체로 다음과 같은 모습이다.

```
<form action="http://www.somesite.com/login" method="post">
  <input type="text" id="user" name="username">
  <input type="password" id="pass" name="password">
  <button type="submit" id="login-btn">Log In</button>
</form>
```

다음 예제는 위와 같은 양식을 제공하는 사이트에 WebRequest/WebResponse를 이용해서 로그인하는 방법을 보여준다.

```
string loginUri = "http://www.somesite.com/login";
string username = "username";   // (사용자 이름)
string password = "password";   // (패스워드)
string reqString = "username=" + username + "&password=" + password;
byte[] requestData = Encoding.UTF8.GetBytes (reqString);

CookieContainer cc = new CookieContainer();
var request = (HttpWebRequest)WebRequest.Create (loginUri);
request.Proxy = null;
request.CookieContainer = cc;
request.Method = "POST";

request.ContentType = "application/x-www-form-urlencoded";
request.ContentLength = requestData.Length;

using (Stream s = request.GetRequestStream())
  s.Write (requestData, 0, requestData.Length);

using (var response = (HttpWebResponse) request.GetResponse())
  foreach (Cookie c in response.Cookies)
    Console.WriteLine (c.Name + " = " + c.Value);

// 이제 로그인되었다. 이후 cc를 WebRequest 객체에 배정하기만 하면
// 인증된 사용자의 자격으로 웹사이트의 자원에 접근할 수 있다.
```

다음은 HttpClient의 경우이다.

```
string loginUri = "http://www.somesite.com/login";
string username = "username";
string password = "password";

CookieContainer cc = new CookieContainer();
var handler = new HttpClientHandler { CookieContainer = cc };

var request = new HttpRequestMessage (HttpMethod.Post, loginUri);
request.Content = new FormUrlEncodedContent (new Dictionary<string,string>
{
  { "username", username },
  { "password", password }
});

var client = new HttpClient (handler);
var response = await client.SendAsync (request);
response.EnsureSuccessStatusCode();
...
```

SSL

WebClient와 HttpClient, WebRequest는 URI에 "https:" 스킴이 있으면 자동으로 SSL을 사용한다. X.509 인증서에 문제가 있는 경우를 제외하면 SSL과 관련해서 문제가 발생할 일은 없다. 어떤 이유로(이를테면 시험용 인증서를 사용하는 등)

서버의 사이트 인증서가 유효하지 않으면, 그 서버와 통신을 시도할 때 예외가 발생한다. 이를 피하는 한 방법은 커스텀 인증서 유효성 검증 메서드를 만들어서 ServicePointManager 클래스의 한 정적 속성에 배정하는 것이다.

```
using System.Net;
using System.Net.Security;
using System.Security.Cryptography.X509Certificates;
...
static void ConfigureSSL()
{
  ServicePointManager.ServerCertificateValidationCallback = CertChecker;
}
```

대리자 형식의 속성인 ServerCertificateValidationCallback에는 아래와 같은 서명에 부합하는 메서드를 배정해야 한다. 그 메서드가 true를 돌려주면, WebClient 등은 인증서가 승인된 것으로 간주하고 서버와의 통신을 진행한다.

```
static bool CertChecker (object sender, X509Certificate certificate,
                         X509Chain chain, SslPolicyErrors errors)
{
  // 인증서에 문제가 없으면 true를 돌려준다.
  ...
}
```

HTTP 서버 작성

HttpListener 클래스를 이용하면 나만의 .NET HTTP 서버를 만들 수 있다. 다음은 포트 51111을 청취(listening; 수신 대기)하다가 클라이언트 요청이 들어오면 한 줄짜리 응답을 돌려준 후 실행을 끝내는 아주 간단한 서버이다.

```
static void Main()
{
  ListenAsync();                           // 서버를 시작한다.
  WebClient wc = new WebClient();          // 클라이언트 요청을 만든다.
  Console.WriteLine (wc.DownloadString
    ("http://localhost:51111/MyApp/Request.txt"));
}

async static void ListenAsync()
{
  HttpListener listener = new HttpListener();
  listener.Prefixes.Add ("http://localhost:51111/MyApp/");  // 포트 51111을
  listener.Start();                                         // 청취한다.

  // 클라이언트의 요청을 기다린다.
  HttpListenerContext context = await listener.GetContextAsync();
```

```
    // 요청에 응답한다.
    string msg = "요청된 자원: " + context.Request.RawUrl;
    context.Response.ContentLength64 = Encoding.UTF8.GetByteCount (msg);
    context.Response.StatusCode = (int) HttpStatusCode.OK;

    using (Stream s = context.Response.OutputStream)
    using (StreamWriter writer = new StreamWriter (s))
      await writer.WriteAsync (msg);

    listener.Stop();
  }
```

출력:

```
요청된 자원: /MyApp/Request.txt
```

HttpListener는 내부적으로 .NET의 Socket 객체가 아니라 Windows의 HTTP 서버 API를 사용한다. 이 덕분에 한 컴퓨터의 여러 응용 프로그램이 동일한 IP 주소와 포트 번호 조합을 청취할 수 있다. 응용 프로그램들이 각자 다른 주소 접두사를 사용하기만 하면 된다. 지금 예제는 *http://localhost/myapp*이라는 접두사를 등록한다. 따라서 이와는 다른, 이를테면 *http://localhost/anotherapp* 같은 접두사를 사용하는 다른 응용 프로그램은 같은 IP 주소와 포트를 청취할 수 있다. 기업 방화벽 환경에서는 여러 사내 보안 규칙 때문에 새 포트를 열기 어렵다는 점을 생각하면, 이러한 기능은 아주 소중하다.

GetContextAsync를 호출하면 HttpListener는 클라이언트의 요청을 기다리기 시작한다. 요청이 들어오면 Request라는 속성과 Response라는 속성이 있는 객체를 돌려준다. 이들은 각각 WebRequest 객체 및 WebResponse 객체의 서버 쪽 버전에 해당한다. 이 요청, 응답 객체들은 클라이언트 쪽 웹 요청/응답 객체들과 마찬가지 방식으로 사용할 수 있다. 이를테면 이들을 이용해서 HTTP 헤더들과 쿠키들을 읽고 쓸 수 있다.

서버가 HTTP 프로토콜의 기능들을 어느 정도나 지원할 것인지는 서버에 접속할 클라이언트들의 요구에 따라 결정해야 할 것이다. 최소한의 요구사항으로, 각 응답에 내용 길이(content length)와 상태 부호(status code)만큼은 꼭 포함해야 한다.

다음은 아주 간단한 웹 페이지 서버 클래스로, **비동기적으로** 작성한 것이다.

```
using System;
using System.IO;
```

```
using System.Net;
using System.Text;
using System.Threading.Tasks;

class WebServer
{
  HttpListener _listener;
  string _baseFolder;      // 웹 페이지 폴더

  public WebServer (string uriPrefix, string baseFolder)
  {
    _listener = new HttpListener();
    _listener.Prefixes.Add (uriPrefix);
    _baseFolder = baseFolder;
  }

  public async void Start()
  {
    _listener.Start();
    while (true)
      try
      {
        var context = await _listener.GetContextAsync();
        Task.Run (() => ProcessRequestAsync (context));
      }
      catch (HttpListenerException)     { break; }   // 청취자가 중지됨
      catch (InvalidOperationException) { break; }   // 청취자가 중지됨
  }

  public void Stop() { _listener.Stop(); }

  async void ProcessRequestAsync (HttpListenerContext context)
  {
    try
    {
      string filename = Path.GetFileName (context.Request.RawUrl);
      string path = Path.Combine (_baseFolder, filename);
      byte[] msg;
      if (!File.Exists (path))
      {
        Console.WriteLine ("자원을 찾지 못했음: " + path);
        context.Response.StatusCode = (int) HttpStatusCode.NotFound;
        msg = Encoding.UTF8.GetBytes ("죄송합니다. 없는 페이지입니다.");
      }
      else
      {
        context.Response.StatusCode = (int) HttpStatusCode.OK;
        msg = File.ReadAllBytes (path);
      }
      context.Response.ContentLength64 = msg.Length;
      using (Stream s = context.Response.OutputStream)
        await s.WriteAsync (msg, 0, msg.Length);
    }
```

```
      catch (Exception ex) { Console.WriteLine ("Request error: " + ex); }
    }
  }
```

다음은 이 서버 클래스를 사용하는 주 프로그램이다.

```
static void Main()
{
  // 포트 51111을 청취하면서 d:\webroot에 있는 파일들을 제공한다.
  var server = new WebServer ("http://localhost:51111/", @"d:\webroot");
  try
  {
    server.Start();
    Console.WriteLine ("서버 실행 중 ... Enter 키를 누르면 종료됩니다.");
    Console.ReadLine();
  }
  finally { server.Stop(); }
}
```

임의의 웹 브라우저로 이 서버를 시험해 보기 바란다. *http://localhost:51111/* 다음에 원하는 웹 페이지 파일 이름을 붙인 URI를 요청하면 된다.

> 만일 HttpListener가 청취하려는 포트를 다른 응용 프로그램이 Windows HTTP Server API 이외의 수단으로 이미 청취하고 있으면 HttpListener는 청취를 시작하지 않는다. 예를 들어 기본 포트 80은 다른 웹 서버나 P2P 프로그램(Skype 등)이 청취하고 있을 가능성이 있다.

비동기 함수들을 사용한 덕분에 이 서버는 규모가변성과 효율성이 좋다. 그러나 이 서버를 UI 스레드에서 띄우면 규모가변성이 나빠진다. 요청이 들어올 때마다 await 이후에 실행이 UI 스레드로 복귀하기 때문이다. 이 예제의 경우 서버와 UI 사이에서 상태를 공유할 필요가 없다는 점을 생각하면 그런 추가부담은 특히나 무의미하므로, UI가 있는 응용 프로그램에서는 다음처럼 서버를 UI 스레드에서 떼어 내는 것이 낫다.

```
Task.Run (Start);
```

또는 GetContextAsync를 호출한 후 ConfigureAwait(false)를 호출해도 같은 효과가 난다.

ProcessRequestAsync 자체가 비동기 함수이지만 그래도 Task.Run을 이용해서 ProcessRequestAsync를 실행한다는 점도 주목하기 바란다. 이렇게 하면 호출자는 메서드의 동기적 부분이 완료될 때까지 기다리지 않고(첫 await까지) 즉시 다른 요청을 실행할 수 있다.

FTP 활용

간단한 FTP 업로드/다운로드 연산은 이전에 나온 예처럼 그냥 WebClient를 사용하면 된다.

```
WebClient wc = new WebClient { Proxy = null };
wc.Credentials = new NetworkCredential ("nutshell", "oreilly");
wc.BaseAddress = "ftp://ftp.albahari.com";
wc.UploadString ("tempfile.txt", "hello!");
Console.WriteLine (wc.DownloadString ("tempfile.txt"));   // hello!
```

그러나 파일을 보내고 받는 것이 FTP의 전부는 아니다. 이 프로토콜은 그 외에도 여러 명령 또는 '메서드'들을 지원하는데, WebRequestMethods.Ftp 클래스에 그 명령들에 대응되는 다음과 같은 문자열 상수들이 정의되어 있다.

```
AppendFile          ListDirectoryDetails     Rename
DeleteFile          ListDirectory            UploadFile
DownloadFile        MakeDirectory            UploadFileWithUniqueName
GetDateTimestamp    PrintWorkingDirectory
GetFileSize         RemoveDirectory
```

이런 명령들을 실행하려면, 원하는 명령의 문자열 상수를 웹 요청 객체의 Method 속성에 배정한 후 GetResponse를 호출하면 된다. 다음은 디렉터리 내용을 나열하는 예이다.

```
var req = (FtpWebRequest) WebRequest.Create ("ftp://ftp.albahari.com");
req.Proxy = null;
req.Credentials = new NetworkCredential ("nutshell", "oreilly");
req.Method = WebRequestMethods.Ftp.ListDirectory;

using (WebResponse resp = req.GetResponse())
using (StreamReader reader = new StreamReader (resp.GetResponseStream()))
  Console.WriteLine (reader.ReadToEnd());
```

출력:

```
.
..
guestbook.txt
tempfile.txt
test.doc
```

이처럼 디렉터리를 나열할 때에는, 결과를 얻으려면 응답 스트림을 읽어야 한다. 그러나 다른 대부분의 명령에는 그러한 과정이 필요하지 않다. 예를 들어 GetFileSize 명령의 결과는 그냥 응답 객체의 ContentLength 속성으로 알 수 있다.

```
var req = (FtpWebRequest) WebRequest.Create (
                          "ftp://ftp.albahari.com/tempfile.txt");
req.Proxy = null;
req.Credentials = new NetworkCredential ("nutshell", "oreilly");

req.Method = WebRequestMethods.Ftp.GetFileSize;

using (WebResponse resp = req.GetResponse())
  Console.WriteLine (resp.ContentLength);            // 6
```

GetDateTimestamp 명령도 비슷한 방식으로 작동한다. 결과를 알려면 응답 객체의 LastModified 속성을 봐야 한다는 점이 다를 뿐이다. 이 속성에 접근하려면 응답 객체를 FtpWebResponse로 캐스팅해야 한다.

```
...
req.Method = WebRequestMethods.Ftp.GetDateTimestamp;

using (var resp = (FtpWebResponse) req.GetResponse() )
  Console.WriteLine (resp.LastModified);
```

Rename 명령을 사용하려면 요청 객체의 RenameTo 속성에 원하는 새 이름을 지정해야 한다(경로 접두사 없이 파일 이름만). 예를 들어 다음은 *incoming* 디렉터리의 *tempfile.txt* 파일을 *deleteme.txt*로 바꾼다.

```
var req = (FtpWebRequest) WebRequest.Create (
                          "ftp://ftp.albahari.com/tempfile.txt");
req.Proxy = null;
req.Credentials = new NetworkCredential ("nutshell", "oreilly");

req.Method = WebRequestMethods.Ftp.Rename;
req.RenameTo = "deleteme.txt";

req.GetResponse().Close();        // 이름 바꾸기를 수행한다.
```

다음은 파일을 삭제하는 방법을 보여주는 예이다.

```
var req = (FtpWebRequest) WebRequest.Create (
                          "ftp://ftp.albahari.com/deleteme.txt");
req.Proxy = null;
req.Credentials = new NetworkCredential ("nutshell", "oreilly");
```

```
req.Method = WebRequestMethods.Ftp.DeleteFile;

req.GetResponse().Close();          // 삭제를 수행한다.
```

이상의 예제들에는 예외 처리 블록을 생략했지만, 실제 응용에서는 네트워크 오류와 프로토콜 오류를 잡는 예외 처리부를 두는 것이 바람직하다. 이를 위한 전형적인 catch 블록은 다음과 같은 모습이다.

```
catch (WebException ex)
{
   if (ex.Status == WebExceptionStatus.ProtocolError)
   {
     // 좀 더 상세한 오류 정보를 얻는다.
     var response = (FtpWebResponse) ex.Response;
     FtpStatusCode errorCode = response.StatusCode;
     string errorMessage = response.StatusDescription;
     ...
   }
   ...
 }
```

DNS 사용

정적 Dns 클래스는 66.135.192.87 같은 가공되지 않은 IP 주소와 *ebay.com* 같은 사람이 기억하기 쉬운 도메인 이름 사이의 변환을 위한 DNS(Domain Name Service) 기능을 캡슐화한다.

GetHostAddresses 메서드는 도메인 이름을 IP 주소(또는 주소들)로 변환한다.

```
foreach (IPAddress a in Dns.GetHostAddresses ("albahari.com"))
  Console.WriteLine (a.ToString());     // 205.210.42.167
```

GetHostEntry 메서드는 그 반대의 일을 한다. 즉, IP 주소를 도메인 이름으로 변환한다.

```
IPHostEntry entry = Dns.GetHostEntry ("205.210.42.167");
Console.WriteLine (entry.HostName);                    // albahari.com
```

문자열 대신 IPAddress 객체를 받도록 중복적재된 GetHostEntry도 있다. 이를 이용해서 다음처럼 바이트 배열로 IP 주소를 지정할 수 있다.

```
IPAddress address = new IPAddress (new byte[] { 205, 210, 42, 167 });
IPHostEntry entry = Dns.GetHostEntry (address);
Console.WriteLine (entry.HostName);                    // albahari.com
```

WebRequest나 TcpClient 같은 클래스를 사용할 때에는 도메인 이름에서 IP 주소로의 변환이 자동으로 일어난다. 그러나, 만일 응용 프로그램이 같은 주소에 다수의 네트워크 요청을 보내야 한다면, 먼저 Dns를 이용해서 명시적으로 도메인 이름을 IP 주소로 한 번만 변환해 두고 이후의 통신에서는 그 주소를 재사용하는 것이 성능 향상에 도움이 될 수 있다. 그렇게 하면 같은 도메인 이름 조회를 위해 DNS 서버와의 왕복 통신을 거듭 되풀이하지 않아도 된다. TcpClient나 UdpClient, Socket으로 전송 계층을 직접 다룰 때에도 이런 방법이 성능 향상에 도움이 될 수 있다.

Dns 클래스는 대기 가능한 작업 객체 기반 비동기 메서드들도 제공한다.

```
foreach (IPAddress a in await Dns.GetHostAddressesAsync ("albahari.com"))
  Console.WriteLine (a.ToString());
```

SmtpClient로 메일 보내기

System.Net.Mail 이름공간의 SmtpClient 클래스는 널리 쓰이는 SMTP(Simple Mail Transfer Protocol)를 이용해서 메일을 보내는 기능을 제공한다. 간단한 텍스트 메시지를 보내려면, SmtpClient 인스턴스를 하나 생성해서 Host 속성에 독자가 사용하는 SMTP 서버의 주소를 설정한 후 Send를 호출하면 된다.

```
SmtpClient client = new SmtpClient();
client.Host = "mail.myisp.net";
client.Send ("from@adomain.com", "to@adomain.com", "subject", "body");
```

스팸 방지를 위해 인터넷에 있는 대부분의 SMTP 서버는 ISP 가입자에서 온 연결만 받아들인다. 따라서 이 예제를 실제로 실행하려면 현재 인터넷 연결에 맞는 SMTP 주소를 지정해야 한다.

첨부 파일 등의 고급 기능을 위해서는 MailMessage 객체를 만들어야 한다.†

```
SmtpClient client = new SmtpClient();
client.Host = "mail.myisp.net";
MailMessage mm = new MailMessage();

mm.Sender = new MailAddress ("kay@domain.com", "Kay");
```

† (옮긴이) SMTP는 기본적으로 7비트 ASCII 전용이므로, 한글을 비롯한 비ASCII 문자를 포함한 메시지를 전송하려면 먼저 메시지를 Base64로 부호화해야 한다. 다행히, MailMessage의 BodyEncoding을 ASCII 이외의 부호화 방식(이를테면 System.Text.Encoding.UTF8)으로 설정하면 Base64 부호화가 자동으로 적용된다.

```
mm.From   = new MailAddress ("kay@domain.com", "Kay");
mm.To.Add  (new MailAddress ("bob@domain.com", "Bob"));
mm.CC.Add  (new MailAddress ("dan@domain.com", "Dan"));
mm.Subject = "Hello!";
mm.Body = "Hi there. Here's the photo!";
mm.IsBodyHtml = false;
mm.Priority = MailPriority.High;

Attachment a = new Attachment ("photo.jpg",
                               System.Net.Mime.MediaTypeNames.Image.Jpeg);
mm.Attachments.Add (a);
client.Send (mm);
```

SmtpClient에는 다양한 속성이 있다. 예를 들어 인증을 요구하는 서버를 위해 신원 정보를 제공하려면 Credentials 속성을, SSL을 활성화하려면(서버가 지원하는 경우) EnableSsl 속성을, 표준 포트가 아닌 포트를 사용하려면 Port 속성을 사용하면 된다. 그리고 DeliveryMethod라는 속성도 있는데, 이 속성을 이용하면 SmtpClient가 SMTP 서버 대신 IIS를 이용해서 메일을 보내게 하거나, 다음처럼 메일 메시지를 지정된 디렉터리에 *.eml* 파일로 기록하게 할 수 있다.

```
SmtpClient client = new SmtpClient();
client.DeliveryMethod = SmtpDeliveryMethod.SpecifiedPickupDirectory;
client.PickupDirectoryLocation = @"c:\mail";
```

TCP 사용

TCP와 UDP는 대부분의 인터넷 및 LAN 서비스들이 기반으로 삼는 전송 계층 프로토콜들이다. HTTP와 FTP, SMTP는 TCP를 사용하고 DNS는 UDP를 사용한다. TCP는 연결 지향적이며 신뢰성 메커니즘을 포함하고 있다. UDP는 무연결 방식이고 부하가 적으며 방송(broadcasting), 즉 불특정 다수에 대한 일대다 통신을 지원한다. *BitTorrent*가 UDP를 사용하며, VoIP도 UDP를 사용한다.

전송 계층을 직접 다루면 그 위의 계층들을 사용할 때보다 훨씬 더 유연한 처리가 가능하며, 더 나은 성능을 얻을 여지도 생긴다. 단, 인증이나 암호화 같은 작업을 프로그램이 직접 처리해야 한다.

.NET Framework에서 TCP를 활용할 때에는 두 가지 선택이 가능하다. 사용하기 쉬운 TcpClient와 TcpListener 퍼사드 클래스들을 선택할 수도 있고, 기능이 많은 Socket 클래스를 선택할 수도 있다. (TcpClient가 Client 속성을 통해서 바탕 Socket 객체를 노출하므로, 사실 둘을 섞어 쓰는 것도 가능하다.) Socket 클래

스는 더 많은 구성 옵션들을 제공하며, 네트워크 계층(IP)과 Novell의 SPX/IPX 처럼 인터넷 기반이 아닌 프로토콜들에도 직접 접근할 수 있다.

(WinRT에서도 TCP와 UPD 통신이 가능하다. 이번 장의 'WinRT의 TCP(p.880)'를 보기 바란다.)

다른 프로토콜들처럼 TCP는 클라이언트와 서버를 구분한다. 클라이언트는 요청을 제출하고, 서버는 클라이언트의 요청을 기다린다. TCP 클라이언트가 동기적으로 요청을 보내는 코드는 대체로 다음과 같은 형태이다.

```
using (TcpClient client = new TcpClient())
{
  client.Connect ("address", port);
  using (NetworkStream n = client.GetStream())
  {
    // 네트워크 스트림을 읽고 쓴다...
  }
}
```

TcpClient의 Connect 메서드는 연결이 확립될 때까지 차단된다(차단되지 않는 비동기 버전은 ConnectAsync이다). 일단 연결된 후에는 GetStream이 돌려준 네트워크 스트림(NetworkStream 객체)을 양방향 통신 수단으로 사용해서 서버에 바이트들을 보내거나 서버가 보낸 바이트들을 받으면 된다.

이에 대응되는 간단한 TCP 서버는 다음과 같은 모습이다.

```
TcpListener listener = new TcpListener (<IP 주소>, <포트 번호>);
listener.Start();

while (keepProcessingRequests)
  using (TcpClient c = listener.AcceptTcpClient())
  using (NetworkStream n = c.GetStream())
  {
    // 네트워크 스트림을 읽고 쓴다...
  }

listener.Stop();
```

TcpListener의 생성자는 요청을 기다릴 지역 IP 주소와 포트 번호를 받는다. 예를 들어 네트워크 카드가 두 개 설치된 컴퓨터는 IP 주소도 두 개이므로, 이처럼 IP 주소를 지정해야 한다. 모든 지역 IP 주소를(또는 지역 IP 주소들만) 청취하고 싶으면 IPAddress.Any를 지정하면 된다. AcceptTcpClient는 클라이언트 요청이

들어올 때까지 차단된다(이 메서드에도 비동기 버전이 존재한다). 일단 요청이 들어오면, 클라이언트 쪽에서처럼 GetStream으로 얻은 네트워크 스트림으로 통신을 진행하면 된다.

전송 계층을 다룰 때에는 누가 언제 얼마나 오래 이야기할 것인지에 대한 규약, 즉 프로토콜을 정해야 한다. 이는 마치 무전기(워키토키)로 대화하는 것과 비슷하다. 양쪽이 동시에 말하거나 들으려 하면 대화가 제대로 진행되지 않는다.

그럼, 클라이언트가 먼저 "Hello"라고 말하면 서버가 "Hello right back!"이라고 응답하는 간단한 프로토콜을 생각해 보자. 다음은 그러한 프로토콜을 구현하는 예제이다.

```
using System;
using System.IO;
using System.Net;
using System.Net.Sockets;
using System.Threading;

class TcpDemo
{
  static void Main()
  {
    new Thread (Server).Start();       // 서버 메서드도 동시에 실행한다.
    Thread.Sleep (500);                // 서버가 시동할 시간을 준다.
    Client();
  }

  static void Client()
  {
    using (TcpClient client = new TcpClient ("localhost", 51111))
    using (NetworkStream n = client.GetStream())
    {
      BinaryWriter w = new BinaryWriter (n);
      w.Write ("Hello");
      w.Flush();
      Console.WriteLine (new BinaryReader (n).ReadString());
    }
  }

  static void Server()     // 클라이언트 요청 하나만 처리한 후 종료한다.
  {
    TcpListener listener = new TcpListener (IPAddress.Any, 51111);
    listener.Start();
    using (TcpClient c = listener.AcceptTcpClient())
    using (NetworkStream n = c.GetStream())
    {
      string msg = new BinaryReader (n).ReadString();
      BinaryWriter w = new BinaryWriter (n);
```

```
      w.Write (msg + " right back!");
      w.Flush();                        // 기록자를 처분하지 않으므로,
    }                                   // 반드시 Flush를 호출해야 한다.
    listener.Stop();
  }
}
```

출력:

```
Hello right back!
```

이 예제는 루프백 주소인 localhost를 사용해서 클라이언트와 서버를 같은 컴퓨터에서 돌린다. 포트 번호 51111은 다른 용도로 할당되지 않은 범위(49152 이상)에서 임의로 고른 것이다. 텍스트 메시지를 부호화하는 데에는 BinaryWriter와 BinaryReader를 사용한다. 대화가 완료될 때까지 바탕 NetworkStream을 열어 두기 위해, 루프에서 이진 기록자와 판독자들을 닫거나 처분하지 않는다.

문자열을 읽고 쓰는 데 BinaryReader와 BinaryWriter를 사용한다는 것이 좀 이상할 수도 있겠다. 그러나 StreamReader와 StreamWriter보다 이들을 사용하는 것이 더 낫다. 왜냐하면, BinaryWriter는 문자열을 보낼 때 먼저 문자열 길이에 해당하는 정수를 보내며, BinaryReader는 그 정수를 보고 정확한 개수의 문자들을 읽기 때문이다. 사실 네트워크 스트림에 대해 StreamReader.ReadToEnd를 호출하면 호출이 무한정 차단될 수 있다. NetworkStream에는 스트림의 끝이라는 것이 정해져 있지 않기 때문이다. 연결이 열려 있는 한 언제라도 클라이언트가 또다시 자료를 보낼 수 있으므로, 네트워크 스트림에 대해서는 '끝'이라는 것을 가정하지 말아야 한다.

실제로 StreamReader와 NetworkStream의 조합은 단순히 ReadLine을 호출하는 경우에도 문제를 일으킨다. StreamReader에는 미리 읽기 버퍼가 있는데, ReadLine 호출 시 StreamReader가 그 버퍼를 채우기 위해 요청된 것보다 더 많은 바이트를 미리 읽으려 할 수 있으며, 그러면 호출이 무한정(또는 소켓의 시간 만료가 발생할 때까지) 차단된다. FileStream 같은 스트림에서는 StreamReader와 같은 문제가 발생하지 않는다. 그런 스트림은 끝이 명확하며, 스트림의 끝에 도달하면 Read가 0을 돌려주기 때문이다.

TCP와 동시성

규모가변적(scalable)인 동시성을 위해, TcpClient와 TcpListener는 작업 기반 비동기 메서드들을 제공한다. 이 메서드들을 사용하는 것은 쉽다. 그냥 동기적

(차단되는) 메서드들을 해당 *Async 버전으로 대체하고, 반환된 작업 객체에 대해 await를 적용하면 그만이다.

다음은 클라이언트가 보낸 5,000바이트 자료를 받아서 그 바이트들의 순서를 뒤집은 결과를 다시 돌려주는 TCP 서버의 예이다.

```
async void RunServerAsync ()
{
  var listener = new TcpListener (IPAddress.Any, 51111);
  listener.Start ();
  try
  {
    while (true)
      Accept (await listener.AcceptTcpClientAsync ());
  }
  finally { listener.Stop(); }
}

async Task Accept (TcpClient client)
{
  await Task.Yield ();
  try
  {
    using (client)
    using (NetworkStream n = client.GetStream ())
    {
      byte[] data = new byte [5000];

      int bytesRead = 0; int chunkSize = 1;
      while (bytesRead < data.Length && chunkSize > 0)
        bytesRead += chunkSize =
          await n.ReadAsync (data, bytesRead, data.Length - bytesRead);

      Array.Reverse (data);   // 바이트열을 뒤집는다.
      await n.WriteAsync (data, 0, data.Length);
    }
  }
  catch (Exception ex) { Console.WriteLine (ex.Message); }
}
```

하나의 요청을 다 처리할 때까지 스레드를 차단하지는 않는다는 점에서 이 서버는 규모가변성(scalability)이 좋다고 할 수 있다. 예를 들어 천 개의 클라이언트가 느린 네트워크 연결을 통해 동시에 연결해도(그리고 네트워크 연결이 느려서 하나의 요청을 완전히 처리하는 데 몇 초가 걸린다고 해도), 그 요청들을 모두 처리하는 내내 1,000개의 스레드를 점유하지는 않는다(동기적 버전이라면 그래야 할 것이다). 대신 이 서버는 await 표현식들 이전과 이후의 코드를 실행하는 데 필요한 시간 동안만 스레드들을 사용한다.

TCP로 POP3 메일 수신

.NET Framework에는 POP3을 위한 응용 계층 클래스들이 없다. 따라서 POP3 메일 서버에서 메일을 가져오려면 TCP 계층에서 직접 서버와 통신해야 한다. 다행히 POP3은 간단한 프로토콜이다. POP3을 통한 대화는 다음과 같이 진행된다.

클라이언트	메일 서버	참고
클라이언트가 연결한다....	`+OK Hello there.`	환영 메시지
`USER joe`	`+OK Password required.`	
`PASS password`	`+OK Logged in.`	

`LIST`	`+OK`
	`1 1876`
	`2 5412`
	`3 845`
	`.`
		서버에 있는 각 메시지의 ID와 파일 크기를 나열

`RETR 1`	`+OK 1876 octets` *1번 메시지 내용....*	지정된 ID에 해당하는 메시지를 수신
`DELE 1`	`+OK Deleted.`	서버에서 메시지를 삭제
`QUIT`	`+OK Bye-bye.`	

각각의 명령과 응답은 새 줄(CR+LF)로 끝난다. 단, 여러 줄로 이루어진 LIST와 RETR 명령의 응답은 마침표 하나로 된 줄로 끝난다. `NetworkStream`에는 `StreamReader`를 사용할 수 없으므로, 우선 버퍼링 없이 텍스트 한 줄을 읽는 보조 메서드를 작성하는 것으로 시작하자.

```
static string ReadLine (Stream s)
{
  List<byte> lineBuffer = new List<byte>();
  while (true)
  {
    int b = s.ReadByte();
    if (b == 10 || b < 0) break;
    if (b != 13) lineBuffer.Add ((byte)b);
  }
  return Encoding.UTF8.GetString (lineBuffer.ToArray());
}
```

또한, 명령을 보내는 데 사용할 보조 메서드도 하나 만들어 두기로 한다. 명령에 대한 응답은 항상 "+OK"로 시작하므로, 서버가 보낸 자료를 읽은 즉시 그것이 유효한 응답인지 확인할 수 있다.

```
static void SendCommand (Stream stream, string line)
{
  byte[] data = Encoding.UTF8.GetBytes (line + "\r\n");
  stream.Write (data, 0, data.Length);
  string response = ReadLine (stream);
  if (!response.StartsWith ("+OK"))
    throw new Exception ("POP Error: " + response);
}
```

이런 메서드들을 갖추고 나면, 메일을 가져오는 작업 자체는 간단하다. 다음의 예제 클라이언트는 110번 포트(POP3의 기본 포트)에 TCP로 연결해서 대화를 시작한다. 클라이언트는 서버로부터 각 메시지를 확장자가 *.eml*인 파일(이름은 무작위로 설정)에 저장한 후 서버에 있는 메시지를 삭제한다.

```
using (TcpClient client = new TcpClient ("mail.isp.com", 110))
using (NetworkStream n = client.GetStream())
{
  ReadLine (n);                              // 환영 메시지를 읽는다.
  SendCommand (n, "USER username");
  SendCommand (n, "PASS password");
  SendCommand (n, "LIST");                   // 메시지 ID들을 가져온다.
  List<int> messageIDs = new List<int>();
  while (true)
  {
    string line = ReadLine (n);              // 이를테면 "1 1876"
    if (line == ".") break;
    messageIDs.Add (int.Parse (line.Split (' ')[0] ));   // 메시지 ID
  }

  foreach (int id in messageIDs)         // 각 메시지를 가져온다.
  {
    SendCommand (n, "RETR " + id);
    string randomFile = Guid.NewGuid().ToString() + ".eml";
    using (StreamWriter writer = File.CreateText (randomFile))
      while (true)
      {
        string line = ReadLine (n);      // 메시지의 다음 줄을 읽는다.
        if (line == ".") break;          // 마침표 하나이면 메시지의 끝이다.
        if (line == "..") line = ".";    // 이중 마침표 탈출열을 복원한다.
        writer.WriteLine (line);         // 파일에 기록한다.
      }
    SendCommand (n, "DELE " + id);       // 서버에 있는 메시지를 삭제한다.
  }
  SendCommand (n, "QUIT");
}
```

WinRT의 TCP

WinRT는 `Windows.Networking.Sockets` 이름공간을 통해서 TCP 기능성을 노출한다. .NET의 구현처럼 WinRT에서도 기본적으로 두 클래스가 서버 역할과 클라이언트 역할을 맡는다. 서버 쪽 클래스는 StreamSocketListener이고 클라이언트 쪽은 StreamSocket이다.

다음 메서드는 포트 51111에서 클라이언트의 연결을 기다리는 서버를 시작한다. 클라이언트가 연결하면 문자열 길이와 문자열로 이루어진 메시지 하나를 전송한다.

```
async void Server()
{
  var listener = new StreamSocketListener();
  listener.ConnectionReceived += async (sender, args) =>
  {
    using (StreamSocket socket = args.Socket)
    {
      var reader = new DataReader (socket.InputStream);
      await reader.LoadAsync (4);
      uint length = reader.ReadUInt32();
      await reader.LoadAsync (length);
      Debug.WriteLine (reader.ReadString (length));
    }
    listener.Dispose();   // 메시지 하나를 보낸 후 청취자를 닫는다.
  };
  await listener.BindServiceNameAsync ("51111");
}
```

이 예제에서는 DataReader라는 WinRT 형식(Windows.Networking 이름공간에 있다)을 이용해서 입력 스트림을 읽어 들인다. 적어도 이 예제에서는 이를 굳이 .NET Stream 객체로 변환해서 BinaryReader로 읽을 필요가 없다. DataReader는 BinaryReader와 비슷하되, 비동기성을 지원한다는 차이가 있다. LoadAsync 메서드는 지정된 개수의 바이트들을 비동기적으로 내부 버퍼에 읽어 들인다. 내부 버퍼에 있는 자료는 ReadUInt32나 ReadString 같은 메서드를 호출해서 원하는 형식의 자료로 변환할 수 있다. 이 메서드들의 조합은 효율적이다. 예를 들어 32비트(4바이트) 정수 1,000개를 연달아 읽는다면, 먼저 4000을 인수로 해서 LoadAsync를 호출한 후 루프로 ReadInt32를 1,000번 호출하면 된다. 이렇게 하면 루프에서 비동기 연산을 실행하는 추가부담을 피할 수 있다(각 비동기 연산이 작은 추가부담을 가중한다는 점을 기억하기 바란다).

DataReader/DataWriter에는 수치를 구성하는 바이트들이 빅엔디안 순서인지 리틀엔디안 순서인지를 결정하는 ByteOrder라는 속성이 있다. 기본은 빅엔디안이다.

ConnectAsync에 대한 await가 돌려주는 소켓(StreamSocket 객체)에는 입력 스트림과 출력 스트림이 따로 들어 있다. 상대방에게 자료를 보내려면 소켓의 OutputStream을 사용하면 된다. 다음은 앞의 예제 서버에 대응되는 클라이언트 쪽 코드로, OutputStream과 DataWriter를 이용해서 서버에게 자료를 보내는 방법을 보여준다.

```
async void Client()
{
  using (var socket = new StreamSocket())
  {
    await socket.ConnectAsync (new HostName ("localhost"), "51111",
                              SocketProtectionLevel.PlainSocket);
    var writer = new DataWriter (socket.OutputStream);
    string message = "Hello!";
    uint length = (uint) Encoding.UTF8.GetByteCount (message);
    writer.WriteUInt32 (length);
    writer.WriteString (message);
    await writer.StoreAsync();
  }
}
```

이 클라이언트는 먼저 StreamSocket을 직접 생성한 후 호스트 이름과 포트 번호를 지정해서 ConnectAsync 메서드를 호출한다. (HostName의 생성자에 도메인 이름 대신 IP 주소 문자열을 지정할 수도 있다.) ConnectAsync 호출 시 SocketProtectionLevel.Ssl을 지정했으므로, 서버와의 통신에 SSL 암호화가 적용된다(서버가 SSL을 지원하도록 설정된 경우).

클라이언트도 .NET의 BinaryWriter 대신 WinRT의 DataWriter를 사용한다. 먼저 문자열을 UTF-8로 부호화했을 때의 길이(문자 개수가 아니라 바이트 수)†를 보낸 다음에 실제 문자열을 보낸다는 점도 서버와 같다. 마지막으로, StoreAsync를 호출해서 버퍼를 배경 스트림에 기록한 후 소켓을 닫는다.

† (옮긴이) 제6장에서 언급했듯이, 모든 파일 및 스트림 입출력의 기본 부호화 방식은 UTF-8이다. 이 예제에서 message 자체는 UTF-16 문자열이지만, WriteString (message)가 전송하는 것은 message의 UTF-8 버전을 구성하는 바이트들이다.

C# 6.0 in a Nutshell

직렬화

이번 장은 객체를 평평한(flat) 텍스트나 이진 바이트 배열 형태로 표현하는 메커니즘인 직렬화/역직렬화 기능을 소개한다. 다른 언급이 없는 한, 이번 장의 형식들은 모두 다음 이름공간들에 있다.

```
System.Runtime.Serialization
System.Xml.Serialization
```

직렬화 개념

직렬화(serialization)는 메모리 안의 객체 하나 또는 **객체 그래프**(서로 참조하는 객체들의 집합)를 저장 또는 전송에 적합한 바이트 스트림 또는 XML 노드들로 평탄화(flattening)하는 연산을 뜻한다. 그 반대는 **역직렬화**(deserialization), 즉 자료 스트림을 해석해서 메모리 안의 객체 또는 객체 그래프를 재구축하는 연산이다.

직렬화와 역직렬화의 주된 용도는 다음 두 가지이다.

- 객체를 네트워크나 응용 프로그램 경계 너머로 전송한다.
- 객체를 파일이나 데이터베이스에 저장한다.

그보다 덜 자주 쓰이는 용도는 객체들을 깊게 복제하는 것이다. 또한, 직렬화 및 역직렬화 기능을 제공하는 자료 계약(data contract) 직렬화 엔진과 XML 직렬화 엔진을 XML 파일(구조가 알려진)의 저장과 적재를 위한 범용 도구로 사용할 수도 있다.

.NET Framework는 직렬화 및 역직렬화를, 객체들의 직렬화/역직렬화를 원하는 클라이언트의 관점에서는 물론 자신의 직렬화 방식을 어느 정도 제어하고자 하는 형식의 관점에서도 지원한다.

직렬화 엔진

.NET Framework는 다음과 같은 네 가지 직렬화 메커니즘을 제공한다.

- 자료 계약 직렬화기
- 이진 직렬화기(데스크톱 응용 프로그램에서)
- (특성 기반) XML 직렬화기(XmlSerializer)
- IXmlSerializable 인터페이스

이 중 처음 셋은 직렬화 작업의 대부분 또는 전부를 실제로 수행하는 직렬화 '엔진'이다. 마지막은 XmlReader와 XmlWriter를 이용해서 직렬화를 독자가 직접 구현하는 데 필요한 틀을 제공할 뿐이다. IXmlSerializable은 자료 계약 직렬화기(data contract serializer)와 함께 사용할 수도 있고, XmlSerializer와 함께 사용할 수도 있다(좀 더 복잡한 XML 직렬화 과제를 처리하려는 경우).

표 17-1은 네 메커니즘을 비교한 것이다. 별표가 많을수록 점수가 높다.

표 17-1 직렬화 메커니즘 비교

기능	자료 계약 직렬화기	이진 직렬화기	XmlSerializer	IXmlSerializable
자동화 수준	***	*****	****	*
형식 결합도	선택	강함	느슨함	느슨함
버전 내구성	*****	***	*****	*****
객체 참조 유지	선택	예	아니요	선택
비공용 필드 직렬화 가능	예	예	아니요	예
상호운용적 메시징 적합성	*****	**	****	****
XML 파일 읽기/쓰기의 유연성	**	-	****	*****
축약된 출력	**	****	**	**
성능	***	****	*~***	***

IXmlSerializable의 점수들은 독자가 XmlReader와 XmlWriter를 이용해서 코드를 최적으로 작성했다고 가정한 것이다. XML 직렬화 엔진에서 좋은 성능을 내려면 같은 XmlSerializer 객체를 재사용해야 한다.

엔진이 세 개인 이유

엔진이 세 개나 되는 것은 어느 정도 역사적인 이유 때문이다. 초창기 .NET Framework에서 직렬화 기능은 다음과 같은 서로 다른 두 목표를 위해 만들어졌다.

- .NET 객체 그래프를 형식과 참조를 충실히 보존할 수 있는 방식으로 직렬화한다.
- XML과 SOAP 메시징 표준들과의 상호운용성을 보장한다.

첫 목표는 Remoting Framework의 요구에서 비롯된 것이고, 둘째 목표는 Web Services의 요구 때문이다. 두 목표를 모두 만족하는 하나의 직렬화 엔진을 작성하는 것은 너무 벅찬 일이라서 Microsoft는 엔진을 두 개 작성했다. 그것이 바로 이진 직렬화기와 XML 직렬화기이다.

이후 WCF(Windows Communication Foundation)가 .NET Framework 3.0에 도입되면서, Remoting과 Web Services를 통합하는 것이 목표의 일부가 되었다. 이를 위해서는 새로운 직렬화 엔진이 필요했다. **자료 계약 직렬화기**가 바로 그것이다. 자료 계약 직렬화기는 **(상호운용적) 메시징에 관련된** 두 기존 엔진의 기능들을 통합한다. 그러나, 이러한 문맥 바깥에서는 기존의 두 엔진도 여전히 중요하다.

자료 계약 직렬화기

WCF에 쓰이는 자료 계약 직렬화기는 세 직렬화 엔진 중 최신의, 그리고 가장 다재다능한 엔진이다. 이 직렬화기는 다음 두 상황에서 특히나 강력하다.

- 표준을 준수하는 메시징 프로토콜들을 통해서 정보를 교환할 때
- 버전 내구성(version tolerance)이 좋아야 하고 객체 참조들을 유지할 수 있으면 더욱 좋을 때

자료 계약 직렬화기는 **자료 계약**(data contract) 모형을 지원한다. 이 모형은 직렬화하려는 형식의 저수준 세부사항을 직렬화된 자료의 구조로부터 분리하는 데 도움이 된다. 이 모형을 따르면 버전 내구성이 아주 좋아진다. 버전 내구성이 좋다는 것은 객체를 직렬화할 때 쓰인 형식의 버전이 객체를 역직렬화할 때 쓰이는 형식의 버전과 달라도 객체를 최대한 잘 복원할 수 있음을 뜻한다. 심지어 이름이 바뀌거나 다른 어셈블리로 이동한 형식도 역직렬화할 수 있다.

자료 계약 직렬화기는 대부분의 객체 그래프를 지원하지만, 이진 직렬화기보다 프로그래머의 손이 많이 가는 때도 있다. 다루고자 하는 XML의 구조를 어느 정

도 임의로 제어할 수 있는 경우에는 자료 계약 직렬화기를 XML 파일을 읽고 쓰는 범용 도구로 사용할 수도 있다. (자료를 XML 요소의 특성들에 저장해야 하거나, XML 요소들이 임의의 순서로 등장하는 경우에는 자료 계약 직렬화기를 사용할 수 없다.)

이진 직렬화기

이진 직렬화 엔진은 사용하기 쉽고, 고도로 자동화되어 있으며, .NET Framework 전반에서 잘 지원된다. Remoting은 이진 직렬화를 사용한다(이를테면 같은 프로세스의 두 응용 프로그램 도메인(제24장 참고) 사이의 통신에서도).

이진 직렬화기는 고도로 자동화되어 있다. 그냥 특성 하나만 지정하면 복잡한 형식이 완전히 직렬화 가능한 형식으로 변하는 경우가 많다. 또한, 완전한 형식 충실도가 필요한 경우 이진 직렬화기가 자료 계약 직렬화기보다 빠르다. 대신, 형식의 내부 구조와 직렬화된 자료의 구조가 밀접히 결합하기 때문에 버전 내구성이 낮다는 단점이 있다. (.NET Framework 2.0 이전에는 필드 하나만 추가해도 버전 간 직렬화 호환성이 깨졌다.) 그리고 이진 직렬화 엔진은 XML 출력에 맞게 설계된 것이 아니다. 그러나 SOAP 기반 메시징을 위한 포매터는 제공한다. 이를 통해서 제한적이나마 단순 형식들에 대한 상호운용성은 얻을 수 있다.

XML 직렬화기

XML 직렬화 엔진(`XmlSerializer`)은 XML만 산출할 수 있으며, 복잡한 객체 그래프를 저장, 복원하는 능력은 다른 엔진들보다 못하다(예를 들어 공유된 객체 참조들은 복원하지 못한다). 그러나 임의의 XML 구조에 대응하는 능력 덕분에, 유연성은 세 엔진 중 가장 뛰어나다. 예를 들어 객체의 어떤 속성을 XML 요소로 직렬화할지 아니면 요소의 한 특성으로 직렬화할지 선택할 수 있으며, 컬렉션의 외곽 요소를 처리하는 방식도 선택할 수 있다. XML 직렬화 엔진은 또한 버전 내구성도 훌륭하다.

`XmlSerializer`는 ASMX Web Services가 사용한다.

IXmlSerializable 인터페이스

`IXmlSerializable`을 구현한다는 것은 `XmlReader`와 `XmlWriter`를 이용해서 직렬화를 수행하는 코드를 독자가 직접 작성한다는 뜻이다. `XmlSerializer`와 자료 계약 직렬화기 모두 `IXmlSerializable` 인터페이스를 인식하므로, 기본적으로

`XmlSerializer` 또는 자료 계약 직렬화기를 사용해도 좀 더 복잡한 형식에 대해서는 `IXmlSerializable` 구현을 함께 사용할 수 있다. (물론 `IXmlSerializable` 구현을 단독으로 직접 사용할 수도 있다. WCF와 ASMX Web Services가 그런 접근 방식을 사용한다.) `XmlReader`와 `XmlWriter`는 제11장에서 설명했다.

포매터

자료 계약 직렬화기와 이진 직렬화기가 출력하는 직렬화 결과의 형태를 교체 가능한 **포매터**(formatter)를 이용해서 변형할 수 있다. 두 직렬화 엔진 모두 포매터를 같은 목적으로 사용하지만, 구체적인 클래스는 다르다.

포매터는 직렬화의 최종 결과를 특정 매체나 직렬화 문맥에 맞는 형태로 만든다. 흔히 XML 포매터와 이진 포매터 중 하나를 사용한다. XML 포매터는 XML 기록자/판독자, 텍스트 파일/스트림, SOAP 메시징 패킷과 함께 사용하도록 만들어진 것이다. 반면 이진 포매터는 임의의 바이트 스트림을 염두에 두고 설계된 것으로, 흔히 파일/스트림이나 커스텀 메시징 패킷에 쓰인다. 대체로 이진 출력이 XML보다 작다. 훨씬 작은 경우도 종종 있다.

포매터와 관련해서 '이진'이라는 용어는 '이진' 직렬화 엔진과는 무관하다. 이진 직렬화 엔진은 이진 포매터와 XML 포매터를 모두 제공하며, XML 직렬화 엔진 역시 마찬가지이다.

이론적으로 엔진과 그 포매터는 분리되어 있다. 그러나 현실적으로 각 엔진은 특정 종류의 포매터에 맞게 설계되어 있다. 자료 계약 직렬화기는 XML 메시징의 상호운용성 요구사항들에 맞추어져 있기 때문에 XML 포매터와 잘 맞지만, 이진 포매터를 사용하면 기대한 만큼의 이득이 없다. 반면 이진 직렬화 엔진은 비교적 좋은 이진 포매터를 제공하지만, XML 포매터는 조악한 SOAP 상호운용성을 제공하는 수준으로 아주 제한적이다.

명시적 직렬화 대 암묵적 직렬화

직렬화/역직렬화를 진행하는 방식은 크게 두 가지로 나뉜다.

하나는 구체적인 객체에 대해 직렬화(또는 역직렬화)를 **명시적으로** 시작하는 것이다. 직렬화 또는 역직렬화를 명시적으로 진행할 때에는 직렬화 엔진과 포매터도 직접 선택한다.

다른 하나는 .NET Framework가 내부적으로 진행하는 **암묵적** 직렬화이다. 암묵적 직렬화는 다음과 같은 경우에 일어난다.

- 직렬화기가 자식 객체를 재귀적으로 직렬화할 때.
- WCF나 Remoting, Web Services처럼 직렬화에 의존하는 기능을 사용할 때

WCF는 항상 자료 계약 직렬화기를 사용하지만, 다른 엔진들의 특성들이나 인터페이스와의 연동도 가능하다.

Remoting은 항상 이진 직렬화기를 사용한다.

Web Services는 항상 `XmlSerializer`를 사용한다.

자료 계약 직렬화기

다음은 자료 계약 직렬화기를 사용하는 기본적인 단계들이다.

1. `DataContractSerializer`를 사용할지, 아니면 `NetDataContractSerializer`를 사용할지 결정한다.
2. 직렬화할 형식들과 멤버들에 각각 `[DataContract]` 특성과 `[DataMember]` 특성을 적용한다.
3. 직렬화기 인스턴스를 생성해서 `WriteObject`나 `ReadObject`를 호출한다.

`DataContractSerializer`를 사용하기로 했다면 '알려진 형식들(함께 직렬화할 하위 형식들)'도 등록해야 하며, 객체 참조들을 유지할 것인지도 결정해야 한다.

또한, 컬렉션이 제대로 직렬화되게 하려면 특별한 처리를 해주어야 할 수도 있다.

자료 계약 직렬화기를 위한 형식들은 `System.Runtime.Serialization` 이름공간에 있다. 그 이름공간 자체는 같은 이름의 어셈블리에 들어 있다.

DataContractSerializer 대 NetDataContractSerializer

자료 계약 직렬화기 클래스는 다음 두 가지이다.

`DataContractSerializer`

.NET 형식들과 자료 계약 형식들 사이의 결합도가 낮다.

NetDataContractSerializer
.NET 형식들과 자료 계약 형식들 사이의 결합도가 높다.

DataContractSerializer는 상호운용성이 좋은, 표준을 준수하는 XML을 산출한다. 다음은 그러한 XML의 예이다.

```
<Person xmlns="...">
  ...
</Person>
```

DataContractSerializer의 단점은 직렬화 가능한 형식들을 미리 등록해야 한다는 것이다. 그래야 역직렬화 시 'Person' 같은 자료 계약 이름을 적절한 .NET 형식에 대응시킬 수 있기 때문이다. 반면 NetDataContractSerializer는 이진 직렬화 엔진처럼 형식 이름 전체와 어셈블리 이름을 출력 자체에 포함하므로 그런 전처리가 필요하지 않다. 예를 들면 다음과 같다.

```
<Person z:Type="SerialTest.Person" z:Assembly=
  "SerialTest, Version=1.0.0.0, Culture=neutral, PublicKeyToken=null">
  ...
</Person>
```

그러나 이런 서식은 .NET 프레임워크에 고유한 것일 뿐 널리 쓰이는 표준과는 무관하므로 상호운용성이 떨어진다. 또한, 역직렬화할 때 특정 이름공간과 어셈블리의 특정 .NET 형식이 있어야 형식이 제대로 복원된다.

객체 그래프를 일종의 '블랙박스'에 저장할 때에는 어떤 직렬화기 클래스를 사용해도 좋다. 해당 프로그램의 목적에 중요한 이점을 제공하는 클래스를 선택하면 된다. 그러나 WCF를 통해서 통신하거나 XML 파일을 읽고 써야 할 때에는 DataContractSerializer가 더 나은 선택인 경우가 많다.

두 직렬화기 클래스의 또 다른 차이는, NetDataContractSerializer는 항상 참조 상등성(referential equality)을 보존하지만 DataContractSerializer는 요청 시에만 보존한다는 것이다.

지금까지의 설명에서 언급한 주제들을 이후의 절들에서 좀 더 자세히 살펴볼 것이다.

직렬화기 사용

직렬화기를 선택했다면, 다음으로 할 일은 직렬화할 형식들과 멤버들에 특성들을 부여하는 것이다. 적어도 다음 두 가지는 해야 한다.

- 각 형식에 [DataContract] 특성을 부여한다.
- 출력에 포함할 각 멤버에 [DataMember] 특성을 부여한다.

다음은 클래스 하나와 그 멤버들에 직렬화 특성들을 부여한 예이다.

```
namespace SerialTest
{
  [DataContract] public class Person
  {
    [DataMember] public string Name;
    [DataMember] public int Age;
  }
}
```

이 특성들을 부여함으로써, 이 형식은 자료 계약 엔진이 **암묵적으로** 직렬화할 수 있는 형식이 된다.

이런 식으로 정의된 형식의 객체를 **명시적으로** 직렬화 또는 역직렬화할 때에는 DataContractSerializer나 NetDataContractSerializer의 인스턴스를 생성한 후 WriteObject나 ReadObject를 호출하면 된다.

```
Person p = new Person { Name = "Stacey", Age = 30 };

var ds = new DataContractSerializer (typeof (Person));

using (Stream s = File.Create ("person.xml"))
  ds.WriteObject (s, p);                           // 직렬화

Person p2;
using (Stream s = File.OpenRead ("person.xml"))
  p2 = (Person) ds.ReadObject (s);                 // 역직렬화

Console.WriteLine (p2.Name + " " + p2.Age);        // Stacey 30
```

DataContractSerializer의 생성자는 직렬화할 객체 그래프의 **뿌리**(root) 노드에 해당하는 객체(명시적으로 직렬화를 시작할 객체)의 형식을 요구한다. 반면 NetDataContractSerializer는 그런 정보를 요구하지 않는다.

```
var ns = new NetDataContractSerializer();

// NetDataContractSerializer에서도 나머지 과정은
// DataContractSerializer를 사용할 때와 같다.
...
```

두 직렬화기 클래스 모두 기본적으로 XML 포매터를 사용한다. XmlWriter와 XmlWriterSettings를 이용하면 가독성을 위한 들여쓰기도 설정할 수 있다.

```
Person p = new Person { Name = "Stacey", Age = 30 };
var ds = new DataContractSerializer (typeof (Person));

XmlWriterSettings settings = new XmlWriterSettings() { Indent = true };
using (XmlWriter w = XmlWriter.Create ("person.xml", settings))
  ds.WriteObject (w, p);

System.Diagnostics.Process.Start ("person.xml");
```

직렬화 결과는 다음과 같다.

```
<Person xmlns="http://schemas.datacontract.org/2004/07/SerialTest"
        xmlns:i="http://www.w3.org/2001/XMLSchema-instance">
  <Age>30</Age>
  <Name>Stacey</Name>
</Person>
```

XML 요소 <Person>의 'Person'이라는 이름은 형식의 특성으로 지정된 **자료 계약 이름**에서 비롯된 것이다. 기본적으로 자료 계약 이름은 해당 .NET 형식의 이름과 같지만, 필요하다면 다음과 같이 다른 이름을 지정할 수도 있다.

```
[DataContract (Name="Candidate")]
public class Person { ... }
```

비슷하게, XML 이름공간은 **자료 계약 이름공간**에서 비롯된 것이다. 자료 계약 이름공간은 기본적으로 *http://schemas.datacontract.org/2004/07/*에 .NET 형식의 이름공간을 붙인 것인데, 역시 다른 이름공간을 지정할 수 있다.

```
[DataContract (Namespace="http://oreilly.com/nutshell")]
public class Person { ... }
```

이처럼 자료 계약의 이름과 이름공간을 명시적으로 지정하면 자료 계약과 .NET 형식 사이의 결합이 끊어진다. 그러면 나중에 형식의 이름이나 이름공간을 변경해도 직렬화/역직렬화에 영향을 미치지 않는 '버전 내구성'이 생긴다.

자료 멤버의 이름도 지정할 수 있다.

```
[DataContract (Name="Candidate", Namespace="http://oreilly.com/nutshell")]
public class Person
{
  [DataMember (Name="FirstName")]  public string Name;
  [DataMember (Name="ClaimedAge")] public int Age;
}
```

출력은 다음과 같다.

```
<?xml version="1.0" encoding="utf-8"?>
<Candidate xmlns="http://oreilly.com/nutshell"
           xmlns:i="http://www.w3.org/2001/XMLSchema-instance" >
  <ClaimedAge>30</ClaimedAge>
  <FirstName>Stacey</FirstName>
</Candidate>
```

[DataMember] 특성은 필드뿐만 아니라 속성에도, 그리고 공용(public) 멤버뿐만 아니라 전용(private) 멤버에도 붙일 수 있다. 단, 필드나 속성의 자료 형식이 다음 중 하나이어야 한다.

- 모든 기본 형식
- DateTime, TimeSpan, Guid, Uri, 또는 모든 Enum 파생 형식
- 위의 널 가능 버전들
- byte[](XML에서는 Base64로 부호화됨)
- DataContract 특성이 부여된 '알려진' 형식
- IEnumerable을 구현하는 모든 형식(이번 장의 '컬렉션 직렬화(p.925)' 참고).
- [Serializable] 특성이 부여되었거나 ISerializable을 구현하는 모든 형식(이번 장의 '자료 계약의 확장(p.903)' 참고).
- IXmlSerializable을 구현하는 모든 형식

이진 포매터 지정

DataContractSerializer와 NetDataContractSerializer 둘 다 이진 포매터를 지원한다. 이진 포매터를 사용하는 과정은 두 클래스가 동일하다.

```
Person p = new Person { Name = "Stacey", Age = 30 };
var ds = new DataContractSerializer (typeof (Person));

var s = new MemoryStream();
using (XmlDictionaryWriter w = XmlDictionaryWriter.CreateBinaryWriter (s))
  ds.WriteObject (w, p);

var s2 = new MemoryStream (s.ToArray());
Person p2;
using (XmlDictionaryReader r = XmlDictionaryReader.CreateBinaryReader (s2,
                               XmlDictionaryReaderQuotas.Max))
  p2 = (Person) ds.ReadObject (r);
```

둘의 출력은 조금 다른데, XML 포매터의 결과보다 크기가 약간 작다는 점은 동일하다. 형식에 큰 배열이 포함되어 있으면 훨씬 더 작다.

파생 클래스 직렬화

NetDataContractSerializer를 사용할 때에는 특별한 처리 없이도 파생 클래스들이 직렬화된다. 그냥 파생 클래스에 DataContract 특성만 부여하면 된다. 다음 예에서 보듯이, NetDataContractSerializer는 실제 파생 형식과 그 어셈블리의 완전 한정 이름들을 기록한다.

```
<Person ... z:Type="SerialTest.Person" z:Assembly=
  "SerialTest, Version=1.0.0.0, Culture=neutral, PublicKeyToken=null">
```

그러나 DataContractSerializer를 사용할 때에는 직렬화/역직렬화할 파생 형식들을 구체적으로 지정해야 한다. 예를 들어 Person 클래스와 그 파생 클래스들을 다음과 같이 정의한다고 하자.

```
[DataContract] public class Person
{
  [DataMember] public string Name;
  [DataMember] public int Age;
}
[DataContract] public class Student : Person { }
[DataContract] public class Teacher : Person { }
```

그리고 Person을 복제하는 다음과 같은 메서드를 작성한다고 하자.

```
static Person DeepClone (Person p)
{
  var ds = new DataContractSerializer (typeof (Person));
  MemoryStream stream = new MemoryStream();
  ds.WriteObject (stream, p);
  stream.Position = 0;
  return (Person) ds.ReadObject (stream);
}
```

다음은 이 메서드를 호출하는 예이다.

```
Person  person  = new Person  { Name = "Stacey", Age = 30 };
Student student = new Student { Name = "Stacey", Age = 30 };
Teacher teacher = new Teacher { Name = "Stacey", Age = 30 };

Person  p2 =           DeepClone (person);     // OK
Student s2 = (Student) DeepClone (student);    // SerializationException
Teacher t2 = (Teacher) DeepClone (teacher);    // SerializationException
```

Person으로 DeepClone을 호출하면 잘 작동하지만, Student나 Teacher로 호출하면 예외가 발생한다. 이는 역직렬화기가 'Student'나 'Teacher'를 어떤 .NET 형식

(그리고 어셈블리)으로 복원해야 할지 알지 못하기 때문이다. 예기치 못한 형식이 역직렬화되는 일을 방지한다는 점에서 이는 보안에 도움이 되는 측면이기도 하다.

위의 코드가 작동하려면, 역직렬화가 허용되는 파생 형식들, 즉 '알려진' 파생 형식들을 명시적으로 지정해야 한다. 한 가지 방법은 다음처럼 DataContract Serializer를 생성할 때 해당 형식들을 지정하는 것이다.

```
var ds = new DataContractSerializer (typeof (Person),
  new Type[] { typeof (Student), typeof (Teacher) } );
```

또는, 다음처럼 형식 자체에 대해 KnownType 특성을 이용해서 지정할 수도 있다.

```
[DataContract, KnownType (typeof (Student)), KnownType (typeof (Teacher))]
public class Person
...
```

다음은 Student를 직렬화한 예이다.

```
<Person xmlns="..."
        xmlns:i="http://www.w3.org/2001/XMLSchema-instance"
        i:type="Student" >
  ...
<Person>
```

Person을 뿌리 형식으로 지정했으므로, 뿌리 요소의 이름은 여전히 'Person'이다. 실제 파생 클래스는 그 요소의 type 특성에 따로 서술되어 있다.

파생 형식들을 직렬화할 때에는 NetDataContractSerializer의 성능이 몹시 나쁘다. 마치 파생 형식과 마주치면 NetDataContractSerializer가 손을 놓고 한참 고민하는 것처럼 보일 정도이다.

직렬화 성능은 이를테면 다수의 요청을 동시에 처리해야 하는 응용 프로그램 서버에서 중요하다.

객체 참조

다른 객체에 대한 참조도 직렬화된다. 다음과 같은 클래스를 생각해 보자.

```
[DataContract] public class Person
{
  [DataMember] public string Name;
  [DataMember] public int Age;
  [DataMember] public Address HomeAddress;
}
```

```
[DataContract] public class Address
{
  [DataMember] public string Street, Postcode;
}
```

DataContractSerializer를 이용해서 이를 XML로 직렬화하면 다음과 같은 형태의 XML이 기록된다.

```
<Person...>
  <Age>...</Age>
  <HomeAddress>
    <Street>...</Street>
    <Postcode>...</Postcode>
  </HomeAddress>
  <Name>...</Name>
</Person>
```

앞에서 작성한 DeepClone 메서드는 HomeAddress도 복제할 것이다. 이는 단순 복사를 수행하는 MemberwiseClone 메서드와는 구별되는 특징이다.

DataContractSerializer를 사용할 때에는 Address의 파생에도 뿌리 형식의 파생에서와 같은 규칙들이 적용된다. 예를 들어 USAddress라는 클래스를 정의해서

```
[DataContract]
public class USAddress : Address { }
```

그 인스턴스를 Person의 해당 속성에 배정한다고 하자.

```
Person p = new Person { Name = "John", Age = 30 };
p.HomeAddress = new USAddress { Street="Fawcett St", Postcode="02138" };
```

이렇게 하면 p를 직렬화할 수 없다. 해결책은 이전과 같다. 즉, Address에 KnownType 특성을 부여해서 USAddress를 알려주거나,

```
[DataContract, KnownType (typeof (USAddress))]
public class Address
{
  [DataMember] public string Street, Postcode;
}
```

DataContractSerializer 인스턴스 생성 시 USAddress를 알려주면 된다.

```
var ds = new DataContractSerializer (typeof (Person),
  new Type[] { typeof (USAddress) } );
```

(Address는 이미 HomeAddress 자료 멤버의 형식으로 선언되어 있으므로 따로 알려 줄 필요가 없다.)

객체 참조 유지

NetDataContractSerializer는 항상 참조 상등성을 유지한다. 그러나 DataContractSerializer는 명시적으로 지정한 경우에만 유지한다.

따라서, 만일 두 곳에서 같은 객체를 참조한다면 DataContractSerializer는 그 객체를 두 번 기록한다. 예를 들어 Person 클래스에 직장 주소를 위한 필드를 추가한다고 하자.

```
[DataContract] public class Person
{
  ...
  [DataMember] public Address HomeAddress, WorkAddress;
}
```

그리고 다음처럼 집 주소와 직장 주소가 같은 사람이 있다고 하자.

```
Person p = new Person { Name = "Stacey", Age = 30 };
p.HomeAddress = new Address { Street = "Odo St", Postcode = "6020" };
p.WorkAddress = p.HomeAddress;
```

이 인스턴스를 DataContractSerializer로 직렬화하면, 다음처럼 XML에 같은 주소가 두 번 등장한다.

```
...
<HomeAddress>
  <Postcode>6020</Postcode>
  <Street>Odo St</Street>
</HomeAddress>
...
<WorkAddress>
  <Postcode>6020</Postcode>
  <Street>Odo St</Street>
</WorkAddress>
```

나중에 이를 역직렬화하면 WorkAddress와 HomeAddress는 다른 객체가 될 것이다. 이런 방식의 장점은 XML이 간단하다는 점과 표준을 준수한다는 점이다. 단점은 XML이 더 커지고, 참조 무결성(referential integrity; 참조의 일관성)이 사라지고, 순환 참조 문제를 처리할 수 없다는 점이다.

참조 무결성을 원한다면 DataContractSerializer를 인스턴스화할 때 다음처럼 preserveObjectReferences 매개변수에 true를 지정하면 된다.

```
var ds = new DataContractSerializer (typeof (Person),
                                     null, 1000, false, true, null);
```

preserveObjectReferences를 true로 할 때에는 셋째 인수도 반드시 지정해야 한다. 이 인수는 직렬화기가 유지할 객체 참조들의 최대 개수를 뜻한다. 만일 객체 참조가 그보다 많으면 직렬화기는 예외를 던진다(이러한 제한은 악의적으로 만들어진 스트림을 이용한 DoS(서비스 거부) 공격을 방지하기 위한 것이다).

이제 집 주소와 직장 주소가 같은 Person 인스턴스를 직렬화하면 다음과 같은 XML이 만들어진다.

```
<Person xmlns="http://schemas.datacontract.org/2004/07/SerialTest"
        xmlns:i="http://www.w3.org/2001/XMLSchema-instance"
        xmlns:z="http://schemas.microsoft.com/2003/10/Serialization/"
        z:Id="1">
  <Age>30</Age>
  <HomeAddress z:Id="2">
    <Postcode z:Id="3">6020</Postcode>
    <Street z:Id="4">Odo St</Street>
  </HomeAddress>
  <Name z:Id="5">Stacey</Name>
  <WorkAddress z:Ref="2" i:nil="true" />
</Person>
```

이렇게 하면 참조 무결성이 보존되지만, 대신 상호운용성이 떨어진다(Id와 Ref 특성에 Microsoft 고유의 이름공간이 쓰였음을 주목할 것).

버전 내구성

직렬화 자료의 상위 호환성이나 하위 호환성을 깨지 않고도 형식에 자료 멤버를 추가하거나 제거할 수 있다. 기본적으로 자료 계약 직렬화기는 역직렬화 시 다음과 같이 행동한다.

- 인식되지 않은 자료, 즉 [DataMember]가 붙은 멤버에 대응되지 않는 자료는 그냥 건너뛴다.
- [DataMember]가 붙은 멤버에 해당하는 자료가 직렬화 스트림에 없어도 불평하지 않는다.

인식되지 않은 자료를 그냥 건너뛰는 것이 마음에 들지 않다면, 그런 자료를 일단 블랙박스에 넣어 두고 나중에 객체를 다시 직렬화할 때 블랙박스의 자료를 직렬화에 포함하게 만드는 것도 가능하다. 그러면 해당 객체를 형식의 이후 버전에서 제대로 복원할 가능성이 생긴다. 이 기능을 활성화하려면 IExtensibleDataObject를 구현해야 한다. 사실 이 인터페이스에는 "IBlackBoxProvider(블랙박스 공급자 인터페이스)"라는 이름이 더 어울린다. 이 인터페이스를 구현하려면 블랙박스를 조회/설정하는 속성 하나만 구현하면 된다.

```
[DataContract] public class Person : IExtensibleDataObject{
  [DataMember] public string Name;
  [DataMember] public int Age;

  ExtensionDataObject IExtensibleDataObject.ExtensionData { get; set; }
}
```

필수 멤버

주어진 형식에 꼭 필요한 멤버의 경우, 직렬화 스트림에 반드시 그 멤버의 자료가 존재해야 한다는 점을 DataMember 특성의 IsRequired 매개변수로 지정할 수 있다.

```
[DataMember (IsRequired=true)] public int ID;
```

역직렬화 시 직렬화 스트림에 이 멤버가 존재하지 않으면 예외가 발생한다.

멤버 순서

자료 계약 직렬화기는 자료 멤버의 순서에 관해 극도로 까다롭다. 실제로, 역직렬화 시 이 직렬화기는 제 순서가 아니라고 판단한 멤버들을 모두 건너뛴다.

직렬화 시 멤버들은 다음과 같은 순서로 기록된다.

1. 기반 클래스에서 파생 클래스순으로
2. Order가 낮은 것에서 높은 것순으로(Order가 설정된 자료 멤버들의 경우)
3. 알파벳순으로(서수적 문자열 비교를 이용)

예를 들어 앞의 예제에서는 Age가 Name보다 먼저 기록되고, 다음 예에서는 Name이 Age보다 먼저 기록된다.

```
[DataContract] public class Person
```

```
{
  [DataMember (Order=0)] public string Name;
  [DataMember (Order=1)] public int Age;
}
```

만일 Person에 기반 클래스가 있다면 그 기반 클래스의 자료 멤버들이 제일 먼저 기록된다.

멤버들의 순서를 지정하는 주된 이유는 특정 XML 스키마를 만족하기 위한 것이다. XML 요소 순서는 자료 멤버 순서와 같다.

다른 무언가와의 상호운용성이 필요하지 않다면, 가장 쉬운 접근방식은 자료 멤버의 Order를 지정하지 않고 그냥 알파벳순에만 의존하는 것이다. 그러면 형식에 멤버들을 추가하거나 제거해도 직렬화나 역직렬화 시 멤버 순서 불일치 때문에 문제가 생길 일이 없다. 기반 클래스에서 파생 클래스로(또는 그 반대로) 멤버를 이동하는 경우만 신경 쓰면 된다.

널 또는 빈 값 처리

값이 널이거나 비어 있는 자료 멤버를 다루는 방식을 크게 두 가지이다.

1. 널이나 빈 값을 명시적으로 기록한다(기본 방식).
2. 그런 값을 가진 자료 멤버를 직렬화 출력에서 제외한다.

XML의 경우, 값이 널인 멤버를 명시적으로 기록하면 다음과 같은 모습이 된다.

```
<Person xmlns="..."
          xmlns:i="http://www.w3.org/2001/XMLSchema-instance">
  <Name i:nil="true" />
</Person>
```

그런데 널 또는 빈 값을 가진 멤버를 명시적으로 기록하면 공간 낭비가 될 수 있다. 빈 값인 필드나 속성이 많이 있는 형식의 경우에는 특히 낭비가 크다. 더욱 중요하게는, nil 값이 아니라 선택적(생략 가능) 요소(이를테면 minOccurs="0")를 사용하는 XML 스키마를 따라야 할 때도 있다.

널 값이나 빈 값을 가진 자료 멤버를 직렬화기가 기록하지 않게 하려면 다음과 같이 하면 된다.

```
[DataContract] public class Person
{
```

```
    [DataMember (EmitDefaultValue=false)] public string Name;
    [DataMember (EmitDefaultValue=false)] public int Age;
  }
```

이렇게 하면 값이 null이면 Name 속성은 기록되지 않으며, 값이 0(int 형식의 기본값)인 Age 속성도 기록되지 않는다. Age가 널 가능 int 형식인 경우, 만일 Age의 값이 널이면(그리고 오직 그럴 때에만) Age는 기록되지 않는다.

자료 계약 직렬화기는 객체를 역직렬화할 때 해당 형식의 생성자와 필드 초기치(initializer) 절을 건너뛴다. 이는 해당 형식의 기본값 이외의 값이 필드 초기치나 생성자를 통해서 배정되는 자료 멤버를 직렬화에서 제외시켜도 문제가 생기지 않게 하기 위한 것이다. 예를 들어 Person 클래스의 Age를 기본적으로 30으로 둔다고 하자.

```
[DataMember (EmitDefaultValue=false)]
public int Age = 30;
```

Person 인스턴스의 Age를 의도적으로 0으로 설정한 후 직렬화하면 Age는 직렬화에서 제외된다(0이 int 형식의 기본값이므로). 이를 다시 역직렬화하면 Age에는 해당 형식의 기본값이 배정되는데, 그 값은 바로 애초에 설정한 0이다. 만일 필드 초기치 절이나 생성자를 건너뛰지 않았다면 엉뚱한 값인 30이 설정되었을 것이다.

자료 계약 직렬화기와 컬렉션

자료 계약 직렬화기는 그 어떤 열거 가능 컬렉션도 저장하고 복원할 수 있다. 예를 들어 Person에 주소 목록을 담는 필드를, 구체적으로 말해서 List<Address> 형식의 Addresses라는 필드를 추가한다고 하자.

```
[DataContract] public class Person
{
  ...
  [DataMember] public List<Address> Addresses;
}

[DataContract] public class Address
{
  [DataMember] public string Street, Postcode;
}
```

Person 인스턴스에 주소 두 개를 추가해서 직렬화하면 다음과 같은 형태의 결과가 나온다.

```
<Person ...>
  ...
```

```
  <Addresses>
    <Address>
      <Postcode>6020</Postcode>
      <Street>Odo St</Street>
    </Address>
    <Address>
      <Postcode>6152</Postcode>
      <Street>Comer St</Street>
    </Address>
  </Addresses>
  ...
</Person>
```

직렬화기가 컬렉션을 직렬화할 때 컬렉션의 구체적인 **형식**에 관한 정보는 전혀 포함시키지 않았음을 주목하기 바란다. Addresses 필드의 형식을 Address[]로 했어도 같은 결과가 나왔을 것이다. 이런 방식에서는 직렬화와 역직렬화 사이에 컬렉션 형식을 바꾸어도 오류가 발생하지 않는다.

그러나 컬렉션 형식을 구체적으로 명시하고 싶을 때도 있다. 극단적인 예는 다음처럼 인터페이스 형식의 컬렉션을 사용하는 것이다.

```
[DataMember] public IList<Address> Addresses;
```

직렬화에서는 컬렉션이 이전과 마찬가지로 잘 직렬화된다. 그러나 역직렬화를 수행하면 문제가 발생한다. 역직렬화기는 이를 인스턴스화할 구체적인 형식을 알지 못하므로 가장 간단한 옵션인 배열을 선택하는데, 이는 프로그래머의 의도와는 동떨어진 선택이다. 해당 필드를 다음처럼 다른 구체 형식으로 초기화했을 때에도 역직렬화기는 같은 전략을 적용한다.

```
[DataMember] public IList<Address> Addresses = new List<Address>();
```

(역직렬화 시 직렬화기가 필드 초기치 절을 건너뜀을 기억하기 바란다.) 해결책은 자료 멤버를 전용 필드로 만들고 그것에 접근하는 공용 속성을 추가하는 것이다.

```
[DataMember (Name="Addresses")] List<Address> _addresses;

public IList<Address> Addresses { get { return _addresses; } }
```

어차피 본격적인 응용 프로그램에서는 이런 방식을 사용할 것이다. 여기서 어색한 부분은 공용 속성이 아니라 전용 필드를 자료 멤버로 둔다는 점뿐이다.

파생 형식 컬렉션 요소

직렬화기는 컬렉션의 파생 형식 요소들을 투명하게 처리한다. 단, 파생 형식이 관여하는 다른 경우에서처럼 해당 파생 형식을 명시해 주어야 한다.

```
[DataContract, KnownType (typeof (USAddress))]
public class Address
{
  [DataMember] public string Street, Postcode;
}

public class USAddress : Address { }
```

USAddress 인스턴스를 Person의 주소 목록에 추가해서 직렬화하면 다음과 같은 형태의 XML이 나온다.

```
...
  <Addresses>
    <Address i:type="USAddress">
      <Postcode>02138</Postcode>
      <Street>Fawcett St</Street>
    </Address>
  </Addresses>
```

컬렉션과 요소 이름의 커스텀화

컬렉션 클래스 자체를 파생한 경우, 컬렉션의 요소를 서술하는 XML 요소의 이름을 CollectionDataContract라는 특성을 이용해서 커스텀화할 수 있다.

```
[CollectionDataContract (ItemName="Residence")]
public class AddressList : Collection<Address> { }

[DataContract] public class Person
{
  ...
  [DataMember] public AddressList Addresses;
}
```

이 클래스를 직렬화한 결과는 다음과 같은 모습이다.

```
...
  <Addresses>
    <Residence>
      <Postcode>6020</Postcode
      <Street>Odo St</Street>
    </Residence>
    ...
```

CollectionDataContract로 컬렉션 자체의 이름공간과 이름을 지정할 수도 있다(각각 Namespace 매개변수와 Name 매개변수). 컬렉션 이름은 다른 객체의 한 속성으로 존재하는 컬렉션(지금 예제에서처럼)을 직렬화할 때에는 적용되지 않고, 컬렉션을 뿌리 객체로서 직렬화할 때 적용된다.

사전(dictionary)의 직렬화 방식을 제어하는 데에도 CollectionDataContract를 사용할 수 있다.

```
[CollectionDataContract (ItemName="Entry",
                         KeyName="Kind",
                         ValueName="Number")]
public class PhoneNumberList : Dictionary <string, string> { }

[DataContract] public class Person
{
  ...
  [DataMember] public PhoneNumberList PhoneNumbers;
}
```

이를 직렬화하면 다음과 같은 형태의 결과가 나온다.

```
...
  <PhoneNumbers>
    <Entry>
      <Kind>Home</Kind>
      <Number>08 1234 5678</Number>
    </Entry>
    <Entry>
      <Kind>Mobile</Kind>
      <Number>040 8765 4321</Number>
    </Entry>
  </PhoneNumbers>
```

자료 계약의 확장

이번 절에서는 자료 계약 직렬화기의 능력을 [Serializable]과 IXmlSerializable이라는 직렬화 확장점(hooking point)들을 이용해서 확장하는 방법을 설명한다.

직렬화 및 역직렬화 확장점

다음 특성들을 이용하면 직렬화 직전 또는 직후에 커스텀 메서드가 실행되게 할 수 있다.

[OnSerializing]

직렬화 **직전**에 호출될 메서드를 지정한다.

[OnSerialized]

직렬화 **직후**에 호출될 메서드를 지정한다.

역직렬화 역시 비슷한 특성들을 지원한다.

[OnDeserializing]

역직렬화 **직전**에 호출될 메서드를 지정한다.

[OnDeserialized]

역직렬화 **직후**에 호출될 메서드를 지정한다.

이러한 커스텀 메서드들은 반드시 StreamingContext 형식의 매개변수 하나를 받는 함수이어야 한다. 이 매개변수는 이진 엔진과의 일관성에 필요한 것으로, 자료 계약 직렬화기는 이를 사용하지 않는다.

[OnSerializing]과 [OnDeserialized]는 자료 계약 엔진의 능력 밖에 있는 멤버들을 다룰 때, 이를테면 추가적인 자료를 가진 컬렉션을 처리하거나 표준 인터페이스를 구현하는 것이 아닌 컬렉션을 처리할 때 유용하다. 그런 용도로 이 특성들을 활용할 때의 틀은 다음과 같다.

```
[DataContract] public class Person
{
  public 직렬화와_잘_맞지_않는_형식 Addresses;

  [DataMember (Name="Addresses")]
  직렬화에_잘_맞는_형식 _serializationFriendlyAddresses;

  [OnSerializing]
  void PrepareForSerialization (StreamingContext sc)
  {
    // 여기서 Addresses를 _serializationFriendlyAddresses에 복사
    // ...
  }

  [OnDeserialized]
  void CompleteDeserialization (StreamingContext sc)
  {
    // 여기서 _serializationFriendlyAddresses를 Addresses에 복사
    // ...
  }
}
```

[OnSerializing] 특성의 또 다른 용도는 필드들을 선택적으로 직렬화하는 것이다.

```
public DateTime DateOfBirth;
```

```
[DataMember] public bool Confidential;

[DataMember (Name="DateOfBirth", EmitDefaultValue=false)]
DateTime? _tempDateOfBirth;

[OnSerializing]
void PrepareForSerialization (StreamingContext sc)
{
  if (Confidential)
    _tempDateOfBirth = DateOfBirth;
  else
    _tempDateOfBirth = null;
}
```

역직렬화 시 자료 계약 직렬화기가 필드 초기치 절과 생성자를 건너뛴다는 점을 기억할 것이다. [OnDeserializing]은 역직렬화를 위한 '유사 생성자(pseudoconstructor)'로 작용하며, 따라서 직렬화에서 제외된 필드들의 초기화에 유용하다.

```
[DataContract] public class Test
{
  bool _editable = true;

  public Test() { _editable = true; }

  [OnDeserializing]
  void Init (StreamingContext sc)
  {
    _editable = true;
  }
}
```

Test 클래스는 _editable을 true로 초기화하기 위해 두 가지 방법(생성자와 필드 초기화)을 동원하지만, 둘 다 역직렬화 시에는 작동하지 않는다. 역직렬화 시 _editable을 true로 만드는 것은 전적으로 Init 메서드의 몫이다.

이 네 특성은 전용 메서드에도 적용할 수 있다. 파생 형식이 관여하는 경우 파생 형식 고유의 커스텀 메서드들에도 이 특성들을 부여할 수 있으며, 직렬화/역직렬화 시 그 메서드들도 호출된다.

[Serializable] 지원

자료 계약 직렬화기는 이진 직렬화 엔진의 특성들과 인터페이스들이 지정된 형식도 직렬화할 수 있다. .NET 프레임워크 3.0 이전에 작성된 상당한 분량의 구성요소들(.NET 프레임워크 자체도 포함해서)에 이진 엔진 지원 코드가 포함되어 있다는 점에서 이는 중요한 능력이다.

주어진 형식이 이진 엔진으로 직렬화할 수 있는 형식임을 나타내는 수단은 다음 두 가지이다.

- [Serializable] 특성 부여
- ISerializable 인터페이스 구현

이러한 이진 엔진과의 상호운용성은 기존 형식을 직렬화할 때에는 물론이고 두 엔진을 모두 지원해야 하는 새 형식을 만들 때에도 유용하다. 또한, 이진 엔진의 ISerializable이 자료 계약 직렬화기 특성들보다 유연하다는 점에서, 이는 자료 계약 직렬화기의 능력을 확장하는 또 다른 수단이다. 안타까운 점은, ISerializable을 통해서 추가된 자료를 서식화하는 자료 계약 직렬화기의 기능이 그리 효율적이지 않다는 것이다.

두 엔진의 장점을 모두 취하기 위해 한 형식에 두 엔진의 특성들을 모두 지정하는 것은 해결책이 아니다. string이나 DateTime 같은 형식은 역사적인 이유로 이진 직렬화 엔진의 특성들을 떼어낼 수 없기 때문에 문제가 생긴다. 자료 계약 직렬화기는 그런 기본 형식들에 특별한 처리를 적용함으로써 이 문제를 피해 간다. 그 외의 이진 직렬화 대상 형식들에 대해, 자료 계약 직렬화기는 이진 엔진이 사용했을 규칙과 비슷한 규칙을 적용한다. 예를 들어 NonSerialized 같은 특성들을 반영하며, ISerializable 구현의 경우 해당 메서드들도 적절히 호출한다. 그렇다고 자료 계약 직렬화기가 이진 엔진을 그대로 흉내 내는 것은 아니다. 즉, 직렬화 결과는 자료 계약 특성들을 사용했을 때와 같은 스타일로 서식화된다.

이진 엔진으로 직렬화되도록 설계된 형식들은 기본적으로 객체 참조가 유지된다고 가정한다. DataContractSerializer에서는 생성자의 선택적 매개변수를 통해서 객체 참조를 유지할 수 있다(또는, NetDataContractSerializer를 사용할 수도 있다).

이진 인터페이스를 통해서 직렬화되는 객체와 파생 형식 객체들에도 알려진 형식의 등록에 관한 규칙들이 적용된다.

다음은 [Serializable] 자료 멤버가 있는 클래스의 예이다.

```
[DataContract] public class Person
{
  ...
  [DataMember] public Address MailingAddress;
}
[Serializable] public class Address
{
```

```
    public string Postcode, Street;
  }
```

다음은 이를 직렬화한 예이다.

```
<Person ...>
  ...
  <MailingAddress>
    <Postcode>6020</Postcode>
    <Street>Odo St</Street>
  </MailingAddress>
  ...
```

Address가 ISerializable을 구현했다면 다음처럼 덜 효율적인 형태의 결과가 나올 것이다.

```
<MailingAddress>
  <Street xmlns:d3p1="http://www.w3.org/2001/XMLSchema"
    i:type="d3p1:string" xmlns="">str</Street>
  <Postcode xmlns:d3p1="http://www.w3.org/2001/XMLSchema"
    i:type="d3p1:string" xmlns="">pcode</Postcode>
</MailingAddress>
```

IXmlSerializable 지원

자료 계약 직렬화기의 한 가지 한계는 출력 XML의 구조를 제어할 수 있는 여지가 거의 없다는 점이다. WCF 응용 프로그램에서는, 표준 메시징 프로토콜들의 요구를 준수하기 쉽다는 점에서 이것이 장점일 수 있다.

XML을 정교하게 제어해야 한다면, 한 가지 방법은 IXmlSerializable을 구현하고 XmlReader와 XmlWriter를 이용해서 XML을 직접 읽고 쓰는 것이다. 자료 계약 직렬화기에서는 그럴 필요가 있는 개별 형식 수준에서 그런 방법을 적용할 수 있다. IXmlSerializable 인터페이스는 이번 장의 마지막 절에서 좀 더 설명한다.

이진 직렬화기

이진 직렬화 엔진은 Remoting이 내부적으로 사용한다. 또한, 일반 응용 프로그램에서 객체들을 디스크에 저장하고 복원하는 용도로 이진 직렬화기를 직접 사용하는 것도 가능하다. 이진 직렬화는 고도로 자동화되어 있어서, 프로그래머가 거의 개입하지 않아도 복잡한 객체 그래프를 처리할 수 있다. 단, Windows 스토어 앱에서는 이진 직렬화기를 사용할 수 없다.

어떤 형식이 이진 직렬화를 지원하게 만드는 방법은 두 가지이다. 하나는 적절한 특성들을 적용하는 것이고, 다른 하나는 ISerializable을 구현하는 것이다. 특성 적용은 간단하다는 장점이 있고, ISerializable 구현은 유연하다는 장점이 있다. ISerializable을 구현하는 목적은 크게 다음 두 가지이다.

- 직렬화 대상들을 동적으로 선택한다.
- 직렬화 가능 형식을 다른 사람들이 상속해서 사용하기 쉽게 만든다.

간단한 방법

기존 형식에 특성 하나만 추가하면 직렬화 가능 형식이 된다.

```
[Serializable] public sealed class Person
{
  public string Name;
  public int Age;
}
```

이진 직렬화기는 [Serializable] 특성이 부여된 형식의 모든 필드를 직렬화한다. 공용 필드뿐만 아니라 전용 필드들도 직렬화에 포함된다(속성들은 포함되지 않는다). 단, 모든 필드가 반드시 직렬화가 가능한 형식이어야 하며, 그렇지 않으면 예외가 발생한다. string과 int 같은 기본 .NET 형식들은(그리고 그 밖의 여러 .NET 형식들도) 직렬화를 지원한다.

[Serializable] 특성은 상속되지 않으므로, [Serializable]이 적용된 클래스를 상속하는 파생 클래스가 자동으로 직렬화를 지원하지는 않는다. 직렬화가 가능하려면 파생 형식에도 명시적으로 [Serializable] 특성을 추가해야 한다.

클래스에 자동 속성이 있는 경우, 이진 직렬화 엔진은 컴파일러가 그런 속성을 위해 내부적으로 생성한 필드도 직렬화한다. 안타깝게도, 형식을 다시 컴파일하면 그런 필드의 이름이 바뀔 수 있으며, 그러면 이전에 직렬화된 자료와의 호환성이 깨진다. 우회책은 [Serializable] 특성이 있는 형식에는 자동 속성을 사용하지 않거나, 특성을 사용하는 대신 ISerializable을 구현하는 것이다.

Person 인스턴스를 직렬화하는 방법은 간단하다. 적절한 포매터를 인스턴스화해서 Serialize를 호출하면 된다. 이진 직렬화 엔진에 사용할 수 있는 포매터는 기본적으로 다음 두 가지이다.

`BinaryFormatter`

이 포매터는 더 작은 크기의 출력을 더 짧은 시간에 산출한다는 점에서 다음의 포매터보다 더 효율적이다. 이름공간은 `System.Runtime.Serialization.Formatters.Binary`이다.

`SoapFormatter`

Remoting과 함께 사용하는 경우 이 포매터는 기본 SOAP 스타일 메시징을 지원한다. 이름공간은 `System.Runtime.Serialization.Formatters.Soap`이다.

`BinaryFormatter`는 *mscorlib*에 있고, `SoapFormatter`는 *System.Runtime.Serialization.Formatters.Soap.dll*에 있다.

> `SoapFormatter`는 `BinaryFormatter`보다 기능이 적다. `SoapFormatter`는 제네릭 형식을 지원하지 않으며, 여분의 자료를 건너뛰는 기능이 없어서 버전 내구성을 갖추기가 어렵다.

방금 말한 차이점들 외에, 사용법 자체는 두 포매터가 동일하다. 다음은 `BinaryFormatter`를 이용해서 `Person`을 직렬화하는 예이다.

```
Person p = new Person() { Name = "George", Age = 25 };

IFormatter formatter = new BinaryFormatter();

using (FileStream s = File.Create ("serialized.bin"))
  formatter.Serialize (s, p);
```

serialized.bin 파일에는 나중에 `Person` 객체를 재구축하는 데 필요한 모든 자료가 기록된다. 객체를 복원하는 메서드는 `Deserialize`이다.

```
using (FileStream s = File.OpenRead ("serialized.bin"))
{
  Person p2 = (Person) formatter.Deserialize (s);
  Console.WriteLine (p2.Name + " " + p.Age);     // George 25
}
```

> 역직렬화 메서드는 객체를 재구축할 때 모든 생성자를 건너뛴다. 내부적으로 역직렬화 메서드는 `FormatterServices.GetUninitializedObject`라는 메서드를 호출해서 객체를 생성한다. 아주 지저분한(!) 설계 패턴을 구현하는 경우에는 이 메서드를 직접 호출해야 할 수도 있다.

직렬화된 자료에는 형식과 어셈블리에 관한 완전한 정보가 포함되므로, 역직렬화의 결과를 다른 어셈블리에 있는 같은 구조의 Person 형식으로 캐스팅하려 하면 예외가 발생한다. 역직렬화 시 직렬화기는 객체 참조들도 원래 상태로 완전히 복원한다. 여기에는 컬렉션들도 포함되는데, 직렬화기는 컬렉션도 다른 모든 직렬화 가능 객체들과 동일하게 취급한다(System.Collections.*의 모든 컬렉션 형식은 직렬화 가능 형식이다).

이진 직렬화 엔진은 프로그래머의 특별한 도움 없이도 크고 복잡한 객체 그래프를 처리할 수 있다(관여하는 모든 멤버가 직렬화 가능 형식이어야 한다는 점만 보장해 주면 된다). 한 가지 주의할 점은, 이 직렬화기의 성능은 객체 그래프에 있는 참조의 개수에 비례해서 떨어진다는 점이다. 다수의 요청을 동시에 처리해야 하는 Remoting 서버에서는 이것이 문제가 될 수 있다.

이진 직렬화 특성들

[NonSerialized] 특성

자료 계약 직렬화기는 직렬화를 명시적으로 요청한 필드들만 직렬화하는 **명시적 선택**(opt-in) 정책을 사용하지만, 이진 직렬화 엔진은 그 반대인 **암묵적 선택**(opt-out) 정책을 사용한다. 즉, 이진 직렬화에서는 기본적으로 모든 필드가 직렬화되며, 직렬화하지 않을 필드들은 명시적으로 지정해야 한다. 예를 들어 임시 계산에 쓰이는 필드나 파일 핸들 또는 창(윈도) 핸들을 저장하는 필드 등 직렬화할 필요가 없는 필드에는 명시적으로 [NonSerialized] 특성을 붙여야 한다.

```
[Serializable] public sealed class Person
{
  public string Name;
  public DateTime DateOfBirth;

  // 나이는 생년월일로 계산할 수 있으므로, Age 필드는 직렬화할 필요가 없다.
  [NonSerialized] public int Age;
}
```

이렇게 하면 직렬화기는 Age 멤버를 무시한다.

직렬화되지 않은 멤버는 역직렬화 시 항상(다른 값을 설정하는 필드 초기치나 생성자가 있다고 해도) 빈 값 또는 null로 초기화된다.

[OnDeserializing] 특성과 [OnDeserialized] 특성

역직렬화 시 이진 직렬화기는 모든 보통의 생성자와 필드 초기치 절을 무시한다. 모든 필드를 직렬화하는 경우에는 이것이 문제가 되지 않지만, 일부를 [NonSerialized]로 제외할 때에는 문제의 여지가 있다. 예를 들어 Person에 Valid라는 bool 필드를 추가한다고 하자.

```
public sealed class Person
{
  public string Name;
  public DateTime DateOfBirth;

  [NonSerialized] public int Age;
  [NonSerialized] public bool Valid = true;

  public Person() { Valid = true; }
}
```

그런데 Person 인스턴스를 직렬화했다가 역직렬화하면, 생성자나 필드 초기치 절이 작동하지 않아서 Valid가 true로 설정되지 않는다. 결과적으로 Person 인스턴스는 유효하지 않은(Valid가 true가 아닌) 객체가 된다.

해결책은 자료 계약 직렬화기에서와 같다. 즉, [OnDeserializing] 특성을 이용해서 역직렬화를 위한 특별한 '유사 생성자'를 지정하는 것이다. 이 특성으로 지정하는 메서드는 역직렬화 직전에 호출된다.

```
[OnDeserializing]
void OnDeserializing (StreamingContext context)
{
  Valid = true;
}
```

또 다른 예로, [OnDeserialized] 특성을 다음과 같은 메서드에 부여해서 역직렬화 시 Age 필드가 계산되게 할 수도 있다(이 특성을 부여한 메서드는 역직렬화 직후에 호출된다).

```
[OnDeserialized]
void OnDeserialized (StreamingContext context)
{
  TimeSpan ts = DateTime.Now - DateOfBirth;
  Age = ts.Days / 365;                    // 년 단위의 수치적 나이
}
```

[OnSerializing] 특성과 [OnSerialized] 특성

이진 직렬화 엔진은 [OnSerializing]과 [OnSerialized] 특성도 지원한다. 이 특성들은 직렬화 직전 또는 직후에 호출될 메서드를 지정하는 데 쓰인다. 이들의 용도를 보여주는 예로, 선수들의 제네릭 List가 있는 Team이라는 클래스를 생각해 보자.

```
[Serializable] public sealed class Team
{
  public string Name;
  public List<Person> Players = new List<Person>();
}
```

이 클래스는 이진 포매터로는 정확히 직렬화/역직렬화되지만 SOAP 포매터로는 잘 안 된다. 이는, SOAP 포매터가 제네릭 형식의 직렬화를 거부한다는 다소 애매한 한계 때문이다. 한 가지 간단한 해결책은 직렬화 직전에 Players를 배열로 변환하고, 역직렬화 직후에는 다시 제네릭 List로 변환하는 것이다. 이러한 과정을 원활하게 진행하기 위해, 배열을 저장하는 필드를 하나 추가하고, 원래의 Players 필드에 [NonSerialized] 특성을 적용한다. 또한, 변환을 위한 메서드들도 추가한다.

```
[Serializable] public sealed class Team
{
  public string Name;
  Person[] _playersToSerialize;

  [NonSerialized] public List<Person> Players = new List<Person>();

  [OnSerializing]
  void OnSerializing (StreamingContext context)
  {
    _playersToSerialize = Players.ToArray();
  }

  [OnSerialized]
  void OnSerialized (StreamingContext context)
  {
    _playersToSerialize = null;   // 메모리가 해제될 수 있게 한다.
  }

  [OnDeserialized]
  void OnDeserialized (StreamingContext context)
  {
    Players = new List<Person> (_playersToSerialize);
  }
}
```

[OptionalField] 특성과 버전 관리

기본적으로, 이진 직렬화기의 경우 형식에 필드를 추가하면 이미 직렬화된 자료와의 호환성이 깨진다. 이를 피하려면 새 필드에 [OptionalField] 특성을 추가해야 한다.

Person 클래스를 예로 들겠다. 우선, 처음에는 이 클래스가 다음과 같이 필드 하나로만 되어 있었다고 하자. 이를 버전 1이라고 부르기로 한다.

```
[Serializable] public sealed class Person       // 버전 1
{
  public string Name;
}
```

나중에 생년월일을 저장해야 할 일이 생겨서 또 다른 필드를 추가했다. 이를 버전 2라고 하자.

```
[Serializable] public sealed class Person       // 버전 2
{
  public string Name;
  public DateTime DateOfBirth;
}
```

만일 두 컴퓨터가 Remoting을 통해서 Person 객체를 교환한다면, 두 컴퓨터 모두 **정확히 같은 시기에** 버전 2로 갱신한다는 엄격한 조건을 만족하지 않는 한 역직렬화가 제대로 일어나지 않을 것이다. [OptionalField] 특성을 이용하면 그런 조건을 느슨하게 만들 수 있다.

```
[Serializable] public sealed class Person       // 버전 2(안정적)
{
  public string Name;
  [OptionalField (VersionAdded = 2)] public DateTime DateOfBirth;
}
```

이렇게 하면 역직렬화 시 이진 직렬화기는 자료 스트림에 DateOfBirth가 없어도 당황하지 않고 그것을 그냥 직렬화되지 않은 필드로 간주한다. 결과적으로 DateOfBirth 필드는 빈 DateTime 인스턴스로 초기화된다(다른 값을 원한다면 [OnDeserializing] 특성을 사용하면 된다).

VersionAdded 매개변수는 해당 필드가 추가된 버전의 번호를 뜻한다. 이것은 일종의 문서화 역할을 하며, 직렬화 방식에는 아무런 영향을 미치지 않는다.

버전 내구성이 중요하다면 필드의 이름을 바꾸거나 필드를 삭제하는 일은 피해야 하며, 뒤늦게 NonSerialized 특성을 추가하지도 말아야 한다. 또한, 필드의 형식을 바꾸는 일도 반드시 피해야 한다.

지금까지의 논의는 하위 호환성 문제, 즉 직렬화된 스트림으로부터 객체를 복원할 때 객체의 특정 필드에 해당하는 값이 스트림에 없어서 생기는 문제에 초점을 두었다. 그런데 직렬화는 기본적으로 양방향 통신이므로, 상위 호환성 문제, 즉 역직렬화 과정에서 직렬화 스트림에 있는 자료를 어디에 써먹어야 할지 알 수 없는 문제도 발생할 수 있다. 이진 포매터는 기대치 않은 여분의 자료를 그냥 폐기함으로써 이 문제를 자동으로 해소한다. 반면 SOAP 포매터는 그런 경우 예외를 던진다! 따라서, 만일 양방향 버전 내구성이 필요하다면 반드시 이진 포매터를 사용해야 한다. 그것이 여의치 않다면, ISerializable을 구현해서 직렬화를 직접 제어하는 방법도 있다.

ISerializable 구현을 통한 이진 직렬화

ISerializable을 구현하는 접근방식의 장점은 주어진 형식의 이진 직렬화/역직렬화 방식을 완전히 제어할 수 있다는 것이다.

다음은 ISerializable 인터페이스의 정의이다.

```
public interface ISerializable
{
  void GetObjectData (SerializationInfo info, StreamingContext context);
}
```

GetObjectData는 직렬화 시 호출된다. 이 메서드에서 할 일은 직렬화하고자 하는 모든 필드를 SerializationInfo 객체(이름-값 쌍들로 이루어진 사전)에 채우는 것이다. 다음은 Name과 DateOfBirth라는 두 필드를 직렬화하도록 구현된 GetObjectData 메서드의 예이다.

```
public virtual void GetObjectData (SerializationInfo info,
                                   StreamingContext context)
 {
   info.AddValue ("Name", Name);
   info.AddValue ("DateOfBirth", DateOfBirth);
 }
```

이 예에서는 각 항목의 이름을 해당 필드의 이름과 동일하게 지정했다. 그런데 꼭 그렇게 해야 하는 것은 아니다. 역직렬화에 쓰이는 이름과 일치하기만 한다면 그 어떤 이름을 사용해도 된다. 그리고 각 사전 항목의 값은 반드시 직렬화가 가능한 형식이어야 하며, 직렬화가 가능한 형식이면 어떤 것이라도 값으로 사용할 수 있다. 필요하면 .NET Framework가 그 값을 재귀적으로 직렬화한다. 널 값도 가능하다. 사전에 널 값을 저장하는 것은 위법이 아니다.

해당 클래스가 sealed가 아닌 한, GetObjectData를 virtual로 만드는 것이 바람직하다. 그렇게 하면 파생 클래스들이 인터페이스를 다시 구현하지 않고도 직렬화 기능을 확장할 수 있다.

SerializationInfo 매개변수에는 역직렬화 시 객체에 적용할 형식과 어셈블리를 제어하는 데 사용할 수 있는 속성들도 있다. StreamingContext 매개변수는 여러 필드로 이루어진 구조체인데, 특히 직렬화된 인스턴스들이 기록 또는 전송될 장소(디스크, Remoting 등등)를 가리키는 열거형 필드가 있다(단, 이 필드가 항상 채워지는 것은 아니다).

주어진 형식의 직렬화 방식을 세세하게 제어하려면 ISerializable을 구현하는 것 말고도 할 일이 있다. 바로, GetObjectData와 동일한 두 매개변수를 받는 역직렬화용 생성자를 정의하는 것이다. 이 생성자의 접근성(private, public 등)은 어떤 것으로 선언해도 된다. 어떻게 지정하든 런타임이 이 생성자를 찾아내서 호출한다. 그러나 일반적으로는 protected로 선언하는 것이 바람직하다. 그러면 파생 클래스에서 그 생성자를 호출할 수 있기 때문이다.

다음은 Team 클래스에서 ISerializable을 구현한 예이다. 선수 목록을 제네릭 List가 아니라 배열로 취급해서 직렬화한다는 점을 주목하기 바란다. 이렇게 하면 SOAP 포매터도 사용할 수 있다.

```
[Serializable] public class Team : ISerializable
{
  public string Name;
  public List<Person> Players;

  public virtual void GetObjectData (SerializationInfo si,
                                     StreamingContext sc)
  {
    si.AddValue ("Name", Name);
    si.AddValue ("PlayerData", Players.ToArray());
  }

  public Team() {}
```

```
    protected Team (SerializationInfo si, StreamingContext sc)
    {
      Name = si.GetString ("Name");

      // 직렬화와 부합하도록, Players를 배열로서 역직렬화한다.
      Person[] a = (Person[]) si.GetValue ("PlayerData", typeof (Person[]));

      // 배열을 이용해서 새 List를 생성한다.
      Players = new List<Person> (a);
    }
  }
```

SerializationInfo 클래스에는 흔히 쓰이는 형식들에 특화된 'Get' 메서드들이 있다. 이를테면 GetString이 그런 메서드이다. 이들을 이용하면 역직렬화용 생성자를 좀 더 쉽게 작성할 수 있다. 만일 주어진 이름에 해당하는 자료가 존재하지 않으면 그런 'Get' 메서드들은 예외를 던진다. 직렬화와 역직렬화를 수행하는 코드들의 버전이 일치하지 않을 때 흔히 그런 일이 발생한다. 예를 들어 형식에 필드를 하나 추가하고는 역직렬화 코드에서 새 필드에 맞게 갱신하는 것을 잊어버릴 수 있다. 이런 문제를 피하는 방법을 두 가지 들자면 다음과 같다.

- 이후 버전에서 추가된 자료 멤버를 가져오는 코드를 예외 처리 블록으로 감싼다.
- 자신만의 버전 관리 시스템을 구현한다. 이를테면 다음과 같다.

```
public string MyNewField;

public virtual void GetObjectData (SerializationInfo si,
                                    StreamingContext sc)
{
  si.AddValue ("_version", 2);
  si.AddValue ("MyNewField", MyNewField);
  ...
}

protected Team (SerializationInfo si, StreamingContext sc)
{
  int version = si.GetInt32 ("_version");
  if (version >= 2) MyNewField = si.GetString ("MyNewField");
  ...
}
```

직렬화 가능 클래스의 파생

앞의 예제들에서는 특성들을 지정해서 직렬화 가능 클래스를 만들 때 클래스에 sealed 적용해서 이후의 상속을 금지했다. 그 이유를 설명하기 위해, 다음과 같은 클래스 계통구조를 생각해 보자.

```
[Serializable] public class Person
{
  public string Name;
  public int Age;
}

[Serializable] public sealed class Student : Person
{
  public string Course;
}
```

이 예의 Person과 Student는 둘 다 직렬화 가능 형식이다. 그리고 둘 다 ISerializable을 구현하지 않으므로, 둘 다 기본 런타임 직렬화 행동방식이 적용된다.

그런데 Person의 작성자가 어떠한 이유로 마음을 바꾸어서 ISerializable을 구현했으며, Person의 직렬화/역직렬화를 제어하기 위해 역직렬화용 생성자를 추가했다고 하자. Person의 새 버전은 다음과 같은 모습이다.

```
[Serializable] public class Person : ISerializable
{
  public string Name;
  public int Age;

  public virtual void GetObjectData (SerializationInfo si,
                                     StreamingContext sc)
  {
    si.AddValue ("Name", Name);
    si.AddValue ("Age", Age);
  }

  protected Person (SerializationInfo si, StreamingContext sc)
  {
    Name = si.GetString ("Name");
    Age = si.GetInt32 ("Age");
  }

  public Person() {}
}
```

Person 인스턴스들은 여전히 잘 직렬화/역직렬화되지만, Student 인스턴스들은 그렇지 않다. 구체적으로 말하면, Student 인스턴스를 직렬화하면 Course 필드가 스트림에 기록되지 않는다. Person의 ISerializable.GetObjectData 구현은 Person의 멤버들만 알 뿐 그로부터 파생된 Student의 멤버들은 알지 못하기 때문이다. 게다가, Student 인스턴스를 역직렬화할 때 예외가 발생한다. 역직렬화 과정에서 런타임은 Student의 역직렬화용 생성자를 호출하려 하지만 그런 생성자를 찾지 못하기 때문이다.

이 문제를 해결하려면, 애초에 직렬화 가능 클래스 계통구조를 만들기 시작할 때부터 ISerializable을 구현해야 한다. 그리고 그 클래스들을 public으로 선언하되 sealed로 선언하면 안 된다. (internal 클래스에서는 이 문제가 그리 중요하지 않다. 필요하다면 나중에라도 파생 클래스들을 쉽게 수정할 수 있기 때문이다.)

처음부터 Person을 앞의 예(ISerializable 구현 버전)처럼 작성했다면, Student는 다음과 같이 작성했을 것이다.

```
[Serializable]
public class Student : Person
{
  public string Course;

  public override void GetObjectData (SerializationInfo si,
                                      StreamingContext sc)
  {
    base.GetObjectData (si, sc);
    si.AddValue ("Course", Course);
  }

  protected Student (SerializationInfo si, StreamingContext sc)
    : base (si, sc)
  {
    Course = si.GetString ("Course");
  }

  public Student() {}
}
```

XML 직렬화

.NET Framework는 XML 전용 직렬화 엔진인 XmlSerializer를 제공한다. 이 클래스는 System.Xml.Serialization 이름공간에 있다. 이 엔진은 .NET 형식들을 XML 파일로 직렬화하는 데 적합하다. 그리고 ASMX Web Services가 내부적으로 이 엔진을 사용한다.

이진 직렬화 엔진처럼, 이 엔진을 사용하는 접근방식은 두 가지이다.

- 형식들과 멤버들에 XML 직렬화 특성들(System.Xml.Serialization에 정의되어 있는)을 부여한다.
- IXmlSerializable 인터페이스를 구현한다.

그러나 이진 직렬화 엔진과 다른 점도 있다. IXmlSerializable 인터페이스를 구현하는 경우에는 직렬화/역직렬화 과정에서 엔진이 완전히 제외된다는 점이다. 즉, 그런 경우에는 XmlReader와 XmlWriter를 이용해서 독자가 직접 직렬화/역직렬화 기능을 구현해야 한다.

특성 기반 직렬화의 기초

XmlSerializer를 사용하는 방법은 간단하다. XmlSerializer 인스턴스를 생성한 후 Stream 객체와 직렬화할 객체로 Serialize나 Deserialize을 호출하면 된다. 예를 들어 다음과 같은 클래스가 있다고 하자.

```
public class Person
{
  public string Name;
  public int Age;
}
```

다음은 이 Person의 한 인스턴스를 XML 파일에 저장했다 복원하는 예이다.

```
Person p = new Person();
p.Name = "Stacey"; p.Age = 30;

XmlSerializer xs = new XmlSerializer (typeof (Person));

using (Stream s = File.Create ("person.xml"))
  xs.Serialize (s, p);

Person p2;
using (Stream s = File.OpenRead ("person.xml"))
  p2 = (Person) xs.Deserialize (s);

Console.WriteLine (p2.Name + " " + p2.Age);   // Stacey 30
```

Serialize와 Deserialize는 Stream뿐만 아니라 XmlWriter/XmlReader나 TextWriter/TextReader도 지원한다. 다음은 위의 코드가 산출한 XML이다.

```
<?xml version="1.0"?>
<Person xmlns:xsi="http://www.w3.org/2001/XMLSchema-instance"
        xmlns:xsd="http://www.w3.org/2001/XMLSchema">
  <Name>Stacey</Name>
  <Age>30</Age>
</Person>
```

앞의 예에서, Person 형식에 그 어떤 직렬화 특성도 부여하지 않았음을 주목하기 바란다. 이처럼 XmlSerializer는 특성이 전혀 없는 형식도 직렬화할 수 있다.

기본적으로 XmlSerializer는 주어진 형식의 모든 **공용 필드와 속성**을 직렬화한다. 직렬화하고 싶지 않은 멤버가 있으면 다음 예처럼 XmlIgnore 특성을 지정해 주면 된다.

```
public class Person
{
  ...
  [XmlIgnore] public DateTime DateOfBirth;
}
```

다른 두 엔진과는 달리 XmlSerializer는 [OnDeserializing] 특성을 인식하지 않는다. 대신, 역직렬화를 시작하기 전에 XmlSerializer는 매개변수 없는 생성자를 호출해서 필드들의 초기화를 위임한다. 만일 그런 생성자가 없으면 예외를 던진다. (앞의 예에서 Person에는 매개변수 없는 생성자가 **암묵적으로** 존재한다.) 또한, XmlSerializer는 역직렬화 전에 필드 초기치들도 적용한다.

```
public class Person
{
  public bool Valid = true;    // 역직렬화 전에 실행된다.
}
```

XmlSerializer는 거의 모든 형식을 직렬화할 수 있으나, 모든 형식을 동일하게 직렬화하는 것은 아니다. XmlSerializer는 다음과 같은 형식들을 인식해서 특별하게 취급한다.

- 기본 형식들과 DateTime, TimeSpan, Guid, 그리고 이들의 널 가능 버전들
- byte[] (Base64로 부호화됨)
- XmlAttribute 또는 XmlElement(그 내용을 스트림에 주입함)
- IXmlSerializable을 구현하는 모든 형식
- 모든 컬렉션 형식

XML 직렬화기의 역직렬화 기능은 버전 내구성을 갖추고 있다. 즉, 특정 필드나 속성에 해당하는 자료가 없어도, 그리고 기대치 않은 여분의 자료가 있어도 불평하지 않는다.

XML 특성, 이름, 이름공간

기본적으로 필드와 속성은 XML 요소로 직렬화된다. 만일 특정 필드나 속성을 요소가 아니라 XML 특성으로 직렬화하고 싶으면 다음과 같이 하면 된다.

```
[XmlAttribute] public int Age;
```

또한, XML 요소나 특성의 이름을 명시적으로 지정할 수도 있다.

```
public class Person
{
  [XmlElement ("FirstName")] public string Name;
  [XmlAttribute ("RoughAge")] public int Age;
}
```

이러한 클래스의 인스턴스를 직렬화면 다음과 같은 형태의 XML이 출력된다.

```
<Person RoughAge="30" ...>
  <FirstName>Stacey</FirstName>
</Person>
```

기본 XML 이름공간은 비어 있다(형식의 이름공간을 기본 XML 이름공간으로 사용하는 자료 계약 직렬화기와는 다른 점이다). 요소나 특성의 XML 이름공간을 지정하려면 [XmlElement]나 [XmlAttribute]의 Namespace 매개변수를 사용하면 된다. 또한, 형식 자체의 이름과 이름공간을 지정하려면 [XmlRoot] 특성을 사용하면 된다.

```
[XmlRoot ("Candidate", Namespace = "http://mynamespace/test/")]
public class Person { ... }
```

이렇게 하면 person 인스턴스는 'Candidate'라는 이름의 XML 요소로 직렬화되며, 그 요소와 자식 요소들에 해당 이름공간(http://mynamespace/test/)이 적용된다.

XML 요소의 순서

XmlSerializer는 XML 요소들을 해당 필드가 클래스에 정의된 순서로 기록한다. 그와는 다른 순서를 원한다면 XmlElement 특성의 Order 매개변수를 사용하면 된다.

```
public class Person
{
  [XmlElement (Order = 2)] public string Name;
  [XmlElement (Order = 1)] public int Age;
}
```

한 멤버에 Order 매개변수를 사용했다면, 다른 모든 멤버에도 Order를 사용해야 한다.

역직렬화 시 XML 직렬화기는 요소들의 순서를 까다롭게 따지지 않는다. 요소들이 어떤 순서로 나타나든 객체가 적절히 복원된다.

파생 클래스와 자식 객체

뿌리 형식의 파생

Person 클래스가 뿌리 형식(직렬화/역직렬화가 시작되는 형식)이고, 그것을 상속하는 파생 클래스가 두 개 있다고 하자.

```
public class Person { public string Name; }

public class Student : Person { }
public class Teacher : Person { }
```

그리고 뿌리 형식의 직렬화를 위해 다음과 같은 재사용 가능한 메서드를 작성했다고 하자.

```
public void SerializePerson (Person p, string path)
{
  XmlSerializer xs = new XmlSerializer (typeof (Person));
  using (Stream s = File.Create (path))
    xs.Serialize (s, p);
}
```

이 메서드가 Student나 Teacher 인스턴스에 대해서도 잘 작동하려면 파생 클래스들을 XmlSerializer에게 알려 주어야 한다. 방법은 두 가지인데, 하나는 각 파생 클래스를 XmlInclude 특성을 이용해서 등록하는 것이다.

```
[XmlInclude (typeof (Student))]
[XmlInclude (typeof (Teacher))]
public class Person { public string Name; }
```

또 다른 방법은 XmlSerializer 인스턴스를 생성할 때 두 파생 형식을 지정하는 것이다.

```
XmlSerializer xs = new XmlSerializer (typeof (Person),
                   new Type[] { typeof (Student), typeof (Teacher) } );
```

어떤 경우이든 XML 직렬화기는 해당 파생 형식을 XML 요소의 type 특성으로 기록한다(자료 계약 직렬화기와 같은 방식이다).

```
<Person xmlns:xsi="http://www.w3.org/2001/XMLSchema-instance"
```

```
        xsi:type="Student">
  <Name>Stacey</Name>
</Person>
```

역직렬화 시 XML 직렬화기는 이 특성을 보고 Person이 아니라 Student 객체를 생성한다.

XML 요소의 type 특성에 배정되는 이름을 명시적으로 지정하고 싶다면 다음 예처럼 파생 형식에 [XmlType] 특성을 지정하면 된다.

```
[XmlType ("Candidate")]
public class Student : Person { }
```

결과는 다음과 같다.

```
<Person xmlns:xsi="..."
        xsi:type="Candidate">
```

자식 객체의 직렬화

프로그래머가 특별한 처리를 하지 않아도, XmlSerializer는 Person의 HomeAddress 같은 객체 참조들을 재귀적으로 처리한다.

```
public class Person
{
  public string Name;
  public Address HomeAddress = new Address();
}

public class Address { public string Street, PostCode; }
```

예를 들어, 다음과 같은 Person 인스턴스를 직렬화하면

```
Person p = new Person(); p.Name = "Stacey";
p.HomeAddress.Street = "Odo St";
p.HomeAddress.PostCode = "6020";
```

다음과 같은 XML이 나온다.

```
<Person ... >
  <Name>Stacey</Name>
  <HomeAddress>
    <Street>Odo St</Street>
    <PostCode>6020</PostCode>
  </HomeAddress>
</Person>
```

> 같은 객체를 참조하는 필드 또는 속성이 두 개이면 그 객체는 두 번 직렬화된다. 참조 상등성을 유지하려면 다른 직렬화 엔진을 사용해야 한다.

자식 객체의 파생

Person의 HomeAddress 속성이 Address의 파생 클래스를 참조할 수도 있다고 하자.

```
public class Address { public string Street, PostCode; }
public class USAddress : Address {  }
public class AUAddress : Address {  }

public class Person
{
  public string Name;
  public Address HomeAddress = new USAddress();
}
```

이런 인스턴스를 직렬화하는 방법은 어떤 형태의 XML을 원하느냐에 따라 두 가지로 나뉜다. 만일 요소 이름은 속성 또는 필드의 이름과 같게 하고 구체적인 파생 형식의 이름은 type 특성으로 기록되게 하고 싶다면, 다시 말해 다음과 같은 형태의 XML을 원한다면,

```
<Person ...>
  ...
  <HomeAddress xsi:type="USAddress">
    ...
  </HomeAddress>
</Person>
```

다음처럼 Address의 각 파생 클래스를 [XmlInclude]로 등록해야 한다.

```
[XmlInclude (typeof (AUAddress))]
[XmlInclude (typeof (USAddress))]
public class Address
{
  public string Street, PostCode;
}
```

그렇지 않고 요소 이름에 파생 형식 이름 자체가 반영되게 하고 싶다면, 다시 말해 다음과 같은 형태의 XML을 원한다면,

```
<Person ...>
  ...
  <USAddress>
    ...
```

```
    </USAddress>
  </Person>
```

부모 형식의 필드나 속성에 다음처럼 여러 개의 [XmlElement] 특성을 함께 지정하면 된다.

```
public class Person
{
  public string Name;

  [XmlElement ("Address", typeof (Address))]
  [XmlElement ("AUAddress", typeof (AUAddress))]
  [XmlElement ("USAddress", typeof (USAddress))]
  public Address HomeAddress = new USAddress();
}
```

각 [XmlElement]는 하나의 요소 이름을 하나의 형식에 대응시킨다. 이 접근방식을 따르는 경우에는 Address 형식에 [XmlInclude] 특성을 부여할 필요가 없다(부여해도 직렬화에 문제가 생기지는 않는다).

[XmlElement]에 형식만 지정하고 요소 이름을 지정하지 않으면 형식의 기본 이름이 요소 이름으로 쓰인다(형식의 기본 이름은 [XmlType]의 영향을 받지만 [XmlRoot]의 영향은 받지 않는다).

컬렉션 직렬화

XmlSerializer는 구체적인 컬렉션 형식들을 자동으로 인식해서 직렬화한다. 다음과 같은 클래스들이 있다고 하자.

```
public class Person
{
  public string Name;
  public List<Address> Addresses = new List<Address>();
}

public class Address { public string Street, PostCode; }
```

이를 직렬화하면 다음과 같은 구조의 XML이 나온다.

```
<Person ... >
  <Name>...</Name>
  <Addresses>
    <Address>
      <Street>...</Street>
      <Postcode>...</Postcode>
```

```
    </Address>
    <Address>
      <Street>...</Street>
      <Postcode>...</Postcode>
    </Address>
    ...
  </Addresses>
</Person>
```

바깥 요소(지금 예의 Addresses)의 이름을 바꾸고 싶으면 [XmlArray] 특성을 사용하면 된다. 한편 **안쪽** 요소(지금 예의 Address)의 이름은 [XmlArrayItem] 특성으로 바꿀 수 있다. 예를 들어 다음과 같은 클래스를 직렬화하면

```
public class Person
{
  public string Name;

  [XmlArray ("PreviousAddresses")]
  [XmlArrayItem ("Location")]
  public List<Address> Addresses = new List<Address>();
}
```

다음과 같은 구조의 XML이 나온다.

```
<Person ... >
  <Name>...</Name>
  <PreviousAddresses>
    <Location>
      <Street>...</Street>
      <Postcode>...</Postcode>
    </Location>
    <Location>
      <Street>...</Street>
      <Postcode>...</Postcode>
    </Location>
    ...
  </PreviousAddresses>
</Person>
```

XmlArray 특성과 XmlArrayItem 특성으로 XML 이름공간들을 지정할 수도 있다.

컬렉션을 바깥쪽 요소 **없이** 직렬화할 수도 있다. 예를 들어 다음과 같은 구조의 XML을 얻는 것이 가능하다.

```
<Person ... >
  <Name>...</Name>
  <Address>
    <Street>...</Street>
    <Postcode>...</Postcode>
```

```
    </Address>
    <Address>
      <Street>...</Street>
      <Postcode>...</Postcode>
    </Address>
  </Person>
```

이런 XML을 원한다면, 다음처럼 명시적으로 [XmlElement]를 컬렉션 필드나 속성에 부여하면 된다.

```
public class Person
{
  ...
  [XmlElement ("Address")]
  public List<Address> Addresses = new List<Address>();
}
```

파생 형식의 요소들을 담는 컬렉션 다루기

파생 형식의 요소들을 담는 컬렉션과 관련된 규칙은 보통의 필드나 속성의 파생 형식 관련 규칙과 동일하다. 즉, 파생 형식을 type 특성에 기록하고 싶으면, 다시 말해 다음과 같은 형태의 XML을 원한다면,

```
<Person ... >
  <Name>...</Name>
  <Addresses>
    <Address xsi:type="AUAddress">
    ...
```

이전에 했던 것처럼 기반 형식(Address)에 [XmlInclude] 특성들을 부여하면 된다. 이는 바깥쪽 요소의 직렬화 여부와는 무관하게 작동한다.

파생 형식을 해당 요소 이름으로 기록하고 싶으면, 다시 말해 다음과 같은 형태의 XML을 원한다면,

```
<Person ... >
  <Name>...</Name>
  <!--바깥쪽 요소를 포함하는 경우 여기에 해당 시작 요소가 온다-->
  <AUAddress>
    <Street>...</Street>
    <Postcode>...</Postcode>
  </AUAddress>
  <USAddress>
    <Street>...</Street>
    <Postcode>...</Postcode>
  </USAddress>
```

```
    <!--바깥쪽 요소를 포함하는 경우 여기에 해당 종료 요소가 온다-->
  </Person>
```

컬렉션 필드나 속성에 여러 개의 [XmlArrayItem] 또는 [XmlElement] 특성을 함께 부여하면 된다.

이 접근방식은 두 가지로 나뉜다. 바깥쪽 컬렉션 요소를 포함하고 싶다면 [XmlArrayItem] 특성들을 부여해야 한다.

```
[XmlArrayItem ("Address",   typeof (Address))]
[XmlArrayItem ("AUAddress", typeof (AUAddress))]
[XmlArrayItem ("USAddress", typeof (USAddress))]
public List<Address> Addresses = new List<Address>();
```

반대로, 바깥쪽 컬렉션 요소를 제외하고 싶다면 [XmlElement] 특성들을 부여해야 한다.

```
[XmlElement ("Address",   typeof (Address))]
[XmlElement ("AUAddress", typeof (AUAddress))]
[XmlElement ("USAddress", typeof (USAddress))]
public List<Address> Addresses = new List<Address>();
```

IXmlSerializable 인터페이스

특성 기반 XML 직렬화가 유연하긴 하지만 한계들이 있다. 예를 들어 직렬화 확장점을 추가할 수 없으며, 공용(public)이 아닌 멤버를 직렬화할 수도 없다. 또한, 같은 요소나 특성이 한 XML에 서로 다른 여러 방식으로 나타날 수도 있는 경우에는 코드가 복잡해진다.

후자의 문제는 XmlSerializer 생성자에 적절한 XmlAttributeOverrides 객체를 지정하는 방법을 이용해서 "어느 정도까지는" 해결할 수 있다. 그러나 언젠가는 그냥 명령식(imperative) 접근방식을 취하는 것이 더 쉬운 방법인 지경에 도달한다. 그럴 때 필요한 것이 IXmlSerializable 인터페이스이다.

```
public interface IXmlSerializable
{
  XmlSchema GetSchema();
  void ReadXml (XmlReader reader);
  void WriteXml (XmlWriter writer);
}
```

이 인터페이스를 구현하면 직렬화/역직렬화 시 XML을 쓰고 읽는 방식을 완전히 제어할 수 있다.

IXmlSerializable을 구현하는 컬렉션 클래스에는 컬렉션 직렬화에 관한 XmlSerializer의 규칙들이 적용되지 않는다. 이 점은 추가 자료가 있는 컬렉션을 직렬화할 때, 다시 말해 보통의 규칙 하에서는 무시될 추가적인 필드나 속성이 있는 컬렉션을 직렬화할 때 유용할 수 있다.

IXmlSerializable 구현 시 따라야 할 규칙들은 다음과 같다.

- ReadXml 메서드는 반드시 바깥쪽 시작 요소를 제일 먼저 읽고, 그다음에 요소의 내용을 읽고, 그다음에 바깥쪽 종료 요소를 읽어야 한다.
- WriteXml 메서드는 내용만 기록해야 한다.

다음 예를 보자.

```
using System;
using System.Xml;
using System.Xml.Schema;
using System.Xml.Serialization;

public class Address : IXmlSerializable
{
  public string Street, PostCode;

  public XmlSchema GetSchema() { return null; }

  public void ReadXml(XmlReader reader)
  {
    reader.ReadStartElement();
    Street   = reader.ReadElementContentAsString ("Street", "");
    PostCode = reader.ReadElementContentAsString ("PostCode", "");
    reader.ReadEndElement();
  }

  public void WriteXml (XmlWriter writer)
  {
    writer.WriteElementString ("Street", Street);
    writer.WriteElementString ("PostCode", PostCode);
  }
}
```

Address의 한 인스턴스를 XmlSerializer로 직렬화/역직렬화하면 자동으로 WriteXml 메서드와 ReadXml 메서드가 호출된다. 더 나아가서, 다음과 같이 정의된 Person의 인스턴스를 직렬화하면

```
public class Person
{
```

```
    public string Name;
    public Address HomeAddress;
  }
```

XmlSerializer는 HomeAddress 필드를 직렬화할 때 선택적으로 IXmlSerializable의 메서드들을 호출한다.

XmlReader와 XmlWriter는 제11장의 초반부에서 자세히 설명했다. 또한, 제11장의 'XmlReader/XmlWriter 사용 패턴(p.606)'에서는 IXmlSerializable과 호환되는 클래스들의 예도 제시했다.

18장

C# 6.0 in a Nutshell

어셈블리

어셈블리assembly는 .NET의 기본 배치(deployment)† 단위이다. 모든 형식은 어셈블리 안에 담긴다. 하나의 어셈블리는 컴파일된 형식과 해당 IL(Intermediate Language) 코드, 실행시점 자원, 그리고 보조 정보(버전 관리, 보안, 다른 어셈블리 참조 등을 위한)로 구성된다. 어셈블리는 또한 형식 결정과 보안 권한 부여의 경계선을 정의하는 역할도 한다. 보통의 경우 하나의 어셈블리는 하나의 Windows *PE*(Portable Executable) 파일인데, 응용 프로그램 실행 파일(exectuable)에 해당하는 어셈블리 파일의 확장자는 *.exe*이고 재사용 가능한 라이브러리의 확장자는 *.dll*이다. 단, WinRT 라이브러리는 확장자가 *.winmd*이다. WinRT 라이브러리 파일은 *.dll* 파일과 비슷하나, 메타자료만 있고 IL코드가 없다는 점이 다르다.

이번 장에 등장하는 형식들은 대부분 다음 이름공간들에 정의되어 있다.

```
System.Reflection
System.Resources
System.Globalization
```

어셈블리의 구성

어셈블리를 구성하는 요소는 다음 네 가지이다.

† (옮긴이) deployment를 번역한 '배치'는 '배포 및 설치'를 뜻한다. MSDN 한국어 페이지 등에서는 그냥 '배포'라는 용어가 쓰이지만, deployment는 소프트웨어 패키지를 대상 컴퓨터에 도달하게 만드는 과정뿐만 아니라 그 컴퓨터에 맞게 적절히 파일들을 복사하고 설정하는 과정까지 포함한다. 한편, 배치는 layout의 번역어로도 쓰이는데, 문맥으로 충분히 구분할 수 있을 것이다. 비슷한 발음의 batch는 '일괄' 또는 '일괄 실행' 등으로 옮긴다.

어셈블리 매니페스트

어셈블리 매니페스트manifest는 .NET 런타임에 관한 정보를 제공한다. 예를 들어 어셈블리의 이름, 버전, 어셈블리가 요청한 권한들, 그리고 어셈블리가 참조하는 다른 어셈블리들의 목록이 어셈블리 매니페스트에 들어 있다.

응용 프로그램 매니페스트

응용 프로그램 매니페스트는 운영체제에 필요한 정보를 제공한다. 예를 들어 어셈블리를 배치하는 방법이나 관리자로의 권한 상승이 필요한지의 여부 등이 응용 프로그램 매니페스트에 들어 있다.

컴파일된 형식

어셈블리가 정의하는 형식들을 컴파일해서 나온 IL 코드와 형식들의 메타자료(metadata).

자원

이미지나 현지화용 텍스트 등의 기타 자료

이들 중 필수인 것은 **어셈블리 매니페스트**뿐이다. 그러나 WinRT 참조 어셈블리가 아닌 한, 어셈블리에는 거의 항상 컴파일된 형식들이 들어 있다.

실행 파일 어셈블리와 라이브러리 어셈블리의 구조는 거의 같다. 주된 차이는, 실행 파일 어셈블리에는 진입점(entry point)이 정의되어 있다는 점이다.

어셈블리 매니페스트

어셈블리 매니페스트의 목적은 다음 두 가지이다.

- 관리되는 호스팅 환경에 어셈블리에 관한 정보를 제공한다.
- 어셈블리에 들어 있는 모듈, 형식, 자원들의 '주소록' 역할을 한다.

이런 목적을 위해, 어셈블리는 **자기 서술적**(self-describing)으로 만들어진다. 즉, 어셈블리의 소비자는 다른 파일들을 참고할 필요 없이 어셈블리 파일만 보고도 어셈블리의 모든 자료와 형식, 기능을 알 수 있다.

프로그래머가 어셈블리 매니페스트를 어셈블리에 직접 추가하지는 않는다. 어셈블리 매니페스트는 컴파일 과정에서 자동으로 어셈블리에 내장된다.

어셈블리 매니페스트에 담긴 자료 중 기능상 중요한 자료를 요약하자면 다음과 같다.

- 어셈블리의 간단한 이름(이하 '단순명')
- 버전(AssemblyVersion)
- 어셈블리의 공개 키와 서명된 해시(강력한 이름이 있는 경우)
- 어셈블리가 참조하는 다른 어셈블리들의 목록(해당 버전 및 공개 키 포함)
- 어셈블리를 구성하는 모듈들의 목록
- 어셈블리에 정의되어 있는 형식들의 목록과 각 형식을 담은 모듈 정보
- (선택적) 어셈블리가 요청 또는 거부한 보안 권한들의 집합(SecurityPermission)
- (위성 어셈블리의 경우) 대상 문화권(AssemblyCulture)

어셈블리 매니페스트에 다음과 같은 정보성 자료가 들어 있을 수도 있다.

- 전체 제목과 설명(AssemblyTitle과 AssemblyDescription)
- 회사명과 저작권 정보(AssemblyCompany와 AssemblyCopyright)
- 화면 표시용 버전 정보(AssemblyInformationalVersion)
- 커스텀 자료를 위한 추가 특성

이 자료의 일부는 컴파일 시 지정한 옵션들에서 비롯된다. 이를테면 참조하는 어셈블리 목록이나 서명용 공개 키 등이 그렇다. 그 나머지는 어셈블리 특성들(목록에서 괄호 안에 표시된)에서 비롯된다.

어셈블리 매니페스트의 내용을 .NET 도구 중 하나인 *ildasm.exe*로 볼 수 있다. 제19장에서는 같은 일을 프로그램 안에서 반영(reflection) 기능을 이용해 수행하는 방법을 설명한다.

어셈블리 특성의 지정

어셈블리 매니페스트 내용의 상당 부분을 어셈블리 특성으로 제어할 수 있다. 예를 들면 다음과 같다.

```
[assembly: AssemblyCopyright ("\x00a9 Corp Ltd. All rights reserved.")]
[assembly: AssemblyVersion ("2.3.2.1")]
```

보통은 이런 선언들을 모두 프로젝트의 한 파일에 담아 둔다. Visual Studio에서 C# 프로젝트를 생성하면 *Properties* 폴더에 *AssemblyInfo.cs*라는 파일이 생기는데,

여기에 기본적인 어셈블리 특성들이 선언되어 있다. 이를 추가적인 커스텀화를 위한 출발점으로 삼으면 된다.

응용 프로그램 매니페스트

응용 프로그램 매니페스트는 어셈블리에 관한 정보를 운영체제에 제공하는 데 쓰이는 XML 파일이다. 어셈블리에 응용 프로그램 매니페스트가 있으면 .NET은 자신이 관리하는 호스팅 환경에 그 어셈블리를 적재하기 전에 응용 프로그램 매니페스트를 읽어서 처리한다. 그 처리 결과에 따라, 운영체제가 응용 프로그램의 프로세스를 띄우는 방식이 달라질 수 있다.

.NET 응용 프로그램 매니페스트의 XML 뿌리 요소는 `assembly`이고 해당 XML 이름공간은 `urn:schemas-microsoft-com:asm.v1`이다.

```
<?xml version="1.0" encoding="utf-8"?>
<assembly manifestVersion="1.0" xmlns="urn:schemas-microsoft-com:asm.v1">
  <!-- ... 매니페스트 내용 ... -->
</assembly>
```

예를 들어 다음은 관리자 권한 상승(administative elevation)을 운영체제에 요청하는 응용 프로그램 매니페스트이다.

```
<?xml version="1.0" encoding="utf-8"?>
<assembly manifestVersion="1.0" xmlns="urn:schemas-microsoft-com:asm.v1">
  <trustInfo xmlns="urn:schemas-microsoft-com:asm.v2">
    <security>
      <requestedPrivileges>
        <requestedExecutionLevel level="requireAdministrator" />
      </requestedPrivileges>
    </security>
  </trustInfo>
</assembly>
```

이런 관리자 권한 상승이 미치는 영향은 제21장에서 설명한다.

Package.appxmanifest 파일에 담긴 Windows 스토어 앱의 매니페스트는 이보다 훨씬 복잡하다. 이 파일에는 해당 프로그램의 능력들에 대한 선언이 포함되어 있는데, 운영체제는 이에 기초해서 프로그램에 허용할 권한들을 결정한다. Visual Studio를 이용하면 이 파일을 손쉽게 편집할 수 있다. Visual Studio에서 매니페스트 파일을 더블클릭하면 편집용 UI가 나타난다.

.NET 응용 프로그램 매니페스트의 배치

.NET 응용 프로그램 매니페스트를 배치하는 방법은 두 가지이다.

- 어셈블리가 있는 폴더에 특별한 이름의 파일을 둔다.
- 어셈블리 자체에 내장한다.

전자의 경우 어셈블리 이름에 *.manifest*를 붙인 파일을 만들어야 한다. 예를 들어 어셈블리가 *MyApp.exe*이면 해당 응용 프로그램 매니페스트 파일은 *MyApp.exe.manifest*이어야 한다.

응용 프로그램 매니페스트 파일을 어셈블리 자체에 내장하려면, 먼저 어셈블리를 구축한 후 .NET 도구 `mt`를 다음과 같은 형태로 실행하면 된다.

```
mt -manifest MyApp.exe.manifest -outputresource:MyApp.exe;#1
```

.NET 도구 *ildasm.exe*는 내장된 응용 프로그램 매니페스트를 인식하지 못한다. 그러나 Visual Studio는 인식한다. Visual Studio의 솔루션 탐색기에서 어셈블리를 더블클릭하면 내장된 응용 프로그램 매니페스트의 존재를 볼 수 있다.

모듈

어셈블리의 구성요소들은 **모듈**module이라고 부르는 중간 수준 컨테이너들로 조직화된다. 하나의 모듈은 어셈블리의 구성요소들을 담은 하나의 파일에 대응된다. 이처럼 중간 수준의 컨테이너들을 두는 이유는, 하나의 어셈블리를 여러 개의 파일로 구성할 수 있게 하기 위한 것이다. 이러한 능력은 다양한 프로그래밍 언어로 작성된 코드를 컴파일한 결과를 담은 어셈블리를 구축할 때 유용하다.

그림 18-1은 보통의 경우, 즉 어셈블리가 하나의 모듈로 이루어진 경우를 보여준다. 그림 18-2는 여러 모듈로 이루어진 다중 파일 어셈블리의 경우이다. 다중 파일 어셈블리(mutilfile assembly)에서 '주' 모듈은 항상 어셈블리 매니페스트가 있는 모듈이다. 다른 모듈들은 IL 코드나 자원을 담는다. 매니페스트에는 어셈블리를 구성하는 다른 모듈들의 상대적 위치가 들어 있다.

Visual Studio에는 다중 파일 어셈블리 작성 기능이 없기 때문에 명령줄 도구들을 사용해야 한다. `csc` 컴파일러에 `/t` 옵션을 주어서 각 모듈을 만들고, 그 모듈들을 어셈블리 링커 도구인 *al.exe*로 링크하면 된다.

다중 파일 어셈블리가 필요한 경우는 드물지만, 모듈이라는 추가적인 수준의 컨테이너들이 존재한다는 사실을 아는 것이 중요한 경우는 종종 있다. 심지어 단일 모듈 어셈블리를 다룰 때에도 그렇다. 대표적인 예는 반영 기능을 사용할 때이다(이번 장의 '어셈블리의 반영(p.1005)'과 제19장의 '어셈블리와 형식의 산출(p.1023)' 참고).

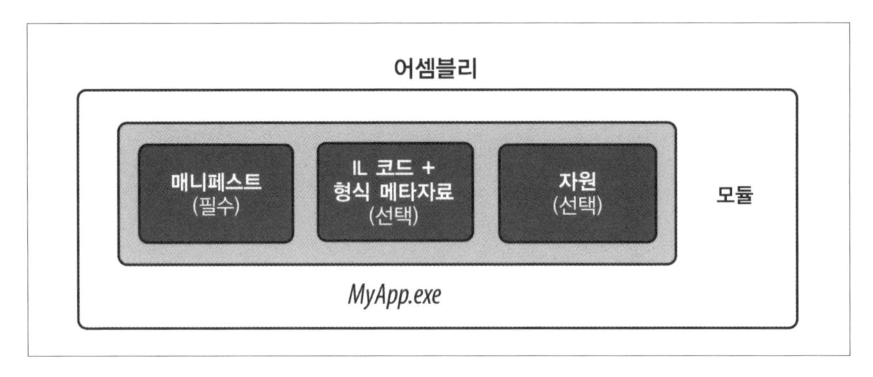

그림 18-1 단일 파일 어셈블리

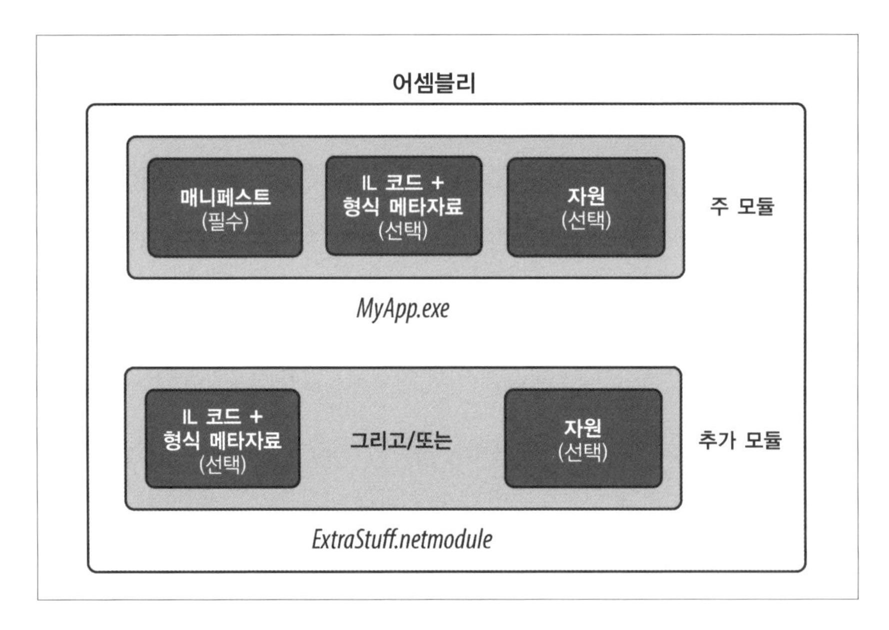

그림 18-2 다중 파일 어셈블리

Assembly 클래스

`System.Reflection`의 `Assembly` 클래스는 실행시점에서 어셈블리 메타자료에 접근하기 위한 관문에 해당한다. 어셈블리를 나타내는 `Assembly` 객체를 얻는 방법

은 다양한데, 가장 간단한 것은 다음처럼 해당 프로그램 형식의 Assembly 속성을 이용하는 것이다.

```
Assembly a = typeof (Program).Assembly;
```

Windows 스토어 앱에서는 다음과 같이 해야 한다.

```
Assembly a = typeof (Program).GetTypeInfo().Assembly;
```

데스크톱 응용 프로그램에서는 Assembly의 다음과 같은 정적 메서드들을 이용해서도 Assembly 객체를 얻을 수 있다.

GetExecutingAssembly

현재 실행 중인 함수를 정의하는 형식의 어셈블리를 돌려준다.

GetCallingAssembly

현재 실행 중인 함수를 **호출한** 함수를 정의하는 형식의 어셈블리를 돌려준다.

GetEntryAssembly

응용 프로그램의 원래 진입점을 정의하는 어셈블리를 돌려준다.

일단 Assembly 객체를 얻었으면 여러 속성과 메서드를 이용해서 어셈블리의 메타자료를 조회하거나 해당 형식에 반영할 수 있다. 표 18-1은 그러한 여러 속성과 메서드를 정리한 것이다.

표 18-1 Assembly 멤버

함수	용도	참고
FullName, GetName	완전 한정 이름 또는 AssemblyName 객체를 돌려준다.	'어셈블리 이름(p.941)'
CodeBase, Location	어셈블리 파일의 위치를 돌려준다.	'어셈블리의 환원 및 적재(p.964)'
Load, LoadFrom, LoadFile	현재 응용 프로그램 도메인에 어셈블리를 직접 적재한다.	'어셈블리의 환원 및 적재(p.964)'
GlobalAssemblyCache	어셈블리가 GAC에 있는지의 여부를 나타낸다.	'전역 어셈블리 캐시(p.950)'
GetSatelliteAssembly	주어진 문화권에 해당하는 위성 어셈블리의 위치를 돌려준다.	'자원과 위성 어셈블리(p.953)'
GetType, GetTypes	어셈블리에 정의되어 있는 하나의 형식 또는 모든 형식을 돌려준다.	제19장 '형식의 반영과 활성화(p.980)'

함수	용도	참고
`EntryPoint`	응용 프로그램 진입점에 대한 정보를 담은 `MethodInfo` 객체를 돌려준다.	제19장 '멤버의 반영과 호출(p.989)'
`GetModules`, `ManifestModule`	어셈블리의 모든 모듈 또는 주 모듈을 돌려준다.	제19장 '어셈블리의 반영(p.1005)'
`GetCustomAttributes`	어셈블리의 특성들을 돌려준다.	제19장 '특성 다루기(p.1007)'

강력한 이름과 어셈블리 서명

강력한 이름(strong name)이 부여된 어셈블리(강력 이름 어셈블리)는 고유한, 그리고 변조될 수 없는 신원(identity)을 가진다. 강력한 이름을 위해서는 어셈블리 매니페스트에 다음 두 가지 메타자료가 있어야 한다.

- 어셈블리 작성자를 식별하는 **고유 번호**
- 이 어셈블리를 해당 고유 번호 소지자가 만들었음을 증명하는 **서명된 해시**(signed hash)

신원 확인과 서명을 위해서는 공개 키/비밀 키 쌍이 필요하다. **공개 키**(public key)는 고유한 식별 번호로 쓰이고, **비밀 키**(private key)는 서명(signing)에 쓰인다.

강력한 이름 서명은 Microsoft의 *Authenticode* 서명과는 다른 것이다. Authenticode는 이번 장에서 나중에 설명한다.

공개 키는 어셈블리 참조들의 고유성을 보장하는 데 중요한 역할을 한다. 공개 키는 강력 이름 어셈블리의 신원에 포함된다. 서명은 보안에 중요하다. 서명은 불순한 의도를 가진 누군가가 독자의 어셈블리를 변조하지 못하게 한다. 독자의 비밀 키가 없는 누군가가 어셈블리를 수정하면 서명이 깨진다(그러면 적재 시 오류가 발생한다). 물론 누군가가 다른 키 쌍으로 어셈블리의 서명을 갱신할 수는 있지만, 그러면 어셈블리의 신원 자체가 바뀐다. 원래의 어셈블리를 참조하는 모든 응용 프로그램은 원래의 공개 키를 기억하고 있기 때문에, 재서명된 어셈블리를 만나면 신원이 달라졌음을 인식하고 참조를 거부한다.

'약한' 이름(단순명)을 가진 기존 어셈블리에 강력한 이름을 부여하면 어셈블리의 신원이 바뀐다. 따라서, 실무에 사용할 어셈블리를 만들 때에는 처음부터 강력한 이름을 부여하는 것이 장기적으로 이득이 된다.

강력 이름 어셈블리의 또 다른 장점은 GAC(전역 어셈블리 캐시)에 등록할 수 있다는 것이다.

어셈블리에 강력한 이름을 부여하는 방법

어셈블리에 강력한 이름을 부여하려면, 우선 *sn.exe* 유틸리티로 공개 키/비밀 키 쌍을 생성해야 한다.

```
sn.exe -k MyKeyPair.snk
```

명령줄에서 위의 명령을 실행하면 새 키 쌍이 생성되어서 *MyApp.snk*라는 파일에 저장된다. 만일 이 파일을 잃어버리면 어셈블리에 같은 신원으로 다시 서명하는 능력을 영영 잃는 것이라는 점을 명심하기 바란다.

다음 단계는 컴파일 시 /keyfile 옵션으로 그 키 쌍 파일 지정하는 것이다.

```
csc.exe /keyfile:MyKeyPair.snk Program.cs
```

Visual Studio의 프로젝트 속성 창에 이 두 단계에 해당하는 옵션들이 존재한다.

> 강력 이름 어셈블리는 약한 이름 어셈블리를 참조하지 못한다. 이는 모든 실무용 어셈블리에 강력한 이름을 부여하는 것이 좋은 또 다른 이유이다.

하나의 키 쌍으로 여러 어셈블리를 서명할 수도 있다. 단순명이 각자 다르다면 어셈블리들은 각각 다른 신원을 가지게 된다. 하나의 기업이나 조직에서 몇 개의 키 쌍 파일을 사용할 것인지는 여러 가지 요인을 고려해서 결정해야 한다. 어셈블리마다 개별적인 키 쌍을 사용하면 나중에 특정 응용 프로그램과 그것이 참조하는 어셈블리들의 소유권을 다른 단위로 넘겨줄 때 정보 유출이 최소화된다는 장점이 있다. 그러나 조직의 모든 어셈블리를 식별하는 하나의 단일한 보안 정책을 만들기가 어려워진다. 또한, 동적으로 적재된 어셈블리의 유효성을 검증하기도 어려워진다.

> C# 2.0 이전에는 C# 컴파일러가 /keyfile 옵션을 지원하지 않았으며, 대신 AssemblyKeyFile 특성으로 키 파일을 지정해야 했다. 이는 보안상의 위험 요인이었다. 키 파일 경로가 어셈블리의 메타자료에 내장되어 있기 때문이다. 예를 들어 *ildasm*을 이용하면 CLR 1.1의 *mscorlib*에 서명하는 데 쓰인 키 파일의 경로를 확인할 수 있다. 다음과 같다.
>
> ```
> F:\qfe\Tools\devdiv\EcmaPublicKey.snk
> ```

물론 Microsoft의 .NET 프레임워크 빌드용 컴퓨터에 접근할 수 없는 한, 저 경로를 안다고 해서 써먹을 방법은 없다.

서명 연기

개발자가 수백 명인 조직에서는 어셈블리 서명에 사용하는 키 쌍들에 특정 직원만 접근할 수 있게 하는 것이 바람직하다. 그 이유는 두 가지이다.

- 만일 누군가의 실수로 키 쌍이 유출되면 어셈블리의 변조 방지가 더 이상 보장되지 않는다.
- 서명된 시험용 어셈블리가 유출된 경우 누군가가 그것을 진짜 어셈블리라고 속여서 배포할 수 있다.

그러나 개발자들이 키 쌍에 접근하지 못하게 하면 개발 도중 개발자들이 실제 신원으로 어셈블리를 컴파일해서 시험할 수 없게 된다. **서명 연기**(delay signing)는 바로 이러한 문제를 피하기 위한 체계이다.

서명이 연기된 어셈블리는 실제 공개 키를 포함하지만 비밀 키로 **서명**되지는 않는다. 사실 서명 연기 어셈블리는 변조된 어셈블리와 다를 바 없으며, 보통의 경우 CLR은 그런 어셈블리를 거부한다. 그러나 개발자는 **현재 컴퓨터**에 대해서만큼은 서명 연기 어셈블리의 검증 과정을 건너뛰라고 CLR에게 요청할 수 있다. 나중에 최종적으로 어셈블리를 배포할 때가 되면 비밀 키 소지자가 실제 키 쌍으로 어셈블리에 다시 서명하면 된다.

서명을 연기하려면, 우선 공개 키만 담은 파일을 만들어야 한다. -p 스위치를 지정해서 sn을 실행하면 공개 키/비밀 키 쌍에서 공개 키만 추출할 수 있다.

```
sn -k KeyPair.snk
sn -p KeyPair.snk PublicKeyOnly.pk
```

*KeyPair.snk*는 특정 직원들만 접근할 수 있게 하고, *PublicKeyOnly.pk*는 자유로이 배포해도 된다.

기존의 서명된 어셈블리에서 공개 키를 추출할 수도 있다. 다음처럼 -e 스위치를 사용하면 된다.

```
sn -e YourLibrary.dll PublicKeyOnly.pk
```

다음으로, csc 실행 시 *PublicKeyOnly.pk*와 함께 /delaysign+ 스위치를 지정한다. 이러면 서명이 연기된다.

```
csc /delaysign+ /keyfile: PublicKeyOnly.pk /target:library YourLibrary.cs
```

Visual Studio에서는 프로젝트 속성 창의 '보안' 탭에 있는 '서명만 연기' 체크상자를 체크하면 같은 효과가 난다.

다음으로 할 일은 .NET 런타임에게 서명이 연기된 어셈블리를 실행하는 개발용 컴퓨터에서 어셈블리의 신원 검증 과정을 건너뛰라고 지시하는 것이다. Vr 스위치를 지정해서 sn 도구를 실행하면 되는데, 어셈블리마다 적용할 수도 있고 공개 키에 대해 적용할 수도 있다. 다음은 개별 어셈블리에 적용하는 예이다.

```
sn -Vr YourLibrary.dll
```

Visual Studio에는 이 단계를 자동으로 실행하는 기능이 없다. 반드시 명령줄에서 어셈블리 검증을 직접 비활성화해야 한다. 그렇게 하지 않으면 어셈블리가 실행되지 않는다.

개발을 마치고 배포(배치)할 단계가 되면 어셈블리에 실제로 서명해야 한다. 즉, 비밀 키까지 적용해서 진짜 서명을 어셈블리에 추가해야 한다. 다음처럼 R 스위치를 지정해서 sn을 실행하면 된다.

```
sn -R YourLibrary.dll KeyPair.snk
```

또한, 개발용 컴퓨터에서 다음과 같은 형태로 sn 도구를 실행해서 어셈블리 검증을 다시 활성화해야 한다.

```
sn -Vu YourLibrary.dll
```

서명 연기 어셈블리를 참조하는 응용 프로그램들은 다시 컴파일할 필요가 없다. 어셈블리의 서명이 바뀌었을 뿐 **신원**이 바뀐 것은 아니기 때문이다.

어셈블리 이름

어셈블리의 '신원'은 매니페스트에 있는 다음과 같은 네 가지 메타자료로 구성된다.

- 단순명(간단한 이름)
- 버전(없는 경우 '0.0.0.0')
- 문화권(위성 어셈블리가 아닌 경우 'neutral')
- 공개 키 토큰(강력한 이름이 없는 경우 'null')

단순명은 어떤 어셈블리 특성이 아니라 애초에 컴파일된 파일의 이름(확장자 제외)으로 결정된다. 예를 들어 *System.Xml.dll* 어셈블리의 단순명은 'System.Xml'이다. 그 파일 이름을 변경해도 어셈블리의 단순명은 바뀌지 않는다.

버전은 `AssemblyVersion` 특성에서 비롯된다. 버전은 다음과 같이 네 부분으로 이루어진 하나의 문자열이다.

```
주 번호.부 번호.빌드 번호.리비전 번호
```

다음은 버전 번호는 지정하는 예이다.

```
[assembly: AssemblyVersion ("2.5.6.7")]
```

문화권 설정은 `AssemblyCulture` 특성에서 비롯되며, 이번 장의 '자원과 위성 어셈블리(p.953)'에서 설명하는 위성 어셈블리(satellite assembly)에 적용된다.

공개 키 토큰은 컴파일 시 `/keyfile` 옵션으로 지정된 키 쌍에서 비롯된다. 해당 옵션은 '어셈블리에 강력한 이름을 부여하는 방법(p.939)'에서 살펴보았다.

완전 한정 이름

어셈블리의 완전 한정 이름(fully qualified name)은 어셈블리의 신원을 구성하는 네 요소로 이루어진, 다음과 같은 형태의 문자열이다.

```
단순명, Version=버전, Culture=문화권, PublicKeyToken=공개-키-토큰
```

예를 들어 *System.Xml.dll*의 완전 한정 이름은 다음과 같다.

```
"System.Xml, Version=2.0.0.0, Culture=neutral, PublicKeyToken=b77a5c561934e089"
```

어셈블리에 `AssemblyVersion` 특성이 없으면 버전이 '0.0.0.0'으로 나온다. 서명되지 않은 어셈블리의 공개 키 토큰은 'null'로 나온다.

`Assembly` 객체의 `FullName` 속성은 해당 어셈블리의 완전 한정 이름을 돌려준다.

컴파일러는 어셈블리 참조들을 매니페스트에 기록할 때 항상 완전 한정 이름을 사용한다.

디스크에 어셈블리가 저장되어 있는 디렉터리 경로는 어셈블리의 완전 한정 이름에 포함되지 않는다. 다른 디렉터리에 있는 어셈블리를 찾아내는 것은 어셈블리의 신원과는 전혀 무관한 문제로, 이에 관해서는 '어셈블리의 환원 및 적재(p.964)'에서 설명한다.

AssemblyName 클래스

AssemblyName은 어셈블리의 완전 한정 이름을 구성하는 네 요소 각각에 대한 형식 있는 속성들을 제공한다. AssemblyName의 용도는 다음 두 가지이다.

- 완전 한정 이름을 파싱하거나 생성한다.
- 어셈블리의 환원(위치 파악)을 돕는 추가적인 자료를 저장한다.

AssemblyName 객체를 얻는 방법은 여러 가지이다.

- 완전 한정 이름 구성요소들을 지정해서 AssemblyName 인스턴스를 직접 생성한다.
- 기존 Assembly 객체에 대해 GetName을 호출한다.
- 디스크에 있는 어셈블리 파일의 경로를 지정해서 AssemblyName.GetAssemblyName을 호출한다(데스크톱 응용 프로그램에서만).

아니면 아무 인수 없이 AssemblyName 객체를 인스턴스화한 후 각 속성을 설정해서 완전 한정 이름을 구축할 수도 있다. 그런 식으로 생성한 AssemblyName 객체는 변경이 가능하다(mutable).

다음은 AssemblyName의 핵심 속성과 메서드이다.

```
string      FullName    { get; }           // 완전 한정 이름
string      Name        { get; set; }      // 단순명
Version     Version     { get; set; }      // 어셈블리 버전
CultureInfo CultureInfo { get; set; }      // 위성 어셈블리에 쓰임
string      CodeBase    { get; set; }      // 위치

byte[]      GetPublicKey();                // 160바이트
void        SetPublicKey (byte[] key);
byte[]      GetPublicKeyToken();           // 8바이트 버전
void        SetPublicKeyToken (byte[] publicKeyToken);
```

Version 속성은 Major(주 번호), Minor(부 번호), Build(빌드 번호), Revision(리비전 번호)이라는 속성이 있는 객체이다. GetPublicKey 메서드는 완전한 암·복호화 공개 키를 돌려주고, GetPublicKeyToken은 그 공개 키의 마지막 여덟 바이트(신원을 확립하는 데 쓰이는)를 돌려준다.

다음은 AssemblyName으로 어셈블리의 단순명을 얻는 예이다.

```
Console.WriteLine (typeof (string).Assembly.GetName().Name);  // mscorlib
```

어셈블리 버전을 얻으려면 다음과 같이 하면 된다.

```
string v = myAssembly.GetName().Version.ToString();
```

CodeBase 속성은 이번 장의 '어셈블리의 환원 및 적재(p.964)'에서 살펴보겠다.

어셈블리 정보와 파일 버전

어셈블리의 이름에는 버전이 포함되어 있으므로 AssemblyVersion 특성을 바꾸면 어셈블리의 신원이 바뀐다. 이는 어셈블리를 참조하는 다른 어셈블리들과의 호환성에 영향을 미친다. 한 어셈블리를 갱신했을 때 그것을 참조하는 다른 모든 응용 프로그램과 어셈블리를 갱신해야 한다는 것은 바람직하지 않다. 이를 피하는 한 가지 방법은 어셈블리를 갱신할 때 어셈블리의 신원에 포함되지 않는 다음 두 특성만 바꾸는 것이다. CLR은 이들을 무시한다.

AssemblyInformationalVersion

최종 사용자에게 표시되는 '정보성(informational)' 버전 번호에 해당한다. 이 정보는 이를테면 Windows 파일 속성 대화상자의 '제품 버전' 항목에 나타난다. 이 특성에 지정하는 문자열에는 특별한 제약이 없다. 이를테면 '5.1 베타 2' 같은 문자열을 사용해도 된다. 일반적으로 한 응용 프로그램의 모든 어셈블리에는 동일한 정보성 버전 번호를 부여한다.

AssemblyFileVersion

어셈블리의 빌드 번호에 해당한다. 이는 이를테면 Windows 파일 속성 대화상자의 '파일 버전' 항목에 나타난다. AssemblyVersion 특성과 마찬가지로, 네 정수를 마침표로 연결한 형태의 문자열을 지정해야 한다.

Authenticode 서명

*Authenticode*는 Microsoft의 코드 서명 시스템으로, 주된 용도는 게시자(publisher)의 신원을 증명하는 것이다. Authenticode 서명과 **강력한 이름** 서명은 별개이다. 하나의 어셈블리를 둘 중 하나로만 서명할 수도 있고 둘 다로 서명할 수도 있다.

강력한 이름 서명은 어셈블리 A, B, C를 같은 사람 또는 조직이 제공했음을 증명할 수 있다(비밀 키가 유출되지 않았다고 할 때). 그러나 당사자가 누구인지는 알려주지 않는다. 당사자가 조 앨버허리 인지(또는 Microsoft Corporation인지) 확인하려면 Authenticode가 필요하다.

Authenticode는 인터넷에서 프로그램을 내려받을 때 유용하다. 내려받은 프로그램을 인증 기관(CA)이 확인한 당사자가 제공한 것이 맞으며, 전송 도중 어딘가에서 수정되지 않았음을 Authenticode가 보장해주기 때문이다. 또한, Authenticode로 서명한 프로그램은 사용자가 처음 내려받아서 실행할 때 그림 18-3과 같은 '알 수 없는 게시자' 경고가 뜨지 않는다. 앱을 Windows 스토어에 제출할 때에는, 좀 더 일반화하자면 어셈블리를 Windows Logo 프로그램의 일부로서 제출할 때에도 Authenticode 서명이 필수이다.

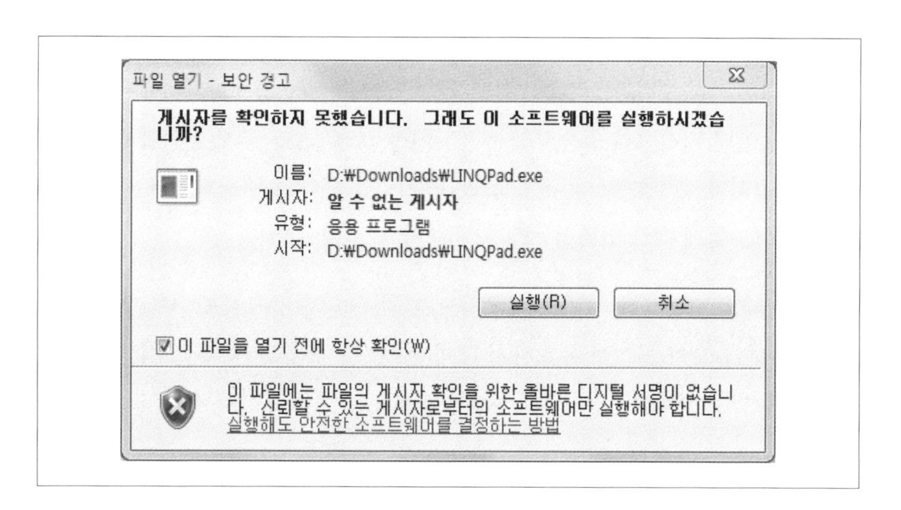

그림 18-3 서명되지 않은 파일 경고

Authenticode는 .NET 어셈블리뿐만 아니라 관리되지 않는 실행 파일과 ActiveX 컨트롤 또는 *.msi* 설치 파일 같은 이진 파일에도 적용된다. 물론, 주어진 프로그램이 악성 프로그램이 아님을 Authenticode가 보장하지는 않는다. 다만, 악성 프로그램이 아닐 가능성이 큼을 알려주긴 한다. 실행 파일이나 라이브러리에 자신의 이름을 박아 넣은(그리고 그 이름이 자신의 것임을 신분증이나 기업 문서로 증명한) 사람 또는 회사가 악성 프로그램을 배포할 가능성은 크지 않다.

CLR은 Authenticode 서명을 어셈블리 신원의 일부로 간주하지 않는다. 그러나 요청이 있으면 Authenticode 서명을 읽어서 검증해준다. 이에 관해서는 잠시 후에 보게 될 것이다.

Authenticode 서명을 위해서는 **인증 기관**(certificate authority, CA)에 독자의 신원 증명 문서 또는 기업의 신원 증명 문서(정관 문서 등)를 제출해야 한다. CA는 그 문서를 점검한 후 5년간 유효한 X.509 코드 서명 인증서를 발급한다. 이 인증서가 있으면 *signtool* 유틸리티를 이용해서 Authenticode로 어셈블리에 서명할 수 있다. *makecert* 유틸리티를 이용해서 CA를 거치지 않고 독자가 직접 인증서를 생성할 수도 있지만, 그런 자체 발급 인증서는 해당 인증서 파일을 명시적으로 설치한 컴퓨터에서만 인식된다.

인증서(자체 발급이 아닌)가 그 어떤 컴퓨터에서도 작동하는 것은 공개 키 기반구조(public key infrastructure) 덕분이다. 본질적으로, 독자의 인증서는 특정 CA가 소유한 또 다른 인증서로 서명된다. 그 CA를 신뢰할 수 있는 것은, 모든 CA가 운영체제에 적재되어 있기 때문이다(Windows에서는 제어판에서 '인터넷 옵션'→'내용' 탭→'인증서' 버튼→'신뢰할 수 있는 루트 인증 기관' 탭에서 확인할 수 있다). 어떤 게시자의 인증서가 유출되어서 해당 CA가 그 인증서를 무효화하는 일이 일어나기도 하므로, Authenticode 서명을 제대로 검증하기 위해서는 주기적으로 CA들에 최근 인증서 무효화 목록을 요청해야 한다.

Authenticode는 암호화 서명을 사용하므로, 누군가가 프로그램 파일을 조작하면 Authenticode의 서명이 유효하지 않게 된다. 암·복호화와 해싱, 서명은 제21장에서 좀 더 논의한다.

Authenticode 서명 방법

인증서 얻기와 설치

첫 단계는 CA로부터 코드 서명 인증서를 얻는 것인데, 이에 관해서는 '코드 서명 인증서 발급처(p.947)'에서 이야기한다. 일단 인증서를 얻었다면, 그것을 패스워드로 보호되는 파일 형태로 사용할 수도 있고 컴퓨터의 인증서 저장소에 등록할 수도 있다. 후자는 매번 패스워드를 지정하지 않아도 된다는 장점이 있다. 자동화된 빌드 스크립트나 일괄 실행(batch) 파일에 평문 패스워드를 박아두지 않아도 된다는 점에서 이는 큰 장점이다.

코드 서명 인증서 발급처

Windows에 '루트 인증 기관'으로 미리 등록된 코드 서명 CA는 그리 많지 않다. 이를테면 Comodo ($180), Go Daddy ($200), GlobalSign ($220), DigiCert ($223), thawte ($299), Semantic ($499)이 있다(괄호 안은 1년짜리 코드 서명 인증서 가격으로, 이 책을 쓰는 현재 기준이다).

또한 Ksoftware(*http://www.ksoftware.net*)라는 리셀러도 있는데, 현재는 Comodo의 1년짜리 코드 서명 인증서를 $95에 판다.

해당 발급처의 광고에 따르면, Ksoftware, Comodo, Go Daddy, GlobalSign이 발급하는 Authenticode 인증서는 비Microsoft 프로그램의 서명에도 사용할 수 있다는 점에서 덜 제한적이라고 한다. 그 점을 제외하면 모든 발급처의 인증서는 기능상 동등하다.

일반적으로 SSL용 인증서를 Authenticode 서명에 사용할 수는 없음을 주의하기 바란다(비록 같은 X.509 기반구조를 사용하긴 하지만). 부분적으로 이는 SSL용 인증서가 도메인 소유권을 증명하기 위한 것인 반면 Authenticode는 게시자의 신원을 증명하기 위한 것이기 때문이다.

인증서를 컴퓨터의 인증서 저장소에 등록하는 과정은 이렇다. Windows 제어판에서 '인터넷 옵션'→'내용' 탭→'인증서' 버튼→'가져오기' 버튼을 클릭하면 '인증서 가져오기 마법사'가 뜬다. 마법사의 지시를 따라 인증서를 등록하면 된다. 등록을 마친 후 '인증서' 대화상자에서 해당 인증서를 선택해서 '보기' 버튼을 클릭한 후 '자세히' 탭을 보면 인증서의 '지문'이 있다. 이것은 이후 Authenticode 서명 시 인증서를 지정하는 데 필요한 SHA-1 해시이다.

응용 프로그램에 강력한 이름으로도 서명하고 싶다면(이를 강력히 추천한다), 반드시 강력한 이름 서명을 Authenticode 서명보다 **먼저** 수행해야 한다. 이는, CLR은 Authenticode 서명을 알지만 Authenticode 시스템은 CLR(의 강력한 이름 서명)을 모르기 때문이다. 따라서, 만일 어셈블리에 Authenticode로 서명한 **다음에** 강력한 이름으로 서명하면 Authenticode 시스템은 CLR의 강력한 이름이 추가된 어셈블리가 인증 없이 변조되었다고, 따라서 유효하지 않다고 간주한다.

signtool.exe를 이용한 서명

Visual Studio와 함께 설치되는 *signtool* 유틸리티를 이용해서 프로그램에 Authenticode 서명을 가할 수 있다. signwizard 플래그를 주어서 이 유틸리티를 실행하면 UI가 표시된다. 아니면 다음처럼 그냥 명령줄 방식으로 서명을 진행해도 된다.

```
signtool sign /sha1 (지문) 파일이름
```

여기서 *(지문)*에는 앞에서 말한, 컴퓨터의 인증서 저장소에 있는 인증서 지문(SHA-1 해시)을 복사해서 지정하면 된다. (인증서가 패스워드로 보호되는 파일인 경우에는 /f 옵션으로 파일 이름을, /p 옵션으로 패스워드를 지정해야 한다.)

다음은 *signtool*로 Authenticode 서명을 가하는 예이다.

```
signtool sign /sha1 ff813c473dc93aaca4bac681df472b037fa220b3 LINQPad.exe
```

이때 /d, /du 옵션으로 제품 설명과 URL을 함께 지정할 수도 있다.

```
... /d LINQPad /du http://www.linqpad.net
```

또한, 대부분의 경우에는 **시점 확인 서버**도 함께 지정한다.

시점 확인

만료된, 즉 유효 기간이 지난 인증서로는 프로그램에 서명할 수 없다. 그러나 인증서가 만료되기 **전에** 서명한 프로그램은 인증서가 만료된 후에도 유효하다. 단, 이를 위해서는 서명 시 /t 옵션으로 **시점 확인 서버**(time-stamping server)를 지정해야 한다. CA는 이를 위한 URI를 제공한다. 다음은 Comodo(또는 Ksoftware)의 시점 확인용 URI를 지정하는 예이다.

```
... /t http://timestamp.comodoca.com/authenticode
```

프로그램 서명 여부 확인

어떤 파일이 Authenticode로 서명된 것인지 확인하는 가장 쉬운 방법은 Windows 탐색기에서 파일의 속성 대화상자를 띄우는 것이다('디지털 서명' 탭을 볼 것). *signtool* 유틸리티도 이를 위한 옵션을 제공한다.

Authenticode 검증

Authenticode 서명의 검증은 운영체제 차원에서 일어나기도 하고, CLR 수준에서 일어나기도 한다.

Windows는 '차단됨'으로 표시된 프로그램을 실행하기 전에 Authenticode 서명을 검증한다. 현실적으로, 인터넷에서 내려받은 후 처음으로 실행되는 프로그램은 '차단됨' 프로그램에 속한다. 첫 실행 시 Windows는 그림 18-3에 나온 것 같은 대화상자에 Authenticode 정보를(또는 그런 정보가 없음을) 표시한다.

CLR은 프로그램이 다음과 같은 형태의 코드를 통해서 어셈블리 증거(evidence)를 요청하면 Authenticode 서명을 읽어서 검증한다.

```
Publisher p = someAssembly.Evidence.GetHostEvidence<Publisher>();
```

`Publisher` 클래스(`System.Security.Policy`에 있다)는 `Certificate`라는 속성을 제공하는데, 이 속성이 널이 아닌 객체를 돌려준다면 해당 어셈블리는 Authenticode로 서명된 것이다. 그런 경우 그 객체를 통해서 인증서의 세부사항을 조회할 수 있다.

> .NET Framework 4.0 이전에는 프로그램이 명시적으로 `GetHostEvidence`를 호출하지 않아도 CLR이 어셈블리 적재 과정에서 Authenticode 서명을 읽어서 검증했다. 그런데 이러한 방식은 성능에 악영향을 미칠 수 있다. Authenticode 서명을 검증하는 과정에서 CA의 인증서 무효화 목록을 갱신하기 위해 CA 서버와 통신 왕복이 일어날 수 있는데, 인터넷 연결에 문제가 있는 경우 최대 30초의 지연 후에 갱신이(따라서 검증도) 실패하게 된다. 이런 이유로, .NET Framework 3.5나 그 이전의 어셈블리들에는 Authenticode 서명을 피하는 것이 최선이다(단, *.msi* 설치 파일에 서명하는 것은 괜찮다).

.NET Framework 버전과 무관하게, 만일 프로그램에 깨진 또는 검증할 수 없는 Authenticode 서명이 있어도 CLR은 그냥 그 사실을 `GetHostEvidence`를 통해서 전달하기만 한다. 사용자에게 어떤 대화상자를 띄우거나 그 어셈블리의 실행을 금지하지는 않는다.

이전에 이야기했듯이, Authenticode 서명은 어셈블리의 신원이나 이름에는 아무런 영향도 주지 않는다.

전역 어셈블리 캐시(GAC)

.NET Framework를 컴퓨터에 설치하면 .NET 어셈블리들을 저장하는 중앙 저장소인 **전역 어셈블리 캐시**(Global Assembly Cache, GAC)가 컴퓨터에 만들어진다. GAC는 .NET Framework 자체의 중앙집중적 복사본을 저장한다. 독자가 작성한 어셈블리들을 GAC에 저장하는 것도 가능하다.

독자의 어셈블리를 GAC에 저장할 것인지 결정할 때 주된 요인은 버전 관리이다. GAC에 담긴 어셈블리의 버전은 컴퓨터별로, 컴퓨터 관리자가 중앙집중적으로 관리한다. GAC 바깥에 있는 어셈블리의 버전은 응용 프로그램별로 작용한다. 즉, 각 응용 프로그램이 자신의 의존성과 갱신 관련 문제들을 처리한다(보통은 자신이 참조하는 각 어셈블리의 복사본을 따로 두어서).

GAC는 컴퓨터 단위의 중앙집중적 버전 관리가 독자의 응용 프로그램에 실제로 이득이 되는 소수의 경우에 유용하다. 예를 들어 일단의 상호의존적 플러그인들이 어떤 공유 어셈블리들을 참조한다고 하자. 각 플러그인이 각자 개별적인 디렉터리에 들어 있다고 가정하면, 공유 어셈블리의 여러 복사본이 여러 디렉터리에 존재할 것이다(어떤 복사본들은 버전이 서로 다를 수도 있다). 더 나아가서, 효율성과 형식 호환성 때문에 호스팅 응용 프로그램이 각각의 공유 어셈블리를 단 한 번만 적재하려 한다고 가정하자. 이런 상황에서는 호스팅 응용 프로그램이 특정 어셈블리의 정확한 위치를 파악하기가 쉽지 않다. 이를 제대로 처리하려면, 호스팅 응용 프로그램 작성자는 어셈블리 적재 문맥의 미묘한 세부사항을 숙지하고 계획을 신중하게 세워야 한다. 이 경우 간단한 해결책은 그냥 공유 어셈블리들을 GAC에 두는 것이다. 그러면 CLR은 항상 어셈블리를 직접적이고 일관된 방식으로 찾아낸다.

그러나 좀 더 전형적인 시나리오에서는 GAC를 피하는 것이 최선이다. GAC를 사용하면 다음과 같이 복잡한 문제들이 발생하기 때문이다.

- XCOPY나 ClickOnce 방식의 배치가 불가능하다. 응용 프로그램을 설치하려면 관리자 권한이 필요하다.
- GAC 안의 어셈블리를 갱신하는 데에도 관리자 권한이 필요하다.
- GAC를 사용하면 개발과 검사가 복잡해진다. **융합**(fusion)이라고 부르는 CLR의 어셈블리 환원 메커니즘은 항상 지역 복사본보다 GAC의 어셈블리를 우선시하기 때문이다.

- 버전 관리와 **병행**(side-by-side) 실행을 위해서는 세심한 계획이 필요하며, 실수를 저지르면 다른 응용 프로그램들의 작동이 실패할 수 있다.

장점을 보자면, GAC를 사용하면 아주 큰 어셈블리의 시동 시간이 줄어들 수 있다. 이는 CLR이 GAC에 있는 어셈블리의 서명을 설치 시 한 번만 검증하기 때문이다(어셈블리를 적재할 때마다 검증하는 것이 아니라). 확률적으로, 만일 *ngen.exe* 도구로 어셈블리의 네이티브 이미지를 생성했다면, 그리고 생성 시 겹치지 않는 기준 주소들을 선택했다면, 이러한 성능 이득이 중요할 수 있다. 이 문제에 관해서는 MSDN 블로그의 "To NGen or Not to NGen?"이라는 좋은 글이 도움이 될 것이다.

GAC에 있는 어셈블리들은 항상 완전히 신뢰된 상태이다. 권한이 제한된 모래상자에서 실행되는 어셈블리에서 호출하는 경우에도 그렇다. 이에 관해서는 제21장에서 좀 더 논의한다.

어셈블리를 GAC에 설치하는 방법

어셈블리를 GAC에 설치하려면 먼저 어셈블리에 강력한 이름을 부여해야 한다. 그런 다음에는 .NET의 명령줄 도구 `gacutil`로 어셈블리를 설치하면 된다.

```
gacutil /i MyAssembly.dll
```

설치하려는 어셈블리와 **공개 키 및 버전이 같은** 어셈블리가 이미 GAC에 있으면 그 어셈블리가 갱신된다. 기존 어셈블리를 먼저 제거할 필요가 없다.

어셈블리의 설치를 제거하려면 다음과 같이 하면 된다(파일 확장자를 지정하지 않음을 주의할 것).

```
gacutil /u MyAssembly
```

Visual Studio의 설치 프로젝트(setup project)의 일부로 어셈블리의 GAC 설치를 지정할 수도 있다.

`/l` 옵션을 주어서 `gacutil`을 실행하면 GAC에 있는 모든 어셈블리가 나열된다.

일단 어셈블리를 GAC에 집어넣으면, 그 후부터는 응용 프로그램들이 어셈블리의 지역 복사본 없이도 어셈블리를 참조할 수 있다.

> 사실, 지역 복사본이 **있어도** 무시된다. CLR은 *GAC*에 **있는 복사본을 우선시하기 때문이다.** 이 때문에 개발 도중 라이브러리를 다시 컴파일해서 바로 참조하거나 시험해 볼 방법이 없다. 어셈블리의 버전과 신원을 변경하지 않는 한, 반드시 GAC에 있는 복사본을 갱신해야 한다.

GAC와 버전 관리

어셈블리의 `AssemblyVersion`을 변경하면 신원 자체가 바뀐다. 이해를 돕기 위한 예로, *utils*라는 어셈블리를 작성해서 버전을 '1.0.0.0'으로 설정한 후 GAC에 설치했다고 하자. 이후 몇 가지 기능을 추가해서 버전을 '1.0.0.1'로 변경한 후 다시 컴파일해서 GAC에 다시 설치하면, 기존 어셈블리가 갱신되는 것이 아니라 새로운 어셈블리가 추가된다. 즉, GAC에 이전 버전과 새 버전이 공존한다. 이는 다음 두 가지를 의미한다.

- *utils*을 사용하는 다른 응용 프로그램을 컴파일할 때 어떤 버전을 참조할 것인지 선택할 수 있다.
- *utils* 버전 1.0.0.0을 참조하도록 컴파일된 기존 응용 프로그램들은 계속해서 버전 1.0.0.0을 참조한다.

이를 어셈블리의 **병행**(side-by-side) 실행이라고 부른다. 병행 실행은 공유 어셈블리를 일방적으로 갱신했을 때 발생하는 소위 'DLL 지옥'을 방지한다. DLL 지옥은 공유 라이브러리의 예전 버전에 맞게 설계된 응용 프로그램이 공유 라이브러리를 갱신한 후부터 예기치 않게 오작동하는 상황을 말한다.

그러나 기존 어셈블리의 버그를 잡거나 사소한 개선을 적용하려는 경우에는 병행 실행이 오히려 걸림돌이 될 수 있다. 이 경우 선택은 다음 두 가지이다.

- 갱신된 어셈블리를 이전과 같은 버전 번호로 컴파일해서 GAC에 재설치한다.
- 갱신된 어셈블리를 새 버전 번호로 컴파일해서 GAC에 설치한다.

첫째 방법의 난점은, 갱신을 특정 응용 프로그램들만 **선택적으로** 적용할 방법은 없다는 것이다. 전부 적용하거나 아예 적용하지 않는 것뿐이다. 둘째 방법의 난점은, 보통의 경우 새 버전의 어셈블리를 사용하려면 응용 프로그램을 다시 컴파일해야 한다는 것이다. 다행히 이 문제에 대한 우회책이 존재한다. 어셈블리 버전 재지정(redirection)을 허용하는 **게시자 정책**을 만들면 된다. 단, 이렇게 하면 배치가 복잡해진다.

병행 실행은 공유 어셈블리의 몇 가지 문제점을 완화하는 데 도움이 된다. 그러나 GAC를 아예 사용하지 않는다면, 다시 말해 각 응용 프로그램이 *utils*의 복사본을 따로 두게 한다면, 공유 어셈블리의 모든 문제가 사라진다.

자원과 위성 어셈블리

일반적으로 응용 프로그램의 구성에는 실행 가능한 코드뿐만 아니라 텍스트나 이미지, XML 같은 비실행 내용도 포함된다. 그런 내용을 어셈블리 안의 자원(resource) 형태로 담아둘 수 있다. 다음은 **자원**의 두 가지 용도이다(이 두 용도는 어느 정도 겹친다).

- 이미지 등 소스 코드에 담을 수 없는 자료를 담는다.
- 다언어 응용 프로그램의 번역에 필요할 수 있는 자료를 저장한다.

본질적으로, 어셈블리의 자원은 이름이 붙은 바이트 스트림이다. 어셈블리에 문자열이 키이고 바이트 배열이 값인 사전이 포함되어 있다고 생각하면 된다. 실제로, 예를 들어 *banner.jpg*라는 이름의 자원과 *data.xml*이라는 이름의 자원이 있는 어셈블리를 *ildasm* 도구를 이용해서 역어셈블(disassemble)하면 다음과 같은 코드를 볼 수 있다.

```
.mresource public banner.jpg
{
  // Offset: 0x00000F58 Length: 0x000004F6
}
.mresource public data.xml
{
  // Offset: 0x00001458 Length: 0x0000027E
}
```

이 경우 *banner.jpg*와 *data.xml*은 어셈블리에 개별적인 자원 형태로 직접 내장되어 있다. 이는 자원의 가장 간단한 구성에 해당한다.

이보다 좀 더 복잡한 구성으로, 중간 수준의 *.resources* 컨테이너에 자원들을 담아 둘 수도 있다. *.resources* 컨테이너는 원래 여러 언어로의 번역에 필요한 내용을 담는 용도로 고안된 것이다. 그리고 각 언어에 맞게 지역화된 *.resources*들을 각각의 위성 어셈블리(satellite assembly)로 만들 수도 있다. 그러면 CLR은 사용자의 기본 언어에 기초해서 적절한 위성 어셈블리를 선택한다.

그림 18-4는 직접 내장된 자원 두 개와 *welcome.resources*라는 *.resources* 컨테이너 하나를 포함하는 주 어셈블리와, *welcome.resources*에 맞게 지역화된 두 위성 어셈블리를 나타낸 것이다.

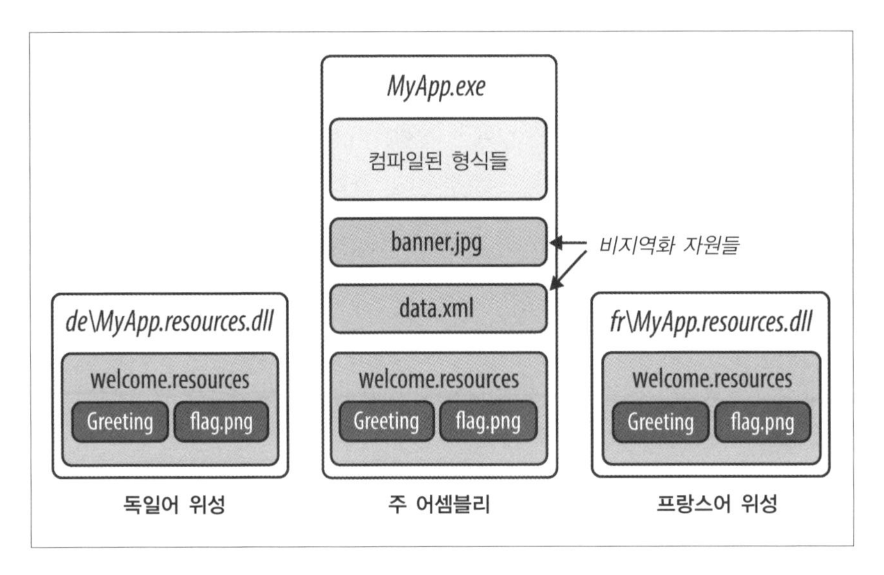

그림 18-4 어셈블리 자원

자원을 어셈블리에 직접 내장

 Windows 스토어 앱에서는 어셈블리에 자원을 직접 내장하는 방식을 사용할 수 없다. 대신 배포 및 설치 패키지에 개별적인 자원 파일들을 추가하고, 응용 프로그램의 저장소 폴더(`Package.Current.InstalledLocation`의 `StorageFolder`)에서 해당 파일을 읽어야 한다.

명령줄에서 자원을 직접 내장하려면, 컴파일 시 `/resource` 옵션으로 자원 파일들을 지정하면 된다.

```
csc /resource:banner.jpg /resource:data.xml MyApp.cs
```

어셈블리 안의 자원이 해당 파일 이름과는 다른 이름이 되게 하려면 다음과 같이 하면 된다.

```
csc /resource:<파일-이름>,<자원-이름>
```

명령줄을 사용하지 않고 Visual Studio에서 직접 내장을 설정하려면 다음과 같이 한다.

- 자원 파일을 프로젝트에 추가한다.
- 그 파일의 속성에서 '빌드 작업'을 '포함 리소스'로 설정한다.

Visual Studio는 자원 이름 앞에 항상 프로젝트의 기본 이름공간과 해당 파일이 있는 하위 폴더 이름들을 붙인다. 예를 들어 프로젝트의 기본 이름공간이 `Westwind.Reports`이고 자원 파일 이름이 *banner.jpg*이며 그 파일이 *pictures*에 들어 있다면, 자원의 이름은 *Westwind.Reports.pictures.banner.jpg*가 된다.

> 자원 이름은 대소문자를 구분한다. 따라서, Visual Studio에서 자원 파일을 담은 프로젝트 하위 폴더 이름들은 사실상 대소문자를 구분한다.

프로그램에서 특정 자원을 가져오려면 그 자원을 담은 어셈블리에 대해 `GetManifestResourceStream`을 호출해야 한다. 그 메서드가 돌려주는 스트림을 다른 스트림과 마찬가지 방식으로 읽으면 된다.

```
Assembly a = Assembly.GetEntryAssembly();

using (Stream s = a.GetManifestResourceStream ("TestProject.data.xml"))
using (XmlReader r = XmlReader.Create (s))
  ...

System.Drawing.Image image;
using (Stream s = a.GetManifestResourceStream ("TestProject.banner.jpg"))
  image = System.Drawing.Image.FromStream (s);
```

반환된 스트림은 탐색이 가능하므로, 다음과 같은 연산도 할 수 있다.

```
byte[] data;
using (Stream s = a.GetManifestResourceStream ("TestProject.banner.jpg"))
  data = new BinaryReader (s).ReadBytes ((int) s.Length);
```

Visual Studio를 이용해서 자원을 내장했다면 이름공간 기반 접두사도 반드시 지정해야 함을 기억하기 바란다. 오류를 피하는 데에는 다음처럼 형식을 이용해서 접두사를 개별적인 인수로 지정하는 것이 도움이 된다. 이렇게 하면 주어진 형식의 이름공간이 접두사로 쓰인다.

```
using (Stream s = a.GetManifestResourceStream (typeof (X), "XmlData.xml"))
```

여기서 X는 자원의 이름공간에 속한 임의의 형식이다(보통은 같은 프로젝트 폴더에 있는 한 형식을 지정하면 된다).

> WPF 응용 프로그램의 경우, Visual Studio에서 프로젝트 항목의 빌드 작업 속성을 'Resource'로 설정하는 것과 '포함 리소스'로 설정하는 것은 **다르다**. 전자는 해당 항목을 *<어셈블리_이름>.g.resources*라는 하나의 *.resources* 파일로서 실제로 추가한다. 프로그램 안에서는, WPF의 `Application` 클래스를 이용해서 그 파일의 내용에 접근할 수 있다(URI를 키로 사용해서).
> 더욱 헷갈리는 것은, WPF에서 'resource'라는 용어가 여러 가지 의미로 쓰인다는 점이다. '*static resource*(정적 자원)과 *dynamic resource*(동적 자원)은 둘 다 어셈블리의 자원과는 무관하다!

`GetManifestResourceNames`는 어셈블리에 있는 모든 자원의 이름을 돌려준다.

.resources 파일

.NET 프레임워크에서 *.resources* 파일은 지역화 가능성이 있는 내용을 담는 컨테이너로도 쓰인다. *.resources* 파일은 결국에는 어셈블리 안에 내장되는 하나의 자원이 된다. 이 점은 다른 종류의 파일과 마찬가지이다. 다른 파일들과의 차이점을 들자면:

- 처음부터 내용을 *.resources* 파일에 넣어야 한다.
- `GetManifestResourceStream`이 아니라 `ResourceManager` 또는 팩pack *URI*를 통해서 내용에 접근한다.

.resources 파일은 이진 파일이므로 사람이 직접 편집할 만한 것이 아니다. 따라서 .NET Framework와 Visual Studio가 제공하는 도구를 사용해야 한다. 문자열이나 단순 자료 형식을 담을 때의 표준적인 접근방식은 먼저 *.resx* 형식의 XML 파일을 작성한 후 그것을 Visual Studio나 *resgen* 도구를 이용해서 *.resources* 파일로 변환하는 것이다. *.resx* 파일은 Windows Forms 응용 프로그램이나 ASP.NET 응용 프로그램에 사용할 이미지들을 자원으로 만드는 데에도 적합하다.

WPF 응용 프로그램에서, URI로 참조해야 하는 이미지나 그와 비슷한 자원 항목은 반드시 Visual Studio에서 빌드 작업 속성을 'Resource'로 설정해야 한다. 지역화가 필요하지 않은 자원에 대해서도 마찬가지이다.

그럼 이 접근방식들을 좀 더 구체적으로 살펴보자.

.resx 파일

.resx 파일은 *.resources* 파일을 만드는 데 쓰이는 설계 시점 파일 형식이다. 구체적으로, *.resx* 파일은 다음같이 이름/값 쌍으로 구성된 XML 파일이다.

```
<root>
  <data name="Greeting">
    <value>hello</value>
  </data>
  <data name="DefaultFontSize" type="System.Int32, mscorlib">
    <value>10</value>
  </data>
</root>
```

Visual Studio에서 *.resx* 파일을 만드는 방법은 간단하다. '리소스 파일' 형식의 새 프로젝트 항목을 추가하면 나머지는 자동으로 처리된다. 특히, Visual Studio는

- 정확한 헤더를 만들어 주고,
- 문자열, 이미지, 파일, 기타 자료를 추가할 수 있는 디자이너를 제공하며,
- 컴파일 시 *.resx* 파일을 자동으로 *.resources* 형식으로 변환해서 어셈블리에 내장하고,
- 이후 해당 자료에 접근하는 데 도움이 되는 클래스도 작성해 준다.

자원 편집용 디자이너는 이미지를 바이트 배열이 아니라 Image 형식(*System.Drawing.dll*)의 객체로 추가한다. 그래서 WPF 응용 프로그램에는 적합하지 않다.

명령줄에서 .resx 파일을 .resource 파일로 변환

명령줄을 사용하는 경우, 일단은 유효한 헤더가 있는 *.resx* 파일이 있어야 한다. 가장 쉬운 방법은 프로그램으로 그런 *.resx* 파일을 생성하는 것이다. 다음처럼 System.Resources.ResXResourceWriter 클래스(이상하게도 이 클래스는 *System.Windows.Forms.dll*에 있다)를 이용하면 간단히 해결된다.

```
using (ResXResourceWriter w = new ResXResourceWriter ("welcome.resx")) { }
```

이때 using 블록 안에서 ResXResourceWriter의 AddResource 메서드로 자원들을 직접 추가할 수도 있고, 아니면 생성된 *.resx* 파일을 텍스트 편집기로 직접 편집해도 된다.

이미지를 다루는 가장 쉬운 방법은 이미지 파일을 이진 자료로 취급해서 자원에 추가하고, 조회 시 바이트 배열을 다시 이미지로 복원하는 것이다. 이는 구체적인 Image 형식의 객체로 저장/복원하는 것보다 더 유연한 방식이기도 하다. 이진 자료를 *.resx* 파일에 포함하는 방법은 두 가지이다. 하나는 다음처럼 Base64로 부호화한 문자열을 사용하는 것이고,

```
<data name="flag.png" type="System.Byte[], mscorlib">
  <value>Qk32BAAAAAAAAHYAAAAoAAAAMAMDAwACAgIAAAAD/AA....</value>
</data>
```

또 하나는 이미지 파일에 대한 참조만 지정하는 것이다(나중에 *resgen*이 그 파일을 읽어서 *.resources* 파일에 추가한다).

```
<data name="flag.png"
  type="System.Resources.ResXFileRef, System.Windows.Forms">
  <value>flag.png;System.Byte[], mscorlib</value>
</data>
```

.resx 파일을 다 작성했으면 *resgen* 도구로 그 파일을 *.resources* 파일로 변환해야 한다. 다음은 *welcome.resx*를 *welcome.resources*로 변환하는 예이다.

```
resgen welcome.resx
```

마지막으로 할 일은 컴파일 시 *.resources* 파일을 어셈블리에 내장하는 것이다. 다음과 같이 하면 된다.

```
csc /resources:welcome.resources MyApp.cs
```

.resources 파일 읽기

Visual Studio에서 *.resx* 파일을 만들면, Visual Studio는 각 자원 항목에 접근하는 속성들을 가진 같은 이름의 클래스를 자동으로 생성한다.

어셈블리에 내장된 *.resources* 파일을 읽을 때 사용하는 클래스는 ResourceManager이다.

```
ResourceManager r = new ResourceManager ("welcome",
                                         Assembly.GetExecutingAssembly());
```

(자원을 Visual Studio에서 컴파일했다면, 생성자의 첫 인수는 반드시 이름공간 접두사가 붙은 자원 이름이어야 한다.)

ResourceManager 인스턴스를 생성했다면, GetString이나 GetObject와 캐스팅을 이용해서 자원 항목을 얻을 수 있다.

```
string greeting = r.GetString ("Greeting");
int fontSize = (int) r.GetObject ("DefaultFontSize");
Image image = (Image) r.GetObject ("flag.png");       // (Visual Studio)
byte[] imgData = (byte[]) r.GetObject ("flag.png");   // (명령줄)
```

.resources 파일의 내용을 나열하려면 다음과 같이 하면 된다.

```
ResourceManager r = new ResourceManager (...);
ResourceSet set = r.GetResourceSet (CultureInfo.CurrentUICulture,
                                    true, true);
foreach (System.Collections.DictionaryEntry entry in set)
  Console.WriteLine (entry.Key);
```

Visual Studio에서 팩 URI 자원 작성

WPF 응용 프로그램에서는 XAML 파일에서 URI로 자원을 참조한다. 예를 들면 다음과 같다.

```
<Button>
  <Image Height="50" Source="flag.png"/>
</Button>
```

다음은 다른 어셈블리에 있는 자원을 참조하는 예이다.

```
<Button>
  <Image Height="50" Source="UtilsAssembly;Component/flag.png"/>
</Button>
```

(Component는 리터럴 키워드이다.)

이런 식으로 참조, 적재되는 자원은 *.resx* 파일로는 만들 수 없다. 반드시 Visual Studio에서 자원 항목 파일들을 프로젝트에 추가하고 빌드 작업을 'Resource'로 ('포함 리소스'가 아니라) 설정해야 한다. 그러면 Visual Studio는 *<어셈블리_이름>.g.resources*라는 *.resources* 파일로 컴파일한다. 이 *.resources* 파일에는 컴파일된 XAML 파일(*.baml*)들도 포함된다.

프로그램 안에서 URI를 키로 해서 자원을 적재할 때에는 Application.GetResourceStream 메서드를 사용한다.

```
Uri u = new Uri ("flag.png", UriKind.Relative);
using (Stream s = Application.GetResourceStream (u).Stream)
```

상대적 URI를 사용했음을 주목하기 바란다. 정확히 다음과 같은 형태의 절대적 URI를 사용할 수도 있다(쉼표 세 개는 오타가 아니다).

```
Uri u = new Uri ("pack://application:,,,/flag.png");
```

URI 기반 접근 대신, Assembly 객체와 ResourceManager 객체를 이용해서 내용을 조회하는 것도 가능하다.

```
Assembly a = Assembly.GetExecutingAssembly();
ResourceManager r = new ResourceManager (a.GetName().Name + ".g", a);
using (Stream s = r.GetStream ("flag.png"))
  ...
```

ResourceManager를 이용하면 주어진 어셈블리 안에 있는 *.g.resources* 컨테이너의 내용을 열거할 수도 있다.

위성 어셈블리

.resources 안에 내장된 자료는 지역화(현지화)가 가능하다.

모든 것을 개발용 컴퓨터의 것과는 다른 언어로 표시하도록 만들어진 Windows 버전에서 실행될 응용 프로그램을 만들 때에는 자원의 지역화가 중요하다. 일관성을 위해서는 응용 프로그램 역시 해당 Windows와 같은 언어의 텍스트를 표시해야 한다.

지역화를 위한 자원의 전형적인 설정은 다음과 같다.

- 주 어셈블리에는 기본 언어 또는 **대체**(fallback) 언어를 위한 *.resources*를 담는다.
- 다른 언어들로 번역된, 지역화된 *.resources* 파일들을 각각 개별적인 **위성 어셈블리**(satellite assembly)로 만든다.

응용 프로그램 실행 시 .NET Framework는 운영체제의 현재 언어를 파악한다(CultureInfo.CurrentUICulture에서). 프로그램에서 ResourceManager를 이용해서 어떤 자원을 요청하면 .NET Framework는 그에 맞게 지역화된 위성 어셈블리를 찾는다. 그런 위성 어셈블리가 있으면, 그리고 요청된 자원 키가 존재하면, 주 어셈블리의 버전 대신 해당 버전의 자료를 사용한다.

이러한 작동 방식 덕분에, 주 어셈블리를 변경하지 않고 그냥 새 위성 어셈블리를 추가하는 것만으로도 응용 프로그램의 언어 지원을 개선할 수 있다.

 위성 어셈블리에는 자원만 담을 수 있다. 실행 가능한 코드는 담을 수 없다.

위성 어셈블리들은 어셈블리 폴더의 하위 폴더들에 다음과 같은 형태로 배치된다.

```
programBaseFolder\MyProgram.exe
                 \MyLibrary.exe
                 \XX\MyProgram.resources.dll
                 \XX\MyLibrary.resources.dll
```

여기서 *XX*는 영문자 두 자의 언어 코드(이를테면 독일어는 “de”) 또는 언어 및 지역 코드(이를테면 영국 영어는 “en-GB”)이다. 이러한 표준 명명 체계 덕분에 CLR은 정확한 위성 어셈블리를 자동으로 찾아서 적재한다.

위성 어셈블리의 구축

앞에서 제시한 *.resx* 예제에 다음과 같은 부분이 있었다.

```
<root>
  ...
  <data name="Greeting"
    <value>hello</value>
  </data>
</root>
```

그리고 이 문자열을 실행시점에서 다음과 같은 코드로 조회했다.

```
ResourceManager r = new ResourceManager ("welcome",
                                         Assembly.GetExecutingAssembly());
Console.Write (r.GetString ("Greeting"));
```

이 코드를 독일어 버전 Windows에서 실행하면 “hello”가 아니라 “hallo”가 표시되게 하고 싶다고 하자. 가장 먼저 할 일은 *hello*에 대입할 *hallo*를 담은, *welcome.de.resx*라는 또 다른 *.resx* 파일을 만드는 것이다.

```
<root>
  <data name="Greeting">
    <value>hallo<value>
  </data>
</root>
```

Visual Studio에서는 이 파일을 프로젝트에 추가하기만 하면 모든 일이 끝난다. 이제 프로그램을 다시 빌드하면 자동으로 *MyApp.resources.dll*이라는 위성 어셈블리가 *de*라는 하위 디렉터리에 만들어진다.

명령줄을 사용하는 경우에는, 우선 해당 *.resx* 파일을 *resgen*을 이용해서 *.resources* 파일로 직접 변환하고,

```
resgen MyApp.de.resx
```

그런 다음 *al* 도구를 이용해서 위성 어셈블리를 생성해야 한다.

```
al /culture:de /out:MyApp.resources.dll /embed:MyApp.de.resources /t:lib
```

주 어셈블리의 강력한 이름을 도입하려면 *al* 실행 시 `/template:MyApp.exe`를 지정하면 된다.

위성 어셈블리 시험

위성 어셈블리를 시험해 보기 위해 다른 언어를 사용하는 운영체제를 설치할 필요는 없다. 다음처럼 `Thread` 클래스를 이용해서 `CurrentUICulture` 속성을 변경하면 된다.

```
System.Threading.Thread.CurrentThread.CurrentUICulture
  = new System.Globalization.CultureInfo ("de");
```

`CultureInfo.CurrentUICulture`는 이 속성의 읽기 전용 버전이다.

한 가지 유용한 시험 전략은 영어 단어를 표준 로마자가 아닌 유니코드 문자들로 지역화해 보는 것이다(이를테면 localize 대신 ℓo¢αℓïʑə 등).

Visual Studio 디자이너 지원

Visual Studio의 디자이너들은 지금까지 말한 것 이외의 방식으로도 구성요소와 시각적 요소들의 지역화를 지원한다. WPF 디자이너에는 독자적인 지역화 작업흐름(workflow)이 있다. 그 외의 `Component` 기반 디자이너들은 설계 시점 전용 속성을 이용해서 어떤 구성요소나 Windows Forms 컨트롤에 Language 속성이 있는 것처럼 보이게 만든다. 어떤 구성요소를 다른 언어에 맞게 커스텀화하려면 그 Language 속성을 변경한 후 구성요소를 수정하면 된다. 한 컨트롤의 속

성 중 Localizable로 간주되는 모든 속성은 해당 언어의 *.resx* 파일에 기록된다. Language 속성을 변경하면 언제라도 다른 언어로 전환할 수 있다.

문화와 하위문화

문화권 설정은 문화 설정과 하위문화(subculture) 설정으로 나뉜다. 문화는 특정 언어를 나타내고, 하위문화는 그 언어의 지역적 변형을 나타낸다. .NET Framework는 RFC1766 표준을 따르는데, 그 표준에서 문화와 하위문화는 영문자 두 자로 된 부호로 대표된다. 예를 들어 영어 문화와 독일어 문화의 영문 2자 부호는 다음과 같다.

```
en
de
```

다음은 호주(Australia) 영어 하위문화와 오스트리아(Austria) 독일어 하위문화를 뜻하는 부호이다.

```
en-AU
de-AT
```

.NET Framework 프로그램 안에서 문화권을 대표하는 클래스는 System.Globalization.CultureInfo이다. 응용 프로그램의 현재 문화권 설정은 다음과 같이 알아낼 수 있다.

```
Console.WriteLine (System.Threading.Thread.CurrentThread.CurrentCulture);
Console.WriteLine (System.Threading.Thread.CurrentThread.CurrentUICulture);
```

이 코드를 호주 영어에 맞게 지역화된 컴퓨터에서 실행하면 두 속성의 차이가 드러난다.

```
EN-AU
EN-US
```

CurrentCulture는 Windows 제어판에 있는 지역 설정을 반영하지만, CurrentUICulture는 운영체제의 언어를 반영한다.

지역 설정(reginal settings)에는 시간대와 통화(화폐), 날짜 서식 등이 포함된다. CurrentCulture는 DateTime.Parse 같은 함수들의 기본 행동 방식을 결정한다. 지역 설정을, 그 어떤 특정 문화권과도 비슷하지 않을 정도로까지 커스텀화할 수도 있다.

CurrentUICulture는 컴퓨터가 사용자와 소통하는 데 쓰이는 언어를 결정한다. 예를 들어 호주 사용자에게는 특화된 버전의 영어가 필요하지 않으므로, 호주용 Windows는 그냥 미국 영어를 사용한다. 또 다른 예로, 독일어를 모르는 미국 영어권 개발자가 오스트리아의 독일어 사용자를 위한 위성 어셈블리를 시험해 보는 동안 제어판에서 CurrentCulture에 해당하는 설정을 오스트리아-독일어로 변경할 수 있지만, 독일어를 실제로 사용하는 것은 아니므로 CurrentUICulture는 그대로 미국 영어로 남겨두어야 할 것이다.

ResourceManager는 기본적으로 현재 스레드의 CurrentUICulture 속성에 기초해서 적절한 위성 어셈블리를 선택한다. 자원 적재 시 ResourceManager는 대체(fallback) 메커니즘을 사용한다. 구체적으로 말하자면, 만일 하위문화 어셈블리가 정의되어 있으면 그것을 사용하고, 그렇지 않으면 일반적(generic) 문화권으로 후퇴한다. 일반적 문화권이 없으면 주 어셈블리의 기본 문화권으로 후퇴한다.

어셈블리의 환원 및 적재

전형적인 응용 프로그램은 주된 실행 파일 어셈블리와 응용 프로그램이 참조하는 일단의 라이브러리 어셈블리들로 구성된다. 이를테면 다음과 같다.

```
AdventureGame.exe
Terrain.dll
UIEngine.dll
```

어셈블리 환원(assembly resolution)이란 응용 프로그램이 참조하는 라이브러리 어셈블리(이하 참조 어셈블리)를 찾는 과정을 말한다. 컴파일 시점의 어셈블리 환원 과정은 아주 간단하다. 현재 디렉터리에 없는 참조 라이브러리의 위치를 컴파일 시 독자 또는 Visual Studio가 컴파일러에게 구체적으로 알려주므로, 컴파일러는 그냥 주어진 위치의 라이브러리를 사용하면 된다.

그러나 실행시점의 어셈블리 환원은 좀 더 복잡하다. 컴파일러는 참조 어셈블리의 강력한 이름을 매니페스트에 기록하지만, 그 어셈블리의 위치에 관해서는 아무것도 기록하지 않는다. 간단한 경우에는 참조 어셈블리들을 모두 주 실행 파일과 같은 폴더에 넣으므로 문제가 되지 않는다. 그곳이 바로 CLR이 가장 먼저 살펴보는 장소(에 가까운 곳)이기 때문이다. 그러나 다음과 같은 경우에는 문제가 복잡해진다.

- 참조 어셈블리들을 다른 장소에 배치했을 때
- 프로그램에서 어셈블리를 동적으로 적재할 때

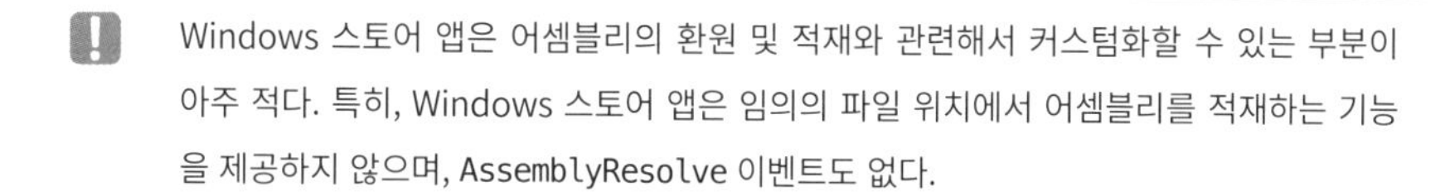

Windows 스토어 앱은 어셈블리의 환원 및 적재와 관련해서 커스텀화할 수 있는 부분이 아주 적다. 특히, Windows 스토어 앱은 임의의 파일 위치에서 어셈블리를 적재하는 기능을 제공하지 않으며, `AssemblyResolve` 이벤트도 없다.

어셈블리와 형식 환원 규칙

모든 형식은 어셈블리에 속한다. 어셈블리는 형식의 주소와도 같다. 비유하자면, 어떤 사람을 '조'라고 칭할 수도 있고(이름공간 없는 형식 이름에 해당), '조 블로그'라고 칭할 수도 있고(전체 형식 이름에 해당), '워싱턴 주 베이커가 100번지 사는 조 블로그'라고 칭할 수도 있다(어셈블리까지 한정한 형식 이름에 해당).

컴파일 과정에서는 전체 형식 이름(full type name)만으로도 주어진 형식을 고유하게 식별할 수 있다. 어차피 한 프로그램에서 같은 전체 형식 이름을 정의하는 두 어셈블리를 참조할 수는 없기 때문이다(특별한 요령을 이용하면 가능하긴 하지만, 그것은 논외이다). 그러나 실행시점에서는 전체 형식 이름이 같은 형식들이 메모리에 여러 개 들어 있을 수 있다. 예를 들어 Visual Studio 디자이너에서 설계 중인 구성요소들을 **재빌드**할 때마다 그런 일이 생긴다. 그런 형식들은 해당 어셈블리를 봐야 구분할 수 있다. 그런 점에서, 어셈블리는 형식의 실행시점 신원(identity)을 구성하는 필수 요소이다. 또한, 어셈블리는 형식의 코드와 메타자료에 접근하기 위한 관문이기도 하다.

CLR은 프로그램 실행 도중 어셈블리가 처음으로 필요해진 시점에서 어셈블리를 적재한다. 간단히 말하면, 그 시점은 프로그램에서 어셈블리에 속한 한 형식을 지칭하는 시점이다. 예를 들어 *AdventureGame.exe*가 `TerrainModel.Map`이라는 형식의 인스턴스를 생성한다고 하자. 참고할 만한 다른 구성 파일이 전혀 없다고 가정할 때, CLR은 다음 두 질문의 답을 얻어야 한다.

- *AdventureGame.exe*를 컴파일할 당시 `TerrainModel.Map`을 담고 있던 어셈블리의 완전 한정 이름은 무엇인가?
- 동일한 문맥(해소 문맥)에서, 같은 완전 한정 이름의 어셈블리를 이미 메모리에 적재하지는 않았는가?

만일 같은 어셈블리를 적재한 적이 있다면 CLR은 메모리에 있는 복사본을 사용하고, 그렇지 않으면 해당 어셈블리를 실제로 찾는다. CLR은 우선 GAC를 점검하고, 그런 다음 **탐색 경로**(probing path)들을 살펴보고(보통은 응용 프로그램의 기준 디렉터리를 검색한다), 최후의 보루로 `AppDomain.AssemblyResolve` 이벤트를 발동한다. 만일 어떤 방법으로도 어셈블리를 찾지 못하면 CLR은 예외를 던진다.

AssemblyResolve 이벤트

`AssemblyResolve` 이벤트는 CLR이 찾지 못한 어셈블리의 위치를 프로그램이 직접 알려주는 수단이다. 예를 들어 프로그램이 참조하는 라이브러리 어셈블리들이 여러 비표준 장소에 배치되어 있는 경우, 프로그램에서 이 이벤트를 적절히 처리함으로써 그 어셈블리들이 제대로 적재되게 할 수 있다.

`AssemblyResolve` 이벤트 처리부에서 할 일은 요청된 어셈블리를 찾아서 `Assembly` 클래스의 세 정적 메서드 `Load`, `LoadFrom`, `LoadFile` 중 하나를 호출하는 것이다. 이 메서드들은 새로 적재된 어셈블리에 대한 참조를 돌려주는데, 그것을 이벤트 처리부를 호출한 쪽에게 반환하면 된다.

```
static void Main()
{
  AppDomain.CurrentDomain.AssemblyResolve += FindAssembly;
  ...
}

static Assembly FindAssembly (object sender, ResolveEventArgs args)
{
  string fullyQualifiedName = args.Name;
  Assembly a = Assembly.LoadFrom (...);
  return a;
}
```

`AssemblyResolve` 이벤트는 반환 형식이 있다는 점이 특이하다. 만일 이 이벤트에 대한 처리부가 여러 개인 경우, CLR은 가장 먼저 반환된 널이 아닌 `Assembly` 참조를 사용한다.

어셈블리 적재

`Assembly`의 `Load` 메서드는 `AssemblyResolve` 이벤트 처리부 안에서는 물론 밖에서도 유용하다. 이벤트 처리부 밖에서 이 메서드는 컴파일 시점에서 참조하지 않은 어셈블리를 적재, 실행하는 용도로 쓰인다. 이를테면 플러그인을 실행할 때 그런 접근방식이 유용하다.

Load나 LoadFrom, LoadFile 메서드는 신중하게 호출해야 한다. 이 메서드들은 어셈블리를 현재 응용 프로그램 도메인에 영구적으로 적재한다. 메서드가 반환한 Assembly 객체로 아무것도 하지 않아도 어셈블리는 도메인에 계속 남는다. 또한, 어셈블리의 적재에는 부수 효과가 있다. 어셈블리를 적재하면 어셈블리 파일이 잠기며, 이후의 형식 해소에도 영향을 미친다.

일단 적재된 어셈블리는 응용 프로그램 도메인 전체를 해제해야 해제된다. (그리고 탐색 경로에 있는 어셈블리들의 잠금을 피하는 **그림자 복사**라는 기법이 있는데, *http://albahari.com/shadowcopy*에 링크된 MSDN 블로그의 관련 글을 참고하기 바란다.)

어셈블리의 코드를 전혀 실행하지 않고 그냥 어셈블리에 관한 정보만 얻고 싶다면 반영 전용 문맥(제19장 참고)을 사용하면 된다.

구체적인 위치를 지정하지 않고 완전 한정 이름만으로 어셈블리를 적재할 때에는 Assembly.Load를 사용한다. 이 메서드를 호출하면 CLR은 통상적인 자동 해소 시스템을 이용해서 해당 어셈블리를 찾는다. 참조 어셈블리를 찾을 때 CLR이 사용하는 것도 바로 이 Load이다.

파일 이름으로 어셈블리를 적재할 때에는 LoadFrom이나 LoadFile을 사용한다.

URI로 어셈블리를 적재할 때에는 LoadFrom을 사용한다.

바이트 배열로부터 어셈블리를 적재할 때에는 Load를 사용한다.

메모리에 현재 적재된 어셈블리들은 AppDomain의 GetAssemblies 메서드로 알아낼 수 있다.

```
foreach (Assembly a in
AppDomain.CurrentDomain.GetAssemblies())
{
  Console.WriteLine (a.Location);        // 파일 경로
  Console.WriteLine (a.CodeBase);        // URI
  Console.WriteLine (a.GetName().Name);  // 단순명
}
```

파일 이름으로 어셈블리 적재

LoadFrom과 LoadFile 둘 다 주어진 파일 이름에 해당하는 어셈블리를 적재한다. 둘의 차이는 두 가지이다. 첫째로, 신원이 같고 위치가 다른 어셈블리가 이미 메모리에 적재되어 있으면 LoadFrom은 기존 복사본을 돌려준다.

```
Assembly a1 = Assembly.LoadFrom (@"c:\temp1\lib.dll");
Assembly a2 = Assembly.LoadFrom (@"c:\temp2\lib.dll");
Console.WriteLine (a1 == a2);                         // true
```

반면 LoadFile은 새 복사본을 돌려준다.

```
Assembly a1 = Assembly.LoadFile (@"c:\temp1\lib.dll");
Assembly a2 = Assembly.LoadFile (@"c:\temp2\lib.dll");
Console.WriteLine (a1 == a2);                         // false
```

동일한 위치의 어셈블리를 두 번 적재하면 두 메서드 모두 캐시에 있는 기존 복사본을 돌려준다. (반면, 동일한 바이트 배열로부터 어셈블리를 두 번 적재하면 서로 다른 두 Assembly 객체가 반환된다.)

메모리에 있는 동일한 두 어셈블리의 형식들은 서로 호환되지 않는다. 이는 어셈블리를 중복해서 적재하는 것이 바람직하지 않은, 따라서 LoadFile보다는 LoadFrom을 선호해야 할 이유이다.

LoadFrom과 LoadFile의 두 번째 차이점은, LoadFrom은 이후의 참조들에 대한 위치를 CLR에게 귀띔해 주는 반면 LoadFile은 그렇지 않다는 점이다. 예를 들어 *\folder1*에 있는 응용 프로그램이 *\folder2*에 있는 *TestLib.dll*이라는 어셈블리를 적재하며, *TestLib.dll* 자체는 *\folder2\Another.dll*을 참조한다고 하자.

```
\folder1\MyApplication.exe

\folder2\TestLib.dll
\folder2\Another.dll
```

만일 LoadFrom으로 *TestLib*를 적재하면 이후 CLR은 *Another.dll*을 찾아서 적재한다. 그러나 LoadFile로 *TestLib*를 적재하면 CLR은 *Another.dll*을 찾지 못해서 예외를 던진다(프로그램이 AssemblyResolve 이벤트를 처리하지 않는 한).

그럼 좀 더 실용적인 맥락에서 이 메서드들을 활용하는 예들을 살펴보자.

형식의 정적 참조와 LoadFrom/LoadFile

코드에서 어떤 형식을 직접 지칭하는 것을 가리켜서 형식을 "**정적으로 참조한다**"라고 말한다. 정적 참조의 경우 컴파일러는 그 형식에 대한 참조와 그 형식이 속한 어셈블리의 이름을 어셈블리(컴파일 중인)에 명시적으로 박아 넣는다(그러나 실행시점에서 그 어셈블리를 찾을 수 있는 위치에 관한 정보는 전혀 기록하지 않는다).

예를 들어 *foo.dll*이라는 참조 어셈블리에 Foo라는 형식이 있다고 하자. 그리고 응용 프로그램 *bar.exe*에 다음과 같은 코드가 있다고 하자.

```
var foo = new Foo();
```

이 경우 *bar.exe* 응용 프로그램은 *foo* 어셈블리의 Foo 형식을 정적으로 참조한다. 이와는 달리, *foo*를 다음과 같이 동적으로 적재할 수도 있다.

```
Type t = Assembly.LoadFrom (@"d:\temp\foo.dll").GetType ("Foo");
var foo = Activator.CreateInstance (t);
```

만일 한 프로그램에서 이 두 접근방식을 섞어 사용하면 메모리에 같은 어셈블리의 복사본이 두 개 남게 된다. CLR은 두 어셈블리가 서로 다른 '해소 문맥'에 속한다고 간주하기 때문이다.

앞에서 말했듯이, 정적 참조를 해소할 때 CLR은 먼저 GAC를 보고, 그런 다음 **탐색 경로**(보통은 응용 프로그램 기준 디렉터리)를 찾고, 거기에도 없으면 Assembly Resolve 이벤트를 발동한다. 그런데 이런 탐색을 시작하기 전에 CLR이 제일 먼저 하는 일은 어셈블리가 이미 적재되어 있는지 점검하는 것이다. 단, CLR은 다음과 같은 어셈블리들에 대해서만 그러한 점검을 수행한다.

- CLR이 직접 찾을 수 있었을 경로(탐색 경로)에서 적재한 어셈블리
- AssemblyResolve 이벤트에 대한 응답으로 적재된 어셈블리

따라서, 만일 탐색 경로 이외의 경로에 있는 어셈블리를 LoadFrom이나 LoadFile로 적재해 두었다면, 그 어셈블리는 이미 적재된 것으로 간주되지 않으며, 따라서 같은 어셈블리를 적재하면 메모리에 복사본 두 개가 생긴다(그리고 그 둘의 형식들은 호환되지 않는다). 이를 피하려면, LoadFrom이나 LoadFile을 호출할 때 우선 어셈블리가 응용 프로그램 기준 디렉터리에 존재하는지부터 점검해야 한다(의도적으로 한 어셈블리의 여러 버전을 적재하려는 것이 아닌 한).

AssemblyResolve 이벤트 처리부에서 어셈블리를 적재할 때에는(LoadFrom을 사용하든 아니면 LoadFile을 사용하든, 심지어는 잠시 후 살펴보겠지만 바이트 배

열을 적재하든) 이런 문제가 생기지 않는다. 그 이벤트는 탐색 경로 바깥의 어셈블리에 대해서만 발동하기 때문이다.

LoadFrom을 사용하든 아니면 LoadFile을 사용하든 CLR은 항상 제일 먼저 GAC에서 어셈블리를 찾는다. GAC 탐색을 피하고 싶으면 ReflectionOnlyLoadFrom 메서드를 사용하면 된다(이 메서드는 어셈블리를 반영 전용 문맥(reflection-only context)으로 적재한다). 바이트 배열에서 어셈블리를 적재할 때에도 GAC 탐색이 일어나는 것은 마찬가지이지만, 대신 어셈블리 파일이 잠기는 문제는 없다.

```
byte[] image = File.ReadAllBytes (assemblyPath);
Assembly a = Assembly.Load (image);
```

이 방법을 사용하는 경우, 적재된 라이브러리 자체가 참조하는 어셈블리들이 제대로 해소되게 하려면, 그리고 적재된 모든 어셈블리를 관리하려면, 반드시 AppDomain의 AssemblyResolve 이벤트를 처리해야 한다(이번 장의 '단일 실행 파일 만들기(p.972)' 참고).

Location 속성 대 CodeBase 속성

보통의 경우 Assembly의 Location 속성은 파일 시스템에 있는 어셈블리의 물리적 위치를 돌려준다(물리적 파일이 있는 경우). 한편 CodeBase 속성은 그 위치의 URI 버전을 돌려주는데, 몇 가지 예외가 있다. 예를 들어 인터넷에서 어셈블리를 적재하는 경우 CodeBase는 인터넷 URI이고 Location은 내려받은 어셈블리 파일의 임시 경로이다. 또 다른 예외는 **그림자 복사**(shadow-copying)가 적용된 어셈블리이다. 이 경우 Location은 빈 값이고 CodeBase는 그림자 복사 적용 전의 원본 위치이다. ASP.NET과 유명한 NUnit 검사 프레임워크는 웹사이트나 단위 검사를 실행하는 도중에 어셈블리를 갱신하는 목적으로 그림자 복사를 사용한다(*http://albahari.com/shadowcopy*에 관련 MSDN 페이지가 링크되어 있으니 참고하기 바란다). LINQPad도 사용자의 코드가 커스텀 어셈블리를 참조할 때 비슷한 기법을 적용한다.

따라서 Location만으로 디스크 상의 어셈블리 위치를 찾는 것은 위험한 일이다. 두 속성을 모두 점검하는 것이 더 낫다. 다음 메서드는 어셈블리가 담긴 폴더를 돌려준다(그런 폴더를 결정할 수 없으면 널을 돌려준다).

```
public static string GetAssemblyFolder (Assembly a)
{
  try
```

```
  {
    if (!string.IsNullOrEmpty (a.Location))
      return Path.GetDirectoryName (a.Location);

    if (string.IsNullOrEmpty (a.CodeBase)) return null;

    var uri = new Uri (a.CodeBase);
    if (!uri.IsFile) return null;

    return Path.GetDirectoryName (uri.LocalPath);
  }
  catch (NotSupportedException)
  {
    return null;  // Reflection.Emit으로 생성된 동적 어셈블리의 경우
  }
}
```

CodeBase가 URI를 돌려주므로, 이 메서드는 Uri 클래스를 이용해서 지역 파일 경로를 얻는다는 점도 참고하기 바란다.

기준 폴더 바깥에 어셈블리 배치

어셈블리들을 응용 프로그램의 기준 디렉터리 바깥에 배치하는 것이 바람직한 경우도 종종 있다. 다음은 그러한 구성의 예이다.

```
..\MyProgram\Main.exe
..\MyProgram\Libs\V1.23\GameLogic.dll
..\MyProgram\Libs\V1.23\3DEngine.dll
..\MyProgram\Terrain\Map.dll
..\Common\TimingController.dll
```

이런 구성이 제대로 작동하려면 응용 프로그램이 CLR에게 기준 폴더 바깥에 있는 어셈블리들을 찾는 데 필요한 정보를 제공해야 한다. 가장 간단한 방법은 AssemblyResolve 이벤트를 처리하는 것이다.

다음 예제는 모든 추가 어셈블리가 *c:\ExtraAssemblies*에 있다고 가정한다.

```
using System;
using System.IO;
using System.Reflection;

class Loader
{
  static void Main()
  {
    AppDomain.CurrentDomain.AssemblyResolve += FindAssembly;
```

```
      // c:\ExtraAssemblies에 있는 임의의 형식을 사용하려면
      // 먼저 이 클래스 바깥으로 나가야 한다.
      Program.Go();
    }

    static Assembly FindAssembly (object sender, ResolveEventArgs args)
    {
      string simpleName = new AssemblyName (args.Name).Name;
      string path = @"c:\ExtraAssemblies\" + simpleName + ".dll";

      if (!File.Exists (path)) return null;     // 파일이 있는지 점검하고
      return Assembly.LoadFrom (path);          // 적재한다!
    }
  }

  class Program
  {
    internal static void Go()
    {
      // 이제 c:\ExtraAssemblies에 정의된 형식들을 참조할 수 있다.
    }
  }
```

> *c:\ExtraAssemblies*의 형식들을 Loader 클래스 안에서 직접 참조(이를테면 속성 접근 등)하지 않는 것이 대단히 중요하다. Loader 클래스에서 그런 형식들을 참조하면, CLR은 Main()에 도달하기 전에 형식을 해소하려 들 것이기 때문이다.

이 예제는 LoadFrom을 사용했지만, LoadFile을 사용해도 결과에는 차이가 없다. 어떤 경우이든 CLR은 프로그램이 제시한 위치에 있는 어셈블리의 신원이 요청된 어셈블리의 신원과 같은지 점검한다. 이 덕분에 강력한 이름 참조의 무결성이 유지된다.

제24장에서는 새 응용 프로그램을 생성할 때 사용할 수 있는 또 다른 접근방식을 설명한다. 그 접근방식에서는 응용 프로그램 도메인의 PrivateBinPath에 추가 어셈블리들이 담긴 디렉터리들을 포함시킴으로써 표준 어셈블리 탐색 위치들을 확장한다. 그 접근방식의 한계는, 모든 추가 디렉터리가 반드시 응용 프로그램 기준 디렉터리 아래에 있어야 한다는 것이다.

단일 실행 파일 만들기

어떤 응용 프로그램이 어셈블리 10개로 구성된다고 하자. 하나는 주 실행 파일이고 나머지 9개는 참조 어셈블리 DLL이다. 이런 식으로 파일들을 나누면 설계

와 디버깅이 편하지만, 때에 따라서는 사용자가 어떤 설치 과정이나 파일 추출 과정을 수행할 필요 없이 그냥 "클릭하면 실행되는(click and run)" 하나의 실행 파일로 모든 것을 합치는 것이 바람직할 때도 있다. 그런 실행 파일을 만드는 방법은, 컴파일된 어셈블리 DLL들을 모두 주 실행 파일 프로젝트에 자원으로서 내장하고, 각 어셈블리 이진 이미지를 필요에 따라 적재하는 AssemblyResolve 이벤트 처리부를 주 프로그램에 추가하는 것이다. 다음이 그러한 주 실행 파일의 예이다.

```
using System;
using System.IO;
using System.Reflection;
using System.Collections.Generic;

public class Loader
{
  static Dictionary <string, Assembly> _libs
   = new Dictionary <string, Assembly>();

  static void Main()
  {
    AppDomain.CurrentDomain.AssemblyResolve += FindAssembly;
    Program.Go();
  }

  static Assembly FindAssembly (object sender, ResolveEventArgs args)
  {
    string shortName = new AssemblyName (args.Name).Name;
    if (_libs.ContainsKey (shortName)) return _libs [shortName];

    using (Stream s = Assembly.GetExecutingAssembly().
           GetManifestResourceStream ("Libs." + shortName + ".dll"))
    {
       byte[] data = new BinaryReader (s).ReadBytes ((int) s.Length);
       Assembly a = Assembly.Load (data);
       _libs [shortName] = a;
       return a;
    }
  }
}

public class Program
{
  public static void Go()
  {
    // 주 프로그램을 실행한다...
  }
}
```

Loader 클래스가 주 실행 파일에 정의되어 있으므로, Assembly.GetExecutingAssembly 호출은 항상 주 실행 파일 어셈블리를 돌려준다. 그리고 그 주 실행 파일 어셈블리에는 컴파일된 DLL들이 자원으로서 내장되어 있다. 이 예제에서는 내장된 각 자원 어셈블리의 이름에 "Libs."라는 접두사를 붙였다. Visual Studio IDE를 사용하는 경우에는 "Libs."를 프로젝트의 기본 이름공간으로 바꾸어야 할 것이다(프로젝트의 기본 이름공간은 프로젝트 속성 창의 '응용 프로그램' 탭의 '기본 네임스페이스' 항목에서 확인 또는 변경할 수 있다). 또한, IDE에서 주 프로젝트에 내장하는 각 DLL 파일의 '빌드 작업'을 '포함 리소스'로 설정해야 한다.

이 예제는 요청된 어셈블리들을 사전에 캐싱하는데, 이는 CLR이 같은 어셈블리를 다시 요청하는 경우 정확히 같은 어셈블리 객체를 돌려주기 위한 것이다. 그렇게 하지 않으면 어셈블리의 형식들이 이전에 적재된 어셈블리의 같은 형식들과 호환되지 않는다(이진 이미지들이 동일하다고 해도).

이와는 조금 다른 방식으로, 컴파일 시 참조 어셈블리들을 압축하고, 어셈블리 적재 시 FindAssembly에서 DeflateStream을 이용해서 압축을 해제할 수도 있다.

선택적 패치 적용

이번에는 실행 파일이 자동으로 자신을 갱신하는 기능을 구현한다고 하자(이를테면 네트워크 서버나 웹사이트에서 새 버전을 내려받아서). 실행 파일을 직접 새 버전으로 교체하는 것은 까다롭고 위험할 뿐만 아니라, 추가적인 파일 입출력 권한이 필요할 수도 있다(특히 프로그램을 *Program Files* 폴더에 설치한 경우). 멋진 우회책 하나는, 갱신된 라이브러리들을 격리된 저장소에 내려받고(각 라이브러리를 개별적인 DLL로서), FindAssembly에서 주 실행 파일의 자원으로부터 어셈블리를 적재하기 전에 먼저 격리된 저장소에 새 버전이 있는지 점검해서 새 버전이 있으면 그것을 적재하는 것이다. 이렇게 하면 원래의 실행 파일은 갱신할 필요가 없으며, 사용자의 컴퓨터에 불쾌한 찌꺼기 파일들을 남기지 않아도 된다. 어셈블리들에 강력한 이름을 부여했다면 보안 구멍도 생기지 않는다(그 어셈블리들을 컴파일 시 참조한다고 가정할 때). 그리고 뭔가가 잘못되었을 때 응용 프로그램을 즉시 원래의 상태로 되돌릴 수 있다. 그냥 격리된 저장소의 모든 파일을 삭제하면 된다.

참조되지 않은 어셈블리 다루기

컴파일 시 참조하지 않은 .NET 어셈블리를 명시적으로 적재하는 것이 유용한 때도 있다.

실행 파일 어셈블리를 그런 식으로 적재해서 실행하는 경우에는 그냥 현재 응용 프로그램 도메인에서 ExecuteAssembly를 호출하면 그만이다. ExecuteAssembly는 LoadFrom 의미론을 이용해서 실행 파일을 적재한 후 진입점 메서드를 호출한다(필요하다면 명령줄 인수들과 함께). 예를 들면 다음과 같다.

```
string dir = AppDomain.CurrentDomain.BaseDirectory;
AppDomain.CurrentDomain.ExecuteAssembly (Path.Combine (dir, "test.exe"));
```

ExecuteAssembly는 동기적으로 작동한다. 즉, 호출한 메서드는 호출된 어셈블리가 종료될 때까지 차단된다. 어셈블리를 비동기적으로 실행하려면 다른 스레드나 작업 객체에서 ExecuteAssembly를 호출해야 한다(제14장 참고).

그러나 대부분의 경우 적재하고자 하는 어셈블리는 라이브러리 어셈블리이다. 그런 경우에는 LoadFrom을 호출해서 어셈블리 객체를 얻은 후 반영 기능을 이용해서 원하는 형식을 사용하면 된다. 다음이 그러한 예이다.

```
string ourDir = AppDomain.CurrentDomain.BaseDirectory;
string plugInDir = Path.Combine (ourDir, "plugins");
Assembly a = Assembly.LoadFrom (Path.Combine (plugInDir, "widget.dll"));
Type t = a.GetType ("Namespace.TypeName");
object widget = Activator.CreateInstance (t);    // (제19장 참고)
...
```

이 예는 LoadFile 대신 LoadFrom를 사용하는데, 이는 *widget.dll*이 참조하는, 그리고 *widget.dll*과 같은 폴더에 있는 다른 전용 어셈블리들도 적재되게 하기 위한 것이다. 어셈블리를 적재한 후에는 형식 이름을 이용해서 어셈블리의 형식을 인스턴스화한다.

widget 인스턴스를 얻었다면 그 속성과 메서드를 호출하고 싶을 것이다. 이 역시 반영 기능을 이용하면 되는데, 자세한 방법은 다음 장에서 설명한다. 그보다 더 쉽고 빠른 접근방식은 그 인스턴스를 주 어셈블리와 적재된 어셈블리가 모두 이해하는 형식으로 캐스팅하는 것이다. 이를 위해, 공통 어셈블리에 그런 용도의 인터페이스를 정의해 두는 방법이 흔히 쓰인다.

```
public interface IPluggable
{
  void ShowAboutBox();
  ...
}
```

이런 인터페이스가 있으면 다음과 같은 코드가 가능하다.

```
Type t = a.GetType ("Namespace.TypeName");
IPluggable widget = (IPluggable) Activator.CreateInstance (t);
widget.ShowAboutBox();
```

WCF나 Remoting 서버에서 서비스를 동적으로 게시(publishing)할 때에도 이와 비슷한 시스템을 사용할 수 있다. 다음 예제는 노출하고자 하는 라이브러리들의 이름이 'Server'로 끝난다고 가정한다.

```
using System.IO;
using System.Reflection;
...
string dir = AppDomain.CurrentDomain.BaseDirectory;
foreach (string assFile in Directory.GetFiles (dir, "*Server.dll"))
{
  Assembly a = Assembly.LoadFrom (assFile);
  foreach (Type t in a.GetTypes())
    if (typeof (MyBaseServerType).IsAssignableFrom (t))
    {
      // 형식 t를 노출한다.
    }
}
```

그러나 이러한 소박한 구현에서는 누군가가 실수로 또는 불순한 의도로 잘못된 어셈블리를 추가하기가 아주 쉽다. 컴파일 시점에서 참조한 적이 없는 어셈블리의 경우, 실행시점에서 그 어셈블리의 신원을 점검하는 데 사용할 정보가 CLR에게 전혀 주어지지 않는다. 만일 프로그램이 적재하는 모든 어셈블리를 하나의 알려진 공개 키로 서명했다면, 해결책(잘못된 어셈블리의 추가를 막는)은 어셈블리 적재 전에 그 공개 키를 명시적으로 점검하는 것이다. 다음 예제는 모든 라이브러리가 실행 파일 어셈블리와 같은 키 쌍으로 서명되었다고 가정한다.

```
byte[] ourPK = Assembly.GetExecutingAssembly().GetName().GetPublicKey();

foreach (string assFile in Directory.GetFiles (dir, "*Server.dll"))
{
  byte[] targetPK = AssemblyName.GetAssemblyName (assFile).GetPublicKey();
  if (Enumerable.SequenceEqual (ourPK, targetPK))
  {
```

```
Assembly a = Assembly.LoadFrom (assFile);
...
```

AssemblyName을 이용하면 어셈블리를 실제로 적재하기 전에 그 공개 키를 점검할 수 있음을 주목하기 바란다. 이진 배열들의 상등 비교에는 LINQ의 SequenceEqual 메서드(System.Linq)를 사용했다.

19장

C# 6.0 in a Nutshell

반영과 메타자료

제18장에서 보았듯이, C# 프로그램 소스 코드를 컴파일하면 어셈블리가 만들어진다. 어셈블리는 컴파일된 코드와 메타자료(metadata), 그리고 기타 자원들로 구성된다. 컴파일된 코드와 메타자료를 실행시점에서 조사하는 것을 가리켜 **반영**(reflection)†이라고 한다.

어셈블리 안에 담긴 컴파일된 코드에는 원 소스 코드의 내용이 거의 다 들어 있다. 지역 변수 이름이나 주석, 전처리기 지시문 등의 일부 정보는 컴파일 과정에서 사라지지만, 그 나머지의 상당 부분은 반영 기능을 이용해서 접근할 수 있다. 실제로, 반영 기능을 이용해서 역컴파일러(decompiler)를 작성하는 것도 가능하다.

.NET Framework가 제공하는, 그리고 C#을 통해서 노출되는 여러 서비스(동적 바인딩, 직렬화, 자료 바인딩, Remoting 등)는 메타자료가 있어야 작동한다. 독자가 작성하는 프로그램 역시 메타자료를 활용할 수 있으며, 심지어는 커스텀 특성을 이용해서 메타자료에 새로운 정보를 추가할 수도 있다. 반영 API는 `System.Reflection` 이름공간에 들어 있다. `System.Reflection.Emit` 이름공간에 있는 클래스들을 이용하면 새 메타자료와 실행 가능한 IL(Intermediate Language; 중간 언어) 코드를 동적으로 생성하는 것도 가능하다.

† (옮긴이) reflection/반영反影은 빛이 반사되어 비침을 뜻한다. 지금 문맥에서 말하는 반영은 프로그램이 자신을 조사하는 것을 사람이 거울로 자신의 모습을 살펴보는 것에 비유한 용어이다. 또는 치과의 구강경(긴 막대 끝에 원형 거울이 달린 기구)으로 입안을 들여다보는 상황을 연상해도 될 것이다. reflection과 함께, "자신을 조사한다"는 뜻을 살린 self-inspection(자기 조사) 또는 줄여서 inspection이라는 용어도 종종 쓰인다.

이번 장의 예제들은 System과 System.Reflection, System.Reflection.Emit 이름공간이 이미 도입되어 있다고 가정한다.

이번 장에서 뭔가를 "동적으로" 수행한다는 것은 형식 안전성이 오직 실행시점에서만 강제되는 어떤 작업을 반영 기능을 이용해서 수행하는 것을 뜻한다. 구체적인 메커니즘과 기능성은 다르지만, 원칙적으로 이는 C#의 dynamic 키워드를 통한 **동적 바인딩**과 비슷하다.
둘을 비교하자면, 동적 바인딩이 반영 기능보다 훨씬 사용하기 쉽다. 그리고 동적 바인딩은 동적 언어 상호운용성을 위해 DLR(Dynamic Language Runtime)을 활용한다. 반영은 사용하기가 비교적 번거롭고, 오직 CLR만 고려한다. 그러나 CLR로 할 수 있는 것의 관점에서 본다면 좀 더 유연하다. 예를 들어 반영 기능을 이용해서 형식들과 멤버들의 목록을 얻을 수 있고, 형식의 이름을 문자열로 지정해서 그 인스턴스를 생성할 수 있으며, 즉석에서 어셈블리를 구축할 수 있다.

형식의 반영과 활성화

이번 절에서는 Type 객체를 얻어서 형식의 메타자료를 조사하고, 그것을 이용해서 객체를 동적으로 인스턴스화하는 방법을 살펴본다.

Type 객체 얻기

System.Type의 인스턴스는 형식의 메타자료를 대표한다. Type은 널리 쓰이는 형식이라서 System.Reflection 이름공간이 아니라 System 이름공간에 들어 있다.

System.Type의 인스턴스를 얻는 방법은 크게 두 가지이다. 하나는 임의의 객체에 대해 GetType을 호출하는 것이고, 또 하나는 C#의 typeof 연산자를 사용하는 것이다.

```
Type t1 = DateTime.Now.GetType();     // 실행시점에서 얻은 Type 객체
Type t2 = typeof (DateTime);          // 컴파일 시점에서 얻은 Type 객체
```

typeof 연산자는 배열 형식과 제네릭 형식도 지원한다.

```
Type t3 = typeof (DateTime[]);          // 1차원 Array 형식
Type t4 = typeof (DateTime[,]);         // 2차원 Array 형식
Type t5 = typeof (Dictionary<int,int>); // 닫힌 제네릭 형식
Type t6 = typeof (Dictionary<,>);       // 묶이지 않은 제네릭 형식
```

또한, 문자열 이름으로 Type 객체를 얻을 수도 있다. 형식이 속한 어셈블리에 대한 Assembly 객체가 있다면, 형식 이름으로 Assembly.GetType을 호출하면 된다(이에 대해서는 이번 장의 '어셈블리의 반영(p.1005)'에서 좀 더 설명하겠다).

```
Type t = Assembly.GetExecutingAssembly().GetType ("Demos.TestProgram");
```

Assembly 객체가 없는 경우에는 형식의 **어셈블리 한정 이름**을 통해서 그 형식을 대표하는 Type 객체(이하 간단히 형식 객체)를 얻을 수 있다. 어셈블리 한정 이름은 형식의 완전 한정 이름 다음에 어셈블리의 완전 한정 이름을 붙인 것이다. 이때 암묵적으로 해당 어셈블리가 Assembly.Load(string)을 호출했을 때와 마찬가지 방식으로 적재된다.

```
Type t = Type.GetType ("System.Int32, mscorlib, Version=2.0.0.0, " +
                       "Culture=neutral, PublicKeyToken=b77a5c561934e089");
```

System.Type 객체를 얻었다면 여러 속성을 통해서 형식의 이름, 어셈블리, 기반 형식, 가시성 등에 접근할 수 있다. 예를 들면 다음과 같다.

```
Type stringType = typeof (string);
string name     = stringType.Name;          // String
Type baseType   = stringType.BaseType;      // typeof(Object)
Assembly assem  = stringType.Assembly;      // mscorlib.dll
bool isPublic   = stringType.IsPublic;      // true
```

System.Type 인스턴스는 형식의 전체 메타자료로 가는 관문이라 할 수 있다. 또한, 형식이 정의되어 있는 어셈블리로의 접근 통로이기도 하다.

System.Type은 추상 클래스이므로, 형식 객체에 대한 typeof 연산자는 Type의 특정 파생 클래스의 인스턴스를 돌려준다. CLR은 RuntimeType이라는 Type의 파생 클래스를 사용하는데, 이 파생 클래스는 *mscorlib*의 내부 클래스이다.

TypeInfo와 Windows 스토어 앱

Windows 스토어 프로파일은 Type의 멤버들 대부분을 숨기고, 대신 TypeInfo라는 클래스를 통해서 그 멤버들을 노출한다. TypeInfo 인스턴스는 GetTypeInfo 메서드로 얻을 수 있다. 따라서, 앞의 예제를 Windows 스토어 앱에서 실행하려면 코드를 다음과 같이 수정해야 한다.

```
Type stringType = typeof(string);
string name = stringType.Name;
Type baseType = stringType.GetTypeInfo().BaseType;
Assembly assem = stringType.GetTypeInfo().Assembly;
bool isPublic = stringType.GetTypeInfo().IsPublic;
```

> 이번 장의 여러 예제 코드를 Windows 스토어 앱에서 실행하려면 이런 식으로 코드를 수정해야 한다. 달리 말하자면, 만일 어떤 예제가 멤버가 없다는 이유로 컴파일되지 않으면, Type 표현식에 .GetTypeInfo()를 추가해 보기 바란다.

TypeInfo는 보통의 .NET Framework에도 있다. 따라서 Windows 스토어 앱에서 실행되는 코드는 .NET Framework 4.5 이상을 대상으로 하는 데스크톱 응용 프로그램에서도 작동한다. TypeInfo는 멤버의 반영에 필요한 추가적인 속성들과 메서드들도 제공한다.

Windows 스토어 앱은 반영 기능이 제한적이다. 특히, Windows 스토어 앱에서는 형식의 비공용 멤버들에 접근할 수 없으며, System.Reflection.Emit 이름공간도 사용할 수 없다.

배열 형식 얻기

typeof가 배열 형식을 지원한다는 점은 앞에서 이미 말했다. 배열에 대한 형식 객체를 얻는 또 다른 방법은 **원소** 형식에 대해 MakeArrayType을 호출하는 것이다.

```
Type simpleArrayType = typeof (int).MakeArrayType();
Console.WriteLine (simpleArrayType == typeof (int[]));     // True
```

다차원 사각형 배열 형식을 만들려면 다음 예처럼 MakeArrayType을 호출할 때 차원 수를 지정하면 된다.

```
Type cubeType = typeof (int).MakeArrayType (3);       // 직육면체 형태
Console.WriteLine (cubeType == typeof (int[,,]));     // True
```

반대로, 배열 형식으로 그 원소 형식을 얻고 싶으면 GetElementType 메서드를 사용하면 된다.

```
Type e = typeof (int[]).GetElementType();     // e == typeof (int)
```

GetArrayRank 메서드는 직사각 배열의 차원 수를 돌려준다.

```
int rank = typeof (int[,,]).GetArrayRank();   // 3
```

중첩된 형식 얻기

중첩된 형식(nested type; 내포된 형식)에 대한 Type 객체를 얻으려면 바깥쪽 형식(포함하는 형식)에 대해 GetNestedTypes를 호출한다. 예를 들면 다음과 같다.

```
foreach (Type t in typeof (System.Environment).GetNestedTypes())
  Console.WriteLine (t.FullName);
```

출력:

```
System.Environment+SpecialFolder
```

Windows 스토어 앱에서는 다음과 같이 해야 한다.

```
foreach (TypeInfo t in typeof (System.Environment).GetTypeInfo()
                                              .DeclaredNestedTypes)
  Debug.WriteLine (t.FullName);
```

중첩된 형식을 다룰 때에는 CLR이 중첩된 형식의 접근성을 특별하게 취급한다는 점을 주의해야 한다. CLR은 중첩된 형식이 '중첩됨(nested)'이라는 특별한 접근 수준을 가진다고 간주한다. 다음은 이 점을 보여주는 예이다.

```
Type t = typeof (System.Environment.SpecialFolder);
Console.WriteLine (t.IsPublic);                      // False
Console.WriteLine (t.IsNestedPublic);                // True
```

형식 이름

형식 객체에는 Namespace와 Name, FullName이라는 속성이 있다. 대부분의 경우 FullName은 그 앞의 둘을 합친 것이다.

```
Type t = typeof (System.Text.StringBuilder);

Console.WriteLine (t.Namespace);      // System.Text
Console.WriteLine (t.Name);           // StringBuilder
Console.WriteLine (t.FullName);       // System.Text.StringBuilder
```

그러나 이 규칙에는 두 가지 예외가 있다. 바로, 중첩된 형식과 닫힌 제네릭 형식이다.

Type에는 또한 AssemblyQualifiedName이라는 속성도 있다. 이 속성은 FullName 다음에 쉼표와 어셈블리의 완전 한정 이름이 오는 문자열을 돌려준다. 이 문자열은 Type.GetType을 호출할 때 사용할 수 있는 이름과 같은 형태이며, 기본 적재 문맥†에서 형식을 고유하게 식별한다.

† (옮긴이) 이번 장에서 나중에 설명하는 반영 전용(reflection-only) 문맥이 아닌, 어셈블리를 보통의 방식으로 적재한 문맥을 말한다.

중첩된 형식 이름

중첩된 형식의 경우, 세 가지 이름 속성 중 중첩된 형식을 포함하는 형식의 이름이 있는 속성은 FullName뿐이다.

```
Type t = typeof (System.Environment.SpecialFolder);

Console.WriteLine (t.Namespace);      // System
Console.WriteLine (t.Name);           // SpecialFolder
Console.WriteLine (t.FullName);       // System.Environment+SpecialFolder
```

+ 기호는 그다음의 이름이 중첩된 이름공간이 아니라 이 형식을 포함하는 형식의 이름임을 말해준다.

제네릭 형식 이름

제네릭 형식 이름에는 ' 기호와 형식 매개변수 개수로 이루어진 접미사가 붙는다. 특정 형식에 묶이지 않은(unbound; 형식 매개변수들의 바인딩이 완료되지 않은) 제네릭 형식의 경우에는 Name과 FullName 모두에 그러한 접미사가 붙는다.

```
Type t = typeof (Dictionary<,>); // Unbound
Console.WriteLine (t.Name);      // Dictionary'2
Console.WriteLine (t.FullName);  // System.Collections.Generic.Dictionary'2
```

그러나 닫힌 제네릭 형식의 FullName에는(그리고 FullName에만) 각 형식 매개변수의 완전 한정 어셈블리 이름들로 이루어진 상당한 길이의 추가 문구가 붙는다.

```
Console.WriteLine (typeof (Dictionary<int,string>).FullName);
```

출력:

```
System.Collections.Generic.Dictionary'2[[System.Int32, mscorlib,
Version=2.0.0.0, Culture=neutral, PublicKeyToken=b77a5c561934e089],
[System.String, mscorlib, Version=2.0.0.0, Culture=neutral,
PublicKeyToken=b77a5c561934e089]]
```

이에 의해, AssemblyQualifiedName 속성(형식의 전체 이름과 어셈블리 이름의 조합)은 주어진 제네릭 형식과 그 형식 매개변수들을 완전히 식별하기에 충분한 정보를 담게 된다.

배열 형식과 포인터 형식 이름

배열 형식의 이름에는 typeof 표현식에 사용한 것과 동일한 접미사가 붙는다.

```
Console.WriteLine (typeof ( int[]  ).Name);      // Int32[]
Console.WriteLine (typeof ( int[,] ).Name);      // Int32[,]
Console.WriteLine (typeof ( int[,] ).FullName);  // System.Int32[,]
```

포인터 형식도 마찬가지이다.

```
Console.WriteLine (typeof (byte*).Name);     // Byte*
```

ref 및 out 매개변수 형식 이름

ref나 out 매개변수에 해당하는 형식의 이름에는 접미사 &가 붙는다.

```
Type t = typeof (bool).GetMethod ("TryParse").GetParameters()[1]
                                             .ParameterType;
Console.WriteLine (t.Name);    // Boolean&
```

이에 관해서는 '멤버의 반영과 호출(p.989)'에서 좀 더 이야기한다.

기반 형식과 인터페이스

Type은 현재 형식의 기반 형식에 대한 형식 객체를 돌려주는 BaseType이라는 속성을 제공한다.

```
Type base1 = typeof (System.String).BaseType;
Type base2 = typeof (System.IO.FileStream).BaseType;

Console.WriteLine (base1.Name);     // Object
Console.WriteLine (base2.Name);     // Stream
```

GetInterfaces 메서드는 현재 형식이 구현하는 인터페이스에 대한 형식 객체를 돌려준다.

```
foreach (Type iType in typeof (Guid).GetInterfaces())
  Console.WriteLine (iType.Name);
```

출력:

```
IFormattable
IComparable
IComparable'1
IEquatable'1
```

Type은 C#의 정적 is 연산자의 동적 버전에 해당하는 두 메서드를 제공한다.

IsInstanceOfType

주어진 인스턴스가 현재 형식의 한 인스턴스인지 판정한다.

IsAssignableFrom

주어진 형식과 현재 형식의 호환 여부를 판정한다.

다음은 IsInstanceOfType의 사용 예이다.

```
object obj  = Guid.NewGuid();
Type target = typeof (IFormattable);

bool isTrue   = obj is IFormattable;              // 정적 C# 연산자
bool alsoTrue = target.IsInstanceOfType (obj);   // 해당 동적 버전
```

IsAssignableFrom은 좀 더 유연하다.

```
Type target = typeof (IComparable), source = typeof (string);
Console.WriteLine (target.IsAssignableFrom (source));         // True
```

IsSubclassOf 메서드는 IsAssignableFrom과 같되, 인터페이스를 배제한다.

형식의 인스턴스화

Type 객체를 이용해서 해당 형식의 인스턴스를 동적으로 생성하는 방법은 두 가지이다.

- Type 객체를 인수로 해서 정적 Activator.CreateInstance 메서드를 호출한다.
- Type 객체의 GetConstructor 메서드를 호출해서 얻은 ConstructorInfo 객체에 대해 Invoke 메서드를 호출한다.

Activator.CreateInstance는 Type 객체 하나와 생성자에 전달할 임의의 개수의 인수들(생략 가능)을 받는다.

```
int i = (int) Activator.CreateInstance (typeof (int));

DateTime dt = (DateTime) Activator.CreateInstance (typeof (DateTime),
                                                   2000, 1, 1);
```

CreateInstance 메서드에는 형식을 적재할 어셈블리나 대상 응용 프로그램 도메인, 비공용 생성자 바인딩 여부 등을 지정할 수 있는 다양한 중복적재 버전들이 있다. 만일 런타임이 적절한 생성자를 찾지 못하면 MissingMethodException 예외가 발생한다.

인수 값들만으로는 중복적재된 생성자들의 중의성을 해소할 수 없는 경우에는 둘째 방법, 즉 ConstructorInfo 객체에 대해 Invoke를 호출하는 방법이 필

수이다. 예를 들어 X라는 클래스에 생성자가 두 개 있는데 하나는 string 형식의 인수를 받고 다른 하나는 StringBuilder 형식의 인수를 받는다고 하자. 만일 Activator.CreateInstance에 추가 인수로 null을 지정하면 두 생성자 모두 유효하므로 중의성이 발생한다. 이런 경우 다음처럼 ConstructorInfo를 사용해서 특정 생성자를 명시적으로 사용할 필요가 있다.

```
// string 형식의 매개변수 하나가 있는 생성자를 가져온다.
ConstructorInfo ci = typeof (X).GetConstructor (new[] { typeof (string) });

// 그 생성자에 null을 전달해서 객체를 생성한다.
object foo = ci.Invoke (new object[] { null });
```

Windows 스토어 앱에서는 다음과 같이 해야 한다.

```
ConstructorInfo ci = typeof (X).GetTypeInfo().DeclaredConstructors
  .FirstOrDefault (c =>
     c.GetParameters().Length == 1 &&
     c.GetParameters()[0].ParameterType == typeof (string));
```

비공용 생성자에 접근하려면 적절한 BindingFlags 인수를 지정해야 하는데, 이에 관해서는 이번 장의 '멤버의 반영과 호출(p.989)' 중 '비공용 멤버 접근(p.1000)'을 보기 바란다.

> 동적 인스턴스화로 객체를 생성하면 정적 인스턴스화보다 몇 마이크로초가 더 걸린다. 보통의 경우 CLR이 객체의 인스턴스화를 아주 빠르게 수행한다는 점에서(작은 클래스에 대한 간단한 new는 수십 분의 1나노초 수준이다), 이는 상대적으로 꽤 긴 시간이다.

요소 형식으로 배열을 동적으로 인스턴스화하려면 먼저 MakeArrayType을 호출해서 배열 형식을 얻은 후 앞에서처럼 진행하면 된다. 제네릭 형식의 동적 인스턴스화도 가능한데, 이에 관해서는 다음 절에서 설명하겠다.

대리자를 동적으로 인스턴스화할 때에는 Delegate.CreateDelegate를 호출한다. 다음 예제에서 보듯이, 인스턴스 대리자뿐만 아니라 정적 대리자도 동적으로 인스턴스화할 수 있다.

```
class Program
{
  delegate int IntFunc (int x);

  static int Square (int x) { return x * x; }       // 정적 메서드
  int        Cube   (int x) { return x * x * x; }   // 인스턴스 메서드
```

```
    static void Main()
    {
      Delegate staticD = Delegate.CreateDelegate
        (typeof (IntFunc), typeof (Program), "Square");

      Delegate instanceD = Delegate.CreateDelegate
        (typeof (IntFunc), new Program(), "Cube");

      Console.WriteLine (staticD.DynamicInvoke (3));      // 9
      Console.WriteLine (instanceD.DynamicInvoke (3));    // 27
    }
  }
```

이 예제처럼 반환된 Delegate 객체의 DynamicInvoke를 호출하는 대신, 다음처럼 그 객체를 적절한 대리자 형식으로 캐스팅해서 호출할 수도 있다.

```
IntFunc f = (IntFunc) staticD;
Console.WriteLine (f(3));         // 9 (이 방법이 훨씬 빠르다!)
```

메서드 이름 대신 MethodInfo 객체로 CreateDelegate를 호출할 수 있다. MethodInfo는 잠시 후의 '멤버의 반영과 호출(p.989)'에서 설명한다. 거기서 동적으로 생성한 대리자를 다시 정적 대리자 형식으로 캐스팅하는 이유도 알게 될 것이다.

제네릭 형식의 인스턴스화

Type은 닫힌 제네릭 형식과 묶이지 않은 제네릭 형식도 대표한다. 컴파일 시점에서처럼, 닫힌 제네릭 형식은 인스턴스화할 수 있지만 묶이지 않은 제네릭 형식은 그렇지 않다.

```
Type closed = typeof (List<int>);
List<int> list = (List<int>) Activator.CreateInstance (closed);  // OK

Type unbound   = typeof (List<>);
object anError = Activator.CreateInstance (unbound);    // 실행시점 오류
```

묶이지 않은 제네릭 형식을 닫힌 제네릭 형식으로 변환하려면 MakeGenericType 메서드를 사용한다. 원하는 형식 인수들을 지정해서 호출하면 된다.

```
Type unbound = typeof (List<>);
Type closed = unbound.MakeGenericType (typeof (int));
```

GetGenericTypeDefinition 메서드는 그 반대의 일을 한다.

```
Type unbound2 = closed.GetGenericTypeDefinition();  // unbound == unbound2
```

IsGenericType 속성은 만일 Type 객체가 제네릭 형식을 대표하면 true를 돌려준다. 그런 경우 IsGenericTypeDefinition 속성은 만일 그 제네릭 형식이 묶이지 않은 제네릭이면 true를 돌려준다. 다음은 주어진 형식이 널 가능 값 형식인지 판정하는 방법을 보여주는 예이다.

```
Type nullable = typeof (bool?);
Console.WriteLine (
  nullable.IsGenericType &&
  nullable.GetGenericTypeDefinition() == typeof (Nullable<>));   // True
```

GetGenericArguments 메서드는 닫힌 제네릭 형식의 형식 인수들을 돌려준다.

```
Console.WriteLine (closed.GetGenericArguments()[0]);     // System.Int32
Console.WriteLine (nullable.GetGenericArguments()[0]);   // System.Boolean
```

묶이지 않은 제네릭 형식의 경우 GetGenericArguments는 제네릭 형식의 정의에 지정된 자리표 형식들에 해당하는 유사 형식 객체들을 돌려준다.

```
Console.WriteLine (unbound.GetGenericArguments()[0]);      // T
```

실행시점에서 모든 제네릭 형식은 **묶이지 않은** 제네릭 아니면 **닫힌** 제네릭이다. 묶이지 않은 제네릭은 typeof(Foo<>) 같은 (비교적 드문) 표현식에 해당하며, 그 외의 제네릭 형식은 닫힌 제네릭이다. 실행시점에서 **열린** 제네릭 형식 같은 것은 없다. 모든 열린 형식은 컴파일러가 닫기 때문이다. 다음 클래스의 메서드는 항상 False를 출력한다.

```
class Foo<T>
{
  public void Test()
  {
    Console.Write (GetType().IsGenericTypeDefinition);
  }
}
```

멤버의 반영과 호출

GetMembers 메서드는 현재 형식의 멤버들을 돌려준다. 다음과 같은 클래스가 있다고 하자.

```
class Walnut
{
  private bool cracked;
  public void Crack() { cracked = true; }
}
```

다음은 이 클래스의 공용 멤버들을 파악하는 예이다.

```
MemberInfo[] members = typeof (Walnut).GetMembers();
foreach (MemberInfo m in members)
  Console.WriteLine (m);
```

결과는 다음과 같다.

```
Void Crack()
System.Type GetType()
System.String ToString()
Boolean Equals(System.Object)
Int32 GetHashCode()
Void .ctor()
```

TypeInfo를 이용한 멤버 조사

TypeInfo를 이용한 멤버 반영은 GetMembers를 이용한 멤버 반영과 방식이 조금 다르다(그리고 좀 더 간단하다). .NET Framework 4.5 대상 응용 프로그램에서는 TypeInfo가 선택 사항일 뿐이지만, GetMembers 메서드에 해당하는 수단이 없는 Windows 스토어 앱에서는 TypeInfo가 필수이다.

TypeInfo는 배열을 돌려주는 GetMembers 같은 메서드 대신 IEnumerable<T>(흔히 LINQ 질의를 통해서 소비하는)를 돌려주는 **속성**들을 제공한다. 가장 다양한 결과를 제공하는 속성은 DeclaredMembers이다.

```
IEnumerable<MemberInfo> members =
  typeof(Walnut).GetTypeInfo().DeclaredMembers;
```

GetMembers 메서드와는 달리, 이 속성이 돌려주는 결과에 상속된 멤버들은 포함되지 않는다.

```
Void Crack()
Void .ctor()
Boolean cracked
```

TypeInfo는 또한 특정 종류의 멤버들을 돌려주는 속성들(DeclaredProperties, DeclaredMethods, DeclaredEvents 등)과 이름으로 특정 멤버에 접근할 수 있는 메서드(GetDeclaredMethod 등)도 제공한다. 후자의 메서드들은 중복적재된 메서드에는 사용할 수 없다(매개변수 형식들을 지정할 방법이 없기 때문). 대신 다음처럼 DeclaredMethods에 대해 LINQ 질의를 실행해야 한다.

```
MethodInfo method = typeof (int).GetTypeInfo().DeclaredMethods
```

```
    .FirstOrDefault (m => m.Name == "ToString" &&
                          m.GetParameters().Length == 0);
```

아무 인수 없이 GetMembers를 호출하면 현재 형식(그리고 그 기반 형식들의)의 모든 공용 멤버가 반환된다. GetMember는 주어진 이름에 해당하는 특정한 하나의 멤버를 조회하는데, 멤버가 중복적재되었을 수도 있기 때문에 반환값은 배열이다.

```
MemberInfo[] m = typeof (Walnut).GetMember ("Crack");
Console.WriteLine (m[0]);                          // Void Crack()
```

MemberInfo에는 MemberType이라는 속성도 있다. 이 속성의 형식은 다음과 같은 값들이 정의된 플래그 열거형 MemberTypes이다.

```
All            Custom     Field      NestedType     TypeInfo
Constructor    Event      Method     Property
```

GetMembers 호출 시 특정 MemberTypes 값을 지정해서 그에 해당하는 종류의 멤버들만 얻을 수도 있다. 아니면 GetMethods나 GetFields, GetProperties, GetEvents, GetConstructors, GetNestedTypes 같은 구체적인 메서드를 호출해서 해당 종류의 멤버들만 얻는 것도 가능하다. 이 메서드들에는 특정한 하나의 멤버만 조회하는, 메서드 이름이 단수인 버전도 존재한다.

형식의 멤버를 조회할 때에는 최대한 구체적으로 멤버를 지정하는 것이 도움이 된다. 그렇게 하면 나중에 새 멤버가 추가되어도 코드가 망가지지 않기 때문이다. 예를 들어 이름으로 메서드 하나를 조회할 때 모든 매개변수 형식을 지정하면(관련 예제가 잠시 후의 '메서드 매개변수(p.997)'에 나온다) 나중에 그 메서드가 중복적재되어도 코드가 여전히 잘 작동한다.

MemberInfo 객체에는 멤버 이름을 돌려주는 Name 속성과, Type 형식의 객체를 돌려주는 다음 두 속성이 있다.

DeclaringType

현재 멤버를 정의하는 형식에 대한 Type 객체를 돌려준다.

ReflectedType

GetMembers를 호출한 객체의 형식에 대한 Type 객체를 돌려준다.

기반 형식에 정의되어 있는 멤버에 대한 MemberInfo 객체의 경우 이 두 속성이 다르다. 그런 경우 DeclaringType은 기반 형식에 해당하는 Type 객체를 돌려주지만, ReflectedType은 파생 형식에 해당하는 Type 객체를 돌려준다. 다음은 이 점을 보여주는 예이다.

```
class Program
{
  static void Main()
  {
    // MethodInfo는 MemberInfo의 한 파생 클래스이다(그림 19-1 참고).

    MethodInfo test = typeof (Program).GetMethod ("ToString");
    MethodInfo obj  = typeof (object) .GetMethod ("ToString");

    Console.WriteLine (test.DeclaringType);      // System.Object
    Console.WriteLine (obj.DeclaringType);       // System.Object

    Console.WriteLine (test.ReflectedType);      // Program
    Console.WriteLine (obj.ReflectedType);       // System.Object

    Console.WriteLine (test == obj);             // False
  }
}
```

test 객체와 obj 객체는 ReflectedType이 다르므로 상등이 아니다. 그러나 그러한 차이는 반영 API 수준에서만 의미가 있다. 바탕 형식 체계에서 Program 클래스의 ToString 메서드 자체는 여전히 하나뿐이다. 두 MethodInfo 객체가 사실은 같은 ToString 메서드를 지칭한다는 점을 다음 두 가지 방식으로 확인할 수 있다.

```
Console.WriteLine (test.MethodHandle == obj.MethodHandle);    // True

Console.WriteLine (test.MetadataToken == obj.MetadataToken    // True
                   && test.Module == obj.Module);
```

MethodHandle 속성은 한 응용 프로그램 도메인 안의 모든 메서드에 대해 고유하고, MetadataToken 속성은 한 어셈블리 모듈 안의 모든 형식과 멤버에 대해 고유하다.

MemberInfo에는 또한 커스텀 특성을 돌려주는 메서드들도 정의되어 있다(이번 장의 '실행시점에서 특성 조회(p.1011)' 참고).

현재 실행 중인 메서드의 MethodBase 객체는 MethodBase.GetCurrentMethod 메서드로 얻을 수 있다.

멤버 정보 형식

MemberInfo 자체는 하나의 추상 기반 클래스일 뿐이다. 구체적인 멤버의 정보를 실제로 제공하는 것은 그림 19-1에 나온 이 클래스의 파생 클래스들이다.

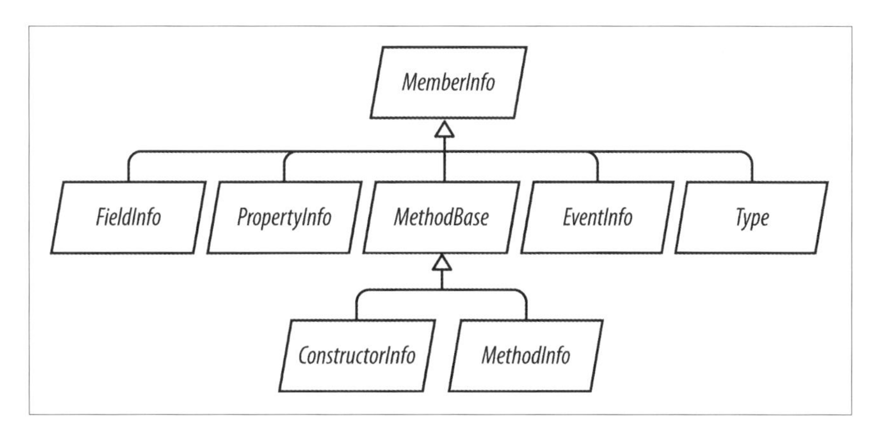

그림 19-1 멤버 정보 형식들

GetMembers 등으로 얻은 MemberInfo 객체는 그 MemberType 속성에 맞게 구체적인 파생 형식으로 캐스팅해서 사용할 수 있다. 단, GetMethod나 GetField, GetProperty, GetEvent, GetConstructor, GetNestedType(그리고 이름이 복수인 버전들)으로 얻은 객체는 캐스팅할 필요가 없다. 표 19-1은 C#의 각 언어 요소에 해당하는 메서드를 정리한 것이다.

표 19-1 멤버 메타자료 조회

C# 요소	사용할 메서드	인수	결과
메서드	GetMethod	(메서드 이름)	MethodInfo
속성	GetProperty	(속성 이름)	PropertyInfo
인덱서	GetDefaultMembers		MemberInfo[](C#으로 컴파일된 경우에는 PropertyInfo 객체들을 담고 있음)
필드	GetField	(필드 이름)	FieldInfo
열거형 멤버	GetField	(멤버 이름)	FieldInfo
이벤트	GetEvent	(이벤트 이름)	EventInfo
생성자	GetConstructor		ConstructorInfo
종료자	GetMethod	"Finalize"	MethodInfo
연산자	GetMethod	"op_" + 연산자 이름	MethodInfo
중첩된 형식	GetNestedType	(형식 이름)	Type

MemberInfo의 각 파생 클래스에는 다양한 속성과 메서드가 있으며, 이들을 통해서 멤버의 메타자료의 모든 측면에 접근할 수 있다. 이를테면 멤버의 가시성, 수정자, 매개변수, 제네릭 형식 인수, 반환 형식, 커스텀 특성들을 알아낼 수 있다.

다음은 GetMethod 메서드를 사용하는 예제이다.

```
MethodInfo m = typeof (Walnut).GetMethod ("Crack");
Console.WriteLine (m);                                // Void Crack()
Console.WriteLine (m.ReturnType);                     // System.Void
```

반영 API는 처음 사용되는 모든 *Info 인스턴스를 캐시에 저장한다.

```
MethodInfo method = typeof (Walnut).GetMethod ("Crack");
MemberInfo member = typeof (Walnut).GetMember ("Crack") [0];

Console.Write (method == member);       // True
```

이러한 캐시는 객체의 신원 유지는 물론 성능에도 도움이 된다. 만일 캐시가 없었다면 반영 API는 상당히 느린 API가 되었을 것이다.

C# 멤버 대 CLR 멤버

표 19-1에서 보듯이 C#의 기능 요소들과 CLR의 요소들이 일대일로 대응되지는 않는다. CLR과 반영 API가 C#만이 아니라 모든 .NET 언어를 염두에 두고 설계된 것이라는 점을 생각하면 당연하다. 심지어 Visual Basic에서도 반영 기능을 사용할 수 있다.

CLR의 관점에서 C#의 인덱서, 열거형, 연산자, 종료자는 다른 무언가로 번역되는 2차적인 존재이다. 좀 더 구체적으로 말하면 다음과 같다.

- C# 인덱서는 하나 이상의 인수들을 받는, 그리고 해당 형식에서 [DefaultMember] 특성이 부여된 하나의 속성으로 번역된다.
- C# 열거형은 열거형 멤버마다 정적 필드가 있는 System.Enum 파생 형식으로 번역된다.
- C# 연산자는 "op_"로 시작하는 특별한 이름을 가진 정적 메서드(이를테면 "op_Addition")로 번역된다.
- C# 종료자는 Object의 Finalize를 재정의하는 메서드로 정의된다.

게다가 속성과 이벤트 자체도 다음 두 요소로 구성되는 복합적인 존재라서 사정이 더욱 복잡해진다.

- 속성 또는 이벤트를 서술하는 메타자료(PropertyInfo 또는 EventInfo로 캡슐화된)
- 하나 또는 두 개의 바탕 메서드

C# 프로그램에서 바탕 메서드들은 속성 또는 이벤트의 정의 자체에 포함된다. 그러나 이를 IL로 컴파일하면 그 메서드들은 다른 메서드와 마찬가지 방식으로 호출할 수 있는 보통의 메서드로 변한다. 이 때문에 GetMethods는 보통의 메서드뿐만 아니라 속성이나 이벤트의 바탕 메서드들도 돌려준다. 다음은 이 점을 보여주는 예이다.

```
class Test { public int X { get { return 0; } set {} } }

void Demo()
{
  foreach (MethodInfo mi in typeof (Test).GetMethods())
    Console.Write (mi.Name + "  ");
}
```

출력:

get_X **set_X** GetType ToString Equals GetHashCode

특별한 바탕 메서드들은 MethodInfo의 IsSpecialName 속성으로 식별할 수 있다. 만일 IsSpecialName 속성이 true이면 그 메서드는 속성이나 인덱서, 이벤트, 연산자를 위한 메서드인 것이다. IsSpecialName 속성은 보통의 C# 메서드와 Finalize 메서드(종료자가 정의되어 있는 경우)에 대해서만 false를 돌려준다.

다음은 C# 컴파일러가 생성하는 바탕 메서드들이다.

C# 언어 요소	멤버 형식	IL의 메서드
속성	Property	get_*XXX*와 set_*XXX*
인덱서	Property	get_Item과 set_Item
이벤트	Event	add_*XXX*와 remove_*XXX*

각 바탕 메서드에는 그와 연관된 MethodInfo 객체가 있다. 다음은 그 객체들에 접근하는 방법을 보여주는 예이다.

```
PropertyInfo pi = typeof (Console).GetProperty ("Title");
MethodInfo getter = pi.GetGetMethod();                   // get_Title
MethodInfo setter = pi.GetSetMethod();                   // set_Title
MethodInfo[] both = pi.GetAccessors();                   // Length==2
```

이벤트의 경우에는 EventInfo의 GetAddMethod, GetRemoveMethod 메서드를 사용하면 된다.

반대 방향으로 가려면, 즉 MethodInfo 객체에서 해당 PropertyInfo나 EventInfo 객체를 얻으려면 질의를 수행해야 한다. 그런 용도로 LINQ가 이상적이다.

```
PropertyInfo p = mi.DeclaringType.GetProperties()
                   .First (x => x.GetAccessors (true).Contains (mi));
```

제네릭 형식 멤버

닫힌 제네릭 형식뿐만 아니라 묶이지 않은 제네릭 형식의 멤버에 대한 메타자료도 얻을 수 있다.

```
PropertyInfo unbound = typeof (IEnumerator<>)  .GetProperty ("Current");
PropertyInfo closed = typeof (IEnumerator<int>).GetProperty ("Current");

Console.WriteLine (unbound);   // T Current
Console.WriteLine (closed);    // Int32 Current

Console.WriteLine (unbound.PropertyType.IsGenericParameter);  // True
Console.WriteLine (closed.PropertyType.IsGenericParameter);   // False
```

닫힌 제네릭 형식과 묶이지 않은 제네릭 형식의 멤버에 대한 MemberInfo 객체들은 항상 서로 구분된다. 심지어 서명에 제네릭 형식 매개변수가 없는 멤버들에 대해서도 그렇다.

```
PropertyInfo unbound = typeof (List<>)  .GetProperty ("Count");
PropertyInfo closed = typeof (List<int>).GetProperty ("Count");

Console.WriteLine (unbound);   // Int32 Count
Console.WriteLine (closed);    // Int32 Count

Console.WriteLine (unbound == closed);   // False

Console.WriteLine (unbound.DeclaringType.IsGenericTypeDefinition); // True
Console.WriteLine (closed.DeclaringType.IsGenericTypeDefinition);  // False
```

묶이지 않은 제네릭 형식의 멤버는 동적으로 호출할 수 없다.

멤버의 동적 호출

MethodInfo나 PropertyInfo, FieldInfo 객체를 얻었다면 동적으로 해당 멤버를 호출하거나 그 값을 설정/조회할 수 있다. 어떤 멤버를 호출할 것인지를 컴파일 시점이 아니라 실행시점에서 선택한다는 점에서, 이를 **동적 바인딩**(dynamic binding) 또는 **늦은 바인딩**(late binding)이라고 부른다.

이해를 돕는 예로, 다음은 보통의 **정적 바인딩**(static binding)에 해당한다.

```
string s = "Hello";
int length = s.Length;
```

다음은 같은 일을 반영 기능을 이용해서 동적으로 수행하는 예이다.

```
object s = "Hello";
PropertyInfo prop = s.GetType().GetProperty ("Length");
int length = (int) prop.GetValue (s, null);              // 5
```

GetValue와 SetValue는 PropertyInfo나 FieldInfo의 값을 조회 또는 설정한다. 첫 인수는 인스턴스인데, 정적 멤버의 경우에는 null을 지정하면 된다. 인덱서에 접근하는 것은 "Item"이라는 이름의 속성에 접근하는 것과 같다. 단, GetValue나 SetValue를 호출할 때 둘째 인수로 인덱서 값을 제공해야 한다는 점이 다르다.

메서드를 동적으로 호출할 때에는 해당 MethodInfo 객체에 대해 Invoke 메서드를 호출한다. 이때 메서드에 전달할 인수들의 배열을 지정한다. 그 인수들 중에 형식이 잘못된 것이 하나라도 있으면 CLR이 예외를 던진다. 동적 호출에는 컴파일 시점 형식 안전성이 적용되지 않지만, 실행시점 형식 안전성은 여전히 적용된다(dynamic 키워드에서와 마찬가지이다).

메서드 매개변수

string의 Substring 메서드를 동적으로 호출한다고 하자. 먼저, 정적으로 호출할 때에는 그냥 다음과 같이 하면 된다.

```
Console.WriteLine ("stamp".Substring(2));                // "amp"
```

다음은 이를 반영 기능을 이용해서 동적으로 수행하는 예이다.

```
Type type = typeof (string);
Type[] parameterTypes = { typeof (int) };
MethodInfo method = type.GetMethod ("Substring", parameterTypes);

object[] arguments = { 2 };
object returnValue = method.Invoke ("stamp", arguments);
Console.WriteLine (returnValue);                         // "amp"
```

Substring은 중복적재되어 있기 때문에, 이 예제에서 GetMethod 호출 시 매개변수 형식들의 배열을 지정해서 특정 중복적재 버전을 선택해야 했다. 매개변수 형식들을 지정하지 않으면 GetMethod가 AmbiguousMatchException 예외를 던질 수 있다.

MethodBase(MethodInfo와 ConstructorInfo의 기반 클래스)에 정의된 GetParameters 메서드는 매개변수 메타자료를 돌려준다. 앞의 예제를 이어서, 다음은 Substring의 매개변수들에 대한 정보를 얻는 예이다.

```
ParameterInfo[] paramList = method.GetParameters();
foreach (ParameterInfo x in paramList)
{
  Console.WriteLine (x.Name);                // startIndex
  Console.WriteLine (x.ParameterType);       // System.Int32
}
```

ref 및 out 매개변수 다루기

메서드를 동적으로 호출할 때 ref나 out 매개변수를 넘겨 주려면 메서드에 대한 메타자료를 얻기 전에 해당 매개변수 형식에 대해 MakeByRefType을 호출하는 과정이 필요하다. 예를 들어 다음과 같은 정적 호출 코드가 있다고 할 때,

```
int x;
bool successfulParse = int.TryParse ("23", out x);
```

이를 동적으로 수행하려면 다음과 같이 하면 된다.

```
object[] args = { "23", 0 };
Type[] argTypes = { typeof (string), typeof (int).MakeByRefType() };
MethodInfo tryParse = typeof (int).GetMethod ("TryParse", argTypes);
bool successfulParse = (bool) tryParse.Invoke (null, args);

Console.WriteLine (successfulParse + " " + args[1]);       // True 23
```

이 예제는 out 매개변수에 관한 것이었지만, ref 매개변수도 마찬가지로 처리하면 된다.

제네릭 메서드의 조회와 호출

중복적재된 메서드의 중의성을 해소하려면 GetMethod 호출 시 매개변수 형식들을 명시적으로 지정해야 할 필요가 있다. 그런데 제네릭 매개변수 형식들은 그

런 식으로 지정할 수 없다. 예를 들어 System.Linq.Enumerable 클래스의 Where 메서드를 생각해 보자. 이 메서드는 다음과 같이 중복적재되어 있다.

```
public static IEnumerable<TSource> Where<TSource>
 (this IEnumerable<TSource> source, Func<TSource, bool> predicate);

public static IEnumerable<TSource> Where<TSource>
 (this IEnumerable<TSource> source, Func<TSource, int, bool> predicate);
```

특정한 하나의 중복적재 버전에 접근하려면 모든 버전을 조회해서 그중 하나를 직접 찾아내야 한다. 다음은 첫 버전을 조회하는 질의이다.

```
from m in typeof (Enumerable).GetMethods()
where m.Name == "Where" && m.IsGenericMethod
let parameters = m.GetParameters()
where parameters.Length == 2
let genArg = m.GetGenericArguments().First()
let enumerableOfT = typeof (IEnumerable<>).MakeGenericType (genArg)
let funcOfTBool = typeof (Func<,>).MakeGenericType (genArg, typeof (bool))
where parameters[0].ParameterType == enumerableOfT
   && parameters[1].ParameterType == funcOfTBool
select m
```

이 질의에 대해 .Single()을 호출하면 묶이지 않은 형식 매개변수들이 있는 정확한 MethodInfo 객체가 반환된다. 다음으로 할 일은 MakeGenericMethod를 호출해서 형식 매개변수들을 닫는 것이다.

```
var closedMethod = unboundMethod.MakeGenericMethod (typeof (int));
```

이 경우에는 TSource에 int를 지정해서 메서드를 닫았다. 이제 sourc 매개변수가 IEnumerable<int> 형식이고 predicate 매개변수가 Func<int,bool> 형식인 Enumerable.Where를 호출할 수 있다. 우선 해당 인수들을 준비한다.

```
int[] source = { 3, 4, 5, 6, 7, 8 };
Func<int, bool> predicate = n => n % 2 == 1;   // 홀수들만 선택한다.
```

마지막으로, 닫힌 제네릭 메서드를 다음과 같이 호출한다.

```
var query = (IEnumerable<int>) closedMethod.Invoke
  (null, new object[] { source, predicate });

foreach (int element in query) Console.Write (element + "|");  // 3|5|7|
```

System.Linq.Expressions API를 이용해서 표현식을 동적으로 구축한다면(제8장 참고) 제네릭 메서드를 이처럼 번거로운 방식으로 지정할 필요가 없다. 호출하고자 하는 메서드의 닫힌 제네릭 형식 인수들을 받는 Expression.Call 메서드 중복적재 버전을 사용하면 그만이다.

```
int[] source = { 3, 4, 5, 6, 7, 8 };
Func<int, bool> predicate = n => n % 2 == 1;

var sourceExpr = Expression.Constant (source);
var predicateExpr = Expression.Constant (predicate);

var callExpression = Expression.Call (
  typeof (Enumerable), "Where",
  new[] { typeof (int) },  // 닫힌 제네릭 매개변수 형식
  sourceExpr, predicateExpr);
```

대리자를 이용한 성능 향상

동적 호출은 상대적으로 비효율적이다. 호출당 추가부담은 보통 몇 마이크로초 정도이다. 루프에서 메서드를 여러 번 호출하는 경우, 원하는 동적 메서드를 가리키는 대리자를 동적으로 인스턴스화해서 사용함으로써 호출당 추가부담을 몇 나노초 수준으로 줄일 수 있다. 다음은 string의 Trim 메서드를 큰 추가부담 없이 동적으로 백만 번 호출하는 예이다.

```
delegate string StringToString (string s);

static void Main()
{
  MethodInfo trimMethod = typeof (string).GetMethod ("Trim", new Type[0]);
  var trim = (StringToString) Delegate.CreateDelegate
                                (typeof (StringToString), trimMethod);
  for (int i = 0; i < 1000000; i++)
    trim ("test");
}
```

이 방법이 빠른 것은 동적 바인딩(굵은 글씨)이 루프 밖에서 단 한 번만 일어나기 때문이다.

비공용 멤버 접근

형식의 메타자료에 접근하는 데 쓰이는 모든 메서드(GetProperty, GetField 등)에는 BindingFlags 열거형을 받도록 중복적재된 버전이 존재한다. 이 열거형은 기본적인 검색 조건을 변경하는 일종의 메타자료 필터로 쓰인다. 가장 흔한 용

또는 비공용(nonpublic) 멤버들만 조회하는 것이다(데스크톱 응용 프로그램에서만 가능하다).

한 예로, 다음과 같은 클래스를 생각해 보자.

```
class Walnut
{
  private bool cracked;
  public void Crack() { cracked = true; }

  public override string ToString() { return cracked.ToString(); }
}
```

다음은 호두(walnut)를 까지 않은 상태로 되돌리는 예이다.

```
Type t = typeof (Walnut);
Walnut w = new Walnut();
w.Crack();
FieldInfo f = t.GetField ("cracked", BindingFlags.NonPublic |
                                     BindingFlags.Instance);
f.SetValue (w, false);
Console.WriteLine (w);         // False
```

반영을 이용해서 비공용 멤버에 접근하는 것은 강력하지만 위험한 일임을 기억하기 바란다. 이런 접근은 캡슐화를 우회하므로, 한 형식의 내부 구현에 대한 의존성이 감당할 수 없을 정도로 큰 코드가 만들어질 수 있다.

BindingFlags 열거형

BindingFlags의 멤버들은 비트별 연산으로 조합해서 쓰도록 설계되었다. 어떤 조합을 원하든, 일단은 다음과 같은 기본적인 조합 중 하나로 시작해야 한다.

```
BindingFlags.Public    | BindingFlags.Instance
BindingFlags.Public    | BindingFlags.Static
BindingFlags.NonPublic | BindingFlags.Instance
BindingFlags.NonPublic | BindingFlags.Static
```

NonPublic은 internal, protected, protected internal, private를 포함한다.

다음 예제는 object 형식의 모든 공용(public) 정적(static) 멤버를 조회한다.

```
BindingFlags publicStatic = BindingFlags.Public | BindingFlags.Static;
MemberInfo[] members = typeof (object).GetMembers (publicStatic);
```

다음은 object 형식의 모든 비공용 정적 멤버와 비공용 인스턴스를 조회하는 예이다.

```
BindingFlags nonPublicBinding =
  BindingFlags.NonPublic | BindingFlags.Static | BindingFlags.Instance;

MemberInfo[] members = typeof (object).GetMembers (nonPublicBinding);
```

DeclaredOnly 플래그는 기반 형식에서 상속된 메서드들을 제외한다. 단, 현재 형식이 재정의한 메서드들은 포함된다.

DeclaredOnly 플래그는 다소 혼동의 여지가 있다. 결과 집합을 **확장**하는 BindingFlags의 다른 플래그들과는 달리 이 플래그는 결과 집합을 **제한**한다.

제네릭 메서드

제네릭 메서드는 직접 호출할 수 없다. 다음 예제 코드는 예외를 던진다.

```
class Program
{
  public static T Echo<T> (T x) { return x; }

  static void Main()
  {
    MethodInfo echo = typeof (Program).GetMethod ("Echo");
    Console.WriteLine (echo.IsGenericMethodDefinition);    // True
    echo.Invoke (null, new object[] { 123 } );             // 예외
  }
}
```

제네릭 메서드를 호출하려면 추가적인 단계가 필요하다. 바로, MethodInfo에 대해 MakeGenericMethod 메서드를 호출해서 구체적인 제네릭 형식 매개변수들을 지정하는 것이다. 그 메서드가 돌려준 MethodInfo를 이용해서 제네릭 메서드를 호출하면 된다. 다음이 그러한 예이다.

```
MethodInfo echo = typeof (Program).GetMethod ("Echo");
MethodInfo intEcho = echo.MakeGenericMethod (typeof (int));
Console.WriteLine (intEcho.IsGenericMethodDefinition);          // False
Console.WriteLine (intEcho.Invoke (null, new object[] { 3 } ));   // 3
```

제네릭 인터페이스 멤버의 익명 호출

반영 기능은 어떤 제네릭 인터페이스의 한 메서드를 호출하고자 할 때, 그러나 그 메서드의 형식 매개변수들을 실행시점에서야 결정할 수 있을 때 유용하다. 이론적으로 형식들을 완벽하게 설계했다면 그런 동적 호출이 필요한 상황이 거

의 발생하지 않는다. 그러나 다들 알다시피 우리가 형식들을 항상 완벽하게 설계하지는 않는다.

한 예로, LINQ 질의의 결과를 확장할 수 있는 좀 더 강력한 버전의 ToString을 작성한다고 하자. 우선 다음과 같은 틀로 시작할 수 있을 것이다.

```
public static string ToStringEx <T> (IEnumerable<T> sequence)
{
  ...
}
```

그러나 첫 틀부터 상당히 제한적이다. 만일 sequence에 **중첩된** 컬렉션이 들어 있고 그 컬렉션들도 확장하고 싶다면 어떻게 해야 할까? 이를 위해서는 다음과 같은 중복적재 버전을 추가해야 할 것이다.

```
public static string ToStringEx <T> (IEnumerable<IEnumerable<T>> sequence)
```

그런데 sequence에 중첩된 순차열들의 그루핑, 즉 **투영**이 들어 있으면 어떻게 할까? 이런 요구가 생길 때마다 메서드를 또다시 중복적재하는 정적인 해법은 비현실적이다. 그보다는, 임의의 객체 그래프를 처리할 수 있을 정도로 확장성이 좋은 접근방식이 바람직하다. 다음이 그러한 접근방식의 하나이다.

```
public static string ToStringEx (object value)
{
  if (value == null) return "<null>";
  StringBuilder sb = new StringBuilder();

  if (value is List<>)                                          // 오류
    sb.Append ("List of " + ((List<>) value).Count + " items");   // 오류

  if (value is IGrouping<,>)                                    // 오류
    sb.Append ("Group with key=" + ((IGrouping<,>) value).Key);   // 오류

  // 만일 이것이 컬렉션이면, ToStringEx()를 재귀적으로
  // 호출해서 컬렉션 요소들을 열거한다.
  // ...

  return sb.ToString();
}
```

안타깝게도 이 코드는 컴파일되지 않는다. List<>나 IGrouping<>처럼 묶이지 않은 제네릭 형식의 멤버는 호출할 수 없다. List<>라면 대신 비제네릭 IList 인터페이스를 이용해서 문제를 해결할 수 있다.

```
if (value is IList)
  sb.AppendLine ("A list with " + ((IList) value).Count + " items");
```

> 이것이 가능한 이유는, List<> 설계자들이 이런 상황을 예견하고 비제네릭 IList를(그리고 **제네릭** IList도) 구현했기 때문이다. 독자가 제네릭 형식을 작성할 때에도 이러한 원리를 적용해 보기 바란다. 소비자가 최후의 수단으로 사용할 수 있도록 비제네릭 인터페이스나 비제네릭 기반 클래스를 두는 것은 대단히 가치 있는 일이다.

그러나 IGrouping<,> 인터페이스에는 이런 간단한 해결책을 적용할 수 없다. 이 인터페이스는 다음과 같이 정의되어 있다.

```
public interface IGrouping <TKey,TElement> : IEnumerable <TElement>,
                                             IEnumerable
{
  TKey Key { get; }
}
```

Key 속성에 접근하는 데 사용할 비제네릭 형식이 없음을 주목하기 바란다. 따라서 반영 기능을 사용할 수밖에 없다. 해결책은, 묶이지 않은 제네릭 형식의 멤버를 그대로 호출하려 들지 말고(그런 호출은 불가능하다), 실행시점에서 먼저 형식 인수들을 지정해서 **닫힌** 제네릭 형식을 만든 후에 멤버를 호출하는 것이다.

> 다음 장(제20장)에서는 이를 C#의 dynamic 키워드를 이용해서 좀 더 간단하게 해결한다. 지금 하는 것 같은 **형식 묘기**를 부려야 풀 수 있는 문제에는 dynamic을 이용한 동적 바인딩을 적용해 보는 것이 좋다.

처음으로 할 일은 value가 IGrouping<,>를 구현하는지 판정해서(가장 쉬운 방법은 LINQ 질의를 이용하는 것이다), 만일 구현한다면 닫힌 제네릭 인터페이스를 얻는 것이다. 그런 다음에는 Key 속성을 조회해서 호출하면 된다.

```
public static string ToStringEx (object value)
{
  if (value == null) return "<null>";
  if (value.GetType().IsPrimitive) return value.ToString();

  StringBuilder sb = new StringBuilder();

  if (value is IList)
    sb.Append ("항목 " + ((IList)value).Count + "개로 이루어진 목록:");

  Type closedIGrouping = value.GetType().GetInterfaces()
    .Where (t => t.IsGenericType &&
```

```
              t.GetGenericTypeDefinition() == typeof (IGrouping<,>))
    .FirstOrDefault();

  if (closedIGrouping != null)   // IGrouping<,>에 대해 Key를 호출
  {
    PropertyInfo pi = closedIGrouping.GetProperty ("Key");
    object key = pi.GetValue (value, null);
    sb.Append ("키가 " + key + "인 그룹: ");
  }

  if (value is IEnumerable)
    foreach (object element in ((IEnumerable)value))
      sb.Append (ToStringEx (element) + " ");

  if (sb.Length == 0) sb.Append (value.ToString());

  return "\r\n" + sb.ToString();
}
```

이 접근방식은 안정적이다. IGrouping<,>가 암묵적으로 구현되었든 명시적으로 구현되었든 잘 작동한다. 다음은 이 ToStringEx의 사용 예이다.

```
Console.WriteLine (ToStringEx (new List<int> { 5, 6, 7 } ));
Console.WriteLine (ToStringEx ("xyyzzz".GroupBy (c => c) ));
```

출력:

```
항목 3개로 이루어진 목록: 5 6 7

키가 x인 그룹: x
키가 y인 그룹: y y
키가 z인 그룹: z z z
```

어셈블리의 반영

반영 기능을 이용해서 어셈블리의 메타자료에 접근하는 것도 가능하다. Assembly 객체에 대해 GetType이나 GetTypes를 호출하면 된다. 다음은 현재 어셈블리의 Demos 이름공간에 있는 TestProgram이라는 형식에 접근하는 예이다.

```
Type t = Assembly.GetExecutingAssembly().GetType ("Demos.TestProgram");
```

Windows 스토어 앱에서는 기존 형식으로부터 어셈블리에 접근할 수 있다.

```
typeof (Foo).GetTypeInfo().Assembly.GetType ("Demos.TestProgram");
```

다음 예제는 *e:\demo*에 있는 *mylib.dll*이라는 어셈블리의 모든 형식을 나열한다.

```
Assembly a = Assembly.LoadFrom (@"e:\demo\mylib.dll");

foreach (Type t in a.GetTypes())
  Console.WriteLine (t);
```

Windows 스토어 앱에서는 다음과 같이 하면 된다.

```
Assembly a = typeof (Foo).GetTypeInfo().Assembly;

foreach (Type t in a.ExportedTypes)
  Console.WriteLine (t);
```

GetTypes와 ExportedTypes는 최상위 형식들만 돌려줄 뿐, 중첩된 형식들은 돌려주지 않는다.

어셈블리를 반영 전용 문맥에 적재

앞의 예제는 어셈블리의 형식들을 나열하기 위해 어셈블리를 현재 응용 프로그램의 도메인에 실제로 적재했다. 그런데 그렇게 하면 정적 생성자들이 실행되거나 이후의 형식 환원이 엉망이 되는 등의 부작용이 발생할 수 있다. 형식 정보를 조사만 하려는(형식을 실제로 인스턴스화하거나 호출하는 것이 아니라) 경우, 해결책은 다음처럼 어셈블리를 **반영 전용**(reflection-only) 문맥에 적재하는 것이다(데스크톱에서만 가능).

```
Assembly a = Assembly.ReflectionOnlyLoadFrom (@"e:\demo\mylib.dll");
Console.WriteLine (a.ReflectionOnly);   // True

foreach (Type t in a.GetTypes())
  Console.WriteLine (t);
```

이를 출발점으로 삼아서, 이를테면 클래스 탐색기를 만들 수 있다.

어셈블리를 반영 전용 문맥으로 적재하는 메서드는 다음 세 가지이다.

- ReflectionOnlyLoad (byte[])
- ReflectionOnlyLoad (string)
- ReflectionOnlyLoadFrom (string)

반영 전용 문맥에서도 *mscorlib.dll*의 여러 버전을 적재하는 것은 불가능하다. 그런 일을 하려면 Microsoft의 CCI 라이브러리나 Mono.Cecil 같은 추가적인 라이브러리를 사용해야 한다.

모듈

다중 모듈 어셈블리에 대해 GetTypes를 호출하면 모든 모듈의 모든 형식이 반환된다. 따라서 모듈의 존재를 무시하고 그냥 어셈블리 자체를 형식들의 컨테이너로 간주해도 된다. 그러나 모듈의 존재가 중요한 경우가 하나 있다. 바로, 메타자료 토큰을 다룰 때이다.

메타자료 토큰(metadata token)은 한 모듈의 범위 안에서 형식, 멤버, 문자열, 자원을 고유하게 식별하는 정수이다. IL은 메타자료 토큰을 사용하므로, IL 코드를 파싱하려면 그 토큰을 실제 구성요소로 환원할 수 있어야 한다. 이를 위한 메서드들은 Module 형식에 정의된 ResolveType, ResolveMember, ResolveString, ResolveSignature이다. 이들은 이번 장의 마지막 절(역어셈블러 작성에 관한)에서 다시 살펴본다.

어셈블리의 모든 모듈의 목록을 얻으려면 GetModules 메서드를 호출한다. 어셈블리의 주 모듈에 직접 접근하는 것도 가능하다. ManifestModule 속성을 사용하면 된다.

특성 다루기

CLR은 형식이나 멤버, 어셈블리의 메타자료에 추가 정보를 부여하는 수단을 제공한다. 특성(attribute)이 바로 그것이다. 특성은 직렬화나 보안 같은 CLR의 여러 기능을 설정, 제어하는 메커니즘으로 쓰인다. 그런 만큼, 특성은 응용 프로그램의 필수적인 한 부분이다.

특성의 핵심적인 특징 하나는 프로그래머가 직접 특성을 작성해서 기존의 다른 특성들과 마찬가지 방법으로 사용할 수 있다는 점이다. 특성의 주된 용도는 코드 요소에 추가적인 정보를 '부착' 또는 '장식'하는 것이다. 컴파일러는 그러한 추가 정보를 어셈블리에 포함하며, 응용 프로그램은 실행시점에서 반영 기능을 이용해서 추가 정보를 얻을 수 있다. 이러한 능력을 활용하면, 자동화된 단위 검사(unit test)처럼 선언적으로 작동하는 서비스를 구축할 수 있다.

특성의 기초

특성은 다음 세 종류로 나뉜다.

- 비트 대응 특성
- 커스텀 특성
- 유사 커스텀 특성

이 중 확장 가능한 특성은 **커스텀 특성**뿐이다.

'특성'이라는 용어 자체는 이 세 특성을 아우르지만, C# 세계에서 특성이라고 하면 대부분은 커스텀 특성이나 유사 특성을 뜻한다.

비트 대응 특성(bit-mapped attribute; 이 책에서 쓰이는 용어임)은 형식의 메타자료의 특정 비트에 대응된다. public이나 abstract, sealed 같은 C#의 수정자 키워드들은 대부분 이런 비트 대응 특성으로 컴파일된다. 메타자료 안에서 최소한의 공간만 차지한다는 점에서(보통은 비트 하나), 그리고 CLR이 이 특성들을 찾는 데 간접 접근 과정이 전혀 또는 거의 필요하지 않다는 점에서, 이 특성들은 아주 효율적이다. 반영 API는 Type(그리고 기타 MemberInfo 파생 클래스들)의 개별 속성을 통해서 비트 대응 특성들을 노출한다. 이를테면 IsPublic이나 IsAbstract, IsSealed 등이 그런 속성이다. 또한, Attributes 속성은 이들 대부분을 담은 플래그 열거형 값을 돌려준다.

```
static void Main()
{
  TypeAttributes ta = typeof (Console).Attributes;
  MethodAttributes ma = MethodInfo.GetCurrentMethod().Attributes;
  Console.WriteLine (ta + "\r\n" + ma);
}
```

다음은 이 코드의 출력이다.

```
AutoLayout, AnsiClass, Class, Public, Abstract, Sealed, BeforeFieldInit
PrivateScope, Private, Static, HideBySig
```

이와는 대조적으로, **커스텀 특성**(custom attribute)은 형식의 주 메타자료 테이블 바깥에 이진 자료의 형태로 존재한다. 모든 커스텀 특성은 System.Attribute의 특정 파생 클래스로 대표되며, 비트 대응 특성과는 달리 확장이 가능하다. 메타자료에 있는 이진 특성 자료에는 해당 특성 클래스를 알려주는 정보가 들어 있으며, 코드 요소에 특성을 적용할 때 지정한 위치 인수 또는 명명된 인수들의 값들도 들어 있다. 독자가 직접 정의한 커스텀 특성의 구조는 .NET Framework에 정의되어 있는 기존 특성들의 구조와 동일하다.

커스텀 특성을 C#의 형식이나 멤버에 부착하는 방법은 제4장에서 이미 살펴보았다. 다음은 미리 정의된 Obsolete 특성을 Foo 클래스에 부착하는 예이다.

```
[Obsolete] public class Foo {...}
```

이렇게 하면 컴파일러는 ObsoleteAttribute의 한 인스턴스를 Foo의 메타자료에 포함시킨다. 실행시점에서는 Type 또는 MemberInfo 객체에 대해 GetCustomAttributes를 호출해서 그 인스턴스에 접근할 수 있다.

유사 커스텀 특성(pseudocustom attribute)은 겉으로 보기에는 보통의 커스텀 특성과 다를 바가 없다. 유사 커스텀 특성 역시 System.Attribute의 특정 파생 클래스로 대표되며, 보통의 커스텀 특성과 마찬가지 방법으로 코드 요소에 적용한다. 다음이 그러한 예이다.

```
[Serializable] public class Foo {...}
```

보통의 커스텀 특성과 다른점은 최적화이다. 컴파일러나 CLR은 내부적으로 유사 커스텀 특성을 비트 대응 특성으로 변환한다. [Serializable](제17장)이나 [StructLayout], [In], [Out](제25장)이 유사 커스텀 특성의 예이다. 반영 API는 IsSerializable 같은 개별 속성을 통해서 유사 특성들을 노출하며, 많은 경우 GetCustomAttributes를 호출해서 유사 특성에 대한 System.Attribute 객체를 얻을 수 있다([SerializableAttribute] 포함). 따라서 프로그램의 관점에서는 유사 커스텀 특성과 보통 커스텀 특성의 차이를 무시해도 무방하다(두드러진 예외는 Reflection.Emit를 이용해서 실행시점에서 동적으로 형식을 생성할 때이다. 이에 관해서는 이번 장의 '어셈블리와 형식의 산출(p.1023)'을 보기 바란다).

AttributeUsage 특성

AttributeUsage는 특성 클래스에 적용하는 특성이다. 이 특성은 대상 특성의 사용 방법을 컴파일러에게 알려준다.

```
public sealed class AttributeUsageAttribute : Attribute
{
  public AttributeUsageAttribute (AttributeTargets validOn);

  public bool AllowMultiple        { get; set; }
  public bool Inherited            { get; set; }
  public AttributeTargets ValidOn  { get; }
}
```

AllowMultiple 속성은 주어진 특성을 같은 코드 요소에 여러 번 적용할 수 있는지의 여부를 결정한다. Inherited 속성은 기반 클래스에 적용한 특성이 파생 클래스들에도 적용되는지(메서드의 경우에는 가상 메서드에 적용한 특성이 재정의 메서드에도 적용되는지)의 여부를 결정한다. ValidOn 속성은 주어진 특성을 적용할 수 있는 대상들(클래스, 인터페이스, 속성, 메서드, 매개변수 등)의 집합을 결정한다. 이 속성은 AttributeTargets 열거형 멤버들의 임의의 조합을 받는다. AttributeTargets 열거형의 멤버들은 다음과 같다.

```
All            Delegate    GenericParameter    Parameter
Assembly       Enum        Interface           Property
Class          Event       Method              ReturnValue
Constructor    Field       Module              Struct
```

한 예로, .NET Framework 작성자들은 Serializable 특성 클래스에 [AttributeUsage] 특성을 다음과 같이 적용했다.

```
[AttributeUsage (AttributeTargets.Delegate |
                 AttributeTargets.Enum     |
                 AttributeTargets.Struct   |
                 AttributeTargets.Class,     Inherited = false)
]
public sealed class SerializableAttribute : Attribute { }
```

사실 이것이 Serializable 특성 클래스의 정의의 거의 전부이다. 속성이나 특별한 생성자가 없는 특성 클래스를 작성하기란 이렇게나 쉽다.

나만의 특성 정의

다음은 독자가 직접 특성을 작성하는 방법이다.

1. System.Attribute 클래스 또는 System.Attribute의 한 파생 클래스를 상속하는 클래스를 작성한다. 그런 클래스에는 "Attribute"로 끝나는 이름을 붙이는 것이 관례이다(필수는 아님).
2. 앞의 설명을 참고해서 [AttributeUsage] 특성을 적용한다.
2. 특성에 속성이나 생성자, 인수 등이 필요하지 않다면 이것으로 끝이다.
3. 필요하다면 하나나 그 이상의 공용 생성자들을 작성한다. 생성자의 매개변수들은 특성의 위치 매개변수들을 정의한다. 이들은 특성 적용 시 반드시 지정해야 하는 필수 매개변수들이 된다.

4. 지원하고자 하는 명명된 매개변수 각각에 대해 공용 필드 또는 속성을 선언한다. 명명된 매개변수는 특성 적용 시 선택적 매개변수가 된다.

특성의 속성들과 생성자 매개변수들은 반드시 다음 형식 중 하나이어야 한다.

- 봉인된(sealed) 기본 형식, 즉 bool이나 byte, char, double, float, int, long, short, string
- Type 형식
- 열거형
- 위의 형식들의 1차원 배열

또한, 특성 적용 시 컴파일러가 속성 또는 생성자 인수 각각을 정적으로 평가할 수 있어야 한다.

한 예로, 다음은 자동화된 단위 검사를 돕는 [Test] 특성을 정의하는 클래스이다. 이 특성은 메서드가 검사 대상임을 지정하는 데 쓰인다. 특성 인수들을 통해서 검사 되풀이 횟수와 검사 실패 시 표시할 메시지를 지정할 수도 있다.

```
[AttributeUsage (AttributeTargets.Method)]
public sealed class TestAttribute : Attribute
{
  public int     Repetitions;
  public string  FailureMessage;

  public TestAttribute () : this (1)     { }
  public TestAttribute (int repetitions) { Repetitions = repetitions; }
}
```

다음은 Foo 클래스의 여러 메서드들에 이 [Test] 특성을 다양한 방식으로 적용한 예이다.

```
class Foo
{
  [Test]
  public void Method1() { ... }

  [Test(20)]
  public void Method2() { ... }

  [Test(20, FailureMessage="버그 잡으세요!")]
  public void Method3() { ... }
}
```

실행시점에서 특성 조회

실행시점에서 특성을 조회하는 표준적인 방법은 다음 두 가지이다.

- 임의의 Type 또는 MemberInfo 객체에 대해 GetCustomAttributes 메서드를 호출한다.
- Attribute.GetCustomAttribute 메서드나 Attribute.GetCustomAttributes 메서드를 호출한다.

후자의 두 메서드는 유효한 특성 대상들에 대응되는 임의의 반영 객체(Type, Assembly, Module, MemberInfo, ParameterInfo)를 받도록 중복적재되어 있다.

.NET Framework 4.0부터는 형식 또는 멤버 정보 객체에 대해 GetCustomAttributes**Data** 메서드를 호출해서 특성 정보를 얻을 수도 있다. GetCustomAttributes 메서드와의 차이는, 이 메서드는 특성을 인스턴스화하는 방법을 알려준다는 점이다. 이 메서드가 돌려주는 객체로부터, 특성을 적용할 때 쓰인 생성자 중복적재 버전과 생성자 매개변수들 및 명명된 매개변수들에 지정된 값들을 알아낼 수 있다. 이는 적용 당시와 같은 상태의 특성을 재구축하는 코드 또는 IL을 산출하려 할 때 유용하다(이번 장의 '형식 멤버 산출(p.1027)' 참고).

다음은 앞의 Foo 클래스의 메서드 중 [Test] 특성(TestAttribute 클래스)이 적용된 메서드를 나열하는 방법을 보여주는 예제이다.

```
foreach (MethodInfo mi in typeof (Foo).GetMethods())
{
  TestAttribute att = (TestAttribute) Attribute.GetCustomAttribute
    (mi, typeof (TestAttribute));

  if (att != null)
    Console.WriteLine ("{0} 메서드는 검사 대상임: 반복 횟수={1}; 메시지={2}",
                       mi.Name, att.Repetitions, att.FailureMessage);
}
```

Windows 스토어 앱에서는 코드의 일부를 다음과 같이 수정해야 한다.

```
foreach (MethodInfo mi in typeof (Foo).GetTypeInfo().DeclaredMethods)
...
```

출력은 다음과 같다.

```
Method1 메서드는 검사 대상임: 반복 횟수=1; 메시지=
Method2 메서드는 검사 대상임: 반복 횟수=20; 메시지=
Method3 메서드는 검사 대상임: 반복 횟수=20; 메시지=버그 잡으세요!
```

예제를 마무리하는 차원에서, 다음은 이 특성을 이용해서 단위 검사 시스템을 작성하는 방법을 엿볼 수 있는 코드이다. 이 코드는 [Test] 특성이 부착된 메서드를 실제로 호출한다.

```
foreach (MethodInfo mi in typeof (Foo).GetMethods())
{
  TestAttribute att = (TestAttribute) Attribute.GetCustomAttribute
    (mi, typeof (TestAttribute));

  if (att != null)
    for (int i = 0; i < att.Repetitions; i++)
      try
      {
        mi.Invoke (new Foo(), null);    // 인수 없이 메서드 호출
      }
      catch (Exception ex)       // att.FailureMessage를 포함한 예외를 발생
      {
        throw new Exception ("오류: " + att.FailureMessage, ex);
      }
}
```

특성의 반영이라는 주제로 돌아가서, 다음은 주어진 한 형식에 부여된 특성들을 나열하는 예이다.

```
[Serializable, Obsolete]
class Test
{
  static void Main()
  {
    object[] atts = Attribute.GetCustomAttributes (typeof (Test));
    foreach (object att in atts) Console.WriteLine (att);
  }
}
```

출력:

```
System.ObsoleteAttribute
System.SerializableAttribute
```

반영 전용 문맥에서 특성 조회

반영 전용 문맥에 적재된 멤버에 대해 GetCustomAttributes를 호출하는 것은 금지되어 있다. 이유는, 그런 멤버에 대한 특성들을 조회하려면 임의의 형식의 특성들을 인스턴스화해야 하기 때문이다(앞에서 이야기했듯이, 반영 전용 문맥에서는 객체의 인스턴스화가 허용되지 않는다). 이 문제를 피하기 위해, .NET Framework는 그런 특성의 반영에 특화된 CustomAttributeData라는 형식을 제공한다. 다음은 이 형식을 사용하는 예이다.

```
IList<CustomAttributeData> atts = CustomAttributeData.GetCustomAttributes
                                  (myReflectionOnlyType);
foreach (CustomAttributeData att in atts)
```

```
{
  Console.Write (att.GetType());              // Attribute type

  Console.WriteLine (" " + att.Constructor);   // ConstructorInfo object

  foreach (CustomAttributeTypedArgument arg in att.ConstructorArguments)
    Console.WriteLine ("  " +arg.ArgumentType + "=" + arg.Value);

  foreach (CustomAttributeNamedArgument arg in att.NamedArguments)
    Console.WriteLine ("  " + arg.MemberInfo.Name + "=" + arg.TypedValue);
}
```

특성 클래스가 반영을 적용할 형식과는 다른 어셈블리에 들어 있는 경우가 많다. 그로부터 비롯되는 문제를 해결하는 한 가지 방법은 현재 응용 프로그램 도메인에 대한 ReflectionOnlyAssemblyResolve 이벤트를 처리하는 것이다.

```
ResolveEventHandler handler = (object sender, ResolveEventArgs args)
                           => Assembly.ReflectionOnlyLoad (args.Name);

AppDomain.CurrentDomain.ReflectionOnlyAssemblyResolve += handler;

// 특성들에 대한 반영을 수행...

AppDomain.CurrentDomain.ReflectionOnlyAssemblyResolve -= handler;
```

동적 코드 생성

System.Reflection.Emit 이름공간에는 실행시점에서 메타자료와 IL 코드를 생성하기 위한 클래스들이 들어 있다. 프로그래밍 과제 중에는 코드를 동적으로 생성하는 것이 유용한 것들이 있다. 예를 들어 정규 표현식 API는 특정 정규식에 맞게 조율된, 성능 좋은 형식들을 산출한다. .NET Framework는 또한 Remoting을 위해 투명한 프록시를 동적으로 생성하거나 실행시점 부담을 최소화하면서 특정 XSLT 변환을 수행하는 것을 비롯한 여러 용도로 Reflection.Emit을 활용한다. LINQPad는 형식 있는 DataContext 클래스를 동적으로 생성하는 용도로 Reflection.Emit을 사용한다.

Windows 스토어 프로파일은 Reflection.Emit을 지원하지 않는다.

DynamicMethod를 이용한 IL 코드 생성

System.Reflection.Emit 이름공간의 DynamicMethod 클래스는 즉석에서 메서드를 생성하는 데 사용하는 가벼운 도구이다. TypeBuilder와는 달리, 이 클래스를 사용할 때에는 메서드를 담을 동적 어셈블리나 모듈, 형식을 미리 준비할 필요가 없다. 그래서 이 클래스는 간단한 작업에 적합하며, Reflection.Emit의 세계에 입문하는 용도로도 좋다.

더 이상 참조되지 않는 DynamicMethod 객체와 관련 IL 코드는 쓰레기 수거의 대상이다. 이는 동적 메서드를 거듭 생성해도 메모리가 고갈되지는 않음을 뜻한다. (동적 **어셈블리**에도 그런 식으로 쓰레기 수거가 적용되게 하려면 어셈블리 생성 시 AssemblyBuilderAccess.RunAndCollect 플래그를 지정해야 한다.)

다음은 DynamicMethod의 간단한 용법을 보여주는 예제이다. 이 예제는 콘솔에 Hello world를 출력하는 메서드를 생성한다.

```
public class Test
{
  static void Main()
  {
    var dynMeth = new DynamicMethod ("Foo", null, null, typeof (Test));
    ILGenerator gen = dynMeth.GetILGenerator();
    gen.EmitWriteLine ("Hello world");
    gen.Emit (OpCodes.Ret);
    dynMeth.Invoke (null, null);                    // Hello world
  }
}
```

OpCodes는 모든 IL 옵코드opcode(특정 종류의 연산을 나타내는 부호)를 담은 정적 읽기 전용 필드이다. 동적 코드 생성과 관련된 기능성은 대부분 다양한 옵코드를 통해서 노출되지만, ILGenerator는 이름표(label)와 지역 변수의 생성에 특화된 메서드들과 예외 처리에 특화된 메서드들도 제공한다. 하나의 메서드는 항상 Opcodes.Ret으로 끝난다. Opcodes.Ret의 Ret는 'return'을 줄인 것인데, 이 옵코드는 return 문 또는 메서드의 끝에 도달한 경우뿐만 아니라 다른 어떤 분기/예외 발생 명령에 의해 함수에서 벗어날 때에도 쓰인다. ILGenerator의 EmitWriteLine 메서드는 여러 저수준 옵코드를 Emit를 이용해서 산출하는 과정을 한 번에 수행하는 단축 메서드이다. 위의 예제의 EmitWriteLine 호출을 다음 코드로 대체해도 같은 결과가 나온다.

```
MethodInfo writeLineStr = typeof (Console).GetMethod ("WriteLine",
                           new Type[] { typeof (string) });
gen.Emit (OpCodes.Ldstr, "Hello world");     // 문자열을 적재한다.
gen.Emit (OpCodes.Call, writeLineStr);       // 메서드를 호출한다.
```

DynamicMethod의 생성자에 typeof(Test)를 넘겨 주었음을 주목하기 바란다. 이렇게 하면 동적 메서드가 그 형식의 비공용 메서드들에 접근할 수 있으며, 그래서 다음과 같은 코드가 가능해진다.

```
public class Test
{
  static void Main()
  {
    var dynMeth = new DynamicMethod ("Foo", null, null, typeof (Test));
    ILGenerator gen = dynMeth.GetILGenerator();

    MethodInfo privateMethod = typeof(Test).GetMethod ("HelloWorld",
      BindingFlags.Static | BindingFlags.NonPublic);

    gen.Emit (OpCodes.Call, privateMethod);     // HelloWorld 메서드를 호출
    gen.Emit (OpCodes.Ret);

    dynMeth.Invoke (null, null);                // Hello world
  }

  static void HelloWorld()      // 이런 전용 메서드도 호출할 수 있다.
  {
    Console.WriteLine ("Hello world");
  }
}
```

IL을 이해하려면 상당한 시간을 투자해야 한다. 모든 옵코드를 이해하려 드는 대신, C# 프로그램 하나를 컴파일해서 IL 코드를 조사, 복사, 조정해 보는 것이 훨씬 쉽다. LINQPad는 임의의 메서드 또는 사용자가 입력한 코드 조각의 IL을 표시해준다. 기존 어셈블리를 조사하는 데에는 *ildasm*이나 .NET Reflector 같은 어셈블리 표시 도구가 유용하다.

평가 스택

IL의 핵심부에는 **평가 스택**(evaluation stack)이라는 개념이 놓여 있다. 인수들을 지정해서 메서드를 호출할 때에는 먼저 그 인수들을 평가 스택에 넣고('적재') 메서드를 호출한다. 메서드 안에서는 평가 스택에서 필요한 인수들을 뽑는다. 앞에서 Console.WriteLine을 호출할 때 실제로 이런 방법을 사용했었다. 다음은 그와 비슷한 예제로, 이번에는 정수 인수를 사용한다.

```
var dynMeth = new DynamicMethod ("Foo", null, null, typeof(void));
ILGenerator gen = dynMeth.GetILGenerator();
MethodInfo writeLineInt = typeof (Console).GetMethod ("WriteLine",
                                        new Type[] { typeof (int) });
```

```
// 다양한 형식과 크기의 수치 리터럴을 적재하는 Ldc* 옵코드들이 마련되어 있다.

gen.Emit (OpCodes.Ldc_I4, 123);        // 4바이트 정수를 스택에 넣는다.
gen.Emit (OpCodes.Call, writeLineInt);

gen.Emit (OpCodes.Ret);
dynMeth.Invoke (null, null);           // 123
```

두 수를 더할 때에는 먼저 각 수를 평가 스택에 적재한 후 Add 옵코드를 호출한다. Add 옵코드는 평가 스택에서 두 값을 뽑아서 더한 결과를 다시 평가 스택에 넣는다. 다음은 2와 2를 더하고 그 결과를 앞에서 얻은 writeLine 메서드를 이용해서 출력하는 예이다.

```
gen.Emit (OpCodes.Ldc_I4, 2);           // 값이 2인 4바이트 정수를 넣는다.
gen.Emit (OpCodes.Ldc_I4, 2);           // 값이 2인 4바이트 정수를 넣는다.
gen.Emit (OpCodes.Add);                 // 두 값을 더한다.
gen.Emit (OpCodes.Call, writeLineInt);
```

`10 / 2 + 1`은 다음과 같이 계산하면 된다.

```
gen.Emit (OpCodes.Ldc_I4, 10);
gen.Emit (OpCodes.Ldc_I4, 2);
gen.Emit (OpCodes.Div);
gen.Emit (OpCodes.Ldc_I4, 1);
gen.Emit (OpCodes.Add);
gen.Emit (OpCodes.Call, writeLineInt);
```

또는 다음과 같이 계산할 수도 있다.

```
gen.Emit (OpCodes.Ldc_I4, 1);
gen.Emit (OpCodes.Ldc_I4, 10);
gen.Emit (OpCodes.Ldc_I4, 2);
gen.Emit (OpCodes.Div);
gen.Emit (OpCodes.Add);
gen.Emit (OpCodes.Call, writeLineInt);
```

동적 메서드에 인수 전달

동적 메서드에 전달할 인수를 스택에 넣을 때에는 Ldarg나 Ldarg_XXX 옵코드들을 사용한다. 메서드에서 값을 반환하려면, 정확히 하나의 값을 스택에 넣은 후 메서드를 종료하면 된다. 이를 위해서는 DynamicMethod의 생성자를 호출할 때 반환 형식과 인수 형식들을 지정해야 한다. 다음은 두 정수의 합을 돌려주는 동적 메서드를 생성하는 예이다.

```
DynamicMethod dynMeth = new DynamicMethod ("Foo",
  typeof (int),                              // 반환 형식: int
```

```
  new[] { typeof (int), typeof (int) },      // 매개변수 형식들: int, int
  typeof (void));

ILGenerator gen = dynMeth.GetILGenerator();

gen.Emit (OpCodes.Ldarg_0);       // 첫 인수를 평가 스택에 넣고,
gen.Emit (OpCodes.Ldarg_1);       // 둘째 인수를 평가 스택에 넣고,
gen.Emit (OpCodes.Add);           // 둘을 더하고(결과는 스택에),
gen.Emit (OpCodes.Ret);           // 스택에 값이 하나 있는 상태에서 반환

int result = (int) dynMeth.Invoke (null, new object[] { 3, 4 } );   // 7
```

메서드 종료 시 평가 스택에는 반드시 정확히 하나 또는 0개(메서드의 값 반환 여부에 따라)의 항목이 있어야 한다. 이를 위반하면 CLR은 메서드의 실행을 거부한다. 평가 스택의 한 항목을 처리 없이 제거하려면 OpCodes.Pop을 사용하면 된다.

Invoke를 호출하는 대신, 동적 메서드를 형식 있는 대리자로 취급하면 다루기가 훨씬 편하다. 그런 용도의 메서드가 CreateDelegate이다. 예를 들어 BinaryFunction이라는 대리자가 정의되어 있다고 하면,

```
delegate int BinaryFunction (int n1, int n2);
```

앞의 예제의 마지막 줄을 다음으로 대체할 수 있다.

```
BinaryFunction f = (BinaryFunction) dynMeth.CreateDelegate
                                       (typeof (BinaryFunction));
int result = f (3, 4);      // 7
```

대리자는 동적 메서드 호출의 추가부담도 제거한다. 대리자를 이용하면 호출당 몇 마이크로초가 절약된다.

인수를 참조로 전달하는 방법은 이번 장의 '형식 멤버 산출(p.1027)'에서 설명한다.

지역 변수 생성

지역 변수는 ILGenerator 객체에 대해 DeclareLocal을 호출해서 선언할 수 있다. 이 메서드가 돌려준 LocalBuilder 객체를 Ldloc(지역 변수 적재) 또는 Stloc(지역 변수 저장) 같은 옵코드와 함께 사용해서 지역 변수의 값을 조회하거나 설정한다. Ldloc은 평가 스택에 값을 넣고, Stloc은 값을 뽑는다. 예를 들어 다음과 같은 C# 코드를 생각해 보자.

```
int x = 6;
int y = 7;
x *= y;
Console.WriteLine (x);
```

다음은 이 코드에 해당하는 IL 코드를 동적으로 생성하는 예이다.

```
var dynMeth = new DynamicMethod ("Test", null, null, typeof (void));
ILGenerator gen = dynMeth.GetILGenerator();

LocalBuilder localX = gen.DeclareLocal (typeof (int));    // x 선언
LocalBuilder localY = gen.DeclareLocal (typeof (int));    // y 선언

gen.Emit (OpCodes.Ldc_I4, 6);        // 리터럴 6을 평가 스택에 넣는다.
gen.Emit (OpCodes.Stloc, localX);    // 그 값을 localX에 저장한다.
gen.Emit (OpCodes.Ldc_I4, 7);        // 리터럴 7을 평가 스택에 넣는다.
gen.Emit (OpCodes.Stloc, localY);    // 그 값을 localY에 저장한다.

gen.Emit (OpCodes.Ldloc, localX);    // localX의 값을 평가 스택에 넣는다.
gen.Emit (OpCodes.Ldloc, localY);    // localY의 값을 평가 스택에 넣는다.
gen.Emit (OpCodes.Mul);              // 두 값을 곱한다.
gen.Emit (OpCodes.Stloc, localX);    // 결과를 localX에 저장한다.

gen.EmitWriteLine (localX);          // localX의 값을 출력한다.
gen.Emit (OpCodes.Ret);

dynMeth.Invoke (null, null);         // 42
```

Redgate사의 .NET Reflector는 동적 메서드에서 오류를 찾는 데 아주 좋은 도구이다. IL 코드를 C# 코드로 역컴파일해 보면 잘못된 지점이 확연히 드러나는 경우가 많다. 동적으로 산출한 코드를 디스크에 저장하는 방법이 이번 장의 '어셈블리와 형식의 산출(p.1023)'에 나온다. 또 다른 유용한 도구로는 Microsoft의 Visual Studio용 IL Visualizer(*http://albahari.com/ilvisualizer*)가 있다.

분기

IL에는 while이나 do, for 루프 같은 것이 없다. 모든 루프는 이름표(label)와 goto 문 또는 조건부 goto 문에 해당하는 옵코드로 구현된다. 분기(branching)를 위한 옵코드로는 Br(무조건 분리), Brtrue(평가 스택의 값이 true이면 분기), Blt(첫 값이 둘째 값보다 작으면 분기)가 있다.

분기 대상을 설정하려면 먼저 DefineLabel을 호출해서 Label 객체를 만들고, 이름표를 붙일 지점에서 그 객체로 MarkLabel을 호출하면 된다. 예를 들어 다음과 같은 C# 코드를 생각해 보자.

```
int x = 5;
while (x <= 10) Console.WriteLine (x++);
```

다음은 이에 해당하는 IL 코드를 산출하는 예이다.

```
ILGenerator gen = ...

Label startLoop = gen.DefineLabel();                  // 이름표들을 선언
Label endLoop = gen.DefineLabel();

LocalBuilder x = gen.DeclareLocal (typeof (int));     // int x
gen.Emit (OpCodes.Ldc_I4, 5);                         //
gen.Emit (OpCodes.Stloc, x);                          // x = 5
gen.MarkLabel (startLoop);
  gen.Emit (OpCodes.Ldc_I4, 10);              // 10을 평가 스택에 적재
  gen.Emit (OpCodes.Ldloc, x);                // x를 평가 스택에 적재

  gen.Emit (OpCodes.Blt, endLoop);            // if (x > 10) goto endLoop

  gen.EmitWriteLine (x);                      // Console.WriteLine (x)

  gen.Emit (OpCodes.Ldloc, x);                // x를 평가 스택에 적재
  gen.Emit (OpCodes.Ldc_I4, 1);               // 1을 평가 스택에 적재
  gen.Emit (OpCodes.Add);                     // 둘을 더하고,
  gen.Emit (OpCodes.Stloc, x);                // 그 결과를 다시 x에 저장

  gen.Emit (OpCodes.Br, startLoop);           // 루프의 시작으로 돌아간다.
gen.MarkLabel (endLoop);

gen.Emit (OpCodes.Ret);
```

객체 인스턴스화와 인스턴스 메서드 호출

new에 해당하는 IL 옵코드는 Newobj이다. 이 옵코드는 주어진 생성자 정보를 이용해서 객체를 생성하고 그 객체를 평가 스택에 넣는다. 다음은 StringBuilder 객체를 생성하는 예이다.

```
var dynMeth = new DynamicMethod ("Test", null, null, typeof (void));
ILGenerator gen = dynMeth.GetILGenerator();

ConstructorInfo ci = typeof (StringBuilder).GetConstructor (new Type[0]);
gen.Emit (OpCodes.Newobj, ci);
```

일단 평가 스택에 객체가 적재되면, Call 옵코드나 Callvirt 옵코드를 이용해서 그 객체의 인스턴스 메서드를 호출할 수 있다. 앞의 예제를 이어서, 다음은 StringBuilder의 MaxCapacity 속성을 조회하는 예이다. 이 예제는 MaxCapacity의 get 접근자를 호출한 결과를 출력한다.

```
gen.Emit (OpCodes.Callvirt, typeof (StringBuilder)
                            .GetProperty ("MaxCapacity").GetGetMethod());

gen.Emit (OpCodes.Call, typeof (Console).GetMethod ("WriteLine",
                                         new[] { typeof (int) } ));
gen.Emit (OpCodes.Ret);
dynMeth.Invoke (null, null);              // 2147483647
```

IL에서 C#의 호출 의미론을 흉내 내려면,

- 정적 메서드와 값 형식 인스턴스 메서드의 호출에는 Call 옵코드를,
- 참조 형식 인스턴스 메서드의 호출에는 Callvirt를 사용한다(가상 선언 여부와 무관하게).

지금 예제에서는 StringBuilder 인스턴스에 대해 Callvirt를 사용했다. MaxProperty가 가상이 아님에도 그렇게 했음을 주목하기 바란다. 이렇게 해도 오류가 나지는 않는다. 그냥 비가상 호출이 수행될 뿐이다. 참조 형식 인스턴스 메서드를 호출할 때 항상 Callvirt를 사용하면 그 반대의 경우, 즉 가상 메서드를 Call로 호출하는 위험을 피할 수 있다. (이것은 실제로 '위험'이다. 대상 메서드의 작성자가 나중에 메서드의 선언을 바꿀 수도 있기 때문이다.) 또한 Callvirt에는 대상 메서드가 널이 아닌지를 점검한다는 장점도 있다.

> 가상 메서드를 Call로 호출하면 가상 호출 의미론을 우회해서 그 메서드를 직접 호출하게 된다. 이것이 바람직한 경우는 드물며, 실제로 이는 형식 안전성을 위반하는 일이다.

다음 예제는 인수 두 개를 전달해서 StringBuilder 객체를 생성하고, 거기에 문자열 ", world!"를 추가한 후 ToString을 호출한다.

```
// new StringBuilder ("Hello", 1000) 호출의 동적 생성

ConstructorInfo ci = typeof (StringBuilder).GetConstructor (
                     new[] { typeof (string), typeof (int) } );

gen.Emit (OpCodes.Ldstr, "Hello");   // 문자열을 평가 스택에 적재
gen.Emit (OpCodes.Ldc_I4, 1000);     // 정수 값을 평가 스택에 적재
gen.Emit (OpCodes.Newobj, ci);       // StringBuilder 객체를 생성

Type[] strT = { typeof (string) };
gen.Emit (OpCodes.Ldstr, ", world!");
gen.Emit (OpCodes.Call, typeof (StringBuilder).GetMethod ("Append", strT));
gen.Emit (OpCodes.Callvirt, typeof (object).GetMethod ("ToString"));
gen.Emit (OpCodes.Call, typeof (Console).GetMethod ("WriteLine", strT));
gen.Emit (OpCodes.Ret);
dynMeth.Invoke (null, null);        // Hello, world!
```

이 예제는 재미 삼아 typeof(object)에 대해 GetMethod를 호출한 후 Callvirt를 이용해서 ToString에 대한 가상 메서드 호출을 수행하지만, 다음처럼 StringBuilder 형식 자체에 대해 ToString를 호출해도 같은 결과를 얻을 수 있다.

```
gen.Emit (OpCodes.Callvirt, typeof (StringBuilder).GetMethod ("ToString",
                                                     new Type[0] ));
```

(GetMethod 호출에서 빈 Type 배열은 꼭 필요하다. StringBuilder에 다른 형식을 받는 ToString 중복적재 버전들이 있기 때문이다.)

object의 ToString을 다음처럼 비가상으로 호출한다면,

```
gen.Emit (OpCodes.Call,
          typeof (object).GetMethod ("ToString"));
```

"System.Text.StringBuilder"가 출력되었을 것이다. 다른 말로 하면, 이 비가상 호출은 StringBuilder의 ToString 중복적재를 건너뛰고 object의 버전을 직접 실행한다.

예외 처리

ILGenerator는 예외 처리에 특화된 메서드들도 제공한다. 다음과 같은 C# 코드를 생각해 보자.

```
try                              { throw new NotSupportedException(); }
catch (NotSupportedException ex) { Console.WriteLine (ex.Message);    }
finally                          { Console.WriteLine ("Finally");     }
```

이를 IL로 옮기려면 다음과 같이 하면 된다.

```
MethodInfo getMessageProp = typeof (NotSupportedException)
                            .GetProperty ("Message").GetGetMethod();

MethodInfo writeLineString = typeof (Console).GetMethod ("WriteLine",
                                              new[] { typeof (object) } );
gen.BeginExceptionBlock();
  ConstructorInfo ci = typeof (NotSupportedException).GetConstructor (
                                                      new Type[0] );
  gen.Emit (OpCodes.Newobj, ci);
  gen.Emit (OpCodes.Throw);
gen.BeginCatchBlock (typeof (NotSupportedException));
  gen.Emit (OpCodes.Callvirt, getMessageProp);
  gen.Emit (OpCodes.Call, writeLineString);
gen.BeginFinallyBlock();
  gen.EmitWriteLine ("Finally");
gen.EndExceptionBlock();
```

C#에서처럼, 하나의 try 블록에 여러 개의 catch 절을 붙일 수 있다. 같은 예외를 다시 던지려면 Rethrow 옵코드를 산출하면 된다.

ILGenerator는 ThrowException이라는 보조 메서드를 제공한다. 그런데 이 메서드에는 버그가 있어서 DynamicMethod와는 사용할 수 없다. 이 메서드는 MethodBuilder만 지원한다(다음 절 참고).

어셈블리와 형식의 산출

DynamicMethod가 편리하긴 하지만, 메서드만 생성할 수 있다는 한계가 있다. 다른 코드 요소를 산출하려면, 또는 하나의 완성된 형식을 동적으로 생성하려면 완전한 '중량급' API를 사용해야 한다. 하나의 완성된 형식을 동적으로 생성하려면 어셈블리와 모듈도 동적으로 생성해야 한다. 단, 그런 어셈블리가 반드시 디스크에 존재할 필요는 없다. 전적으로 메모리에만 존재하는 어셈블리도 가능하다.

하나의 형식을 동적으로 구축한다고 하자. 형식은 반드시 어떤 모듈에 속해야 하고, 모듈은 반드시 어떤 어셈블리에 속해야 한다. 따라서 형식을 만들려면 먼저 어셈블리와 모듈을 만들어야 한다. 그 둘을 위한 .NET Framework의 클래스는 각각 AssemblyBuilder와 ModuleBuilder이다.

```
AppDomain appDomain = AppDomain.CurrentDomain;

AssemblyName aname = new AssemblyName ("MyDynamicAssembly");

AssemblyBuilder assemBuilder =
  appDomain.DefineDynamicAssembly (aname, AssemblyBuilderAccess.Run);

ModuleBuilder modBuilder = assemBuilder.DefineDynamicModule ("DynModule");
```

일단 생성된 어셈블리는 더 이상 변경할 수 없으므로, 기존의 어셈블리에 형식을 추가할 수는 없다.

동적 어셈블리는 기본적으로 쓰레기 수거의 대상이 아니며, 응용 프로그램 도메인이 끝날 때까지 메모리에 상주한다. 단, 어셈블리를 정의할 때 AssemblyBuilderAccess.RunAndCollect를 지정하면 쓰레기 수거 대상이 된다. 어셈블리의 쓰레기 수거에는 다양한 제약이 따른다(*http://albahari.com/dynamiccollect* 참고).

형식을 담을 어셈블리와 모듈을 만든 다음에는 TypeBuilder를 이용해서 형식을 만든다. 예를 들어 다음은 Widget이라는 클래스를 정의한다.

```
TypeBuilder tb = modBuilder.DefineType ("Widget", TypeAttributes.Public);
```

TypeAttributes 플래그 열거형에는 C#의 형식을 *ildasm*으로 역어셈블했을 때 볼 수 있는 CLR 형식 수정자들에 대응되는 멤버들이 정의되어 있다. 이를테면 Abstract와 Sealed 같은 멤버들이 있으며, 또한 .NET 인터페이스를 정의하는 데 사용하는 Interface라는 멤버도 있다. 또한, C#에서 [Serializable] 특성을 적용하는 것에 해당하는 Serializable 멤버와, [StructLayout(LayoutKind.Explicit)] 특성을 적용하는 것에 해당하는 Explicit라는 멤버도 있다. 그 외의 특성들을 적용하는 방법은 이번 장의 '특성 부착(p.1034)'에서 설명한다.

DefineType 메서드 호출 시 기반 형식을 지정할 수도 있다.

- 구조체를 정의할 때에는 System.ValueType을 기반 형식으로 지정한다.
- 대리자를 정의할 때에는 System.MulticastDelegate를 기반 형식으로 지정한다.
- 인터페이스들을 구현하는 클래스를 정의할 때에는 원하는 인터페이스 형식들의 배열을 받는 생성자를 사용한다.
- 인터페이스를 정의할 때에는 TypeAttributes.Interface | TypeAttributes.Abstract를 지정한다.

대리자 형식을 정의하려면 추가적인 단계들이 필요하다. 조엘 포바Joel Pobar의 블로그(*http://blogs.msdn.com/joelpob/*) 중 "Creating delegate types via Reflection.Emit"라는 글에 대리자 형식을 동적으로 정의하는 방법이 나와 있다.

이제 형식에 멤버를 추가할 수 있다.

```
MethodBuilder methBuilder = tb.DefineMethod ("SayHello",
                                             MethodAttributes.Public,
                                             null, null);
ILGenerator gen = methBuilder.GetILGenerator();
gen.EmitWriteLine ("Hello world");
gen.Emit (OpCodes.Ret);
```

멤버들을 다 추가한 후에는 반드시 CreateType 메서드를 호출해야 한다. 그래야 형식의 정의가 완성된다.

```
Type t = tb.CreateType();
```

형식의 정의를 완성한 다음부터는 통상적인 반영 기법을 이용해서 형식을 조사하고 동적 바인딩을 수행할 수 있다.

```
object o = Activator.CreateInstance (t);
t.GetMethod ("SayHello").Invoke (o, null);        // Hello world
```

산출된 어셈블리의 저장

AssemblyBuilder 객체에 대한 Save 메서드는 동적으로 생성한 어셈블리를 지정된 이름의 파일에 기록한다. 이러한 저장이 성공하려면 그 전에 다음 두 가지 처리를 해주어야 한다.

- AssemblyBuilder 객체를 생성할 때 AssemblyBuilderAccess.Save 또는 AssemblyBuilderAccess.RunAndSave를 지정한다.
- ModuleBuilder 객체를 생성할 때 파일 이름을 지정한다(다중 모듈 어셈블리를 만드는 것이 아닌 한, 이 파일 이름은 어셈블리의 파일 이름과 일치해야 한다).

필요하다면 AssemblyName 객체의 Version이나 KeyPair(서명을 위해) 같은 속성을 설정할 수도 있다.

다음 예를 보자.

```
AppDomain domain = AppDomain.CurrentDomain;

AssemblyName aname = new AssemblyName ("MyEmissions");
aname.Version = new Version (2, 13, 0, 1);

AssemblyBuilder assemBuilder = domain.DefineDynamicAssembly (
  aname, AssemblyBuilderAccess.RunAndSave);

ModuleBuilder modBuilder = assemBuilder.DefineDynamicModule (
  "MainModule", "MyEmissions.dll");

// 이전에 했던 것처럼 형식들을 생성한다...
// ...

assemBuilder.Save ("MyEmissions.dll");
```

이 코드는 어셈블리를 응용 프로그램의 기반 디렉터리에 저장한다. 다른 장소에 저장하려면 AssemblyBuilder 생성 시 다음처럼 다른 디렉터리를 지정해야 한다.

```
AssemblyBuilder assemBuilder = domain.DefineDynamicAssembly (
  aname, AssemblyBuilderAccess.RunAndSave, @"d:\assemblies" );
```

동적 어셈블리를 파일에 저장하면 다른 어셈블리들 같은 보통의 어셈블리가 된다. 앞에서 생성한 어셈블리를 파일로 저장했다면, 프로그램에서 정적으로 참조해서 다음처럼 어셈블리의 형식을 직접 사용할 수 있다.

```
Widget w = new Widget();
w.SayHello();
```

Reflection.Emit 이름공간의 객체 모형

그림 19-2는 System.Reflection.Emit의 필수 형식들을 보여준다. 이 형식들은 각자 하나의 CLR 구축 요소에 대응되며, System.Reflection 이름공간에 있는 관련 기반 형식을 상속한다. 이러한 형식들은 정적인 C# 코드에 쓰이는 모든 구축 요소들에 대응되는 동적 구축 요소들을 제공한다. 이 덕분에 어떤 코드라도 동적으로 구축('산출')할 수 있다. 예를 들어 앞에서는 Console.WriteLine을 다음과 같이 호출했다.

```
MethodInfo writeLine = typeof(Console).GetMethod ("WriteLine",
                                   new Type[] { typeof (string) });
gen.Emit (OpCodes.Call, writeLine);
```

MethodInfo 대신 MethodBuilder로 gen.Emit를 호출하는 것도 이만큼이나 쉽다. 사실, 같은 형식 안의 다른 메서드를 호출하는 동적 메서드를 생성하려면 MethodBuilder가 필수이다.

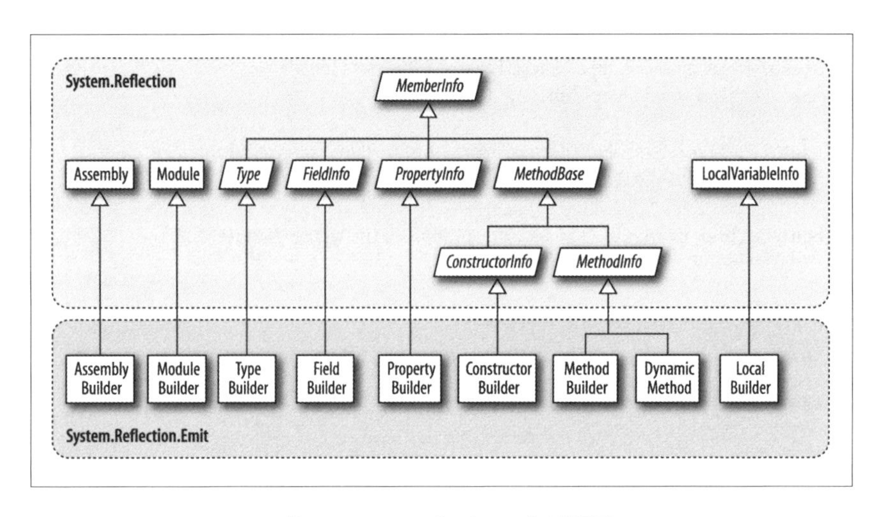

그림 19-2 System.Reflection.Emit 이름공간

형식을 생성해서 멤버들을 다 추가한 후에는 TypeBuilder 객체에 대해 CreateType을 호출해야 함을 기억할 것이다. CreateType을 호출하면 TypeBuilder와 모든 멤버가 봉인되어서 더 이상의 변경이 불가능해진다. CreateType은 인스턴스를 생성할 수 있는 진짜 Type 객체를 돌려준다.

CreateType을 호출하기 전에는 TypeBuilder 객체와 그 멤버들이 모두 '미생성(uncreated)' 상태이다. 미생성 상태의 형식에 대해서는 할 수 있는 일이 아주 제한적이다. 특히, GetMembers나 GetMethod, GetProperty처럼 MemberInfo 객체를 돌려주는 멤버는 호출할 수 없다. 미생성 형식에 대해 그런 멤버를 호출하면 예외가 발생한다. 예외를 피하려면 반드시 애초에 형식에 멤버를 추가할 때 만들었던 산출 객체를 사용해야 한다.

```
TypeBuilder tb = ...

MethodBuilder method1 = tb.DefineMethod ("Method1", ...);
MethodBuilder method2 = tb.DefineMethod ("Method2", ...);

ILGenerator gen1 = method1.GetILGenerator();

// method1에서 method2를 호출해야 한다고 할 때:

gen1.Emit (OpCodes.Call, method2);                    // 옳은 방법
gen1.Emit (OpCodes.Call, tb.GetMethod ("Method2"));   // 잘못된 방법
```

CreateType을 호출하고 나면, CreateType이 돌려주는 Type 객체뿐만 아니라 원래의 TypeBuilder 객체에 대해서도 반영과 활성화가 가능하다. 사실, CreateType을 호출하면 TypeBuilder는 실제 Type 객체에 대한 하나의 프록시가 된다. 이러한 기능이 왜 중요한지는 이번 장의 '까다로운 산출 대상들(p.1037)'에서 알게 될 것이다.

형식 멤버 산출

이번 절의 모든 예제는 TypeBuilder 형식의 객체 tb가 다음과 같이 인스턴스화되어 있다고 가정한다.

```
AppDomain domain = AppDomain.CurrentDomain;
AssemblyName aname = new AssemblyName ("MyEmissions");

AssemblyBuilder assemBuilder = domain.DefineDynamicAssembly (
  aname, AssemblyBuilderAccess.RunAndSave);

ModuleBuilder modBuilder = assemBuilder.DefineDynamicModule (
  "MainModule", "MyEmissions.dll");

TypeBuilder tb = modBuilder.DefineType ("Widget", TypeAttributes.Public);
```

메서드 산출

DefineMethod 호출 시 메서드의 반환 형식과 매개변수 형식들을 지정할 수 있다. 방식은 DynamicMethod 객체를 인스턴스화할 때와 같다. 예를 들어 다음과 같은 C# 메서드를 동적으로 생성하려면,

```
public static double SquareRoot (double value)
{
  return Math.Sqrt (value);
}
```

다음과 같이 하면 된다.

```
MethodBuilder mb = tb.DefineMethod ("SquareRoot",
  MethodAttributes.Static | MethodAttributes.Public,
  CallingConventions.Standard,
  typeof (double),                     // 반환 형식
  new[]  { typeof (double) } );        // 매개변수 형식(들)

mb.DefineParameter (1, ParameterAttributes.None, "value");  // 이름을 배정

ILGenerator gen = mb.GetILGenerator();
gen.Emit (OpCodes.Ldarg_0);                                // 첫 인수를 적재
gen.Emit (OpCodes.Call, typeof(Math).GetMethod ("Sqrt"));
gen.Emit (OpCodes.Ret);

Type realType = tb.CreateType();
double x = (double) tb.GetMethod ("SquareRoot").Invoke (null,
                                               new object[] { 10.0 });
Console.WriteLine (x);   // 3.16227766016838
```

DefineParameter 호출은 생략할 수 있다. 이 메서드는 주로 매개변수에 이름을 배정하는 용도로 쓰인다. 첫 인수 1은 첫 번째 매개변수를 뜻한다(0은 반환 값이다). DefineMethod를 호출하면 암묵적으로 매개변수들에 __p1, __p2 같은 이름이 배정된다. 어셈블리를 디스크에 기록해서 보통의 어셈블리로 사용하는 경우에는, 소비자가 쉽게 기억할 수 있는 매개변수 이름을 DefineParameter를 이용해서 명시적으로 배정하는 것이 바람직하다.

DefineParameter는 ParameterBuilder 객체를 돌려준다. 이 객체에 대해 SetCustomAttribute를 호출해서 특성을 부착할 수 있다(이번 장의 '특성 부착(p.1034)' 참고).

다음으로, 참조 전달 매개변수를 산출하는 방법을 살펴보자. 예를 들어 다음과 같은 C# 메서드를 동적으로 생성하려면,

```
public static void SquareRoot (ref double value)
{
  value = Math.Sqrt (value);
}
```

다음처럼 매개변수 형식(들)에 대해 MakeByRefType을 호출하면 된다.

```
MethodBuilder mb = tb.DefineMethod ("SquareRoot",
  MethodAttributes.Static | MethodAttributes.Public,
  CallingConventions.Standard,
  null,
  new Type[] { typeof (double).MakeByRefType() } );

mb.DefineParameter (1, ParameterAttributes.None, "value");

ILGenerator gen = mb.GetILGenerator();
gen.Emit (OpCodes.Ldarg_0);
gen.Emit (OpCodes.Ldarg_0);
gen.Emit (OpCodes.Ldind_R8);
gen.Emit (OpCodes.Call, typeof (Math).GetMethod ("Sqrt"));
gen.Emit (OpCodes.Stind_R8);
gen.Emit (OpCodes.Ret);

Type realType = tb.CreateType();
object[] args = { 10.0 };
tb.GetMethod ("SquareRoot").Invoke (null, args);
Console.WriteLine (args[0]);                    // 3.16227766016838
```

이 예제의 옵코드들은 해당 C# 메서드를 역어셈블한 코드에서 복사한 것이다. 참조 전달 매개변수에 접근하는 방식이 보통의 매개변수에 접근하는 것과는 다르다는 점을 주목하기 바란다. Ldind와 Stind는 각각 "*load* *ind*irectly(간접 적재)"와 "*st*ore *ind*irectly(간접 저장)"를 뜻한다. 그리고 접미사 R8은 8바이트 부동소수점 수를 뜻한다.

out 매개변수의 산출도 이와 동일하다. DefineParameter 호출의 둘째 인수가 다를 뿐이다.

```
mb.DefineParameter (1, ParameterAttributes.Out, "value");
```

인스턴스 메서드 생성

인스턴스 메서드를 동적으로 생성할 때에는 DefineMethod 호출 시 MethodAttributes.Instance를 지정한다.

```
MethodBuilder mb = tb.DefineMethod ("SquareRoot",
  MethodAttributes.Instance | MethodAttributes.Public
  ...
```

인스턴스 메서드에서는 0번 인수가 암묵적으로 this이고, 나머지 인수들은 1번부터 시작한다. 따라서 Ldarg_0은 this를 평가 스택에 적재하고, Ldarg_1은 첫 번째 실제 메서드 인수를 적재한다.

메서드 재정의

기반 클래스의 가상 메서드를 재정의하는 것도 어렵지 않다. 그냥 동일한 이름과 서명, 반환 형식의 메서드를 정의하되 DefineMethod 호출 시 MethodAttributes.Virtual을 지정하면 된다. 인터페이스 메서드를 구현할 때에도 마찬가지이다.

TypeBuilder는 어떤 메서드를 다른 이름으로 재정의하는 데 쓰이는 DefineMethodOverride라는 메서드도 제공한다. 그러한 재정의는 명시적 인터페이스 구현에서만 의미가 있다. 그 외의 상황에는 DefineMethod를 사용해야 한다.

HideBySig 플래그

거의 대부분의 경우, 다른 형식을 파생할 때 MethodAttributes.HideBySig를 지정하는 것이 도움이 된다. HideBySig를 지정하면 C# 스타일의 메서드 숨기기 의미론이 적용된다. 즉, 기반 형식의 메서드는 파생 형식이 그 메서드와 서명이 같은 메서드를 정의할 때에만 숨겨진다. HideBySig를 지정하지 않으면 이름만 같아도 메서드가 가려진다. 예를 들어 파생 형식의 Foo(string)은 기반 형식의 Foo()를 숨기는데, 대체로 이는 바람직하지 않은 일이다.

필드와 속성의 산출

동적으로 필드를 만들 때에는 TypeBuilder 객체에 대해 DefineField를 호출한다. 이때 필드의 이름과 형식, 가시성을 지정한다. 다음은 'length'라는 이름의 전용 정수 필드를 만드는 예이다.

```
FieldBuilder field = tb.DefineField ("length", typeof (int),
                                     FieldAttributes.Private);
```

속성이나 인덱서를 만들려면 추가적인 단계가 필요하다. 우선 TypeBuilder 객체에 대해 DefineProperty를 호출해서 속성의 이름과 형식을 지정한다. 다음은 'Text'라는 문자열 속성을 만드는 예이다.

```
PropertyBuilder prop = tb.DefineProperty (
                         "Text",                    // 속성 이름
                         PropertyAttributes.None,
                         typeof (string),           // 속성 형식
                         new Type[0]                // 인덱서 형식들
                       );
```

(인덱서를 생성할 때에는 마지막 인수에 실제 인덱서 형식들의 배열을 지정해야 한다.) 이때 속성의 가시성을 지정하지는 않았음을 주목하기 바란다. 가시성은 접근자 메서드들에 대해 개별적으로 지정한다.

다음 단계는 접근자 메서드들, 즉 get 메서드와 set 메서드를 생성하는 것이다. 관례상 이 메서드들의 이름은 "get_"과 "set_"로 시작한다. 메서드를 생성한 후에는 PropertyBuilder 객체에 대해 SetGetMethod와 SetSetMethod를 호출해서 그 메서드들을 속성에 부착하면 된다.

완전한 예제로, 다음과 같은 필드 및 속성 선언을 동적으로 생성하려면,

```
string _text;
public string Text
{
  get          { return _text; }
  internal set { _text = value; }
}
```

다음과 같이 하면 된다.

```
FieldBuilder field = tb.DefineField ("_text", typeof (string),
                                     FieldAttributes.Private);
PropertyBuilder prop = tb.DefineProperty (
                         "Text",                     // 속성 이름
                         PropertyAttributes.None,
                         typeof (string),            // 속성 형식
                         new Type[0]);               // 인덱서 형식들

MethodBuilder getter = tb.DefineMethod (
  "get_Text",                                        // 메서드 이름
  MethodAttributes.Public | MethodAttributes.SpecialName,
  typeof (string),                                   // 반환 형식
  new Type[0]);                                      // 매개변수 형식들

ILGenerator getGen = getter.GetILGenerator();
getGen.Emit (OpCodes.Ldarg_0);        // "this"를 평가 스택에 적재
getGen.Emit (OpCodes.Ldfld, field);   // 필드 값을 평가 스택에 적재
getGen.Emit (OpCodes.Ret);            // 반환

MethodBuilder setter = tb.DefineMethod (
  "set_Text",
  MethodAttributes.Assembly | MethodAttributes.SpecialName,
  null,                                               // 반환 형식
  new Type[] { typeof (string) } );                   // 매개변수 형식들

ILGenerator setGen = setter.GetILGenerator();
setGen.Emit (OpCodes.Ldarg_0);        // "this"를 평가 스택에 적재
```

```
setGen.Emit (OpCodes.Ldarg_1);        // 둘째 인수, 즉 속성의 값을 적재
setGen.Emit (OpCodes.Stfld, field);   // 그 값을 필드에 저장
setGen.Emit (OpCodes.Ret);            // 반환

prop.SetGetMethod (getter);           // get 메서드를 속성에 부착
prop.SetSetMethod (setter);           // set 메서드를 속성에 부착
```

이제 속성을 시험해 보자.

```
Type t = tb.CreateType();
object o = Activator.CreateInstance (t);
t.GetProperty ("Text").SetValue (o, "산출 성공!", new object[0]);
string text = (string) t.GetProperty ("Text").GetValue (o, null);

Console.WriteLine (text);             // 산출 성공!
```

접근자 MethodAttributes를 정의할 때 SpecialName 플래그를 포함했음을 주목하기 바란다. 이렇게 하면 어셈블리를 정적으로 참조할 때 컴파일러가 이 메서드들을 직접 바인딩하지 않는다. 또한, 이 플래그를 지정하면 반영 도구들과 Visual Studio의 IntelliSense가 접근자들을 적절히 처리한다.

이벤트도 이와 비슷한 방식으로 생성할 수 있다. TypeBuilder에 대해 DefineEvent를 호출하고, 명시적인 이벤트 접근자 메서드들을 생성하고, EventBuilder에 대해 SetAddOnMethod와 SetRemoveOnMethod를 호출해서 그 메서드들을 이벤트에 부착하면 된다.

생성자의 산출

생성자를 동적으로 생성할 때에는 TypeBuilder에 대해 DefineConstructor를 호출한다. 그런데 꼭 생성자를 만들어야 하는 것은 아니다. 생성자를 만들지 않으면 매개변수 없는 기본 생성자가 자동으로 제공된다. C#에서처럼, 파생 형식의 경우 기본 생성자는 기반 클래스의 생성자를 호출한다. 하나 이상의 생성자를 직접 생성하면 이 기본 생성자는 제거된다.

필드들을 초기화하는 장소로는 생성자가 제격이다. 사실 동적 코드 생성의 경우 생성자가 유일한 장소이다. C#의 필드 초기치 절에 해당하는 CLR의 동적 코드 생성 요소가 없기 때문이다. 사실 C#의 필드 초기치 절은 생성자 안에서 필드에 값을 배정하는 코드의 단축 표기 수단일 뿐이다.

예를 들어 다음과 같은 클래스를 생각해 보자.

```
class Widget
{
  int _capacity = 4000;
}
```

다음은 이 클래스의 필드 초기치 절과 같은 일을 하는 생성자를 동적으로 생성하는 예이다.

```
FieldBuilder field = tb.DefineField ("_capacity", typeof (int),
                                     FieldAttributes.Private);
ConstructorBuilder c = tb.DefineConstructor (
  MethodAttributes.Public,
  CallingConventions.Standard,
  new Type[0]);                  // 생성자 매개변수 형식들

ILGenerator gen = c.GetILGenerator();

gen.Emit (OpCodes.Ldarg_0);             // "this"를 평가 스택에 적재
gen.Emit (OpCodes.Ldc_I4, 4000);        // 값 4000을 평가 스택에 적재
gen.Emit (OpCodes.Stfld, field);        // 그 값을 필드에 저장
gen.Emit (OpCodes.Ret);
```

기반 생성자 호출

다른 형식을 파생해서 형식을 만들 때, 앞의 예제처럼 생성자를 만들면 **기반 클래스의 생성자가 호출되지 않는다.** 이는 기반 클래스 생성자가 간접적으로든 직접적으로든 항상 호출되는 C#과는 다른 방식이다. 예를 들어 다음과 같은 클래스들이 있다고 하자.

```
class A     { public A() { Console.Write ("A"); } }
class B : A { public B() {} }
```

컴파일러는 둘째 줄을 사실상 다음과 같이 바꾸어서 컴파일한다.

```
class B : A { public B() : base() {} }
```

그러나 IL 코드를 동적으로 생성할 때에는 자동으로 이런 처리가 일어나지 않으므로, 기반 클래스 생성자를 실행하고 싶으면(거의 항상 그래야 한다) 반드시 기반 클래스 생성자를 명시적으로 호출해야 한다. 다음은 A라는 기반 클래스의 생성자를 호출하는 코드를 생성하는 예이다.

```
gen.Emit (OpCodes.Ldarg_0);
ConstructorInfo baseConstr = typeof (A).GetConstructor (new Type[0]);
gen.Emit (OpCodes.Call, baseConstr);
```

인수들을 지정해서 생성자를 호출할 수도 있는데, 인수들을 지정하는 방법은 메서드를 호출할 때와 동일하다.

특성 부착

동적 코드 요소에 커스텀 특성을 부착할 때에는 CustomAttributeBuilder 객체에 대해 SetCustomAttribute를 호출한다. 예를 들어 다음과 같은 특성 선언을 필드나 속성에 부착한다고 하자.

```
[XmlElement ("FirstName", Namespace="http://test/", Order=3)]
```

이 특성 선언은 문자열 하나를 받는 XmlElementAttribute 생성자를 호출하는 것에 해당한다. CustomAttributeBuilder를 사용하려면 우선 이 생성자에 관한 객체를 얻어야 하며, 설정하고자 하는 두 속성(Namespace와 Order)에 관한 객체들도 얻어야 한다.

```
Type attType = typeof (XmlElementAttribute);

ConstructorInfo attConstructor = attType.GetConstructor (
  new Type[] { typeof (string) } );

var att = new CustomAttributeBuilder (
  attConstructor,                        // 생성자
  new object[] { "FirstName" },          // 생성자 인수들
  new PropertyInfo[]
  {
    attType.GetProperty ("Namespace"),   // 속성
    attType.GetProperty ("Order")
  },
  new object[] { "http://test/", 3 }     // 속성 값들
);

myFieldBuilder.SetCustomAttribute (att);
// 또는 propBuilder.SetCustomAttribute (att);
// 또는 typeBuilder.SetCustomAttribute (att); 등등
```

제네릭 메서드와 제네릭 형식의 산출

이번 절의 모든 예제는 modBuilder 객체가 다음과 같이 인스턴스화되어 있다고 가정한다.

```
AppDomain domain = AppDomain.CurrentDomain;
AssemblyName aname = new AssemblyName ("MyEmissions");
```

```
AssemblyBuilder assemBuilder = domain.DefineDynamicAssembly (
  aname, AssemblyBuilderAccess.RunAndSave);

ModuleBuilder modBuilder = assemBuilder.DefineDynamicModule (
  "MainModule", "MyEmissions.dll");
```

제네릭 메서드의 생성

제네릭 메서드를 생성하는 과정은 다음과 같다.

1. MethodBuilder 객체에 대해 DefineGenericParameters를 호출해서 GenericTypeParameterBuilder 객체들의 배열을 얻는다.
2. MethodBuilder에 대해 SetSignature를 호출한다. 이때 단계 1에서 얻은 제네릭 형식 매개변수들의 배열을 지정한다.
3. 필요하다면 형식 매개변수들의 이름을 명시적으로 설정한다.

예를 들어 다음과 같은 제네릭 메서드를 생각해 보자.

```
public static T Echo<T> (T value)
{
  return value;
}
```

다음은 이를 동적으로 생성하는 코드이다.

```
TypeBuilder tb = modBuilder.DefineType ("Widget", TypeAttributes.Public);

MethodBuilder mb = tb.DefineMethod ("Echo", MethodAttributes.Public |
                                            MethodAttributes.Static);
GenericTypeParameterBuilder[] genericParams
  = mb.DefineGenericParameters ("T");

mb.SetSignature (genericParams[0],     // 반환 형식
                 null, null,
                 genericParams,        // 매개변수 형식들
                 null, null);

mb.DefineParameter (1, ParameterAttributes.None, "value");   // 생략 가능

ILGenerator gen = mb.GetILGenerator();
gen.Emit (OpCodes.Ldarg_0);
gen.Emit (OpCodes.Ret);
```

DefineGenericParameters 메서드는 임의의 개수의 문자열 인수들을 받는다. 이 문자열들은 원하는 제네릭 형식 매개변수 이름들에 대응된다. 지금 예제는

T라는 제네릭 형식 매개변수 하나만 정의한다. GenericTypeParameterBuilder는 System.Type을 상속하므로, 옵코드 산출 시 TypeBuilder 대신 사용할 수 있다.

GenericTypeParameterBuilder에는 기반 형식 제약 조건을 설정하는 메서드도 있다.

```
genericParams[0].SetBaseTypeConstraint (typeof (Foo));
```

또한, 다음처럼 인터페이스 제약 조건을 설정할 수도 있다.

```
genericParams[0].SetInterfaceConstraints (typeof (IComparable));
```

예를 들어 아래의 제약 조건을 동적으로 지정하려면

```
public static T Echo<T> (T value) where T : IComparable<T>
```

다음과 같이 하면 된다.

```
genericParams[0].SetInterfaceConstraints (
  typeof (IComparable<>).MakeGenericType (genericParams[0]) );
```

다른 종류의 제약 조건들은 SetGenericParameterAttributes 메서드로 지정하면 된다. 이 메서드는 다음과 같은 값들이 있는 GenericParameterAttributes 열거형의 한 값을 받는다.

```
DefaultConstructorConstraint
NotNullableValueTypeConstraint
ReferenceTypeConstraint
Covariant
Contravariant
```

마지막 두 멤버는 형식 매개변수에 out과 in 수정자를 적용하는 것에 해당한다.

제네릭 형식의 생성

제네릭 형식도 제네릭 메서드와 비슷한 방식으로 생성할 수 있다. 차이점은, MethodBuilder가 아니라 TypeBuilder에 대해 DefineGenericParameters를 호출한다는 점이다. 예를 들어 다음과 같은 제네릭 클래스를 동적으로 생성하려면

```
public class Widget<T>
{
  public T Value;
}
```

다음과 같이 하면 된다.

```
TypeBuilder tb = modBuilder.DefineType ("Widget", TypeAttributes.Public);

GenericTypeParameterBuilder[] genericParams
  = tb.DefineGenericParameters ("T");

tb.DefineField ("Value", genericParams[0], FieldAttributes.Public);
```

제네릭 제약 조건들을 추가하는 방법은 메서드에서와 같다.

까다로운 산출 대상들

이번 절의 모든 예제는 modBuilder 객체가 저번 절에서처럼 인스턴스화되어 있다고 가정한다.

미생성된 형식과 닫힌 제네릭 형식

다음처럼 닫힌 제네릭 형식을 사용하는 메서드를 동적으로 생성한다고 하자.

```
public class Widget
{
  public static void Test() { var list = new List<int>(); }
}
```

생성 과정은 다음과 같이 상당히 간단하다.

```
TypeBuilder tb = modBuilder.DefineType ("Widget", TypeAttributes.Public);

MethodBuilder mb = tb.DefineMethod ("Test", MethodAttributes.Public |
                                            MethodAttributes.Static);
ILGenerator gen = mb.GetILGenerator();

Type variableType = typeof (List<int>);

ConstructorInfo ci = variableType.GetConstructor (new Type[0]);

LocalBuilder listVar = gen.DeclareLocal (variableType);
gen.Emit (OpCodes.Newobj, ci);
gen.Emit (OpCodes.Stloc, listVar);
gen.Emit (OpCodes.Ret);
```

이번에는 메서드가 정수들의 목록이 아니라 위젯들의 목록을 사용한다고 하자.

```
public class Widget
{
  public static void Test() { var list = new List<Widget>(); }
}
```

언뜻 보기에는 간단한 수정으로 해결될 것 같다. 즉, 다음 줄을

```
Type variableType = typeof (List<int>);
```

다음으로 수정하면 끝날 것이다.

```
Type variableType = typeof (List<>).MakeGenericType (tb);
```

안타깝게도, 이렇게 하면 GetConstructor 호출 시 NotSupportedException 예외가 발생한다. 미생성된, 즉 아직 CreateType을 호출하지 않은 형식 구축 객체(지금 예제의 TypeBuilder 객체)로 닫은 제네릭 형식에 대해 GetConstructor를 호출하면 안 되기 때문이다. GetField 메서드나 GetMethod 메서드도 마찬가지이다.

해결책은 그리 직관적이지 않다. TypeBuilder는 다음과 같은 세 정적 메서드를 제공한다.

```
public static ConstructorInfo GetConstructor (Type, ConstructorInfo);
public static FieldInfo       GetField       (Type, FieldInfo);
public static MethodInfo      GetMethod      (Type, MethodInfo);
```

메서드 이름이나 서명만 보고는 잘 모르겠지만, 사실 이 메서드들의 주된 용도는 미생성된 형식 구축 객체로 닫은 제네릭 형식의 멤버를 얻는 것이다. 첫 매개변수는 닫힌 제네릭 형식이고 둘째 매개변수는 얻고자 하는, **묶이지 않은** 제네릭 형식의 멤버이다. 정리하자면, List<Widget>을 사용하는 메서드를 동적으로 생성하려면 다음과 같이 해야 한다.

```
MethodBuilder mb = tb.DefineMethod ("Test", MethodAttributes.Public |
                                            MethodAttributes.Static);
ILGenerator gen = mb.GetILGenerator();

Type variableType = typeof (List<>).MakeGenericType (tb);

ConstructorInfo unbound = typeof (List<>).GetConstructor (new Type[0]);
ConstructorInfo ci = TypeBuilder.GetConstructor (variableType, unbound);

LocalBuilder listVar = gen.DeclareLocal (variableType);
gen.Emit (OpCodes.Newobj, ci);
gen.Emit (OpCodes.Stloc, listVar);
gen.Emit (OpCodes.Ret);
```

순환 참조

서로를 참조하는 두 형식을 동적으로 구축한다고 하자. 예를 들어 다음 두 클래스를 생각해 보자.

```
class A { public B Bee; }
class B { public A Aye; }
```

다음은 이들을 동적으로 생성하는 예이다.

```
var publicAtt = FieldAttributes.Public;

TypeBuilder aBuilder = modBuilder.DefineType ("A");
TypeBuilder bBuilder = modBuilder.DefineType ("B");

FieldBuilder bee = aBuilder.DefineField ("Bee", bBuilder, publicAtt);
FieldBuilder aye = bBuilder.DefineField ("Aye", aBuilder, publicAtt);

Type realA = aBuilder.CreateType();
Type realB = bBuilder.CreateType();
```

aBuilder와 bBuilder를 모두 채운 후에야 둘에 대해 CreateType을 호출했음을 주목하기 바란다. 원칙은, 일단 모든 것을 연결하고, 그런 다음 각 형식 구축 객체에 CreateType을 호출한다는 것이다.

흥미롭게도, realA 형식은 bBuilder에 대해 CreateType을 호출하기 전까지는 유효하지만 **고장 난**(dysfunctional) 상태라는 점이다. (bBuilder에 대해 CreateType을 호출하기 전에 aBuilder를 사용하기 시작하면, Bee 필드에 접근할 때 예외가 발생한다).

realB를 생성한 후 bBuilder는 realA를 어떻게 고치는 것일까? 답은, 고치지 않는다는 것이다. realA는 다음번에 쓰일 때 스스로 자신을 고친다. 이것이 가능한 이유는, CreateType을 호출하고 나면 TypeBuilder가 실제 실행시점 형식에 대한 하나의 프록시로 변하기 때문이다. 따라서, bBuilder에 대한 참조를 가진 realA는 업그레이드에 필요한 메타자료를 손쉽게 구할 수 있다.

이러한 시스템은 형식 구축 객체가 미생성 형식에 대해 간단한 정보를 요구할 때, 다시 말하면 형식이나 멤버, 객체 참조같이 **미리 결정할 수 있는 정보**를 요구할 때 유효하다. 예를 들어 realA 생성 시 형식 구축 객체는 realB가 메모리에서 몇 바이트의 공간을 차지하게 될지 알 필요가 없다. 어차피 realB는 아직 생성되지 않았으므로 그런 정보는 아직 몰라도 된다. 그러나 realB가 구조체이면 이야기가 달라진다. 그런 경우 realB의 최종 크기는 realA 생성에 꼭 필요한 정보이다.

관계가 비순환적이면 문제가 간단하다. 다음과 같은 관계의 구조체들을 동적으로 만든다면,

```
struct A { public B Bee; }
struct B {               }
```

그냥 먼저 구조체 B를 생성한 후 A를 생성하면 그만이다. 그러나 다음과 같은 관계는 어떨까?

```
struct A { public B Bee; }
struct B { public A Aye; }
```

두 구조체가 서로를 담고 있다는 것 자체가 모순이므로, 이런 코드의 동적 생성은 시도할 필요가 없다(정적인 경우도 마찬가지이다. C# 컴파일러는 이런 코드에 대해 오류를 발생한다). 하지만 다음과 같은 변형은 유효하고 유용하다.

```
public struct S<T> { ... }    // S가 빈 구조체이어도 이 예제는 작동한다.

class A { S<B> Bee; }
class B { S<A> Aye; }
```

A를 생성할 때 TypeBuilder는 B의 메모리 사용량을 알 필요가 있고, 그 역도 마찬가지이다. 이해를 돕기 위해 구체적인 예를 보자. 구조체 S는 정적으로 정의되어 있다고 하겠다. 다음은 클래스 A와 B를 동적으로 생성하는 코드이다.

```
var pub = FieldAttributes.Public;

TypeBuilder aBuilder = modBuilder.DefineType ("A");
TypeBuilder bBuilder = modBuilder.DefineType ("B");

aBuilder.DefineField ("Bee", typeof(S<>).MakeGenericType (bBuilder), pub);
bBuilder.DefineField ("Aye", typeof(S<>).MakeGenericType (aBuilder), pub);

Type realA = aBuilder.CreateType();    // 오류: 형식 B를 적재할 수 없음
Type realB = bBuilder.CreateType();
```

안타깝게도, 이번에는 CreateType이 TypeLoadException 예외를 던진다. CreateType 호출 순서를 어떻게 바꾸든 마찬가지이다.

- aBuilder.CreateType을 먼저 호출하면 "형식 B를 적재할 수 없음"에 해당하는 오류가 발생한다.
- bBuilder.CreateType을 먼저 호출하면 "형식 A를 적재할 수 없음"에 해당하는 오류가 발생한다.

형식 있는 LINQ to SQL DataContext를 동적으로 산출할 때 이런 문제에 봉착할 수 있다. 제네릭 EntityRef 형식은 하나의 구조체로, 지금 예제의 S에 해당한다. 데이터베이스의 두 테이블이 다른 어떤 상호 부모/자식 관계를 통해서 연결되면 순환 참조가 발생한다.

이 문제를 해결하려면 형식 구축 객체가 realA 생성을 통해서 realB를 부분적으로 생성할 수 있게 해야 한다. 구체적으로 말하면, CreateType 호출 직전에 현재 응용 프로그램 도메인의 TypeResolve 이벤트를 처리해야 한다. 지금 예제에서는 마지막 두 줄을 다음으로 대체하면 된다.

```
TypeBuilder[] uncreatedTypes = { aBuilder, bBuilder };

ResolveEventHandler handler = delegate (object o, ResolveEventArgs args)
{
  var type = uncreatedTypes.FirstOrDefault (t => t.FullName == args.Name);
  return type == null ? null : type.CreateType().Assembly;
};

AppDomain.CurrentDomain.TypeResolve += handler;

Type realA = aBuilder.CreateType();
Type realB = bBuilder.CreateType();

AppDomain.CurrentDomain.TypeResolve -= handler;
```

TypeResolve 이벤트는 aBuilder.CreateType 호출이 진행되는 도중에, bBuilder에 대해 CreateType을 호출해야 하는 지점에서 발생한다.

중첩된 형식과 부모 형식이 서로를 참조하는 형태의 중첩된 형식을 동적으로 정의할 때에도 순환 참조 문제가 발생하는데, 역시 이 예제에서처럼 TypeResolve 이벤트를 처리해서 해결해야 한다.

IL 코드의 파싱

기존 메서드의 내용에 대한 정보를 얻고자 할 때에는 우선 MethodBase 객체에 대해 GetMethodBody를 호출한다. 이 메서드는 MethodBody 객체를 돌려주는데, 그 객체에는 메서드의 지역 변수들, 예외 처리 블록들, 스택 크기를 알 수 있는 속성들이 있으며, 실제 IL 코드를 담은 속성도 있다. 이런 메서드들과 객체들을 사용하는 것은 Reflection.Emit의 형식들로 하는 일의 반대에 해당한다.

이러한 메서드 IL 코드 조사는 코드의 프로파일링profiling에 유용하다. 그러한 프로파일링의 간단한 용도 하나는, 어셈블리를 갱신했을 때 어셈블리의 어떤 메서드가 변했는지 파악하는 것이다.

IL 코드의 파싱 방법을 보여주는 예로, 이번 절에서는 *ildasm* 스타일로 IL을 역어셈블하는 응용 프로그램을 작성해 본다. 이번 절의 예제를 코드 분석 도구나 고수준 언어 역어셈블러를 작성하는 출발점으로 삼아도 좋을 것이다.

반영 API에서 C#의 모든 기능적 코드 요소는 MethodBase의 한 파생 형식 또는 MethodBase 객체가 부착된 어떤 형식(속성, 이벤트, 인덱서의 경우)으로 대표된다는 점을 기억하기 바란다.

역어셈블러 작성

이 예제의 소스 코드를 *http://www.albahari.com/nutshell/*에서 내려받을 수 있다.

다음은 예제 역어셈블러의 출력 예이다.

```
IL_00EB:  ldfld        Disassembler._pos
IL_00F0:  ldloc.2
IL_00F1:  add
IL_00F2:  ldelema      System.Byte
IL_00F7:  ldstr        "Hello world"
IL_00FC:  call         System.Byte.ToString
IL_0101:  ldstr        " "
IL_0106:  call         System.String.Concat
```

이러한 출력을 얻으려면 IL 코드를 구성하는 이진 토큰들을 파싱해야 한다. 가장 먼저 할 일은 MethodBody에 대해 GetILAsByteArray 메서드를 호출해서 바이트 배열 형태의 IL 코드를 얻는 것이다. 이후의 작업을 편하게 진행하기 위해, 이를 하나의 클래스로 작성해 두자.

```
public class Disassembler
{
  public static string Disassemble (MethodBase method)
    => new Disassembler (method).Dis();

  StringBuilder _output;     // 여기에 출력 결과를 계속 추가한다.
  Module _module;            // 나중에 요긴하게 사용할 것이다.
  byte[] _il;                // 실제 바이트 코드
  int _pos;                  // 바이트 코드 안에서의 현재 위치

  Disassembler (MethodBase method)
  {
```

```
      _module = method.DeclaringType.Module;
      _il = method.GetMethodBody().GetILAsByteArray();
    }

    string Dis()
    {
      _output = new StringBuilder();
      while (_pos < _il.Length) DisassembleNextInstruction();
      return _output.ToString();
    }
  }
```

정적 Disassemble 메서드는 이 클래스의 유일한 공용 멤버이다. 다른 모든 멤버는 역어셈블 과정에서 이 클래스 내부에서만 사용하는 전용 멤버이다. Dis 메서드는 각 명령을 처리하는 '주' 루프를 담고 있다.

이러한 뼈대를 갖추었다면, 이제 남은 일은 DisassembleNextInstruction을 실제로 구현하는 것이다. 그전에, IL의 옵코드를 8비트 또는 16비트 옵코드 값으로 조회할 수 있도록 모든 옵코드를 하나의 정적 사전에 적재해 두면 편할 것이다. 그런 사전을 마련하는 가장 쉬운 방법은 OpCodes 클래스에서 형식이 OpCode인 모든 정적 필드를 반영 기능을 이용해서 조회하는 것이다.

```
static Dictionary<short,OpCode> _opcodes = new Dictionary<short,OpCode>();

static Disassembler()
{
  Dictionary<short, OpCode> opcodes = new Dictionary<short, OpCode>();
    foreach (FieldInfo fi in typeof (OpCodes).GetFields
                            (BindingFlags.Public | BindingFlags.Static))
      if (typeof (OpCode).IsAssignableFrom (fi.FieldType))
      {
        OpCode code = (OpCode) fi.GetValue (null);   // 필드의 값을 얻는다.
        if (code.OpCodeType != OpCodeType.Nternal)
          _opcodes.Add (code.Value, code);
      }
}
```

정적 생성자에서 사전을 채우므로, 사전은 단 한 번만 채워진다.

이제 DisassembleNextInstruction을 실제로 작성해 보자. 하나의 IL 명령은 1바이트 또는 2바이트 옵코드 하나와 0, 1, 2, 4, 8바이트의 피연산자(operand; 연산 대상) 하나로 이루어진다. (예외는 인라인 switch 문 옵코드들인데, 그런 옵코드 다음에는 가변 개수의 피연산자들이 온다). 따라서, 바이트 코드에서 옵코드를 읽고, 그 다음에 피연산자를 읽고, 그것들을 적절한 서식으로 출력하면 된다.

```
void DisassembleNextInstruction()
{
  int opStart = _pos;

  OpCode code = ReadOpCode();
  string operand = ReadOperand (code);

  _output.AppendFormat ("IL_{0:X4}:  {1,-12} {2}",
                        opStart, code.Name, operand);
  _output.AppendLine();
}
```

옵코드를 읽는 메서드는 우선 바이트 하나를 읽어서 유효한 옵코드인지 점검한다. 만일 유효한 옵코드가 아니면 바이트 하나를 더 읽어서 유효한 2바이트 옵코드인지 점검한다.

```
OpCode ReadOpCode()
{
  byte byteCode = _il [_pos++];
  if (_opcodes.ContainsKey (byteCode)) return _opcodes [byteCode];

  if (_pos == _il.Length)  throw new Exception ("IL이 예기치 않게 끝났음");

  short shortCode = (short) (byteCode * 256 + _il [_pos++]);

  if (!_opcodes.ContainsKey (shortCode))
    throw new Exception ("다음 옵코드를 찾을 수 없음: " + shortCode);

  return _opcodes [shortCode];
}
```

피연산자를 읽는 메서드에서는 먼저 피연산자의 형식에 근거해서 그 길이를 파악한다. 대부분의 피연산자 형식은 4바이트이므로, 4바이트가 아닌 경우들만 조건절을 이용해서 걸러내면 간단하게 해결된다.

그런 다음에는 FormatOperand를 호출해서 피연산자를 적절한 형식으로 서식화한다.

```
string ReadOperand (OpCode c)
{
  int operandLength =
    c.OperandType == OperandType.InlineNone
      ? 0 :
    c.OperandType == OperandType.ShortInlineBrTarget ||
    c.OperandType == OperandType.ShortInlineI ||
    c.OperandType == OperandType.ShortInlineVar
      ? 1 :
    c.OperandType == OperandType.InlineVar
```

```
        ? 2 :
      c.OperandType == OperandType.InlineI8 ||
      c.OperandType == OperandType.InlineR
        ? 8 :
      c.OperandType == OperandType.InlineSwitch
        ? 4 * (BitConverter.ToInt32 (_il, _pos) + 1) :
        4;  // 그 외는 모두 4바이트

    if (_pos + operandLength > _il.Length)
      throw new Exception ("Unexpected end of IL");

    string result = FormatOperand (c, operandLength);
    if (result == null)
    {                        // 피연산자 바이트들을 십육진수로 출력
      result = "";
      for (int i = 0; i < operandLength; i++)
        result += _il [_pos + i].ToString ("X2") + " ";
    }
    _pos += operandLength;
    return result;
  }
```

FormatOperand가 돌려준 result가 null이면 특별한 서식화가 필요 없다는 뜻이므로 그냥 피연산자 바이트들을 십육진수 형태로 출력하면 된다. 이 시점에서, FormatOperand 메서드를 그냥 항상 null을 돌려주도록 간단하게 작성해서 역어셈블러를 시험해 볼 수 있다. 다음은 그러한 FormatOperand 메서드를 이용한 역어셈블 결과의 예이다.

```
IL_00A8:  ldfld        98 00 00 04
IL_00AD:  ldloc.2
IL_00AE:  add
IL_00AF:  ldelema      64 00 00 01
IL_00B4:  ldstr        26 04 00 70
IL_00B9:  call         B6 00 00 0A
IL_00BE:  ldstr        11 01 00 70
IL_00C3:  call         91 00 00 0A
...
```

출력을 보면 옵코드들이 정확함을 확인할 수 있다. 그러나 피연산자는 별로 도움이 되지 않는다. 십육진수 대신 멤버 이름과 문자열이 표시되면 훨씬 좋을 것이다. 이를 위해, 피연산자의 형식에 따라 적절한 서식화를 가하도록 FormatOperand 메서드를 제대로 작성해 보자. 대부분의 4바이트 피연산자와 짧은 분기 명령들에 그러한 서식화가 필요하다.

```
string FormatOperand (OpCode c, int operandLength)
{
```

```
    if (operandLength == 0) return "";

    if (operandLength == 4)
      return Get4ByteOperand (c);
    else if (c.OperandType == OperandType.ShortInlineBrTarget)
      return GetShortRelativeTarget();
    else if (c.OperandType == OperandType.InlineSwitch)
      return GetSwitchTarget (operandLength);
    else
      return null;
  }
```

특별한 취급이 필요한 4바이트 피연산자는 세 종류이다. 첫째는 멤버나 형식에 대한 참조인데, 이에 대해서는 현재 메서드를 정의하고 있는 모듈의 ResolveMember 메서드를 호출해서 멤버 이름이나 형식 이름을 얻는다. 둘째는 문자열이다. 문자열 피연산자는 어셈블리 모듈의 메타자료에 들어 있으며, ResolveString 메서드를 호출해서 조회할 수 있다. 마지막은 분기 대상으로, 이 경우 피연산자는 IL 코드 안에서의 바이트 오프셋이다. 이 피연산자는 이를 현재 명령 다음 위치에 해당하는 지점(+4바이트)의 절대 주소로 바꾸어서 서식화한다.

```
  string Get4ByteOperand (OpCode c)
  {
    int intOp = BitConverter.ToInt32 (_il, _pos);

    switch (c.OperandType)
    {
      case OperandType.InlineTok:
      case OperandType.InlineMethod:
      case OperandType.InlineField:
      case OperandType.InlineType:
        MemberInfo mi;
        try   { mi = _module.ResolveMember (intOp); }
        catch { return null; }
        if (mi == null) return null;

        if (mi.ReflectedType != null)
          return mi.ReflectedType.FullName + "." + mi.Name;
        else if (mi is Type)
          return ((Type)mi).FullName;
        else
          return mi.Name;

      case OperandType.InlineString:
        string s = _module.ResolveString (intOp);
        if (s != null) s = "'" + s + "'";
        return s;
```

```
    case OperandType.InlineBrTarget:
      return "IL_" + (_pos + intOp + 4).ToString ("X4");

    default:
      return null;
  }
```

코드 분석 도구를 만들고 싶다면, 이 메서드에서 ResolveMember를 호출하는 지점이 메서드 의존성들을 파악하기에 좋은 장소임을 기억하기 바란다.

그 외의 4바이트 옵코드에 대해서는 그냥 null을 돌려준다(그러면 ReadOperand는 피연산자를 십육진수로 서식화한다).

이러한 4바이트 옵코드들 외에, 짧은 분기 대상과 인라인 switch 문의 피연산자도 특별한 취급이 필요하다. 짧은 분기 대상의 피연산자는 부호 있는 바이트 하나로, 현재 명령 다음 위치(즉, +1바이트)를 기준으로 한 오프셋에 해당한다. switch 문 피연산자는 가변 개수의 4바이트 분기 대상들이다.

```
string GetShortRelativeTarget()
{
  int absoluteTarget = _pos + (sbyte) _il [_pos] + 1;
  return "IL_" + absoluteTarget.ToString ("X4");
}

string GetSwitchTarget (int operandLength)
{
  int targetCount = BitConverter.ToInt32 (_il, _pos);
  string [] targets = new string [targetCount];
  for (int i = 0; i < targetCount; i++)
  {
    int ilTarget = BitConverter.ToInt32 (_il, _pos + (i + 1) * 4);
    targets [i] = "IL_" + (_pos + ilTarget + operandLength).ToString ("X4");
  }
  return "(" + string.Join (", ", targets) + ")";
}
```

이렇게 해서 역어셈블러가 완성되었다. 다음은 역어셈블러 자신의 한 메서드를 역어셈블하는 예이다.

```
MethodInfo mi = typeof (Disassembler).GetMethod (
  "ReadOperand", BindingFlags.Instance | BindingFlags.NonPublic);

Console.WriteLine (Disassembler.Disassemble (mi));
```

C # 6 . 0 in a Nutshell

동적 프로그래밍

C#에서 동적 바인딩이 작동하는 방식을 제4장에서 설명했다. 이번 장에서는 DLR(동적 언어 런타임)을 간략히 소개하고, 다음과 같은 동적 프로그래밍 패턴들을 살펴본다.

- 수치 형식 통합
- 동적 멤버 중복적재 해소
- 커스텀 바인딩(동적 객체 구현)
- 동적 언어 상호운용성

제25장에서는 `dynamic` 키워드로 COM 상호운용성을 개선하는 방법을 설명한다.

이번 장에서 소개하는 형식들은 모두 `System.Dynamic` 이름공간에 있다. 단, `CallSite<>`는 `System.Runtime.CompilerServices` 이름공간에 있다.

DLR(동적 언어 런타임)

C#은 *DLR*(dynamic language runtime; 동적 언어 런타임)에 의존해서 동적 바인딩(dynamic binding)을 수행한다.

이름이 주는 느낌과는 달리, DLR은 CLR의 동적 버전이 아니다. DLR은 *System.Xml.dll* 같은 다른 모든 라이브러리와 마찬가지로 그냥 CLR 위에 놓인 하나의 라이브러리이다. DLR의 주된 역할은 정적 형식 언어와 동적 형식 언어 모두에서 동적 프로그래밍의 **통합**을 위한 실행시점 서비스들을 제공하는 것이다. DLR 덕분에 C#이나 VB, IronPython, IronRuby 같은 여러 언어는 동적으로 함수를 호출할 때 동일한 규약을 따른다. 결과적으로 이 언어들은 같은 라이브러리를 공유할 수 있으며, 다른 언어로 작성된 코드를 호출할 수 있다.

또한, .NET에서 새로운 동적 언어를 작성하기가 비교적 쉬운 것도 DLR 덕분이다. 동적 언어를 작성할 때 IL 코드를 직접 산출하는 코드를 작성하는 대신, **표현식 트리**(제8장에서 말한 `System.Linq.Expressions`의 표현식 트리와 같은 것이다)를 다루는 코드를 작성하면 된다.

더 나아가서, DLR은 모든 소비자가 **호출 사이트 캐싱**(call-site caching)의 혜택을 받게 한다. 호출 사이트 캐싱은 동적 바인딩 과정에서 잠재적으로 비싼 멤버 환원 결정을 되풀이하지 않기 위해 DLR이 사용하는 하나의 최적화 기법이다.

DLR은 .NET Framework 4.0에서 처음으로 .NET Framework 자체에 포함되었다. 그 전에는 Codeplex에서 따로 내려받아야 하는 라이브러리였다. 지금도 Codeplex 사이트에는 동적 언어 작성자에 유용한 몇 가지 추가 자원이 있다.

호출 사이트란?

컴파일러는 동적 표현식(dynamic expression)을 실행시점에서 누가 평가할지 알지 못한다. 예를 들어 다음과 같은 메서드를 생각해 보자.

```
public dynamic Foo (dynamic x, dynamic y)
{
  return x / y;   // 동적 표현식
}
```

매개변수 x, y는 실행시점에서 임의의 CLR 객체일 수도 있고 COM 객체일 수도 있으며 심지어 다른 동적 언어에 담긴 객체일 수도 있다. 따라서 컴파일러는 이런 코드를 통상적인 방식으로 컴파일할 수 없다. 즉, 컴파일러는 알려진 형식의 알려진 메서드를 호출하는 IL 코드를 산출하지 못한다. 대신 컴파일러는 해당 연산을 서술하는 표현식 트리를 실행시점에서 만들어 내는 코드를 산출한다. 그 표현식 트리는 DLR이 실행시점에서 바인딩할 **호출 사이트**가 관리한다. 호출 사이트는 호출자와 호출 대상 사이의 중재자 역할을 한다.

호출 사이트를 나타내는 클래스는 *System.Core.dll*의 `CallSite<>`이다. 이 점은 앞의 메서드를 역어셈블하면 알 수 있다. Foo를 역어셈블하면 다음과 같은 결과가 나온다.

```
static CallSite<Func<CallSite,object,object,object>> divideSite;

[return: Dynamic]
public object Foo ([Dynamic] object x, [Dynamic] object y)
{
  if (divideSite == null)
    divideSite =
      CallSite<Func<CallSite,object,object,object>>.Create (
        Microsoft.CSharp.RuntimeBinder.Binder.BinaryOperation (
          CSharpBinderFlags.None,
          ExpressionType.Divide,
          /* 간결함을 위해 나머지 인수들은 생략했음 */ ));

  return divideSite.Target (divideSite, x, y);
}
```

여기서 보듯이, 호출 사이트는 하나의 정적 필드에 보관된다. 따라서 메서드를 호출할 때마다 호출 사이트를 다시 생성하는 비용은 발생하지 않는다. 더 나아가서, DLR은 바인딩 단계의 결과와 실제 메서드 대상들도 캐시에 담아 둔다. (x와 y의 형식에 따라서는 여러 개의 대상이 있을 수 있다.)

이후 피연산자 x와 y를 인수로 해서 호출 사이트의 Target(대리자)을 호출함으로써 실제 동적 호출이 일어난다.

이 예제에서 Binder는 C#에 특화된 바인더 클래스임을 주의하기 바란다. 동적 바인딩을 지원하는 모든 언어는 자신에 특화된 바인더를 제공한다. 이 바인더는 DLR이 표현식을 해당 언어에 맞는 방식으로 해석하는 데 도움을 준다. 예를 들어 정수 5와 2로 Foo를 호출했을 때 C#의 바인더는 2라는 결과가 나오게 하지만, VB.NET의 바인더는 2.5가 나오게 한다.

수치 형식 통합

제4장에서 dynamic을 이용해서 하나의 메서드가 모든 수치 형식에 맞게 작동하게 하는 방법을 살펴보았다. 해당 예제는 다음과 같다.

```
static dynamic Mean (dynamic x, dynamic y) => (x + y) / 2;

static void Main()
{
  int x = 3, y = 5;
  Console.WriteLine (Mean (x, y));
}
```

키워드 static과 dynamic을 이처럼 인접해서 지정할 수 있다는 점은 C#의 재미있는 구석 중 하나이다. 키워드 internal과 extern도 마찬가지이다.

그러나 이 예는 정적 형식 안정성을 (헛되이) 희생한다. 다음 코드는 오류 없이 컴파일되지만, 실행시점에서 문제를 일으킨다.

```
string s = Mean (3, 5);   // 실행시점 오류!
```

이 문제는 제네릭 형식 매개변수를 하나 도입하고 그것을 계산 표현식 안에서 dynamic으로 캐스팅하면 해결된다.

```
static T Mean<T> (T x, T y)
{
  dynamic result = ((dynamic) x + y) / 2;
  return (T) result;
}
```

계산 결과를 **명시적으로** 다시 T로 캐스팅했음을 주목하기 바란다. 이 캐스팅을 제거하면 암묵적 형식 변환이 적용되는데, 언뜻 보기에는 암묵적 형식 변환으로도 문제가 없을 것 같다. 그러나 8비트 또는 16비트 정수 형식으로 이 메서드를 호출하면 문제가 드러난다. 이해를 돕기 위해, 우선 형식이 정적으로 적용되는 경우 두 8비트 수를 더할 때 어떤 일이 일어나는지 생각해 보자.

```
byte b = 3;
Console.WriteLine ((b + b).GetType().Name);  // Int32
```

두 8비트 수를 더한 결과는 Int32이다. 이는 컴파일러가 8비트 또는 16비트 수를 먼저 Int32로 '승격(promotion)'한 다음에 산술 연산을 수행하기 때문이다. 일관성을 위해, C# 바인더 역시 DLR에게 정확히 같은 방식으로 연산을 수행하라고 알려준다. 결과적으로 DLR은 Int32 형식의 결과를 산출하며, 더 작은 수치 형식의 결과를 얻으려면 앞의 예처럼 명시적인 캐스팅이 필요하다. 물론, 지금처럼 평균을 내는 것이 아니라 두 수의 합을 구하는 경우에는 작은 형식으로의 명시적 캐스팅 때문에 정수 위넘침(overflow)이 발생할 여지가 있다.

동적 바인딩은 성능에 약간의 부담을 가중한다. 호출 사이트 캐싱이 적용되어도 그 추가부담이 완전히 없어지지는 않는다. 이러한 추가부담을 완화하는 한 가지 방법은, 아주 흔히 쓰이는 형식들에 대해 정적 형식 중복적재 버전을 추가하는 것이다. 예를 들어 프로그램의 성능을 프로파일링했더니 double로 Mean을 호출하는 것이 병목임을 알게 되었다고 하자. 그러면 다음과 같은 중복적재를 추가해서 성능 문제를 완화할 수 있을 것이다.

```
static double Mean (double x, double y) => (x + y) / 2;
```

컴파일 시점에서 형식이 double임을 알 수 있는 인수들로 Mean을 호출하는 호출문에 대해서는 컴파일러가 이 중복적재 버전을 선택한다.

동적 멤버 중복적재 해소

정적으로 형식이 알려진 메서드를 동적 형식 인수들로 호출하면, 멤버 중복적재 해소가 컴파일 시점에서 실행시점으로 미뤄진다. 이러한 중복적재 해소 지연은 특정 프로그래밍 과제를 단순화하는 데 도움이 된다. 이를테면 **방문자**(Visitor) 설계 패턴의 구현을 단순화하는 데 이러한 지연을 활용할 수 있다. 또한, 이는 C#의 정적 형식 적용 때문에 생기는 한계를 우회할 때에도 유용하다.

방문자 패턴의 단순화

본질적으로, 방문자 패턴을 이용하면 어떤 클래스 계통구조의 기존 클래스들을 수정하지 않고도 계통구조에 메서드를 "추가"할 수 있다. 이 패턴이 유용하긴 하지만, 정적 구현이 다른 대부분의 설계 패턴에 비해 다소 까다롭고 비직관적이다. 또한, 방문되는 클래스들은 반드시 Accept 메서드를 노출하는 '방문자 친화적' 클래스이어야 한다. 따라서, 독자가 직접 고칠 수 없는 클래스는 방문자 친화적인 방문 대상이 될 수 없다.

동적 바인딩을 이용하면 같은 목표를 좀 더 쉽게 달성할 수 있다. 또한, 기존 클래스를 수정하지 않아도 된다. 이해를 돕기 위한 예로, 다음과 같은 클래스 계통구조를 생각해 보자.

```
class Person
{
  public string FirstName { get; set; }
  public string LastName  { get; set; }

  // Friends 컬렉션은 Customers 객체들과 Employees 객체들을 담는다.
  public readonly IList<Person> Friends = new Collection<Person> ();
}

class Customer : Person { public decimal CreditLimit { get; set; } }
class Employee : Person { public decimal Salary      { get; set; } }
```

이제 자동으로 Person 객체의 세부사항을 XML 요소(XElement) 형태로 출력하는 메서드를 작성한다고 하자. 가장 명백한 해법은 Person의 속성들로 채운 XElement 객체를 돌려주는 ToXElement라는 가상 메서드를 Person 클래스에 추가하고, Person 파생 클래스들에서 그 메서드를 적절히 구현하는 것이다. 예를 들어 Customer 클래스와 Employee 클래스의 해당 메서드는 각각 CreditLimit 속성과 Salary 속성으로 XElement를 채워야 할 것이다. 그런데 이러한 패턴에는 문제가 있다. 그 이유는 다음 두 가지이다.

- Person, Customer, Employee 클래스가 독자의 소유가 아닐 수 있다. 그러면 메서드들을 추가할 수 없다. (그리고 확장 메서드는 다형적으로 작동하지 않는다.)
- Person, Customer, Employee 클래스가 이미 커다란 클래스일 수 있다. 흔히 보는 안티패턴의 하나로 '전지전능한 객체(god object)'라는 것이 있는데, Person 같은 클래스에 너무나 많은 기능이 추가되어서 유지보수가 불가능할 정도가 되는 것을 말한다. 그런 안티패턴을 피하는 좋은 방법 하나는 Person의 전용(private) 상태에 접근할 필요가 없는 함수들은 Person의 멤버로 추가하지 않는 것이다. 그리고 ToXElement가 바로 그러한 함수이다.

동적 멤버 중복적재 해소(dynamic member overload resolution) 기법을 이용하면 ToXElement의 기능을 개별적인 클래스로 둘 수 있다. 게다가 형식에 따른 멤버 선택을 지저분한 switch 문으로 구현할 필요도 없다.

```
class ToXElementPersonVisitor
{
  public XElement DynamicVisit (Person p) => Visit ((dynamic)p);

  XElement Visit (Person p)
  {
    return new XElement ("Person",
      new XAttribute ("Type", p.GetType().Name),
      new XElement ("FirstName", p.FirstName),
      new XElement ("LastName", p.LastName),
      p.Friends.Select (f => DynamicVisit (f))
    );
  }

  XElement Visit (Customer c)   // 고객(Customer 객체)에 특화된 논리
  {
    XElement xe = Visit ((Person)c);   // '기반' 메서드를 호출
    xe.Add (new XElement ("CreditLimit", c.CreditLimit));
    return xe;
  }

  XElement Visit (Employee e)   // 직원(Employee 객체)에 특화된 논리
  {
    XElement xe = Visit ((Person)e);   // '기반' 메서드를 호출
```

```
    xe.Add (new XElement ("Salary", e.Salary));
    return xe;
  }
}
```

DynamicVisit 메서드는 소위 '동적 배분(dynamic dispatch)'을 수행한다. 즉, 이 메서드는 실행시점에서 결정된, Visit의 가장 구체적인 버전을 선택해서 호출한다. 위의 예제에서 굵은 글씨로 된, Friends 컬렉션의 각 '친구'에 대해 DynamicVisit를 호출하는 부분을 주목하기 바란다. 이 부분 덕분에, 친구가 고객(Customer)인지 아니면 직원(Employee)인지에 따라 적절한 중복적재 버전이 호출된다.

다음은 이 클래스의 사용 예이다.

```
var cust = new Customer
{
  FirstName = "Joe", LastName = "Bloggs", CreditLimit = 123
};
cust.Friends.Add (
  new Employee { FirstName = "Sue", LastName = "Brown", Salary = 50000 }
);

Console.WriteLine (new ToXElementPersonVisitor().DynamicVisit (cust));
```

결과는 다음과 같다.

```
<Person Type="Customer">
  <FirstName>Joe</FirstName>
  <LastName>Bloggs</LastName>
  <Person Type="Employee">
    <FirstName>Sue</FirstName>
    <LastName>Brown</LastName>
    <Salary>50000</Salary>
  </Person>
  <CreditLimit>123</CreditLimit>
</Person>
```

변형들

방문자 클래스를 여러 개 만들 계획이라면, 방문자 클래스를 위한 추상 기반 클래스를 정의해 두는 형태의 변형이 유용하다.

```
abstract class PersonVisitor<T>
{
  public T DynamicVisit (Person p) { return Visit ((dynamic)p); }
```

```
    protected abstract T Visit (Person p);
    protected virtual T Visit (Customer c) { return Visit ((Person) c); }
    protected virtual T Visit (Employee e) { return Visit ((Person) e); }
  }
```

이런 추상 기반 클래스가 있으면 파생 클래스들은 자신만의 DynamicVisit 메서드를 구현할 필요가 없다. 그냥 자신에 맞게 특수화하고자 하는 Visit 버전들을 재정의하기만 하면 된다. 또한, 이 패턴에는 Person 계통구조를 훑는 메서드들을 한 곳에 중앙집중화하며 구현자들이 기반 메서드들을 좀 더 자연스럽게 호출할 수 있다는 장점도 있다.

```
class ToXElementPersonVisitor : PersonVisitor<XElement>
{
  protected override XElement Visit (Person p)
  {
    return new XElement ("Person",
      new XAttribute ("Type", p.GetType().Name),
      new XElement ("FirstName", p.FirstName),
      new XElement ("LastName", p.LastName),
      p.Friends.Select (f => DynamicVisit (f))
    );
  }

  protected override XElement Visit (Customer c)
  {
    XElement xe = base.Visit (c);
    xe.Add (new XElement ("CreditLimit", c.CreditLimit));
    return xe;
  }

  protected override XElement Visit (Employee e)
  {
    XElement xe = base.Visit (e);
    xe.Add (new XElement ("Salary", e.Salary));
    return xe;
  }
}
```

심지어 ToXElementPersonVisitor 자체를 기반으로 삼아서 또 다른 방문자 클래스를 파생할 수도 있다.

다중 배분

C#과 CLR은 항상 가상 메서드 호출이라는 형태로 제한적이나마 동적 다형성을 지원해왔다. 이러한 동적 다형성은 C#의 dynamic 키워드를 이용한 동적 바인딩과는 다르다. 주된 차이

점은, 가상 메서드 호출에서는 컴파일러가 반드시 특정 가상 멤버를 호출된 멤버의 서명과 이름에 기초해서 컴파일 시점에서 결정해야 한다는 것이다. 이는 다음 두 가지를 의미한다.

- 호출 표현식을 컴파일러가 반드시 완전하게 이해해야 한다(예를 들어 컴파일러는 컴파일 시점에서 대상 멤버가 필드인지 아니면 속성인지 구분할 수 있어야 한다).
- 중복적재 해소를 컴파일러가 전적으로 컴파일 시점 인수 형식들에 기초해서 완료한다.

두 번째 사항 때문에, 가상 메서드 호출은 항상 **단일 배분**(single dispatch) 방식으로 일어난다. 다음과 같은 메서드 호출을 예로 그 이유를 설명해 보겠다(Walk가 가상 메서드라고 가정한다).

```
animal.Walk (owner);
```

실행시점에서 이를테면 개의 Walk 메서드를 호출할 것인지 아니면 고양이의 Walk 메서드를 호출할 것인지는 오직 **수신자**(receiver)[†]인 animal의 형식 하나로만 결정된다. 그래서 '단일' 배분인 것이다. Walk 메서드에 서로 다른 종류의 소유자(owner)를 받는 여러 중복적재 버전이 있다고 할 때, 그중 어떤 것이 선택되는지는 owner 객체의 실제 실행시점 형식과는 무관하게 컴파일 시점에서 결정(해소)된다. 다른 말로 하면, 호출되는 메서드는 오직 **수신자**의 실행시점 형식에 따라서만 달라진다.

반면 다음과 같은 동적 호출에서는 중복적재 해소가 실행시점으로 미루어진다.

```
animal.Walk ((dynamic) owner);
```

이 경우, Walk 메서드의 어떤 버전이 최종적으로 선택되는지는 animal의 형식과 owner의 형식 모두에 의존한다. 호출할 Walk 메서드 버전의 결정에 수신자의 실행시점 형식뿐만 아니라 인수들의 실행시점 형식들도 관여한다는 점에서, 이를 **다중 배분**(multiple dispatch)이라고 부른다.

제네릭 형식 멤버의 익명 호출

C#의 엄격한 정적 형식 적용은 양날의 검이다. 한편으로는 컴파일 시점에서 코드의 정확성을 어느 정도 보장하지만, 또 한편으로는 특정 종류의 코드를 표현

† (옮긴이) '수신자'는 전통적으로 객체 지향적 프로그래밍에서 객체의 메서드를 호출하는 것을 "객체에 메시지를 보내는" 것으로 간주하는 데에서 비롯된 용어이다.

하기 어렵게 또는 불가능하게 만들기도 한다. 후자의 경우 반영 기능보다는 동적 바인딩을 사용하는 것이 더 깔끔하고 효율적인 해결책이다.

한 예로, G<T> 형식의 객체를 다루어야 하는데 T를 컴파일 시점에서 알 수 없는 상황이라면 동적 바인딩이 좋은 해결책이 된다. 구체적인 예로, 다음과 같은 클래스가 있다고 하자.

```
public class Foo<T> { public T Value; }
```

그리고 다음과 같은 메서드를 작성한다고 하자.

```
static void Write (object obj)
{
  if (obj is Foo<>)                          // 위법
    Console.WriteLine ((Foo<>) obj).Value);   // 위법
}
```

이 메서드는 컴파일되지 않는다. **묶이지 않은**(unbound; 바인딩이 완료되지 않은) 제네릭 형식의 멤버는 호출할 수 없기 때문이다.

동적 바인딩은 이 문제를 우회하는 두 가지 수단을 제공한다. 첫째는 다음처럼 Value 멤버에 동적으로 접근하는 능력이다.

```
static void Write (dynamic obj)
{
  try { Console.WriteLine (obj.Value); }
  catch (Microsoft.CSharp.RuntimeBinder.RuntimeBinderException) {...}
}
```

이러한 접근방식에는 Value라는 필드나 속성이 있는 그 어떤 객체에 대해서도 메서드가 작동한다는 (잠재적인) 장점이 있다. 그러나 문제점도 두 가지 있다. 첫째로, 이런 방식에서는 예외를 잡기가 다소 지저분하고 비효율적이다(게다가 DLR에게 "이 연산이 성공하겠는가?"라고 미리 물어볼 방도도 없다). 둘째로, 이 접근방식은 만일 Foo가 인터페이스(이를테면 IFoo<T>)이고 다음 두 조건 중 하나라도 참이면 작동하지 않는다.

- Value가 명시적으로 구현되었다.
- IFoo<T>를 구현하는 형식에 접근할 수 없다(이에 대해서는 잠시 후에 좀 더 설명한다).

더 나은 해법은 Value를 조회하는 메서드, 이를테면 GetFooValue라는 메서드를 따로 두어서 여러 버전으로 중복적재하고, 그 메서드에 대해 **동적 멤버 중복적재 해소** 기법을 적용하는 것이다.

```
static void Write (dynamic obj)
{
  object result = GetFooValue (obj);
  if (result != null) Console.WriteLine (result);
}

static T GetFooValue<T> (Foo<T> foo) { return foo.Value; }
static object GetFooValue (object foo) { return null; }
```

object 형식의 매개변수를 받도록 중복적재된 GetFooValue 버전은 임의의 형식에 대한 최후의 보루 역할을 한다. 실행시점에서 C# 동적 바인더는 동적 인수로 GetFooValue를 호출하는 표현식에 대해 최적의 중복적재 버전을 선택한다. 만일 해당 객체가 Foo<T>와 호환되는 형식이 아니면, 예외를 던지는 대신 object 형식의 매개변수를 받는 버전을 선택한다.

또 다른 방법은 그냥 첫 GetFooValue 중복적재만 작성하고 RuntimeBinderException 예외를 잡는 것이다. 이 방법에는 foo.Value가 널인 경우를 구분할 수 있다는 장점이 있다. 단점은, 예외를 던지고 잡는 데 필요한 성능상의 비용이 추가된다는 점이다.

제19장에서는 인터페이스에 관한 이와 동일한 문제를 반영을 이용해서 해결했는데, 지금보다는 코드가 훨씬 복잡했다(제19장 '제네릭 인터페이스 멤버의 익명 호출(p.1002)' 참고). 거기에서는 IEnumerable이나 IGrouping<,> 같은 객체를 이해하는 좀 더 강력한 ToString의 구현을 예제로 삼았다. 다음은 같은 문제를 동적 바인딩을 이용해서 좀 더 우아하게 해결한 것이다.

```
static string GetGroupKey<TKey,TElement> (IGrouping<TKey,TElement> group)
{
  return "Group with key=" + group.Key + ": ";
}

static string GetGroupKey (object source) { return null; }

public static string ToStringEx (object value)
{
  if (value == null) return "<null>";
  if (value is string) return (string) value;
  if (value.GetType().IsPrimitive) return value.ToString();
```

```
  StringBuilder sb = new StringBuilder();

  string groupKey = GetGroupKey ((dynamic)value);   // 동적 배분
  if (groupKey != null) sb.Append (groupKey);

  if (value is IEnumerable)
    foreach (object element in ((IEnumerable)value))
      sb.Append (ToStringEx (element) + " ");

  if (sb.Length == 0) sb.Append (value.ToString());

  return "\r\n" + sb.ToString();
}
```

이제 다음을 실행하면

```
Console.WriteLine (ToStringEx ("xyyzzz".GroupBy (c => c) ));
```

다음과 같은 결과가 출력된다.

```
Group with key=x: x
Group with key=y: y y
Group with key=z: z z z
```

이 예제는 제19장의 문제를 동적 **멤버 중복적재 해소**를 이용해서 풀었다. 만일 해당 부분을 다음과 같이 구현했다면,

```
dynamic d = value;
try { groupKey = d.Value); }
catch (Microsoft.CSharp.RuntimeBinder.RuntimeBinderException) {...}
```

코드가 의도한 대로 작동하지 않는다. 왜냐하면, LINQ의 `GroupBy` 연산자는 `IGrouping<,>`를 구현하는 형식의 객체를 돌려주는데, 그 형식은 LINQ의 내부 클래스라서 외부에서는 접근할 수 없기 때문이다.

```
internal class Grouping : IGrouping<TKey,TElement>, ...
{
  public TKey Key;
  ...
}
```

`Key` 속성이 `public`으로 선언되어 있지만, 그 속성이 속한 클래스 자체가 `internal`이기 때문에 외부에서는 오직 `IGrouping<,>` 인터페이스를 통해서만 `Key`에 접근할 수 있다. 그리고 제4장에서 설명했듯이, `Value` 멤버의 동적 호출을 그 인터페이스에 묶으라고 DLR에게 알려줄 방법은 없다.

동적 객체의 구현

어떤 형식을 만들 때 객체의 바인딩 의미론을 직접 제어하려면 IDynamicMetaObjectProvider 인터페이스를 구현해야 한다. 이를 좀 더 쉽게 구현하는 방법은 DynamicObject 클래스를 상속하는 것이다. 이 클래스는 그 인터페이스의 기본 구현을 제공한다. 제4장에서 다음과 같은 예제와 함께 이 방법을 소개했었다.

```
static void Main()
{
  dynamic d = new Duck();
  d.Quack();                  // Quack 메서드가 호출되었음
  d.Waddle();                 // Waddle 메서드가 호출되었음
}

public class Duck : DynamicObject
{
  public override bool TryInvokeMember (
    InvokeMemberBinder binder, object[] args, out object result)
  {
    Console.WriteLine (binder.Name + " 메서드가 호출되었음");
    result = null;
    return true;
  }
}
```

DynamicObject 클래스

앞의 예제는 소비자가 동적 객체의 메서드(Quack나 Waddle 등)를 호출할 수 있도록 DynamicObject 클래스의 TryInvokeMember 메서드를 재정의했다. DynamicObject는 그 밖에도 소비자가 다른 프로그래밍 구축 요소들을 사용할 수 있게 하는 여러 가상 메서드를 제공한다. 다음은 그러한 가상 메서드들과 그에 해당하는 C# 구축 요소를 정리한 것이다.

메서드	프로그래밍 구축 요소
TryInvokeMember	메서드
TryGetMember, TrySetMember	속성 또는 필드
TryGetIndex, TrySetIndex	인덱서
TryUnaryOperation	! 같은 단항 연산자
TryBinaryOperation	== 같은 이항 연산자
TryConvert	다른 형식으로의 변환(캐스팅)
TryInvoke	객체 자체의 호출(이를테면 d("foo")).

이 메서드들은 만일 해당 연산이 성공했으면 true를 돌려준다. 만일 이 메서드들이 false를 돌려주면, DLR은 언어의 기본 바인더를 이용해서, 주어진 요구에 맞는 멤버를 DynamicObject(의 파생 클래스) 자체에서 찾는다. 만일 그런 멤버가 없으면 RuntimeBinderException을 던진다.

TryGetMember와 TrySetMember의 활용 방법을 보여주는 예로, XML 요소(System.Xml.Linq의 XElement 객체)의 한 특성에 동적으로 접근하는 클래스를 살펴보자.

```
static class XExtensions
{
  public static dynamic DynamicAttributes (this XElement e)
    => new XWrapper (e);

  class XWrapper : DynamicObject
  {
    XElement _element;
    public XWrapper (XElement e) { _element = e; }

    public override bool TryGetMember (GetMemberBinder binder,
                                       out object result)
    {
      result = _element.Attribute (binder.Name).Value;
      return true;
    }

    public override bool TrySetMember (SetMemberBinder binder,
                                       object value)
    {
      _element.SetAttributeValue (binder.Name, value);
      return true;
    }
  }
}
```

다음은 이 클래스를 사용하는 예이다.

```
XElement x = XElement.Parse (@"<Label Text=""Hello"" Id=""5""/>");
dynamic da = x.DynamicAttributes();
Console.WriteLine (da.Id);           // 5
da.Text = "Foo";
Console.WriteLine (x.ToString());    // <Label Text="Foo" Id="5" />
```

또 다른 예로, 다음은 System.Data.IDataRecord에 대해 비슷한 일을 하는 클래스이다. 이런 클래스가 있으면 자료 판독기(data reader)를 사용하기가 한결 쉬워진다.

```
public class DynamicReader : DynamicObject
{
  readonly IDataRecord _dataRecord;
  public DynamicReader (IDataRecord dr) { _dataRecord = dr; }

  public override bool TryGetMember (GetMemberBinder binder,
                                     out object result)
  {
    result = _dataRecord [binder.Name];
    return true;
  }
}
...
using (IDataReader reader = someDbCommand.ExecuteReader())
{
  dynamic dr = new DynamicReader (reader);
  while (reader.Read())
  {
    int id = dr.ID;
    string firstName = dr.FirstName;
    DateTime dob = dr.DateOfBirth;
    ...
  }
}
```

다음은 TryBinaryOperation과 TryInvoke에 관한 예제이다.

```
static void Main()
{
  dynamic d = new Duck();
  Console.WriteLine (d + d);          // foo
  Console.WriteLine (d (78, 'x'));    // 123
}

public class Duck : DynamicObject
{
  public override bool TryBinaryOperation (BinaryOperationBinder binder,
                                           object arg, out object result)
  {
    Console.WriteLine (binder.Operation);   // Add
    result = "foo";
    return true;
  }

  public override bool TryInvoke (InvokeBinder binder,
                                  object[] args, out object result)
  {
    Console.WriteLine (args[0]);    // 78
    result = 123;
    return true;
  }
}
```

DynamicObject는 또한 동적 언어의 장점을 활용하기 위한 가상 메서드도 몇 개 제공한다. 특히, GetDynamicMemberNames를 적절히 재정의함으로써 동적 객체가 제공하는 모든 멤버 이름의 목록을 소비자에게 돌려줄 수 있다.

GetDynamicMemberNames를 재정의하는 또 다른 목적은, Visual Studio의 디버거에 동적 객체의 내용이 표시되게 하는 것이다.

ExpandoObject 클래스

DynamicObject의 또 다른 간단한 용도는, 문자열을 키로 해서 객체들을 사전에 저장하고 조회하는 동적 클래스를 작성하는 것이다. 그런데 그런 기능을 제공하는 클래스가 이미 존재한다. ExpandoObject가 바로 그것이다.

```
dynamic x = new ExpandoObject();
x.FavoriteColor = ConsoleColor.Green;
x.FavoriteNumber = 7;
Console.WriteLine (x.FavoriteColor);    // Green
Console.WriteLine (x.FavoriteNumber);   // 7
```

ExpandoObject는 IDictionary<string,object>를 구현하므로, 예제의 x 객체를 다음과 같이 사용하는 것도 가능하다.

```
var dict = (IDictionary<string,object>) x;
Console.WriteLine (dict ["FavoriteColor"]);    // Green
Console.WriteLine (dict ["FavoriteNumber"]);   // 7
Console.WriteLine (dict.Count);                // 2
```

동적 언어와의 상호운용

C#이 dynamic 키워드를 통해서 동적 바인딩을 지원하긴 하지만, 문자열로 된 표현식을 실행시점에서 직접 실행할 정도의 동적 능력을 제공하지는 않는다.

```
string expr = "2 * 3";
// expr을 '실행'할 수는 없다.
```

이는, 문자열을 표현식 트리로 바꾸는 코드를 작성하려면 어휘 분석기(lexer)와 의미론 파서(semantic parser)가 필요하기 때문이다. 그런 기능은 C# 컴파일러에 내장되어 있을 뿐, 실행시점의 서비스 형태로 제공되지는 않는다. 실행시점에서 C#이 제공하는 것은 **바인더**뿐이며, 바인더는 이미 만들어진 표현식 트리의 해석 방식을 DLR에게 알려주는 역할만 한다.

IronPython이나 IronRuby 같은 진정한 동적 언어들은 임의의 문자열을 실행하는 기능을 제공한다. 그러한 기능은 스크립팅, 동적 구성 설정, 동적 규칙 엔진 구현 같은 과제에 유용하다. 따라서, 독자가 응용 프로그램의 대부분을 C#으로 작성한다고 해도, 그런 과제에 대해서는 동적 언어의 손을 빌리면 개발이 편해진다. 더 나아가서, 응용 프로그램에 필요한 어떤 기능이 .NET 라이브러리에는 없지만 동적 언어로 작성된 API에는 있을 수도 있다.

다음 예제는 실행시점에서 C# 코드로 만들어 낸 문자열에 담긴 표현식을 IronPython을 이용해서 평가한다. 이 예제의 접근방식을 이용하면 간단한 계산기를 만들 수 있을 것이다.

이 코드를 실행하려면 먼저 IronPython을 설치해야 한다(웹에서 *IronPython*을 검색해 볼 것). 또한, *IronPython* 어셈블리와 *Microsoft.Scripting*, *Microsoft.Scripting.Core* 어셈블리들을 C# 응용 프로그램에서 참조해야 한다.

```
using System;
using IronPython.Hosting;
using Microsoft.Scripting;
using Microsoft.Scripting.Hosting;

class Calculator
{
  static void Main()
  {
    int result = (int) Calculate ("2 * 3");
    Console.WriteLine (result);              // 6
  }

  static object Calculate (string expression)
  {
    ScriptEngine engine = Python.CreateEngine();
    return engine.Execute (expression);
  }
}
```

문자열을 Python에 넘겨주는 것이므로, 문자열 안의 표현식은 C#이 아니라 Python의 규칙에 따라 평가된다. 이는 단순한 산술 표현식뿐만 아니라 목록(list) 같은 Python 언어의 기능들도 사용할 수 있음을 뜻한다.

```
var list = (IEnumerable) Calculate ("[1, 2, 3] + [4, 5]");
foreach (int n in list) Console.Write (n);  // 12345
```

C#과 스크립트 사이의 상태 교환

C#에서 Python으로 변수를 전달하려면 몇 가지 단계가 더 필요하다. 다음 예제는 그 단계들을 보여준다. 이 예제를 규칙 엔진(rules engine)의 기본 틀로 사용해도 좋을 것이다.

```
// 실제 응용에서는 파일이나 데이터베이스에서 표현식 문자열을 가져올 수도 있다.
string auditRule = "taxPaidLastYear / taxPaidThisYear > 2";

ScriptEngine engine = Python.CreateEngine ();

ScriptScope scope = engine.CreateScope ();
scope.SetVariable ("taxPaidLastYear", 20000m);
scope.SetVariable ("taxPaidThisYear", 8000m);

ScriptSource source = engine.CreateScriptSourceFromString (
                      auditRule, SourceCodeKind.Expression);

bool auditRequired = (bool) source.Execute (scope);
Console.WriteLine (auditRequired);   // True
```

반대로, Python의 변수를 C#으로 가져올 때에는 `GetVariable` 메서드를 사용한다.

```
string code = "result = input * 3";

ScriptEngine engine = Python.CreateEngine();

ScriptScope scope = engine.CreateScope();
scope.SetVariable ("input", 2);

ScriptSource source = engine.CreateScriptSourceFromString (code,
                                    SourceCodeKind.SingleStatement);
source.Execute (scope);
Console.WriteLine (scope.GetVariable ("result"));   // 6
```

이번에는 SourceCodeKind.SingleStatement를(Expression이 아니라) 지정했음을 주목하기 바란다. 이 값은 엔진에게 하나의 문장을 실행하라고 지시하는 역할을 한다.

형식들은 .NET 세계와 Python 세계 사이에서 자동으로 인도(마샬링)된다. 심지어, 스크립팅 쪽에서 .NET 객체의 멤버들에 접근하는 것도 가능하다.

```
string code = @"sb.Append (""World"")";

ScriptEngine engine = Python.CreateEngine ();

ScriptScope scope = engine.CreateScope ();
```

```
var sb = new StringBuilder ("Hello");
scope.SetVariable ("sb", sb);

ScriptSource source = engine.CreateScriptSourceFromString (
                      code, SourceCodeKind.SingleStatement);
source.Execute (scope);
Console.WriteLine (sb.ToString());   // HelloWorld
```

21장

C# 6.0 in a Nutshell

보안

이번 장에서는 .NET 보안의 주된 구성요소인 다음 두 사항을 논의한다.

- 권한
- 암·복호화

.NET에서 권한(permission)은 운영체제가 강제하는 것과는 독립적인 하나의 보안 계층을 제공한다. .NET Framework에서 권한의 주된 용도는 다음 두 가지이다.

모래상자 적용
부분적으로 신뢰된 .NET 어셈블리가 수행할 수 있는 연산 종류를 제한한다.

권한 부여(인가)
누가 무엇을 할 수 있는지를 제한한다.

.NET의 암·복호화(cryptography)† 기능은 고가 자료의 저장 및 교환, 정보 유출 방지, 메시지 위변조 검출, 패스워드 저장을 위한 단방향 해시 생성, 디지털 서명 생성 등에 쓰인다.

이번 장에서 다루는 형식들은 다음 이름공간들에 정의되어 있다.

† (옮긴이) cryptography를 흔히 '암호학' 또는 '암호화'로 번역하지만, 이번 장의 문맥에서 '암호학'은 그리 적합하지 않으며, '암호화'는 cryptography보다는 encryption에 더 잘 맞는다. 그래서 그 둘 대신, cryptography에 담긴 '암호 작성 및 해독 방법'이라는 뜻을 잘 반영하면서도 글자 수가 많지 않은 '암·복호화'를 사용하기로 한다.

```
System.Security;
System.Security.Permissions;
System.Security.Principal;
System.Security.Cryptography;
```

권한

.NET Framework는 권한 기능을 모래상자와 권한 부여(authorization; 인가)에 사용한다. .NET Framework에서 하나의 **권한**은 어떤 코드의 실행을 조건에 따라 금지하는 일종의 관문으로 작용한다. 모래상자 적용에는 **코드 접근** 권한들이 쓰이고, 권한 부여에는 **신원**(identity) 권한들과 **역할**(role) 권한들이 쓰인다.

이들은 모두 비슷한 모형을 따르지만, 사용해보면 그 느낌이 상당히 다르다. 부분적인 이유는, 관점이 정반대라는 것이다. 일반적으로, 코드 접근 보안에서는 독자의 코드가 **신뢰받지 않는** 쪽, 즉 불신의 대상(untrusted party)이다. 그러나 신원 및 역할 보안에서는 독자의 코드가 다른 어떤 코드를 **신뢰하지 않는** 쪽, 즉 불신의 주체(unstrusting party)이다. 대부분의 경우 코드 접근 보안은 CLR이나 호스팅 환경(ASP.NET이나 Internet Explorer)이 독자의 코드에 강제하지만, 권한 부여 관련 보안은 독자의 코드가 다른 어떤 단위에 강제한다(독자의 코드에 함부로 접근하지 못하도록).

권한이 제한된 환경에서 실행될 어셈블리를 작성하는 응용 프로그램 개발자라면 누구나 코드 접근 보안(code access security, CAS)을 숙지할 필요가 있다. 예를 들어 어떤 구성요소 라이브러리를 작성해서 판매하는 경우, 고객이 독자의 라이브러리를 SQL Server CLR 호스트 같은 **모래상자** 안의 환경에서 호출할 수도 있음을 간과한다면 좋은 평가를 받기 어려울 것이다.

다른 어셈블리들을 모래상자 안에서 실행하는 호스팅 환경을 직접 만들 때에도 CAS를 숙지할 필요가 있다. 예를 들어 서드파티 개발자들이 작성한 플러그인 구성요소를 실행할 수 있는 응용 프로그램을 만든다고 하자. 그런 플러그인들을 권한이 제한된 응용 프로그램 도메인에서 실행하면 잘못된 플러그인 때문에 응용 프로그램이 불안정해지거나 보안이 손상될 확률이 줄어든다.

신원/역할 보안은 주로 중간층(middle-tier) 서버나 웹 응용 프로그램 서버를 작성할 때 쓰인다. 그런 경우 흔히 일단의 역할들을 정해 두고, 서버가 노출하는 메서드마다 그 메서드를 어떤 역할의 구성원들이 호출할 수 있는지 설정한다.

CodeAccessPermission과 PrincipalPermission

앞에서 말한 두 종류의 권한을 각각 다음 두 클래스가 대표한다.

`CodeAccessPermission`

FileIOPermission, ReflectionPermission, PrintingPermission 같은 모든 코드 접근 보안(CAS) 권한 클래스는 이 추상 기반 클래스를 상속한다.

`PrincipalPermission`

이 클래스는 신원 또는 역할(이를테면 '메리' 또는 '인사과' 등)을 서술한다.

*permission*을 '권한'이라고 번역하지만, 원래의 뜻은 허가 또는 허락에 가깝다.† 그러나 CodeAccessPermission의 경우에는 실제로 권한이 더 적합한 용어이다. CodeAccessPermission 객체는 **특권 있는 연산**(privileged operation)을 서술한다.

예를 들어 FileIOPermission 객체는 특정 파일 또는 디렉터리 집합에 대해 Read, Write, Append를 수행할 수 있는 특권을 서술한다. 그러한 객체의 용도는 다음과 같이 여러 가지이다.

- 현재 객체와 현재 객체의 사용자(메서드 호출자 등)가 주어진 연산들을 수행할 권리(right)가 있는지 확인한다(Demand).
- 현재 객체의 직접적인 사용자가 주어진 연산들을 수행할 권리가 있는지 확인한다(LinkDemand).
- 임시로 모래상자에서 벗어나서, 어셈블리로부터 부여받은 연산 수행 권리들(호출자의 특권과는 무관한)을 단언한다(Assert).

CLR에서는 Deny, RequestMinimum, RequestOptional, RequestRefuse, PermitOnly 같은 보안 동작들도 가능하다. 그러나 새로운 **투명성** 모형이 등장하면서, .NET Framework 4.0부터 이들은(그리고 LinkDemand도) 폐기 예정으로 분류되었다.

PrincipalPermission은 이보다 훨씬 간단하다. 이 클래스의 유일한 보안 메서드는 Demand인데, 이 메서드는 해당 사용자나 역할이 현재의 실행 스레드에서 유효한지 점검한다.

† (옮긴이) 허가는 자격을 부여하고, 권한은 권리를 부여한다. 이 둘은 다르다. 예를 들어 "대통령이 될 자격이 있다"와 "대통령이 될 권리가 있다"의 차이를 생각하면 이해가 될 것이다. 그러나 운영체제나 보안과 관련해서는 자격이 있으면 실제로 권리가 있는 것과 마찬가지인 경우가 많으며, 그래서 permission을 '권한'이라고 번역하는 것이 원칙적으로는 오역에 가깝지만 실제로는 내용상 문제가 되지 않는 경우가 많다.

IPermission 인터페이스

CodeAccessPermission과 PrincipalPermission 모두 IPermission 인터페이스를 구현한다.

```
public interface IPermission
{
  void Demand();
  IPermission Intersect (IPermission target);
  IPermission Union (IPermission target);
  bool IsSubsetOf (IPermission target);
  IPermission Copy();
}
```

이 인터페이스의 핵심 메서드는 Demand이다. 이 메서드는 권한 객체가 서술하는 권한 또는 특권 있는 연산이 현재 실제로 허용되는지를 즉석에서 점검해서, 만일 허용되지 않으면 SecurityException을 던진다. 독자의 코드가 **불신의 주체**일 때에는 독자의 코드에서 Demand를 적용한다. 독자의 코드가 **불신의 대상**일 때에는 독자의 코드가 **호출**하는 코드에서 Demand를 적용한다.

예를 들어 오직 메리[Mary]만 관리 보고를 실행할 수 있게 할 때에는 다음과 같이 한다.

```
new PrincipalPermission ("Mary", null).Demand();
// ... 관리 보고들을 실행한다.
```

반면, 독자의 어셈블리가 파일 입출력이 금지된 모래상자 안에서 실행되는 경우, 다음과 같은 코드는 SecurityException을 던진다.

```
using (FileStream fs = new FileStream ("test.txt", FileMode.Create))
  ...
```

이 경우 Demand는 독자의 어셈블리가 호출한 코드, 즉 FileStream의 생성자에서 호출된다.

```
...
new FileIOPermission (...).Demand();
```

코드 접근 보안의 Demand는 호출 스택을 거슬러 올라가면서 요청된 연산이 호출 사슬의 모든 단위(현재 응용 프로그램 안의)에서 허용되는지 점검한다. 따라서 코드 접근 보안의 Demand는 사실상 "이 응용 프로그램 도메인에 이러한 권한이 허용되었는가?"를 점검하는 것이라 할 수 있다.

코드 접근 보안와 GAC 안에서 실행되는 어셈블리가 결합하면 흥미로운 상황이 벌어진다. GAC 안에서 실행되는 어셈블리는 **완전히 신뢰된** 어셈블리로 간주된다. 그러나 그런 어셈블리가 모래상자 안에서 실행될 때에는 여전히 모래상자에 부여된 권한 집합이 적용된다. 단, 완전 신뢰 어셈블리는 CodeAccessPermission 객체에 대해 Assert를 호출함으로써 임시로 모래상자를 **탈출**할 수 있다. Assert를 호출하고 나면, 해당 권한에 대한 Demand는 항상 성공한다. 그러한 탈출 상황은 현재 메서드가 끝나거나 메서드 안에서 명시적으로 CodeAccessPermission.RevertAssert를 호출하면 끝난다.

Intersect 메서드와 Union 메서드는 같은 형식의 두 권한 객체를 하나로 합친다. Intersect의 목적은 '더 작은' 권한 객체(교집합)를 만드는 것이고 Union의 목적은 '더 큰' 권한 객체(합집합)를 만드는 것이다.

코드 접근 보안의 경우, 권한 객체가 "크다"는 것은 Demand 시 제약이 더 많음을 뜻한다. Demand에 성공하는 데 필요한 권한이 더 많기 때문이다.

반대로, 신원/역할 보안에서는 '더 큰' 권한 객체가 Demand 시 제약이 더 적음을 뜻한다. 주어진 신원이나 역할이 해당 권한 중 하나만 만족하면 Demand에 성공할 수 있기 때문이다.

IsSubsetOf 메서드는 주어진 권한 객체가 현재 권한 객체의 권한들을 가지고 있으면 true를 돌려준다.

```
PrincipalPermission jay = new PrincipalPermission ("Jay", null);
PrincipalPermission sue = new PrincipalPermission ("Sue", null);

PrincipalPermission jayOrSue = (PrincipalPermission) jay.Union (sue);
Console.WriteLine (jay.IsSubsetOf (jayOrSue));  // True
```

이 예에서, 만일 jay와 sue에 대해 Intersect를 호출했다면 빈 권한 객체가 만들어졌을 것이다(둘의 권한들이 겹치지 않으므로).

PermissionSet 클래스

PermissionSet은 IPermission을 구현하는 여러 형식의 객체들을 담는 컬렉션으로, 여러 권한으로 이루어진 집합을 대표한다. 다음은 세 가지 코드 접근 권한으로 이루어진 권한 집합을 만들어서 세 권한 모두에 대해 Demand를 한 번에 적용하는 예이다.

```
PermissionSet ps = new PermissionSet (PermissionState.None);
```

```
ps.AddPermission (new UIPermission (PermissionState.Unrestricted));
ps.AddPermission (new SecurityPermission (
                  SecurityPermissionFlag.UnmanagedCode));
ps.AddPermission (new FileIOPermission (
                  FileIOPermissionAccess.Read, @"c:\docs"));
ps.Demand();
```

PermissionSet의 생성자는 PermissionState 열거형의 값을 받는다. 이 값은 주어진 집합을 '무제한(unrestricted)'으로 간주할 것인지를 결정한다. 무제한 권한 집합은 마치 모든 가능한 권한을 담고 있는 것처럼 취급된다(컬렉션 자체는 비어 있다고 해도). 무제한의 코드 접근 보안 권한을 가지고 실행되는 어셈블리를 가리켜 **완전 신뢰**(full trust) 어셈블리라고 부른다.

집합에 권한을 추가하는 AddPermission 메서드는 '더 큰' 권한 집합을 만들어 낸다. '더 큰'의 의미는 앞에서 Union을 설명할 때 말했던 것과 동일하다. 무제한 권한 집합에 대한 AddPermission 호출은 아무런 효과도 없다(논리적으로, 무제한 권한 집합은 이미 모든 가능한 권한을 담고 있으므로).

IPermission 객체들에서처럼, Union과 Intersect 메서드를 이용해서 두 권한 집합을 합칠 수 있다.

선언식 보안 대 명령식 보안

지금까지의 예제들은 권한 객체를 직접 생성해서 Demand를 호출했다. 이를 **명령식 보안**(imperative security)이라고 부른다. 이렇게 하는 대신 메서드나 생성자, 클래스, 구조체, 어셈블리에 특성들을 부여해서 같은 결과를 얻는 것도 가능하다. 그런 방식을 **선언식 보안**(declarative security)이라고 부른다. 명령식 보안이 좀 더 유연하지만, 선언식 보안에는 다음과 같은 세 가지 장점이 있다.

- 코드가 덜 지저분할 수 있다.
- 어셈블리에 필요한 권한들을 CLR이 미리 파악할 수 있다.
- 성능 향상의 여지가 있다.

다음은 선언식 보안의 예이다.

```
[PrincipalPermission (SecurityAction.Demand, Name="Mary")]
public ReportData GetReports()
{
  ...
}
```

```
[UIPermission(SecurityAction.Demand, Window=UIPermissionWindow.AllWindows)]
public Form FindForm()
{
  ...
}
```

선언식 보안을 위해, .NET Framework에는 모든 권한 형식마다 그에 대응하는 특성 형식이 마련되어 있다. 예를 들어 PrincipalPermission에 대응하는 특성 형식은 PrincipalPermissionAttribute이다. 이러한 특성의 생성자에서 첫 인수는 항상 SecurityAction 열거형의 값이다. 이 인수는 권한 객체를 생성한 후 호출할 보안 메서드를 가리킨다(보통은 Demand). 나머지 명명된 매개변수들은 해당 권한 객체의 속성들에 대응된다.

코드 접근 보안(CAS)

.NET Framework 전반에서 강제되는 CodeAccessPermission 파생 형식들이 표 21-1에서 표 21-6까지 범주별로 정리되어 있다. 전체적으로 이 형식들은 프로그램이 보안과 관련해서 저지를 수 있는 모든 실수를 포괄한다.

표 21-1 핵심 권한

형식	허용하는 연산
SecurityPermission	관리되지 않는 코드의 호출 같은 고급 연산
ReflectionPermission	반영 기능 사용
EnvironmentPermission	명령줄 환경 설정 읽기/쓰기
RegistryPermission	Windows 레지스트리 읽기/쓰기

SecurityPermission은 SecurityPermissionFlag 플래그 열거형 인수를 받는다. 다음과 같은 열거형 멤버들의 임의의 조합을 인수로 사용할 수 있다.

```
AllFlags                ControlThread
Assertion               Execution
BindingRedirects        Infrastructure
ControlAppDomain        NoFlags
ControlDomainPolicy     RemotingConfiguration
ControlEvidence         SerializationFormatter
ControlPolicy           SkipVerification
ControlPrincipal        UnmanagedCode
```

이중 가장 중요한 멤버는 Execution이다. 이 권한이 없으면 코드가 실행되지 않는다. 다른 멤버들은 완전 신뢰 시나리오에서만 부여해야 한다. 다른 멤버들을 부여하면 해당 코드가 모래상자를 우회하거나 탈출할 수 있기 때문이다. ControlAppDomain은 새 응용 프로그램 도메인의 생성(제24장)을 허용한다. UnmanagedCode는 네이티브 메서드 호출(제25장)을 허용한다.

ReflectionPermission은 ReflectionPermissionFlag 플래그 열거형 인수를 받는다. 그 열거형에는 MemberAccess라는 멤버와 RestrictedMemberAccess라는 멤버가 있다. 다른 어셈블리를 모래상자 안에서 실행하되 LINQ to SQL 같은 API들에 필요한 반영 기능을 허용하고 싶다면 후자가 더 안전한 선택이다.

표 21-2 입출력 및 자료 접근 권한

형식	허용하는 연산
FileIOPermission	파일 및 디렉터리 읽기/쓰기
FileDialogPermission	파일 열기 대화상자나 파일 저장 대화상자로 선택한 파일의 읽기/쓰기
IsolatedStorageFilePermission	응용 프로그램 자신의 격리된 저장소 읽기/쓰기
ConfigurationPermission	응용 프로그램 구성 파일 접근
SqlClientPermission, OleDbPermission, OdbcPermission	SqlClient나 OleDb, Odbc 클래스를 이용한 데이터베이스 서버 통신
DistributedTransactionPermission	분산 트랜잭션 참여

FileDialogPermission은 OpenFileDialog 클래스와 SaveFileDialog 클래스에 대한 접근을 제어한다. 이 클래스들은 Microsoft.Win32(WPF 응용 프로그램용)과 System.Windows.Forms(Windows Forms 응용 프로그램용)에 정의되어 있다. 그리고 해당 대화상자들을 실제로 띄우려면 UIPermission 권한도 필요하다. 단, OpenFileDialog나 SaveFileDialog 객체에 대해 OpenFile을 호출해서 파일(대화상자에서 사용자가 선택한)에 접근할 때 FileIOPermission 권한은 필요하지 않다.

표 21-3 네트워킹 권한

형식	허용하는 연산
DnsPermission	DNS 조회
WebPermission	WebRequest 기반 네트워크 접근
SocketPermission	Socket 기반 네트워크 접근
SmtpPermission	SMTP 라이브러리를 이용한 메일 전송
NetworkInformationPermission	Ping이나 NetworkInterface 같은 클래스 사용

표 21-4 암호화 권한

형식	허용하는 연산
DataProtectionPermission	Windows 자료 보호 메서드 사용
KeyContainerPermission	공개 키 암호화와 서명
StorePermission	X.509 인증서 저장소 접근

표 21-5 UI 권한

형식	허용하는 연산
UIPermission	창 생성 및 클립보드 접근
WebBrowserPermission	WebBrowser 컨트롤 사용
MediaPermission	WPF의 이미지, 오디오, 비디오 지원 기능
PrintingPermission	프린터 접근

표 21-6 진단 권한

형식	허용하는 연산
EventLogPermission	Windows 이벤트 로그 읽기/쓰기
PerformanceCounterPermission	Windows 성능 카운터 사용

이러한 권한 형식들에 대한 Demand는 .NET Framework 안에서 강제된다. 또한, 독자의 코드에서 직접 Demand를 강제하도록 고안된 권한 클래스들도 있다. 이들 중 가장 중요한 클래스들은 호출하는 어셈블리의 신원 확립과 관련된 것들인데, 표 21-7에 그런 클래스들이 나와 있다. 주의할 점은, (다른 모든 CAS 권한과 마찬가지로) 만일 응용 프로그램이 완전 신뢰하에서 실행되면 Demand가 항상 성공한다는 점이다(다음 절 참고).

표 21-7 신원 권한

형식	강제하는 조건
GacIdentityPermission	어셈블리가 GAC에 적재되어 있음
StrongNameIdentityPermission	호출하는 어셈블리에 특정한 강력한 이름이 있음
PublisherIdentityPermission	호출하는 어셈블리가 특정한 인증서로 Authenticode 서명되었음

코드 접근 보안의 적용 방식

Windows 셸이나 명령 프롬프트에서 실행한 .NET 실행 파일은 무제한의 권한으로 실행된다. 이를 **완전 신뢰**(full trust)라고 부른다.

어셈블리를 다른 호스팅 환경(SQL Server CLR 통합 호스트나 ASP.NET, ClickOnce, 커스텀 호스트 등)에서 실행하면, 그 호스트가 어셈블리에게 권한들을 부여한다. 어떤 형태로든 호스트가 권한들을 제한하는 상황을 가리켜 **부분 신뢰**(partial trust) 또는 **모래상자 적용**(sandboxing)이라고 부른다.

엄밀히 말하면, 호스트가 **어셈블리**의 권한들을 제한하는 것은 아니다. 호스트는 제한된 권한들로 응용 프로그램 도메인을 만들고, 다시 말해 도메인 자체에 모래상자를 적용하고, 그러한 도메인 안에 어셈블리를 적재한다. 따라서 그 도메인에 적재되는 다른 모든 어셈블리(독자의 어셈블리가 참조하는 어셈블리 등)는 같은 모래상자 안에서 같은 권한 집합으로 실행된다. 단, 다음 두 종류의 어셈블리는 예외이다.

- GAC에 등록된 어셈블리(.NET Framework 어셈블리들 포함)
- 호스트가 완전히 신뢰한다고 지정한 어셈블리

이 두 부류의 어셈블리는 **완전히 신뢰된** 어셈블리로 간주되며, 자신이 원하는 권한에 대해 `Assert`를 호출함으로써 일시적으로 모래상자에서 벗어날 수 있다. 또한, 이런 어셈블리들은 다른 완전 신뢰 어셈블리에 있는 `[SecurityCritical]` 특성이 부여된 메서드를 호출할 수 있으며, 안전성을 검증할 수 없는 코드(`unsafe` 코드)를 실행하거나 `LinkDemand`를 강제하는 메서드를 호출할 수 있다. 그리고 그런 `LinkDemand`는 항상 성공한다.

따라서, **부분 신뢰** 어셈블리가 **완전 신뢰** 어셈블리를 호출한다는 것은 모래상자 안의 응용 프로그램 도메인에서 실행되는 어셈블리가 GAC 어셈블리 또는 호스트가 '완전 신뢰'라고 지정한 어셈블리를 호출한다는 뜻이다.

완전 신뢰 여부 판정

현재 코드가 무제한의 권한을 가지고 있는지는 다음과 같이 알아낼 수 있다.

```
new PermissionSet (PermissionState.Unrestricted).Demand();
```

만일 현재 응용 프로그램 도메인이 모래상자 안에 있으면 이 코드는 예외를 던진다. 그러나, 응용 프로그램 도메인이 모래상자 안에 있다고 해도 현재 어셈블리 자체는 사실은 완전 신뢰 어셈블리일 수도 있으며, 그런 경우에는 `Assert`를 이용해서 모래상자에 벗어날 수 있다. 완전 신뢰 어셈블리 여부는 해당 Assembly 객체의 IsFullyTrusted 속성으로 알아낼 수 있다.

부분 신뢰 호출자 허용

부분적으로만 신뢰된 코드가 어셈블리의 메서드를 호출할 수 있으면 특권 상승 공격(elevation of privilege attack)의 여지가 생긴다. 따라서 CLR은 어셈블리가 명시적으로 요청하지 않는 한 그러한 호출을 금지한다. 왜 그런지 이해하려면 우선 특권 상승 공격이 무엇인지부터 이해할 필요가 있다.

특권 상승 공격

독자가 완전 신뢰 상황만 고려해서 어떤 라이브러리를 작성했으며, 라이브러리의 한 클래스에 다음과 같은 속성이 있다고 하자.

```
public string ConnectionString
  => File.ReadAllText (_basePath + "cxString.txt");
```

라이브러리의 사용자가 해당 어셈블리를 GAC에 적재하고(좋은 의도로든 나쁜 의도로든), 그와는 전혀 무관한 응용 프로그램을 ClickOnce 또는 ASP.NET 호스트의 제한적인 모래상자 안에서 실행한다고 하자. 만일 모래상자 안의 응용 프로그램이 독자의 완전 신뢰 어셈블리를 적재해서 ConnectionString 속성을 호출하려 하면, 다행히 SecurityException 예외가 발생한다. File.ReadAllText는 호출자에게는 없는 FileIOPermission을 요구하기(Demand) 때문이다(Demand는 호출 스택을 따라 올라가면서 권한을 점검한다는 점을 기억할 것이다). 그러나 다음과 같은 메서드는 어떨까?

```
public unsafe void Poke (int offset, int data)
{
  int* target = (int*) _origin + offset;
  *target = data;
  ...
}
```

만일 앞에서 말한 CLR의 규칙이 없다면, 즉 CLR이 이런 메서드의 호출에 대해 암묵적으로 Demand를 적용하지 않는다면, 모래상자 안의 어셈블리는 아무 문제없이 이 메서드를 호출할 수 있다. 이런 허점을 이용해서 시스템에 해를 입히는 것을 **특권 상승**(elevation of privilege) 공격이라고 부른다.

이 경우 근본 문제는 독자가 라이브러리를 작성할 때 부분 신뢰 어셈블리가 그 라이브러리를 호출하는 경우를 고려하지 않았다는 것이다. 다행히 CLR은 그런 상황을 기본적으로 방지해 준다.

APTCA와 [SecurityTransparent] 특성

특권 상승 공격 방지를 위해, CLR은 부분 신뢰 어셈블리의 완전 신뢰 어셈블리 호출을 기본적으로 불허한다.[1]

그런 호출을 허용하려면 완전 신뢰 어셈블리에서 다음 둘 중 하나를 해야 한다.

- `[AllowPartiallyTrustedCallers]` 특성(줄여서 APTCA)을 적용한다.
- `[SecurityTransparent]` 특성을 적용한다.

어셈블리에 이 특성들을 적용하면 어셈블리가 **불신의 주체**가(**불신의 대상**이 아니라) 될 수도 있음을 반드시 고려해야 한다.

버전 4.0 이전의 CLR들은 APTCA 특성만 지원했다. 그리고 당시 APTCA 특성은 부분 신뢰 호출자를 허용하는 효과만 냈다. 그러나 CLR 4.0부터 APTCA는 암묵적으로 어셈블리의 모든 메서드(그리고 모든 함수)를 **보안에 투명하게** 만드는 효과도 낸다. 보안 투명성에 대해서는 다음 절에서 자세히 설명하겠다. 일단 지금은, 보안에 투명한 메서드는 다음과 같은 일들을 전혀 하지 못한다는(부분 신뢰 상황뿐만 아니라 완전 신뢰 상황에서도) 점만 알면 된다.

- 안전성을 검증할 수 없는 코드(`unsafe` 코드)의 실행
- P/Invoke나 COM을 통한 네이티브 코드 실행
- 보안 수준 상승을 위한 권한 단언(`Assert`)
- 링크 요구 만족(`LinkDemand`)
- `[SecurityCritical]`이 부여된 .NET Framework 메서드 호출. 본질적으로 그런 메서드들은 적절한 안전장치나 보안 점검 없이 앞의 네 가지 중 하나를 수행하는 메서드들이다.

> 이러한 제약에 깔린 근거는, 일반적으로 이런 일들을 전혀 하지 않는 어셈블리는 특권 상승 공격을 시도할 가능성이 작다는 것이다.

1 CLR 4.0 이전에는 부분 신뢰 어셈블리가 강력한 이름이 있는 다른 부분 신뢰 어셈블리를 호출하는 것도 불가능했다(명시적으로 부분 신뢰 호출자를 허용하지 않는 한). 그러나 그러한 제약이 보안에 실질적인 도움이 되지는 않았기 때문에, CLR 4.0에서 폐기되었다.

[SecurityTransparent] 특성은 이상의 규칙들의 좀 더 강력한 버전을 적용한다. APTCA와 다른 점은, APTCA에서는 어셈블리의 일부 메서드들을 불투명으로 지정할 수 있지만, [SecurityTransparent]에서는 모든 메서드가 투명해야 한다는 것이다.

만일 독자의 어셈블리에 [SecurityTransparent]를 적용해도 어셈블리가 잘 작동한다면, 라이브러리 작성자로서의 일은 끝난 것이다. 그런 경우 투명성 모형의 미묘한 사항들은 무시하고 '운영체제 보안(p.1097)'으로 건너뛰어도 무방하다.

특정 메서드를 불투명으로 지정하는 방법을 설명하기 전에, 우선 이 특성들을 언제 적용하는 것이 좋은지부터 살펴보자.

첫째(그리고 더 자명한) 시나리오는, 독자의 완전 신뢰 어셈블리가 부분 신뢰 도메인에서도 작동하게 하고 싶을 때이다. 이에 관한 예제가 '다른 어셈블리에 모래상자 적용(p.1092)'에 나온다.

둘째(덜 자명한) 시나리오는, 독자의 어셈블리가 어떤 환경에 쓰일지 모르는 경우이다. 예를 들어 객체-관계 매핑(ORM) 라이브러리를 만들어서 인터넷에서 판매한다고 하자. 그런 경우 고객이 라이브러리를 호출하는 방식은 다음 세 가지이다.

1. 완전 신뢰 환경에서 호출한다.
2. 모래상자 안의 도메인에서 호출한다.
3. 모래상자 안의 도메인에서 호출하되, 독자의 어셈블리를 완전 신뢰로 만든다(이를테면 GAC에 적재해서).

세 번째 옵션을 간과하기 쉬우며, 그런 경우 도움이 되는 것이 바로 투명성 모형이다.

투명성 모형

이번 절을 제대로 이해하려면, 이전 절의 APTCA와 [SecurityTransparent] 특성 적용에 관한 내용을 먼저 읽고 숙지할 필요가 있다.

어셈블리가 완전 신뢰 어셈블리가 된 후 부분 신뢰 코드에서 그 어셈블리를 호출할 여지가 있을 때, 보안 투명성 모형(transparency model)을 이용하면 어셈블리의 보안을 손쉽게 보장할 수 있다.

이해를 돕기 위해, 부분 신뢰 어셈블리를 유죄가 입증되어서 교도소에 간 수감자에 비유하자. 수감자는 교도소 안에서 품행이 좋으면 일련의 특권(권한)을 얻을 수 있음을 알게 되었다. 이를테면 TV 시청이나 실외 운동 같은 권한들이 있다. 그러나 절대 허용되지 않는 활동들도 있는데, 이를테면 TV 시청실(또는 감옥 문) 열쇠를 획득할 수는 없다. 그런 활동(메서드)이 허용되면 전체 보안 시스템이 무력해질 수 있기 때문이다. 그런 메서드들을 **보안에 중요한**(security-critical)† 메서드라고 부른다.

완전 신뢰 라이브러리를 작성할 때에는 라이브러리의 보안 중요 메서드들을 보호하는 것이 바람직하다. 한 가지 방법은 다음 예처럼 완전 신뢰 호출자만 보안 중요 메서드를 호출할 수 있다는 요구조건을 거는 것이다(Demand). 이는 CLR 4.0 이전에 쓰이던 접근방식이다.

```
[PermissionSet (SecurityAction.Demand, Unrestricted = true)]
public Key GetTVRoomKey() { ... }
```

그러나 이 접근방식에는 두 가지 문제점이 있다. 첫째로, Demand는 호출 스택을 따라 올라가면서 권한을 점검하기 때문에 속도가 느리다. 종종 **보안에 중요한** 메서드가 **성능에 중요한**(performance-critical) 메서드이기도 하므로 이 점이 문제가 된다. 루프에서 보안 중요 메서드를 거듭 호출할 때에는 Demand가 특히나 소모적일 수 있다(그리고 그 루프가 .NET Framework의 다른 완전 신뢰 어셈블리에 있을 수도 있다). 이 문제에 대한 CLR 2.0의 해결책은 직접적인 호출자만 점검하는 **링크 요구**를 강제하는 것이었다. 그러나 여기에도 대가가 따른다. 보안을 유지하려면, 링크 요구가 적용되는 메서드를 호출하는 메서드가 스스로 요구 또는 링크 요구를 수행해야 한다. 그렇게 하지 않으려면, 신뢰 수준이 낮은 단위에서 호출되었을 때에도 잠재적인 위험이 있는 일을 전혀 허용하지 않음을 보장하는 감사(auditing)를 거쳐야 한다. 그러나 호출 그래프가 복잡할 때에는 그러한 감사가 큰 부담이 된다.

둘째 문제는, 보안 중요 메서드에 대해 요구나 링크 요구를 수행하는 것을 잊기 쉽다는 점이다(이 경우에도, 호출 그래프가 복잡하면 문제가 더 심해진다). 보안

† (옮긴이) 사실 critical에는 '중요한'보다는 '치명적인'이 더 어울리지만, "보안에 중요한" 같은 표현이 MSDN 한국어 페이지뿐만 아니라 .NET 개발 도구들의 오류 메시지에도 등장한다는 점을 참작해서 '중요한'을 사용하기로 한다.

중요 함수들이 의도치 않게 수감자들에게 노출되는 일을 방지하는 데 CLR이 어떤 형태로든 도움을 준다면 좋을 것이다.

투명성 모형이 바로 그러한 도움에 해당한다.

투명성 모형의 도입은 코드 접근 보안 **정책**의 제거와는 완전히 무관하다('CLR 2.0의 보안 정책(p.1091)' 참고).

투명성 모형의 작동 방식

투명성 모형에서는 보안 중요 메서드에 [SecurityCritical] 특성을 붙인다.

```
[SecurityCritical]
public Key GetTVRoomKey() { ... }
```

모든 '위험한' 메서드(보안을 침해하고 수감자들의 탈출을 허용할 여지가 있다고 CLR이 간주하는 코드를 담은)에는 반드시 [SecurityCritical] 또는 [SecuritySafeCritical] 특성을 지정해야 한다. 그러한 메서드들은 다음과 같다.

- 안전성을 검증할 수 없는 메서드(unsafe가 붙은).
- P/Invoke나 COM을 통해서 비관리 코드(unmanaged code)를 호출하는 메서드
- Assert로 권한을 얻거나 링크 요구 메서드를 호출하는 메서드
- [SecurityCritical]이 지정된 메서드를 **호출하는** 메서드
- [SecurityCritical]이 지정된 가상 메서드를 **재정의하는** 메서드

[SecurityCritical] 특성은 "이 메서드는 부분 신뢰 호출자가 모래상자를 탈출하게 만들 수 있음"을 뜻한다.

[SecuritySafeCritical] 특성은 "이 메서드는 보안에 중요한 연산을 수행하지만, 적절한 안전장치가 있으므로 부분 신뢰 코드에서 호출해도 안전함"을 뜻한다.

부분 신뢰 어셈블리의 메서드는 절대로 완전 신뢰 어셈블리의 보안 중요 메서드를 호출할 수 없다. [SecurityCritical] 메서드를 호출할 수 있는 메서드는 다음 두 종류뿐이다.

- 다른 [SecurityCritical] 메서드
- [SecuritySafeCritical]이 지정된 메서드

보안 안전 중요(security-safe critical) 메서드, 즉 [SecuritySafeCritical]이 지정된 메서드는 보안 중요 메서드들에 대한 문지기 역할을 한다. 보안 안전 중요 메서드는 모든 어셈블리(부분 신뢰이든 완전 신뢰이든—단, 권한 기반 CAS 요구조건은 적용됨)의 모든 메서드에서 호출할 수 있다. 이해를 돕는 예로, 수감자가 TV를 보려고 한다고 하자. 수감자는 WatchTV 메서드를 호출하며, 그 메서드는 보안에 중요한 메서드인 GetTVRoomKey를 호출한다. 따라서 WatchTV는 반드시 **보안 안전 중요** 메서드이어야 한다.

```
[SecuritySafeCritical]
public void WatchTV()
{
  new TVPermission().Demand();
  using (Key key = GetTVRoomKey())
    PrisonGuard.OpenDoor (key);
}
```

호출자가 실제로 TV 시청 권한이 있는지 확인하기 위해 TVPermission에 대해 명시적으로 Demand를 호출함을 주목하기 바란다. 또한, TV 시청실 키가 제대로 처분되도록 using 문을 사용했다는 점도 중요하다. 이 메서드는 **보안 중요** 메서드를 감싸며, 이 메서드를 그 누가 호출해도 해당 활동이 **안전하게** 진행되게 하는 장치를 갖추고 있다.

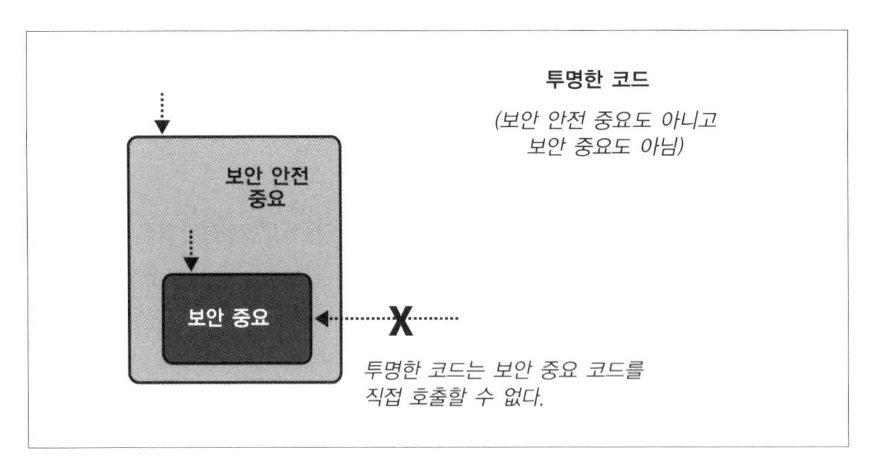

그림 21-1 투명성 모형; 보안 감사는 옅은 회색 영역에만 필요하다.

CLR이 "위험하다"고 간주하는 활동에 참여하는 메서드 중에는 실제로는 위험하지 않은 것들도 있다. 그런 메서드들에는 [SecurityCritical] 대신 [SecuritySafeCritical]를 직접 지정해도 된다. 좋은 예가 Array.Copy 메서드이다. 효율성을 위해 이 메서드의 일부 구현은 비관리 코드를 사용하지만, 그 코드를 부분 신뢰 호출자가 악용할 여지는 없다.

UnsafeXXX 패턴

TV 시청 예제에는 잠재적인 비효율성이 존재한다. 만일 간수가 WatchTV 메서드를 통해서 TV를 보고 싶다면, 간수는 반드시(그리고 불필요하게) TVPermission 요구조건을 만족해야 한다. 이에 대해 CLR 팀은 메서드의 두 가지 버전을 정의하는 패턴을 해결책으로 제시한다. 첫 버전은 이름이 *Unsafe*로 시작하는 보안 중요 메서드이다.

```
[SecurityCritical]
public void UnsafeWatchTV()
{
  using (Key key = GetTVRoomKey())
    PrisonGuard.OpenDoor(key);
}
```

둘째 버전은 보안 안전 중요 메서드로, 호출 스택을 완전히 점검하는 Demand를 거친 후에 첫 버전을 호출한다.

```
[SecuritySafeCritical]
public void WatchTV()
{
  new TVPermission().Demand();
  UnsafeWatchTV();
}
```

투명한 코드

투명성 모형에서 모든 메서드는 다음 세 범주로 나뉜다.

- 보안 중요 메서드
- 보안 안전 중요 메서드
- 둘 다 아닌 **투명한**(transparent) 메서드

투명한 메서드라는 이름은 특권 상승 공격을 위한 코드 감사가 필요 없을 정도로 숨길 것이 없는 메서드라는 점에서 비롯된 것이다. 코드 감사는 [Security

SafeCritical] 메서드(문지기)들에만 집중하면 된다. 대체로, 어셈블리의 전체 메서드 중 그런 메서드가 차지하는 비율은 비교적 낮다. 어셈블리가 투명한 메서드들로만 이루어져 있다면, 다음처럼 어셈블리에 [SecurityTransparent] 특성을 부여할 수 있다.

```
[assembly: SecurityTransparent]
```

이를 두고 **어셈블리 자체**가 투명하다고 말한다. 투명한 어셈블리는 특권 상승 공격에 대한 감사가 필요 없으며, 부분 신뢰 호출자들을 암묵적으로 허용한다. 즉, APTCA를 적용할 필요가 없다.

어셈블리의 기본 투명성 설정

지금까지의 논의를 요약하자면, 어셈블리 수준에서 투명성을 지정하는 방법은 다음 두 가지다.

- 어셈블리에 APTCA 특성을 적용한다. 이 경우 암묵적으로 모든 메서드가 투명해지며, 필요하다면 특정 메서드들만 불투명(보안 중요 또는 보안 안전 중요)으로 지정할 수 있다.
- 어셈블리에 [SecurityTransparent] 특성을 적용한다. 이 경우 모든 메서드가 예외 없이 투명해진다.

그 외에, 투명성과 관련해서 그냥 아무것도 하지 않을 수도 있다. 이 방법도 APTCA처럼 선택적 허용에 해당한다. 단, 이 경우에는 모든 메서드가 암묵적으로 보안 중요 메서드([SecurityCritical])가 된다(단, 어셈블리가 재정의한 가상 [SecuritySafeCritical] 메서드들은 그대로 보안 안전 중요 메서드로 남는다). 결과적으로, 독자의 어셈블리에서는 다른 모든 메서드를 호출할 수 있지만(어셈블리가 완전 신뢰라 할 때), 다른 어셈블리의 투명한 메서드는 독자의 어셈블리를 호출할 수 없다.

투명성 모형과 APTCA 특성의 조합

투명성 모형을 따르려면, 우선 독자의 어셈블리에서 잠재적으로 '위험한' 메서드들(이전 절에서 이야기한)을 찾아내야 한다. CLR은 심지어 완전 신뢰 환경에서도 그런 메서드의 실행을 거부하므로, 단위 검사를 통해서 그런 메서드들을 골라내는 것이 가능하다. (또한, .NET Framework에는 이 과정을 돕는 *SecAnnotate.*

*exe*라는 도구가 있다.) 그런 메서드들 각각에 다음 두 특성 중 하나를 적절히 부여한다.

- [SecurityCritical] — 만일 신뢰 수준이 낮은 어셈블리에서 그 메서드를 호출할 때 어떤 피해가 발생할 수 있으면,
- [SecuritySafeCritical] — 만일 그 메서드가 적절한 점검/안전장치를 갖추었으며, 신뢰 수준이 낮은 어셈블리에서 호출해도 안전하다면.

이해를 돕는 예로, .NET Framework의 한 보안 중요 메서드를 호출하는 다음과 같은 메서드를 생각해 보자.

```
public static void LoadLibraries()
{
  GC.AddMemoryPressure (1000000);   // 보안 중요 메서드 호출
  ...
}
```

신뢰 수준이 낮은 호출자가 불순한 의도로 이 메서드를 거듭 호출해서 시스템에 피해를 줄 수 있다. 이를 방지하기 위해 메서드에 [SecurityCritical] 특성을 적용할 수도 있지만, 그러면 다른 신뢰된 어셈블리는 오직 보안 중요 또는 보안 안전 중요 메서드에서만 이 메서드를 호출할 수 있게 된다. 더 나은 방법은 메서드 자체를 안전하게 만들고 [SecuritySafeCritical] 특성을 부여하는 것이다.

```
static bool _loaded;

[SecuritySafeCritical]
public static void LoadLibraries()
{
  if (_loaded) return;
  _loaded = true;
  GC.AddMemoryPressure (1000000);
  ...
}
```

(이렇게 하면 신뢰된 호출자 역시 이 메서드를 좀 더 안전하게 사용할 수 있게 된다는 장점도 생긴다).

unsafe 메서드의 보안

이번에는 신뢰 수준이 낮은 어셈블리에서 호출할 경우 잠재적으로 위험한 unsafe 메서드의 예를 보자. 그런 경우 먼저 메서드 자체에 [SecurityCritical]를 부여하고,

```
[SecurityCritical]
public unsafe void Poke (int offset, int data)
{
  int* target = (int*) _origin + offset;
  *target = data;
  ...
}
```

투명한 메서드 안에 안전하지 않은 코드가 있으면 CLR은 메서드를 호출하기 전에 VerificationException 예외(오류 메시지는 연산 때문에 런타임이 불안정해질 수 있다는 뜻의 "Operation could destabilize the runtime")를 던진다.

그런 다음에는 호출 사슬을 따라 올라가면서(상향) 각 메서드에 [SecurityCritical]이나 [SecuritySafeCritical]을 적절히 지정하면 된다.

또 다른 예로, 다음의 unsafe 메서드는 비트맵에 필터를 적용한다. 이 연산은 본질적으로 해가 없으므로 [SecuritySafeCritical] 특성을 지정하면 된다.

```
[SecuritySafeCritical]
unsafe void BlueFilter (int[,] bitmap)
{
  int length = bitmap.Length;
  fixed (int* b = bitmap)
  {
    int* p = b;
    for (int i = 0; i < length; i++)
      *p++ &= 0xFF;
  }
}
```

반대로, CLR의 관점에서는 '위험한' 일을 전혀 하지 않지만 그래도 보안상의 위험 요소가 되는 코드가 있는데, 다음 예에서처럼 그런 코드에도 [SecurityCritical]을 지정할 수 있다.

```
public string Password
{
  [SecurityCritical] get { return _password; }
}
```

P/Invokes와 [SuppressUnmanagedSecurity] 특성

마지막으로, Point(System.Drawing) 객체를 받고 창 핸들을 돌려주는 다음과 같은 비관리 메서드를 생각해 보자.

```
[DllImport ("user32.dll")]
public static extern IntPtr WindowFromPoint (Point point);
```

비관리 코드는 [SecurityCritical] 메서드나 [SecuritySafeCritical] 메서드에서만 호출할 수 있음을 기억하기 바란다.

모든 extern 메서드는 암묵적으로 [SecurityCritical] 메서드라고 보아도 무방하다. 단, 명시적으로 [SecurityCritical]을 지정한 extern 메서드의 경우에는 보안 점검이 실행시점에서 JIT 시점으로 앞당겨진다는 미묘한 차이가 있다. 예를 들어 다음과 같은 메서드를 생각해 보자.

```
static void Foo (bool exec)
{
  if (exec) WindowFromPoint (...)
}
```

false로 이 메서드를 호출하면 오직 WindowFromPoint에 [SecurityCritical]이 지정된 경우에만 보안 점검이 일어난다.

이 WindowFromPoint 메서드는 public으로 선언되어 있으므로, 다른 완전 신뢰 어셈블리의 모든 [SecurityCritical] 메서드가 이 메서드를 직접 호출할 수 있다. 부분 신뢰 호출자들을 위해서는 다음과 같은 보안 버전을 제공한다. 보안 침해를 방지하기 위해, 이 버전은 Demand를 통해 UI 권한을 요구하고 IntPtr 대신 관리되는 클래스의 객체를 돌려준다.

```
[UIPermission (SecurityAction.Demand, Unrestricted = true)]
[SecuritySafeCritical]
public static System.Windows.Forms.Control ControlFromPoint (Point point)
{
  IntPtr winPtr = WindowFromPoint (point);
  if (winPtr == IntPtr.Zero) return null;
  return System.Windows.Forms.Form.FromChildHandle (winPtr);
}
```

그런데 부분 신뢰 호출자가 이 메서드를 호출할 수 있으려면 한 가지 문제를 더 해결해야 한다. P/Invoke를 사용할 때마다 CLR은 비관리 권한에 대해 암묵적으로 Demand를 적용하는데, Demand는 호출 스택을 따라 올라가면서 권한들을 점검하므로 만일 WindowFromPoint 메서드 호출자의 호출자가 부분 신뢰이면 권한 점검이 실패한다. 이 문제를 해결하는 방법은 두 가지이다. 첫째는 ControlFromPoint 메서드의 첫 줄에 있는 비관리 코드를 위한 권한을 다음과 같은 단언(Assert 호출)을 통해서 획득하는 것이다.

```
new SecurityPermission (SecurityPermissionFlag.UnmanagedCode).Assert();
```

어셈블리가 부여한 비관리 코드 실행 권한을 이러한 단언을 통해서 획득하고 나면, 이후에 `WindowFromPoint` 호출 시 일어나는 암묵적 `Demand`가 성공하게 된다. 물론, 어셈블리 자체가 완전 신뢰가 아니면(즉, GAC에 적재되지 않았거나 호스트가 완전 신뢰로 지정하지 않았다면) 그러한 단언이 실패할 것이다. 권한 단언은 이번 장의 '다른 어셈블리에 모래상자 적용(p.1092)'에서 좀 더 자세히 다룬다.

둘째(그리고 성능이 더 좋은) 해결책은 비관리 코드에 `[SuppressUnmanagedCodeSecurity]` 특성을 부여하는 것이다.

```
[DllImport ("user32.dll"), SuppressUnmanagedCodeSecurity]
public static extern IntPtr WindowFromPoint (Point point);
```

이렇게 하면 CLR은 호출 스택을 훑는 고비용 비관리 `Demand` 과정을 생략한다(이는 만일 `WindowFromPoint`를 다른 신뢰된 클래스나 어셈블리에서 호출했다면 특히나 가치가 있는 최적화일 것이다). 따라서 `ControlFromPoint`에 있는 비관리 실행 권한 단언은 제거해도 된다.

지금 논의에서처럼 투명성 모형을 따르는 경우, extern 메서드에 이 특성을 적용해도 CLR 2.0에서 문제가 되었던 보안 위험은 발생하지 않는다. 이는, P/Invoke를 사용하는 메서드는 여전히 암묵적으로 보안 중요 메서드에 해당하며, 따라서 오직 보안 중요 또는 보안 안전 중요 메서드에서만 호출할 수 있기 때문이다.

완전 신뢰 환경의 투명성

완전 신뢰 어셈블리들만 있는 환경에서 실행되는 보안 중요 코드를 작성할 때에는 보안 특성들을 부여거나 메서드 감사를 수행하는 번거로움을 피하고 싶을 것이다. 그런 경우 가장 쉬운 방법은 그냥 어셈블리에 그 어떤 보안 특성도 지정하지 않는 것이다. 그러면 어셈블리의 모든 메서드에 암묵적으로 `[SecurityCritical]`이 적용된다.

모든 관련 어셈블리가 그런 식으로 만들어져 있거나, 아니면 투명성 모형을 따르는 어셈블리들이 호출 그래프의 최하단에 있기만 하다면 이런 방식이 잘 통한다. 다른 말로 하면, 독자의 어셈블리에서 여전히 서드파티 라이브러리의(그리고 .NET Framework의) 투명한 메서드들을 호출할 수 있다.

그 반대 방향으로 가려면 몇 가지 문제를 해결해야 한다. 그러나 그런 문제들을 해결하다 보면 더 나은 해법을 발견하는 경우도 많다. 예를 들어 부분적으로 또는 완전히 투명한 T라는 어셈블리에서 보안 특성이 전혀 부여되지 않은(따라서 모든 메서드가 보안 중요 메서드인) 어셈블리 X를 호출하고 싶다고 하자. 이 경우 T의 작성자가 선택할 수 있는 옵션은 다음 세 가지이다.

- T의 모든 메서드를 보안 중요 메서드로 만든다. T가 실행될 응용 프로그램 도메인이 항상 완전 신뢰 도메인이라면 부분 신뢰 호출자들을 지원할 필요가 없다. 그런 경우, 부분 신뢰 호출자를 **명시적으로** 지원하지 않는 것이 합당하다.
- X의 각 메서드를 감싸는 `[SecuritySafeCritical]` 메서드들을 작성한다. 그런 메서드들은 주목해야 할 보안 취약점들에 해당한다. (단, 이 방법은 프로그래머의 부담이 크다.)
- X의 작성자에게 투명성 모형을 고려해 달라고 요청한다. 만일 X가 보안에 중요한 일을 전혀 하지 않는다면, 그냥 X에 `[SecurityTransparent]` 특성을 지정하기만 하면 된다. 만일 X가 보안에 중요한 연산을 수행한다면, 투명성 모형을 따르기 위해서는 X의 작성자가 적어도 X의 보안 취약점들을 식별해 주어야(해결하지는 않더라도) 한다.

CLR 2.0의 보안 정책

CLR 4.0 이전에는 CLR이 복잡한 규칙들과 대응 관계들에 기초해서 일단의 기본 권한들을 .NET Framework 어셈블리들에 부여했다. CAS(코드 접근 보안) **정책**(policy)이라고 불렀던 이 권한 집합은 컴퓨터의 .NET Framework 구성 파일들에 정의되어 있었다. 정책 평가(조직, 컴퓨터, 사용자, 응용 프로그램 도메인 수준에서 커스텀화할 수 있다)의 결과로, 다음 세 가지 표준 권한 집합 중 하나가 어셈블리에 부여된다.

- FullTrust('완전 신뢰'): 지역 하드 드라이브에서 실행되는 어셈블리에 부여된다.
- LocalIntranet('지역 인트라넷'): 네트워크 공유 폴더에서 실행된 어셈블리에 부여된다.
- Internet('인터넷'): Internet Explorer 안에서 실행된 어셈블리에 부여된다.

기본적으로, 완전 신뢰 어셈블리에 해당하는 것은 FullTrust 집합 뿐이다. 따라서, 네트워크 공유 폴더에 있는 .NET 응용 프로그램 실행 파일(LocalIntranet에 해당)을 실행하면 그 응용 프로그램은 제한된 권한 집합으로 실행되며, 따라서 보안 점검에 실패할 가능성이 크다. 원래 이는 일종의 보호 장치로 고안된 것이지만, 실제로는 아무런 보호 기능도 하지 않는다. 왜냐하면, 불순한 의도를 가진 공격자가 그냥 .NET 실행 파일을 비관리 실행 파일로 대체하기만 하면 권한에 의한 제약이 사라지기 때문이다. 결과적으로, 이러한 '보호 장치'는 네트워크 공유를 통해서 .NET 어셈블리를 완전 신뢰 하에 실행하려고 했던 사용자를 짜증 나게 만들 뿐이었다.

그래서 CLR 4.0의 설계자들은 이러한 보안 정책을 아예 폐기하기로 했다. 이제 모든 어셈블리는 전적으로 호스팅 환경이 정의하는 권한 집합 안에서 실행된다. Windows 탐색기에서 실행 파일을 더블 클릭하거나 명령줄에서 실행 파일 경로를 입력해서 실행한 프로그램은 항상 완전 신뢰 환경에서 실행된다. 이는 실행 파일이 네트워크 공유 폴더에 있든 지역 하드 드라이브에 있든 마찬가지이다.

다른 말로 하면, 이제는 응용 프로그램에 주어지는 권한들을 **전적으로 호스트가** 결정한다. 컴퓨터에 설정된 CAS 정책은 여기에 전혀 관여하지 않는다.

여전히 CLR 2.0의 보안 정책을 다루어야 한다면(이를테면 .NET Framework 버전 3.5 이하를 대상으로 하는 실행 파일을 만들어야 하는 경우), Microsoft 관리 콘솔(MMC)의 *mscorcfg.msc* 플러그인(제어판→관리 도구→Microsoft .NET Framework Configuration) 또는 명령줄 도구 *caspol.exe*를 이용해서 보안 정책을 조회하거나 수정할 수 있다. 이제는 *mscorcfg.msc* 플러그인이 .NET Framework와 함께 설치되지 않음을 주의하기 바란다. 이 플러그인을 사용하려면 .NET Framework 3.5 SDK를 설치해야 한다.

궁극적으로, 보안 정책 설정은 .NET Framework 구성 폴더에 있는 *security.config*라는 XML 파일에 저장된다. 그 파일의 구체적인 경로는 다음과 같이 얻을 수 있다.

```
string dir = Path.Combine
 (System.Runtime.InteropServices.RuntimeEnvironment
                .GetRuntimeDirectory(), "config");
string configFile = Path.Combine (dir, "security.config");
```

다른 어셈블리에 모래상자 적용

사용자가 서드파티 플러그인을 설치할 수 있는 응용 프로그램을 작성한다고 하자. 만일 플러그인이 응용 프로그램과 같은 특권들을 가지고 실행되게 한다면, 응용 프로그램 또는 최종 사용자의 컴퓨터의 안정성을 해칠 수 있다. 따라서 플러그인들의 권한을 제한해야 한다. 가장 좋은 방법은 각 플러그인을 개별적인 응용 프로그램 도메인에서 실행하되, 그 도메인을 모래상자 안에 넣는 것이다.

이번 절의 예제에서는 플러그인이 *plugin.exe*라는 이름의 .NET 어셈블리로 제공되며, 그냥 그 실행 파일을 실행하면 플러그인이 활성화된다고 가정한다. (제24장에서 라이브러리를 좀 더 정교한 방식으로 응용 프로그램 도메인에 적재해서 상호작용하는 방법을 설명한다).

다음은 **호스트** 프로그램의 전체 코드이다.

```
using System;
using System.IO;
using System.Net;
using System.Reflection;
using System.Security;
using System.Security.Policy;
using System.Security.Permissions;

class Program
{
  static void Main()
  {
    string pluginFolder = Path.Combine (
      AppDomain.CurrentDomain.BaseDirectory, "plugins");

    string plugInPath = Path.Combine (pluginFolder, "plugin.exe");

    PermissionSet ps = new PermissionSet (PermissionState.None);

    ps.AddPermission
      (new SecurityPermission (SecurityPermissionFlag.Execution));

    ps.AddPermission
      (new FileIOPermission (FileIOPermissionAccess.PathDiscovery |
                             FileIOPermissionAccess.Read, plugInPath));

    ps.AddPermission (new UIPermission (PermissionState.Unrestricted));

    AppDomainSetup setup = AppDomain.CurrentDomain.SetupInformation;
    AppDomain sandbox = AppDomain.CreateDomain ("sbox", null, setup, ps);
    sandbox.ExecuteAssembly (plugInPath);
    AppDomain.Unload (sandbox);
  }
}
```

CreateDomain 메서드를 호출할 때 완전히 신뢰할 어셈블리들을 나타내는 StrongName 객체들의 배열도 추가로 지정할 수 있다. 이에 관한 예제가 다음 절에 나온다.

이 프로그램은 우선 모래상자에 부여하고자 하는 특권들을 서술하는 제한된 권한 집합을 만든다. 이 권한 집합은 적어도 어셈블리 실행 권한과 플러그인이 자신의 어셈블리를 읽을 수 있는 권한을 포함해야 한다. 그렇게 하지 않으면 어셈블리가 실행되지 않는다. 또한, 무제한의 UI 권한도 부여한다. 그런 다음에는 새 응용 프로그램 도메인을 생성하는데, 이때 앞에서 만든 커스텀 권한 집합을 지정한다. 이렇게 하면 그 도메인에 적재되는 모든 어셈블리에 그 권한 집합이 적용된다. 새 도메인을 만든 후에는 그 도메인 안에서 플러그인 어셈블리를 실행한다. 마지막으로, 플러그인의 실행이 끝나면 도메인을 해제한다.

이 예제는 응용 프로그램의 한 하위 디렉터리인 *plugins*에 있는 플러그인 어셈블리를 적재한다. 플러그인 어셈블리를 완전 신뢰 호스트와 같은 디렉터리에 두면 특권 상승 공격의 여지가 생긴다. 완전 신뢰 도메인이 형식의 환원을 위해 암묵적으로 플러그인 어셈블리의 코드를 적재해서 실행할 수도 있기 때문이다. 예를 들어 플러그인이 자신의 어셈블리에 정의된 커스텀 예외 형식의 예외를 던진다고 하자. 그 예외가 호스트까지 전파되면, 호스트는 그 예외의 역직렬화를 위해 암묵적으로 플러그인 어셈블리를 찾아서 자신의 도메인에 적재하려 한다. 플러그인 어셈블리를 호스트와는 다른 디렉터리에 두면 호스트가 어셈블리를 찾지 못하므로 적재에 실패하며, 따라서 특권 상승 공격의 위험이 사라진다.

권한 단언

부분 신뢰 어셈블리에서 호출할 메서드를 작성할 때에는 권한 단언, 즉 Assert 호출을 통한 권한 획득이 유용하다. 권한 단언이 성공하면 어셈블리는 일시적으로 모래상자를 탈출하게 되며, 그러면 하향 Demand들 때문에 할 수 없었을 연산들을 수행할 수 있게 된다.

CAS 세계에서 말하는 '단언'은 진단 또는 계약 기반 단언과는 무관하다. 실제로, Debug.Assert 호출은 권한에 대한 Assert보다는 Demand에 더 가깝다. 특히, 어떤 권한을 단언했을 때 단언이 성공하면 **부수 효과**가 발생하지만, Debug.Assert는 부수 효과를 일으키지 않는다.

앞에서 서드파티 플러그인을 제한된 권한 집합 안에서 실행하는 응용 프로그램의 예제를 보았다. 그 예제의 연장선에서, 이번에는 플러그인이 호출할 수 있는 안전한 메서드들로 이루어진 라이브러리를 만들어서 서드파티들에 제공한다고 하자. 예를 들어 플러그인이 데이터베이스에 직접 접근하지는 못하지만, 우리가 제공하는 라이브러리의 메서드들을 통해서 특정 질의를 수행하게 한다거나, 로

그 파일에 메시지를 기록하는 메서드를 제공하되 파일 기반 권한은 전혀 부여하지 않는 등의 활용이 가능하다.

그러한 라이브러리를 만드는 첫 단계는 라이브러리를 담을 개별적인 어셈블리(이름은 이를테면 *utilities* 등)를 만들고 그 어셈블리에 [AllowPartiallyTrustedCallers] 특성을 부여하는 것이다. 그런 다음에는 서드파티에 제공할 메서드들을 추가하면 된다. 다음은 로그 기록 메서드의 예이다.

```
public static void WriteLog (string msg)
{
  // 메시지를 로그 파일에 기록
  ...
}
```

이 메서드는 한 가지 문제점을 극복해야 한다. 바로, 파일에 로그 메시지를 기록하려면 FileIOPermission이 필요하다는 것이다. *utilities* 어셈블리 자체는 완전 신뢰 어셈블리이지만 이것을 호출하는 호출자는 완전 신뢰가 아니므로, 모든 파일 권한 관련 Demand가 실패하게 된다. 해결책은 파일 접근 전에 해당 권한을 Assert로 획득하는 것이다.

```
public class Utils
{
  string _logsFolder = ...;

  [SecuritySafeCritical]
  public static void WriteLog (string msg)
  {
    FileIOPermission f = new FileIOPermission (PermissionState.None);
    f.AddPathList (FileIOPermissionAccess.AllAccess, _logsFolder);
    f.Assert();

    // 메시지를 로그 파일에 기록
    ...
  }
}
```

권한 단언을 사용하는 메서드에는 반드시 [SecurityCritical] 또는 [SecuritySafeCritical]를 부여해야 한다(.NET Framework의 예전 버전들을 대상으로 하는 것이 아닌 한). 이 메서드는 부분 신뢰 호출자에 대해 안전하므로 [SecuritySafeCritical]를 부여했다. 물론 어셈블리 전체를 [SecurityTransparent]로 할 수는 없다. 대신 APTCA를 사용해야 한다.

이전에 이야기했듯이, Demand는 현재 코드가 연산에 필요한 권한을 가졌는지 점검해서, 권한이 없으면 예외를 던지고 권한이 있으면 호출 스택을 따라 올라가면서(현재 응용 프로그램 도메인 안에서) 계속해서 권한을 점검한다. 그러나 Assert는 **현재 어셈블리**가 필요한 권한을 가지고 있는지만 점검한다. 만일 그 점검이 성공하면, 그때부터 런타임은 호출자의 권리들은 고려하지 않고 현재 어셈블리의 권리들만 고려해서 권한을 점검한다. 메서드 실행이 끝나거나 코드가 명시적으로 CodeAccessPermission.RevertAssert를 호출하면 Assert의 효과가 끝난다.

예제를 완성해 보자. 다음으로 할 일은 응용 프로그램 도메인을 생성해서 *utilities* 어셈블리를 완전 신뢰 대상으로 지정한 후 모래상자 안에서 실행하는 것이다. 이를 위해 *utilities* 어셈블리를 서술하는 StrongName 객체를 생성하고, AppDomain의 CreateDomain 메서드를 호출할 때 그 객체를 지정한다.

```
static void Main()
{
  string pluginFolder = Path.Combine (
    AppDomain.CurrentDomain.BaseDirectory, "plugins");

  string plugInPath = Path.Combine (pluginFolder, "plugin.exe");

  PermissionSet ps = new PermissionSet (PermissionState.None);

  // 앞에서처럼, 플러그인에게 허용할 권한들을 ps에 추가한다.
  // ...

  Assembly utilAssembly = typeof (Utils).Assembly;
  StrongName utils = utilAssembly.Evidence.GetHostEvidence<StrongName>();

  AppDomainSetup setup = AppDomain.CurrentDomain.SetupInformation;
  AppDomain sandbox = AppDomain.CreateDomain ("sbox", null, setup, ps,
                                              utils);
  sandbox.ExecuteAssembly (plugInPath);
  AppDomain.Unload (sandbox);
}
```

이 예제가 제대로 작동하려면 *utilities* 어셈블리를 반드시 강력한 이름으로 서명해야 한다.

.NET Framework 4.0 전에는 이 예제에서처럼 GetHostEvidence를 호출해서 StrongName을 얻을 수는 없었고, 대신 다음과 같이 해야 했다.

```
AssemblyName name = utilAssembly.GetName();
StrongName utils = new StrongName (
  new StrongNamePublicKeyBlob (name.GetPublicKey()),
  name.Name,
  name.Version);
```

어셈블리를 호스트의 도메인에 적재하고 싶지 않는 경우에는 이러한 구식 접근방식이 여전히 유용하다. 다음처럼, Assembly나 Type 객체 없이도 AssemblyName을 얻을 수 있기 때문이다.

```
AssemblyName name = AssemblyName.GetAssemblyName
                    (@"d:\utils.dll");
```

운영체제 보안

.NET Framework 응용 프로그램이 할 수 있는 일을 운영체제가 사용자의 로그인 특권들에 기초해서 더욱 제약할 수 있다. Windows에서 사용자 계정은 다음 두 종류이다.

- 지역 컴퓨터에 무제한으로 접근할 수 있는 관리자 계정
- 관리 기능들과 다른 사용자의 자료에 대한 접근에 제약이 있는, 제한된 권한들을 가진 계정

Windows Vista에는 UAC(User Account Control; 사용자 계정 컨트롤)라는 기능이 도입되었다. UAC가 활성화된 경우, 관리자는 로그인 시 두 개의 토큰 또는 '모자'를 받게 된다. 하나는 관리자가 쓰는 모자이고 또 하나는 보통 사용자가 쓰는 모자이다. 기본적으로, 프로그램은 보통 사용자 모자를 쓴 채로, 다시 말해 제한된 권한들로 실행된다. 그러나 프로그램이 **관리자 권한 상승**(administrative elevation)을 요청하면 상황이 달라진다. 그런 경우 사용자에게 그 요청을 수락할 것인지를 묻는 대화상자가 나타나며, 사용자가 수락하면 프로그램은 관리자의 모자를 쓴 채로 실행된다.

응용 프로그램 개발자의 관점에서 UAC는 응용 프로그램이 제한된 사용자 특권들로 실행되는 것이 **기본**이라는 뜻이다. 결과적으로, 개발자는 다음 둘 중 하나를 선택해야 한다.

- 응용 프로그램이 관리자 특권 없이도 실행되게 만든다.
- 응용 프로그램 매니페스트에서 관리자 권한 상승을 요구한다.

첫 선택이 더 안전하며, 사용자도 편하다. 프로그램이 관리자 특권 없이 실행되게 설계하는 것은 대부분의 경우 어렵지 않다. 관련 제약들이 전형적인 **코드 접근 보안** 모래상자가 가하는 제약들보다는 훨씬 덜 가혹하다.

프로그램이 현재 관리자 계정으로 실행되는지는 다음 메서드로 알아낼 수 있다.

```
[DllImport ("shell32.dll", EntryPoint = "#680")]
static extern bool IsUserAnAdmin();
```

UAC가 활성화되어 있는 경우, 이 메서드는 현재 프로세스가 관리자 계정으로 권한이 상승한 경우에만 true를 돌려준다.

표준 사용자 계정으로 실행

다음은 표준 Windows 사용자 로그인에서는 **할 수 없는** 일 중 중요한 것들이다.

- 다음 디렉터리에 쓰기:
  - 운영체제 시스템 폴더(보통은 *\Windows*)와 그 하위 디렉터리들
  - 프로그램 파일 폴더(*\Program Files*)와 그 하위 디렉터리들
  - 운영체제 드라이브의 루트(이를테면 *C:*)
- 레지스트리의 HKEY_LOCAL_MACHINE 섹션에 쓰기
- 성능 감시(WMI) 자료 읽기

또한, 보통의 사용자 계정에서 실행되는 프로그램은 다른 사용자에 속한 파일이나 자원에 접근하지 못할 수 있다(심지어는 관리자 계정으로 실행되는 프로그램도 그럴 수 있다). Windows는 ACL(Access Control List; 접근 제어 목록) 시스템을 이용해서 그런 자원을 보호한다. 현재 사용자의 ACL들에 설정된 권한들은 System.Security.AccessControl의 형식들을 통해서 조회하거나 단언할 수 있다. ACL은 또한 프로세스 경계를 넘는 대기 핸들에도 적용된다(제22장 참고).

운영체제 보안 때문에 뭔가에 대한 접근이 거부되면 UnauthorizedAccessException 예외가 발생한다. 이것은 .NET의 권한 요구가 실패했을 때 발생하는 SecurityException과는 다른 예외이다.

.NET의 코드 접근 권한 클래스들은 ACL과 거의 독립적이다. 예를 들어 FileIOPermission에 대한 Demand가 성공해도, 해당 파일에 접근할 때 ACL 제약 때문에 UnauthorizedAccessException이 발생할 수 있다.

대부분 표준 사용자 제약은 다음과 같이 우회하거나 극복할 수 있다.

- 운영체제가 권장하는 장소에 파일을 저장한다.

- 파일에 저장할 수 있는 정보는 레지스트리에 저장하지 않는다(단, 항상 읽기/쓰기가 가능한 HKEY_CURRENT_USER 섹션은 제외).
- ActiveX나 COM 구성요소들을 프로그램 설치 도중에 등록한다.

사용자 문서를 저장하는 데 권장되는 장소는 SpecialFolder.MyDocuments이다.

```
string docsFolder = Environment.GetFolderPath
                    (Environment.SpecialFolder.MyDocuments);

string path = Path.Combine (docsFolder, "test.txt");
```

사용자가 응용 프로그램 바깥에서 수정해야 할 수도 있는 구성 파일들의 권장 저장 장소는 SpecialFolder.ApplicationData(현재 사용자 전용) 또는 SpecialFolder.CommonApplicationData(모든 사용자)이다. 보통은 이 폴더에 해당 조직 또는 회사명과 제품명을 반영한 이름의 하위 디렉터리를 만들어서 거기에 구성 파일들을 저장한다.

응용 프로그램 안에서만 접근할 자료는 격리된 저장소에 저장하는 것이 바람직하다.

아마도, 응용 프로그램을 표준 사용자 계정으로 실행할 때 가장 불편한 점은 응용 프로그램 자신의 파일들에 대한 쓰기 권한이 없다는 것이다. 이러한 제약은 이를테면 자동 업데이트 시스템을 구현할 때 걸림돌이 된다. 한 가지 옵션은 ClickOnce를 이용해서 응용 프로그램을 배치하는 것이다. 그러면 관리자 권한 상승 없이도 업데이트를 적용할 수 있다. 대신 응용 프로그램 설치 과정에 중요한 제약이 생긴다(이를테면 ActiveX 컨트롤을 등록할 수 없다). 배포 방식에 따라서는, ClickOnce로 배치한 응용 프로그램이 코드 접근 보안이 적용된 모래상자 안에서 실행될 수도 있다. 또 다른, 그리고 좀 더 정교한 해법을 제18장의 '단일 실행 파일 만들기(p.972)'에서 제시했었다.

관리자 권한 상승과 가상화

제18장에서는 응용 프로그램 매니페스트를 설정하는 방법을 설명했다. 응용 프로그램 매니페스트를 이용하면 프로그램을 실행할 때마다 관리자 권한 상승을 요구하는 대화상자를 사용자에게 제시하라고 Windows에게 요청할 수 있다. 다음이 그러한 예이다.

```
<?xml version="1.0" encoding="utf-8"?>
<assembly manifestVersion="1.0" xmlns="urn:schemas-microsoft-com:asm.v1">
  <trustInfo xmlns="urn:schemas-microsoft-com:asm.v2">
    <security>
      <requestedPrivileges>
        <requestedExecutionLevel level="requireAdministrator" />
      </requestedPrivileges>
    </security>
  </trustInfo>
</assembly>
```

requireAdministrator를 asInvoker로 바꾸면, 해당 요소는 Windows에게 관리자 권한 상승이 필요하지 **않음**을 알려주라는 뜻이 된다. 그렇게 하면 응용 프로그램 매니페스트를 아예 제공하지 않았을 때와 거의 같은 효과가 난다. 차이점은, 지금 경우에는 **가상화**(virtualization)가 비활성화된다는 것이다. 가상화는 Windows Vista에만 일시적으로 도입된 기능으로, 기존 응용 프로그램이 관리자 특권 없이도 정확히 실행되게 하기 위한 것이다. 응용 프로그램 매니페스트에 requestedExecutionLevel 요소가 없거나 응용 프로그램 매니페스트 자체가 없으면 이 하위 호환성 기능이 활성화된다.

가상화는 응용 프로그램이 *Program Files*나 *Windows* 디렉터리에 파일을 기록하려 하면, 또는 레지스트리의 HKEY_LOCAL_MACHINE 섹션을 변경하려 하면 작동한다. 그런 경우 운영체제는 예외를 발생하는 대신, 요청된 변경 사항들을 하드 디스크 어딘가에 있는 개별적인, 원래의 자료에는 영향을 미치지 못하는 장소에 적용한다. 이 덕분에, 응용 프로그램이 오작동해도 운영체제나 다른 잘 작동하는 응용 프로그램에 피해가 가지는 않는다.

신원 및 역할 보안

신원(identy) 및 역할(role) 기반 보안은 잠재적으로 다수의 사용자를 다루어야 하는 중간층(middle tier) 서버나 ASP.NET 응용 프로그램을 작성할 때 유용하다. 신원 및 역할 보안 기능을 이용하면 응용 프로그램의 기능성을 인증된 사용자 이름이나 역할에 따라 제한할 수 있다. **신원**은 간단히 말해서 사용자 이름(ID)이고, **역할**은 사용자가 속한 그룹이다. **보안 주체**(principal)는 하나의 신원이나 하나의 역할, 또는 그 둘의 조합을 서술하는 객체이다. 보안 주체에 관한 권한들을 대표하는 클래스는 PrincipalPermission이다. 신원 및 역할 보안을 강제할 때 바로 이 클래스의 객체를 사용한다.

전형적인 응용 프로그램 서버에서는 클라이언트에 노출되는 메서드 중 보안을 강제할 필요가 있는 모든 메서드에 대해 PrincipalPermission을 요구한다. 예를 들어 다음은 호출자가 반드시 'finance' 역할의 일원이어야 함을 요구한다.

```
[PrincipalPermission (SecurityAction.Demand, Role = "finance")]
public decimal GetGrossTurnover (int year)
{
  ...
}
```

어떤 메서드를 특정 사용자 하나만 호출할 수 있게 하려면, Role 대신 다음처럼 Name 매개변수를 사용하면 된다.

```
[PrincipalPermission (SecurityAction.Demand, Name = "sally")]
```

(물론, 이처럼 사용자 이름을 코드 자체에 박아 넣으면 코드의 유지보수가 어려워진다.) 여러 신원 또는 역할의 조합에 대해 보안을 적용하려면 선언식 보안 대신 명령식 보안을 사용해야 한다. 즉, 메서드에 특성을 지정하는 대신 메서드 안에서 PrincipalPermission 객체들을 생성하고 Union을 호출해서 결합한 결과에 대해 Demand를 호출해야 한다.

사용자와 역할의 배정

PrincipalPermission에 대한 Demand가 성공하려면, 그 전에 반드시 IPrincipal 객체를 현재 스레드에 부착해야 한다.

Windows가 현재 로그인된 사용자를 응용 프로그램의 신원으로 사용하게 만드는 방법은 다음 두 가지이다. 전자는 응용 프로그램 도메인 전체에 적용되고, 후자는 현재 스레드에만 적용된다.

```
AppDomain.CurrentDomain.SetPrincipalPolicy (PrincipalPolicy.
                                             WindowsPrincipal);
// 또는:
Thread.CurrentPrincipal = new WindowsPrincipal (WindowsIdentity.
                                                 GetCurrent());
```

WCF나 ASP.NET을 사용하는 경우에는, 클라이언트의 신원 가장(impersonation; 프로그램이 현재 사용자 이외의 사용자 계정으로 실행되는 것처럼 만드는 것)을 돕는 기능을 해당 기반구조가 제공한다. 또는, GenericPrincipal 클래스와 GenericIdentity 클래스를 이용해서 프로그램이 직접 처리할 수도 있다. 다음은 'Jack'이라는 사용자를 생성해서 세 가지 역할을 부여하는 예이다.

```
GenericIdentity id = new GenericIdentity ("Jack");
GenericPrincipal p = new GenericPrincipal
  (id, new string[] { "accounts", "finance", "management" } );
```

이것이 효과를 내려면 해당 보안 주체 객체를 현재 스레드에 다음과 같이 배정해야 한다.

```
Thread.CurrentPrincipal = p;
```

이 예에서 보듯이, 보안 주체를 스레드마다 따로 설정할 수 있다. 이는 일반적으로 응용 프로그램 서버가 다수의 클라이언트 요청을 각각 개별 스레드에 배정해서 동시에 처리하기 때문이다. 각 요청이 서로 다른 클라이언트에서 비롯될 수 있으므로, 각자 다른 보안 주체를 설정할 수 있어야 한다.

`GenericIdentity`와 `GenericPrincipal`을 파생해서 독자적인 보안 주체 클래스를 만들 수도 있고, 또는 `IIdentity`와 `IPrincipal` 인터페이스를 직접 구현해서 보안 주체 클래스를 만들 수도 있다. 다음은 두 인터페이스의 정의이다.

```
public interface IIdentity
{
  string Name { get; }
  string AuthenticationType { get; }
  bool IsAuthenticated { get; }
}

public interface IPrincipal
{
  IIdentity Identity { get; }
  bool IsInRole (string role);
}
```

여기서 핵심 메서드는 `IPrincipal`이다. 역할들의 목록을 돌려주는 메서드는 없음을 주목하기 바란다. 따라서 이 인터페이스들을 구현할 때에는 특정한 하나의 역할이 해당 보안 주체에 대해 유효한지만 점검하면 된다. 좀 더 정교한 권한 부여(authorization) 시스템을 만들려면 이런 식으로 커스텀 보안 주체 클래스를 만들 필요가 있을 것이다.

암·복호화 개요

표 21-8은 .NET이 지원하는 암·복호화 기능들을 요약한 것이다. 이번 장의 나머지 절들에서는 이 기능들을 각각 살펴본다.

표 21-8 .NET의 암·복호화 및 해싱 기능

기능	관리하는 키 개수	속도	강도	참고
File.Encrypt	0	빠름	사용자의 패스워드에 따라 다름	파일 시스템의 지원 하에서 파일들을 투명하게 보호한다. 키는 로그인한 사용자의 신원정보(credential)로부터 암묵적으로 유도된다.
Windows 데이터 보호	0	빠름	사용자의 패스워드에 따라 다름	암묵적으로 유도된 키를 이용해서 바이트 배열을 암호화, 복호화한다.
해싱	0	빠름	높음	단방향(비가역적) 변환. 패스워드 저장, 파일 비교, 자료 변조 점검에 쓰인다.
대칭 암호화	1	빠름	높음	범용적인 암호화/복호화 기능이다. 하나의 키를 암호화와 복호화에 사용한다. 메시지 전송의 보안에 사용할 수 있다.
공개 키 암호화	2	느림	높음	범용적인 암호화/복호화 기능이다. 암호화와 복호화에 각자 다른 키를 사용한다. 메시지 송수신 시 대칭 암호화 키를 교환할 때 쓰이며, 파일의 디지털 서명에도 쓰인다.

.NET Framework는 또한 XML 기반 서명의 작성 및 유효성 점검을 지원하는 좀 더 특화된 암·복호화 기능도 제공한다. 관련 형식들이 System.Security.Cryptography.Xml에 있다. 또한, System.Security.Cryptography.X509Certificates에는 디지털 인증서를 다룰 때 사용하는 형식들이 있다.

Windows 데이터 보호

제15장의 '파일과 디렉터리 연산(p.808)'에서, File.Encrypt를 이용해서 운영체제가 투명하게 파일을 암호화하도록 요청하는 방법을 설명했다.

```
File.WriteAllText ("myfile.txt", "");
File.Encrypt ("myfile.txt");
File.AppendAllText ("myfile.txt", "sensitive data");
```

이 경우 Windows는 로그인된 사용자의 패스워드에서 유도한 키를 이용해서 파일을 암호화한다. Windows 데이터 보호 API를 이용하면 그와 동일하게 암묵적으로 유도된 키를 이용해서 바이트 배열을 암호화할 수 있다. Windows 데이터 보호 API는 ProtectedData 클래스를 통해서 제공되는데, 이 클래스는 다음과 같은 정적 메서드 두 개로만 이루어진 간단한 형식이다.

```
public static byte[] Protect (byte[] userData, byte[] optionalEntropy,
                              DataProtectionScope scope);
```

```
public static byte[] Unprotect (byte[] encryptedData, byte[]
optionalEntropy,
                                DataProtectionScope scope);
```

System.Security.Cryptography의 형식들은 대부분 *mscorlib.dll*과 *System.dll*에 있지만, ProtectedData는 예외이다. 이 형식은 *System.Security.dll*에 있다.

optionalEntropy로 지정한 모든 바이트는 키에 추가되며, 따라서 그만큼 보안 강도가 높아진다. DataProtectionScope 열거형의 멤버는 CurrentUser와 LocalMachine 두 가지이다. CurrentUser를 지정하면 로그인된 사용자의 신원 정보로부터 키가 유도되며, LocalMachine을 지정하면 모든 사용자에 공통인 컴퓨터 전역 키가 쓰인다. LocalMachine 키는 보안 강도가 더 낮지만, 대신 Windows 서비스나 다양한 계정들 하에서 작동해야 하는 프로그램에서도 작동한다.

다음은 암호화와 복호화(해독) 방법을 보여주는 간단한 예이다.

```
byte[] original = {1, 2, 3, 4, 5};
DataProtectionScope scope = DataProtectionScope.CurrentUser;

byte[] encrypted = ProtectedData.Protect (original, null, scope);
byte[] decrypted = ProtectedData.Unprotect (encrypted, null, scope);
// decrypted는 이제 {1, 2, 3, 4, 5}
```

Windows 데이터 보호 기능은 컴퓨터에 완전히 접근할 수 있는 공격자의 공격을 어느 정도 방어해 준다. 단, 그러한 보호의 수준은 사용자의 패스워드의 강도에 의존한다. LocalMachine 범위의 Windows 데이터 보호는 컴퓨터에 제한적으로(물리적으로든 전자적으로든) 접근할 수 있는 공격자에 대해서만 효과적이다.

해싱

해싱은 단방향 암호화 기능을 제공한다. 단방향 암호화는 패스워드를 데이터베이스에 저장하는 용도로 이상적이다. 사용자 인증과 관련해서, 응용 프로그램은 패스워드의 평문을 알 필요가 없다. 그냥 암호화된 버전(해시 코드)만 데이터베이스에 담아 두고, 사용자 인증 시 사용자가 입력한 패스워드의 해시 코드가 데이터베이스에 있는 해시 코드와 같은지만 보면 된다.

해시 코드(줄여서 그냥 해시)는 비교적 짧은 바이트열로, 그 길이는 원본 자료의 길이와 무관하다. 그래서 해시 코드는 파일들을 비교하거나 자료 스트림에서 오류를 검출할 때 유용하다(후자는 체크섬과 상당히 비슷하다). 원본 자료의 임의의 비트 하나만 변해도 해시 코드가 크게 달라진다.

해시 코드는 SHA256이나 MD5 같은 HashAlgorithm 파생 클래스 중 하나의 ComputeHash 메서드로 얻을 수 있다. 다음은 MD5를 사용하는 예이다.

```
byte[] hash;
using (Stream fs = File.OpenRead ("checkme.doc"))
  hash = MD5.Create().ComputeHash (fs);          // 해시의 길이는 16바이트
```

ComputeHash 메서드는 바이트 배열도 받는다. 이는 다음처럼 패스워드를 해싱할 때 편리하다.

```
byte[] data = System.Text.Encoding.UTF8.GetBytes ("stRhong%pword");
byte[] hash = SHA256.Create().ComputeHash (data);
```

> Encoding 객체의 GetBytes 메서드는 주어진 문자열을 바이트 배열로 변환하고, GetString 메서드는 그 반대로 변환한다. 그러나 암호화된(해싱된) 바이트 배열을 문자열로 변환하는 메서드는 Encoding에 없다. 대체로 암호화된 바이트 배열에는 텍스트 부호화 규칙을 위반하는 바이트들이 존재하기 때문이다. 대신 Convert.ToBase64String과 Convert.FromBase64String을 사용해야 한다. 이들은 임의의 바이트 배열을 유효한(그리고 XML에 바로 사용할 수 있는) 문자열로 변환하거나 그 반대로 변환한다.

MD5와 SHA256 외에도 .NET Framework는 여러 HashAlgorithm 파생 클래스를 제공한다. 다음은 그런 클래스들을 보안 강도가 낮은 것에서 높은 것 순서로(그리고 바이트 단위 해시 길이 순서로) 나열한 것이다.

```
MD5(16) → SHA1(20) → SHA256(32) → SHA384(48) → SHA512(64)
```

해시 길이가 짧은 알고리즘일수록 해싱 속도가 빠르다. MD5는 SHA512보다 20배 이상 빠르기 때문에 파일 체크섬 계산에 적합하다. 예를 들어 MD5로는 초당 수백 메가바이트를 해싱해서 Guid 형식의 결과를 얻을 수 있다(Guid도 정확히 16바이트이다. 게다가, 값 형식이라서 바이트 배열보다 다루기 쉽다. 예를 들어 두 Guid를 그냥 상등 연산자로 비교해서 의미 있는 결과를 얻을 수 있다). 그러나 길이가 짧을수록 **충돌**(서로 다른 두 자료가 같은 해시를 산출하는 것) 가능성이 커진다.

> 패스워드나 기타 보안에 중요한 자료를 해싱할 때에는 **적어도** SHA256을 사용해야 한다. MD5와 SHA1은 그런 목적에는 안전하지 않으며, 의도적인 변조가 아니라 우연한 자료 깨짐에 대한 방어 수단으로만 적합한 것으로 간주된다.

SHA384는 SHA512보다 빠르지 않다. 따라서 SHA256보다 더 안전한 알고리즘을 원한다면 SHA512를 사용하는 것이 바람직하다.

긴 SHA 알고리즘들은 패스워드 해싱에 적합하다. 그러나 **사전**辭典 **공격**(dictionary attack)을 완화하기 위해서는 강력한 패스워드 정책을 강제할 필요가 있다. 사전 공격이란 공격자가 사전의 모든 단어를 해싱해서 만든 패스워드 참조표를 이용해서 암호화된 패스워드의 평문을 알아내려는 시도를 말한다. 이러한 공격에 대한 방어력을 높이는 한 가지 방법은 패스워드 해시를 '연장(stretching)'하는 것, 즉 해시를 여러 번 다시 해싱하는 것이다. 그러면 복호화에 걸리는 시간이 늘어난다. 예를 들어 해싱을 100번 반복하면 전에는 한 달 걸렸던 사전 공격의 시간이 8년으로 늘어난다. `Rfc2898DeriveBytes` 클래스와 `PasswordDeriveBytes` 클래스는 바로 이런 종류의 해시 연장을 수행한다.

사전 공격을 피하는 또 다른 방법은 '소금 값(salt)'을 도입하는 것이다. 소금 값은 해싱 전에 패스워드에 연결하는 긴 바이트열로, 보통은 난수 발생기를 이용해서 생성한다. 이처럼 패스워드에 "소금을 쳐서" 해싱하면 공격자의 공격 시도가 두 가지 이유로 어려워진다. 하나는 공격자가 평문을 계산하는 데 필요한 시간이 길어진다는 점이고, 또 하나는 공격자가 소금 값 바이트들도 알아내야 한다는 점이다.

.NET Framework는 또한 160비트 `RIPEMD` 해싱 알고리즘도 제공한다. 이 알고리즘은 SHA1보다 약간 더 강하다. 그러나 .NET Framework의 구현이 비효율적이기 때문에 실행 속도가 SHA512보다도 느리다.

대칭 암호화

대칭 암호화(symmetric encryption)는 암호화와 복호화에 같은 키를 사용한다. .NET Framework는 네 가지 대칭 암호화 클래스를 제공하는데, 그중 레인달Rijndael† 알고리즘을 사용하는 클래스들이 더 뛰어나다. 레인달 알고리즘은 빠르고 안전한 암호화 알고리즘으로, .NET Framework에서는 다음 두 클래스가 이 알고리즘을 구현한다.

† (옮긴이) '라인달'이나 '레인돌'이라고도 부르는데, 실제로 알고리즘 저자들에 따르면 발음은 별로 중요하지 않으니 '리전 딜(region deal)'처럼 전혀 엉뚱한 발음만 아니면 상관없다고 한다. 이 책에서 사용하는 '레인달'은 Rijndael의 네덜란드식 발음을 옮긴 것이다. 참고로 네덜란드어로 Rijn은 라인 강, dael은 계곡을 뜻한다.

- .NET Framework 1.0부터 있었던 Rijndael 클래스
- .NET Framework 3.5에서 도입된 Aes 클래스

이 둘은 거의 동일하다. 차이점은, Aes는 블록 크기를 줄여서 암호문을 약하게 만드는 옵션을 지원하지 않는다는 것이다. CLR의 보안 팀은 둘 중 Aes를 추천한다.

Rijndael과 Aes는 16, 24, 32바이트의 대칭 키를 지원한다. 현재 이 키들은 모두 안전하다고 간주된다. 다음은 일련의 바이트들을 스트리밍 방식으로 암호화해서 파일에 기록하는 예이다. 대칭 키는 16바이트이다.

```
byte[] key = {145,12,32,245,98,132,98,214,6,77,131,44,221,3,9,50};
byte[] iv  = {15,122,132,5,93,198,44,31,9,39,241,49,250,188,80,7};

byte[] data = { 1, 2, 3, 4, 5 };   // 암호화할 바이트들

using (SymmetricAlgorithm algorithm = Aes.Create())
using (ICryptoTransform encryptor = algorithm.CreateEncryptor (key, iv))
using (Stream f = File.Create ("encrypted.bin"))
using (Stream c = new CryptoStream (f, encryptor, CryptoStreamMode.Write))
  c.Write (data, 0, data.Length);
```

다음은 그 파일을 복호화하는 코드이다.

```
byte[] key = {145,12,32,245,98,132,98,214,6,77,131,44,221,3,9,50};
byte[] iv  = {15,122,132,5,93,198,44,31,9,39,241,49,250,188,80,7};

byte[] decrypted = new byte[5];

using (SymmetricAlgorithm algorithm = Aes.Create())
using (ICryptoTransform decryptor = algorithm.CreateDecryptor (key, iv))
using (Stream f = File.OpenRead ("encrypted.bin"))
using (Stream c = new CryptoStream (f, decryptor, CryptoStreamMode.Read))
  for (int b; (b = c.ReadByte()) > -1;)
    Console.Write (b + " ");                           // 1 2 3 4 5
```

이 예제는 그냥 임의로 정한 바이트 16개를 키로 사용한다. 만일 잘못된 키로 복호화를 시도하면 CryptoStream은 CryptographicException 예외를 던진다. 이 예외를 잡는 것이 주어진 키가 정확한지 판정하는 유일한 방법이다.

예제는 키와 함께 **초기화 벡터**(initialization vector, IV)도 사용한다. 초기화 벡터는 암호문의 일부가 되는 16바이트 길이의 바이트열인데, 키와는 달리 비밀로 간주하지 않는다. 암호화된 메시지를 전송할 때 이 초기화 벡터를 평문으로 전송

해도 된다(이를테면 메시지 헤더에 담아서). 단, 메시지마다 초기화 벡터를 다르게 하는 것이 좋다. 그러면 평문 메시지들이 비슷하거나 같아도 암호화된 결과가 아주 다르기 때문에, 한 암호문을 해독한다고 해도 다른 암호문의 해독에는 도움이 되지 않는다.

초기화 벡터를 이용한 보호가 필요 없거나 원하지 않는다면 그냥 키를 초기화 벡터로 사용하면 된다. 그러나 같은 초기화 벡터를 다수의 메시지에 사용하면 암호문이 약해지며, 심지어는 공격자가 키 없이 암호문을 해독할 가능성도 생긴다.

암·복호화 기능은 여러 클래스에 나뉘어 있다. Aes 클래스와 그로부터 생성한 암호화, 복호화 객체들(앞의 예제의 encryptor와 decryptor)은 암호화와 복호화를 위한 계산을 수행하는 '수학자'들이다. 한편, CryptoStream은 '배관공'이다. 즉, 이 클래스는 암호화 또는 복호화할 자료의 스트리밍 기능을 제공한다. 이 둘은 독립적이다. 예를 들어 Aes 이외의 대칭 알고리즘 클래스를 사용할 때에도 여전히 CryptoStream을 사용할 수 있다.

CryptoStream은 **양방향**이다. 객체를 생성할 때 CryptoStreamMode.Read를 지정했느냐 아니면 CryptoStreamMode.Write를 지정했느냐에 따라 스트림을 읽거나 쓸 수 있게 된다. 그리고 스트림을 적용하는 대상이 암호화 객체와 복호화 객체 두 가지이므로, 결과적으로 총 네 가지 조합이 존재한다. 독자의 응용 프로그램에 어떤 것을 선택해야 하는지 좀 혼란스러울 수 있는데, 읽기를 '끌어오기(pull)'라고 생각하고 쓰기를 '밀어 넣기'라고 생각하면 도움이 될 것이다. 그래도 잘 모르겠다면, 일단은 암호화는 Write로, 복호화는 Read로 시작하기 바란다. 그것이 가장 자연스러운 조합인 경우가 많다.

키와 초기화 벡터는 System.Cryptography의 RandomNumberGenerator 클래스로 생성하는 것이 바람직하다. 이 클래스가 생성하는 값들은 진정으로 예측 불가능이다. 이를 **암호학적으로 강력하다**(cryptographically strong)라고 말하기도 한다(반면, System.Random 클래스는 암호학적으로 강력한 난수를 보장하지 않는다). 다음은 이 클래스를 사용하는 예이다.

```
byte[] key = new byte [16];
byte[] iv  = new byte [16];
RandomNumberGenerator rand = RandomNumberGenerator.Create();
rand.GetBytes (key);
rand.GetBytes (iv);
```

암호화 객체나 복호화 객체를 생성할 때 키와 초기화 벡터를 아예 지정하지 않으면 Aes는 자동으로 암호학적으로 강력한 난수들을 생성해서 적용한다. 그 키와 초기화 벡터는 Aes 객체의 Key와 IV 속성으로 조회할 수 있다.

메모리 내부 암호화

MemoryStream을 이용하면 암호화와 복호화를 전적으로 메모리 안에서 수행할 수 있다. 다음은 바이트 배열을 메모리 안에서 암·복호화하는 과정을 돕는 메서드들이다.

```
public static byte[] Encrypt (byte[] data, byte[] key, byte[] iv)
{
  using (Aes algorithm = Aes.Create())
  using (ICryptoTransform encryptor = algorithm.CreateEncryptor (key, iv))
    return Crypt (data, encryptor);
}

public static byte[] Decrypt (byte[] data, byte[] key, byte[] iv)
{
  using (Aes algorithm = Aes.Create())
  using (ICryptoTransform decryptor = algorithm.CreateDecryptor (key, iv))
    return Crypt (data, decryptor);
}

static byte[] Crypt (byte[] data, ICryptoTransform cryptor)
{
  MemoryStream m = new MemoryStream();
  using (Stream c = new CryptoStream (m, cryptor, CryptoStreamMode.Write))
    c.Write (data, 0, data.Length);
  return m.ToArray();
}
```

이 메서드들에서는 암호화 객체와 복호화 객체 모두에 CryptoStreamMode.Write를 사용한다. 둘 다 바이트들을 새 메모리 스트림에 "밀어 넣는" 것이므로 이렇게 하는 것이 자연스럽다.

바이트 배열 대신 문자열을 받고 돌려주는 중복적재 버전들도 추가하자.

```
public static string Encrypt (string data, byte[] key, byte[] iv)
{
  return Convert.ToBase64String (
    Encrypt (Encoding.UTF8.GetBytes (data), key, iv));
}

public static string Decrypt (string data, byte[] key, byte[] iv)
{
```

```
    return Encoding.UTF8.GetString (
      Decrypt (Convert.FromBase64String (data), key, iv));
  }
```

다음은 이 메서드들을 사용하는 예이다.

```
byte[] kiv = new byte[16];
RandomNumberGenerator.Create().GetBytes (kiv);

string encrypted = Encrypt ("오예!", kiv, kiv);
Console.WriteLine (encrypted);                // Fhpj0KHn/C59zP0WbC56zA==

string decrypted = Decrypt (encrypted, kiv, kiv);
Console.WriteLine (decrypted);                // 오예!
```

암호화 스트림 연쇄

CryptoStream은 하나의 장식자이다. 따라서 다른 스트림과 사슬처럼 엮을 수 있다. 예를 들어 다음 코드는 텍스트를 압축하고 암호화해서 파일에 기록한 후 다시 읽어 들여서 텍스트를 복원하는 예이다.

```
// 이 예제에서는 그냥 기본 키/초기화 벡터를 사용한다.
using (Aes algorithm = Aes.Create())
{
  using (ICryptoTransform encryptor = algorithm.CreateEncryptor())
  using (Stream f = File.Create ("serious.bin"))
  using (Stream c = new CryptoStream (f,encryptor,CryptoStreamMode.Write))
  using (Stream d = new DeflateStream (c, CompressionMode.Compress))
  using (StreamWriter w = new StreamWriter (d))
    await w.WriteLineAsync ("작고 안전함!");

  using (ICryptoTransform decryptor = algorithm.CreateDecryptor())
  using (Stream f = File.OpenRead ("serious.bin"))
  using (Stream c = new CryptoStream (f, decryptor, CryptoStreamMode.Read))
  using (Stream d = new DeflateStream (c, CompressionMode.Decompress))
  using (StreamReader r = new StreamReader (d))
    Console.WriteLine (await r.ReadLineAsync());     // 작고 안전함!
}
```

(또한, 이 예제는 WriteLineAsync와 ReadLineAsync를 호출하고 그 결과를 기다림으로써 작업을 비동기적으로 진행한다.)

이 예제에서 모든 한 글자 변수는 사슬의 일부이다. 암·복호화 과정에서 수학자들, 즉 algorithm과 encryptor, decyptor는 CryptoStream을 돕는 역할을 한다. 그림 21-2는 이러한 사슬을 도식화한 것이다.

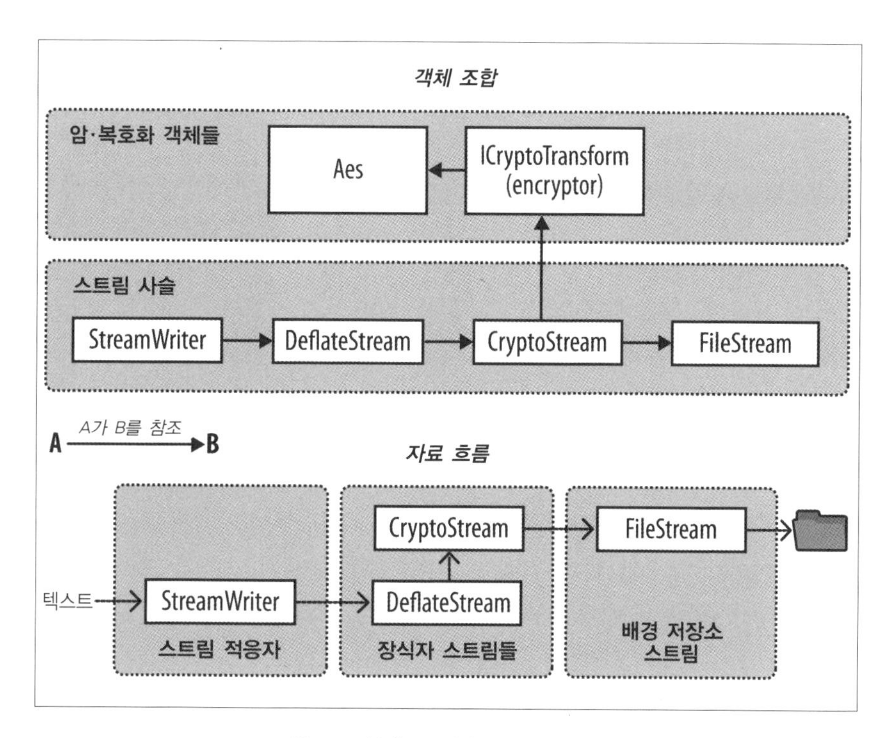

그림 21-2 암호화 스트림과 압축 스트림의 연쇄

이런 식으로 스트림들을 연결하면 궁극적인 스트림 크기들과는 무관하게 메모리가 거의 소비되지 않는다.

여러 using 문들을 중첩하는 대신, 다음과 같이 사슬을 만드는 것도 가능하다.

```
using (ICryptoTransform encryptor = algorithm.CreateEncryptor())
using
  (StreamWriter w = new StreamWriter (
    new DeflateStream (
      new CryptoStream (
        File.Create ("serious.bin"),
        encryptor,
        CryptoStreamMode.Write
      ),
      CompressionMode.Compress)
    )
  )
```

그러나 앞의 접근방식보다는 덜 안정적이다. 생성자 중 하나에서(이를테면 DeflateStream 생성자에서) 예외가 발생하면 이미 생성된 객체(이를테면 FileStream)들은 처분되지 않을 것이기 때문이다.

암·복호화 객체의 처분

CryptoStream 객체를 처분하면 내부 자료 캐시가 바탕 스트림에 확실히 배출된다. 암호화 알고리즘들은 자료를 블록 단위로(한 번에 한 바이트씩이 아니라) 처리하기 때문에 내부 캐싱이 꼭 필요하다.

CryptoStream의 독특한 점은 Flush 메서드가 아무 일도 하지 않는다는 것이다. 스트림 내부 버퍼를 배출하려면(스트림 자체는 처분하지 않고) 반드시 FlushFinalBlock 메서드를 호출해야 한다. Flush와는 달리 FlushFinalBlock은 단 한 번만 호출할 수 있으며, 일단 한 번 호출하고 나면 더 이상 스트림에 자료를 기록할 수 없다.

앞의 예제는 수학자들, 즉 Aes 알고리즘과 ICryptoTransform 객체들(encryptor와 decryptor)도 처분했다. 사실 레인달 변환에서는 이러한 처분을 생략해도 된다. 레인달 구현들은 순수하게 관리되기 때문이다. 그래도 처분에는 유용한 용도가 있다. 바로, 대칭 키와 관련 자료를 메모리에서 지워버려서 같은 컴퓨터에서 실행되는 다른 소프트웨어(특히 악성 코드)가 그런 정보를 찾아내지 못하게 하는 것이다. 이 부분을 쓰레기 수거기에 맡길 수는 없다. 쓰레기 수거기는 그냥 메모리의 해당 영역을 가용 상태로 표시할 뿐, 모든 바이트에 0을 덮어쓰지는 않는다.

using 문 바깥에서 Aes 객체를 처분하는 가장 쉬운 방법은 Clear를 호출하는 것이다. Aes의 Dispose 메서드는 명시적 구현을 통해서 숨겨져 있다(처분 의미론이 통상적이지 않음을 나타내기 위해).

키 관리

암호화 키를 프로그램의 코드 자체에 넣어 두는 것은 바람직하지 않다. 전문 기술 없이도 어셈블리를 손쉽게 역컴파일하는 대중적인 도구들이 있기 때문이다. 더 나은 방법은 프로그램 설치 시 무작위로 생성해서 Windows 데이터 보호 기능으로 안전하게 저장해 두는 것이다(또는 메시지 전체를 Windows 데이터 보호 기능으로 암호화할 수도 있다). 메시지 스트림을 암호화하는 경우에는 공개 키 암호화 기법이 가장 나은 선택이다.

공개 키 암호화와 서명

공개 키 암·복호화(public key cryptography)는 **비대칭**이다. 다른 말로 하면, 공개 키 암·복호화에서는 암호화와 복호화에 서로 다른 키를 사용한다.

대칭 암호화에서는 길이만 적당하면 그 어떤 바이트열도 키로 사용할 수 있지만, 비대칭 암호화에서는 특별히 제조된 키 쌍이 필요하다. 하나의 키 쌍은 **공개 키**(public key)와 **비밀 키**(private key)라는 두 개의 키로 이루어진다. 공개 키 암·복호화는 두 키를 다음과 같이 함께 사용한다.

- 공개 키로 메시지를 암호화한다.
- 비밀 키로 메시지를 복호화(해독)한다.

키 쌍을 '제조'하는 쪽은 비밀 키는 이름 그대로 비밀에 부치고 공개 키는 공개적으로 배포한다. 이런 종류의 암·복호화의 한 가지 특징은, 공개 키로부터 비밀 키를 계산할 수는 없다는 것이다. 따라서 비밀 키를 잃어버리면 암호문을 다시 평문으로 복원할 수 없다. 반대로, 비밀 키가 유출되면 암·복호화 시스템이 무력해진다.

공개 키 교환(public key handshake)이라는 절차 덕분에, 이전에 접촉이 없었던, 그리고 그 어떤 비밀도 공유하지 않는 두 컴퓨터가 공용 네트워크에서 안전하게 통신할 수 있다. 이해를 돕기 위해, **기원**起原(origin)이라는 컴퓨터가 **대상**(target)이라는 컴퓨터에 기밀 메시지를 보낸다고 하자. 그 과정은 다음과 같다.

1. **대상**이 공개 키/비밀 키 쌍을 생성하고 공개 키만 **기원**에게 보낸다.
2. **기원**은 기밀 메시지를 **대상**의 공개 키를 이용해서 암호화해서 **대상**에게 보낸다.
3. **대상**은 자신의 비밀 키를 이용해서 기밀 메시지를 복호화한다.

공격자가 중간에서 통신을 훔쳐본다고 해도 문제가 되지 않는다. 공격자가 알 수 있는 것은 다음 두 가지뿐이다.

- **대상**의 공개 키
- **대상**의 공개 키로 암호화된 기밀 메시지

공개 키는 어차피 널리 알려져 있고, 기밀 메시지는 **대상**의 비밀 키가 있어야 해독할 수 있다.

단, 이러한 과정이 중간자 공격까지 방어해주지는 않는다. 즉, 중간에서 **대상**이 아닌 누군가가 **대상**인 척하고 **기원**과 통신을 진행할 할 수 있다. 상대방이 실제 통신 대상인지 인증하려면, 기원자가 상대방의 공개 키를 이미 알고 있거나, 또는 **디지털 사이트 서명**을 이용해서 상대방의 키를 검증할 필요가 있다.

흔히 기원은 이후의 대칭 암호화를 위한 새 키를 기밀 메시지로서 대상에게 보낸다. 일단 대칭 키를 안전하게 전달한 후에는 공개 키 암호화를 버리고 대칭 알고리즘(더 긴 메시지를 잘 처리할 수 있는)을 사용하면 된다. 세션마다 새로운 공개 키/비밀 키 쌍을 생성한다면, 두 컴퓨터 모두 키들을 전혀 저장할 필요가 없으므로 이러한 절차가 특히나 안전해진다.

> 공개 키 암호화 알고리즘들은 메시지가 키보다 짧다고 가정한다. 따라서 이후의 대칭 암호화를 위한 키 같은 짧은 자료를 암호화하는 데 적합하다. .NET Framework의 경우, 만일 키의 절반 크기보다 훨씬 긴 메시지를 암호화하려 하면 암호화 서비스 공급자가 예외를 던진다.

RSA 클래스

.NET Framework는 여러 가지 비대칭 암호화 알고리즘을 지원하는데, 그중 가장 널리 쓰이는 것은 RSA 알고리즘이다. 다음은 RSA를 이용해서 바이트 배열을 암호화하고 해독하는 예이다.

```
byte[] data = { 1, 2, 3, 4, 5 };   // 암호화할 자료

using (var rsa = new RSACryptoServiceProvider())
{
  byte[] encrypted = rsa.Encrypt (data, true);
  byte[] decrypted = rsa.Decrypt (encrypted, true);
}
```

이 예제에서처럼 공개 키나 비밀 키를 전혀 지정하지 않고 암호화와 복호화를 수행하면 암호화 서비스 공급자가 자동으로 키 쌍을 생성한다. 이 경우 각 키의 길이는 기본적으로 1,024비트이다. 더 긴 키를 원한다면 생성자 호출 시 길이를 지정하면 된다. 단, 길이 증가치는 반드시 64(즉, 8바이트)의 배수이어야 한다. 보안이 중요한 응용 프로그램에서는 적어도 2,048비트를 사용하는 것이 바람직하다.

```
var rsa = new RSACryptoServiceProvider (2048);
```

키 쌍 생성은 계산량이 많은 연산이다. 아마 100ms는 걸릴 것이다. 그래서 RSA 구현은 키가 실제로 필요해질 때(이를테면 Encrypt가 호출되었을 때)까지 키 쌍 생성을 미룬다. 이 덕분에, 필요하다면 RSA 공급자 객체를 생성한 후 기존의 한 키 또는 키 쌍을 적재할 여유가 생긴다.

ImportCspBlob 메서드와 ExportCspBlob 메서드는 바이트 배열 형태로 키를 적재하거나 저장한다. FromXmlString과 ToXmlString은 XML 조각을 담은 문자열 형태로 키를 적재하거나 저장한다. 저장 메서드들은 비밀 키도 함께 저장할 것인지를 뜻하는 bool 인수를 받는다. 다음은 키 쌍을 생성해서 디스크에 저장하는 예이다.

```
using (var rsa = new RSACryptoServiceProvider())
{
  File.WriteAllText ("PublicKeyOnly.xml", rsa.ToXmlString (false));
  File.WriteAllText ("PublicPrivate.xml", rsa.ToXmlString (true));
}
```

기존 키들을 지정하지 않았으므로, 첫 ToXmlString 호출에서 RSA 서비스 공급자 객체는 새로운 키 쌍을 생성한다. 다음은 파일들에서 키들을 읽어서 메시지를 암호화하고 해독하는 예이다.

```
byte[] data = Encoding.UTF8.GetBytes ("Message to encrypt");

string publicKeyOnly = File.ReadAllText ("PublicKeyOnly.xml");
string publicPrivate = File.ReadAllText ("PublicPrivate.xml");

byte[] encrypted, decrypted;

using (var rsaPublicOnly = new RSACryptoServiceProvider())
{
  rsaPublicOnly.FromXmlString (publicKeyOnly);
  encrypted = rsaPublicOnly.Encrypt (data, true);

  // 복호화를 위해서는 비밀 키가 필요하므로, 다음 줄을
  // 실제로 실행한다면 예외가 발생한다.
  // decrypted = rsaPublicOnly.Decrypt (encrypted, true);
}

using (var rsaPublicPrivate = new RSACryptoServiceProvider())
{
  // 이번에는 비밀 키가 있으므로 해독이 성공한다.
  rsaPublicPrivate.FromXmlString (publicPrivate);
  decrypted = rsaPublicPrivate.Decrypt (encrypted, true);
}
```

디지털 서명

공개 키 알고리즘을 메시지나 문서에 디지털 서명을 가하는 용도로 사용할 수도 있다. 여기서 서명(signature)은 해시와 비슷하되, 비밀 키가 있어야 생성할 수 있다는(따라서 위조가 불가능하다는) 점이 다르다. 공개 키는 서명을 검증할 때 쓰인다. 다음 예를 보자.

```
byte[] data = Encoding.UTF8.GetBytes ("서명할 자료");
byte[] publicKey;
byte[] signature;
object hasher = SHA1.Create();         // 사용할 해싱 알고리즘

// 새 키 쌍을 생성해서 자료에 서명한다.
using (var publicPrivate = new RSACryptoServiceProvider())
{
  signature = publicPrivate.SignData (data, hasher);
  publicKey = publicPrivate.ExportCspBlob (false);    // 공개 키를 저장
}

// 공개 키만 있는 새 RSA 공급자로 서명을 검사한다.
using (var publicOnly = new RSACryptoServiceProvider())
{
  publicOnly.ImportCspBlob (publicKey);
  Console.Write (publicOnly.VerifyData (data, hasher, signature)); // True

  // 자료를 변조한 후 서명을 다시 검사해 본다.
  data[0] = 0;
  Console.Write (publicOnly.VerifyData (data, hasher, signature)); // False

  // 비밀 키가 없으므로 다음은 예외를 던진다.
  signature = publicOnly.SignData (data, hasher);
}
```

디지털 서명에서는 먼저 자료를 해싱한 후, 그 해시에 대해 비대칭 알고리즘을 적용한다. 문서 자체가 아니라 고정된 길이의 짧은 해시에 대해 비대칭 알고리즘을 적용하므로 서명이 비교적 빨리 완료된다(공개 키 암호화는 해싱보다 CPU를 훨씬 많이 사용한다). 지금 예에서는 해싱과 서명을 하나의 메서드(SignData)로 처리했지만, 필요하다면 다음과 같이 해시를 따로 생성한 후 SignData 대신 SignHash를 호출할 수도 있다.

```
using (var rsa = new RSACryptoServiceProvider())
{
  byte[] hash = SHA1.Create().ComputeHash (data);
  signature = rsa.SignHash (hash, CryptoConfig.MapNameToOID ("SHA1"));
  ...
}
```

SignHash 호출 시 그냥 해시만 지정해서는 안 되고, 그 해시가 어떤 해시 알고리즘으로 만들어진 것인지도 알려주어야 한다. CryptoConfig.MapNameToOID 메서드는 "SHA1" 같은 익숙한 알고리즘 이름을 받아서 SignHash가 요구하는 형식의 객체를 돌려준다.

`RSACryptoServiceProvider` 클래스는 키와 같은 크기의 서명을 생성한다. 현재, 주류 알고리즘 중 128바이트보다 훨씬 짧은 보안 서명을 산출하는 것은 없다(예를 들어 제품 활성화 코드에는 128바이트보다 훨씬 짧은 서명이 적합하다).

이러한 서명이 효과적이려면 수신자가 반드시 송신자의 공개 키를 알아야 하고, 그것이 실제로 송신자의 공개 키임을 믿을 수 있어야 한다. 따라서 그러한 적절한 절차를 통해서 그 공개 키를 미리 전달 또는 설정해 두어야 할 것이다. 또는, 사이트 인증서를 통해서 제공할 수도 있다. 사이트 인증서(site certificate)는 기원자의 공개 키와 이름을 전자적으로 기록한 것인데, 인증서 자체는 기원자와는 독립적인, 신용 있는 기관이 서명한다. `System.Security.Cryptography.X509Certificates` 이름공간에 인증서를 다루는 데 필요한 형식들이 정의되어 있다.

22장

C# 6.0 in a Nutshell

고급 스레드 기법

스레드 적용에 관해서는 제14장에서 작업 객체와 비동기성을 이해하는 데 필요한 정도로만 소개했다. 구체적으로, 제14장에서는 스레드를 설정, 시동하는 방법을 제시하고 스레드 풀링, 차단, 회전, 동기화 문맥 같은 필수 개념들을 설명했다. 잠금과 스레드 안전성도 소개하고, 가장 간단한 신호 수단인 ManualResetEvent의 사용법을 보여 주었다.

이번 장에서는 스레드 적용을 좀 더 자세히 살펴본다. 처음 세 절에서는 제14장에서 소개한 동기화, 잠금, 스레드 안전성을 훨씬 더 자세히 논의한다. 그다음 절들은 다음과 같은 주제를 다룬다.

- 비독점 잠금(Semaphore와 읽기/쓰기 자물쇠)
- 모든 신호 수단(AutoResetEvent, ManualResetEvent, CountdownEvent, Barrier)
- 게으른 초기화(Lazy<T>와 LazyInitializer)
- 스레드 지역 저장소(ThreadStaticAttribute, ThreadLocal<T>, GetData/SetData)
- 선점식 스레드 적용 모형(Interrupt, Abort, Suspend, Resume)
- 타이머

스레드 적용이라는 주제는 상당히 방대하기 때문에 여기서 모두 이야기하는 것은 불가능하다. 전체적인 상을 완성하는 데 필요한 추가 내용을 이 책의 웹사이트에 올려 두었으니 참고하기 바란다. *http://albahari.com/threading/*에서 다음과 같은 좀 더 난해한 주제들에 관한 논의를 볼 수 있다.

- 특화된 신호 전달 상황을 위한 `Monitor.Wait`와 `Monitor.Pulse`
- 세밀한 최적화를 위한 비차단 동기화 기법(`Interlocked`, 메모리 장벽, `volatile`)
- 고도의 동시성을 위한 `SpinLock`과 `SpinWait`

동기화 개요

동기화(synchronization)란 동시에 실행되는 작업들이 예측 가능한 최종 결과를 내도록 그 작동을 조율하는 것을 말한다. 동기화는 여러 스레드가 같은 자료에 접근할 때 특히나 중요하다. 그런 코드를 작성할 때에는 뭔가를 빼먹거나 잘못 구현하기가 놀랄 만큼 쉽다.

가장 간단하고 유용한 동기화 도구는 아마도 제14장에서 설명한 연속(continuation) 기능과 작업 조합기(task combinator)일 것이다. 동시적 프로그램을 다수의 비동기 연산들이 연속 작업 객체들과 조합기들로 연결된 구조로 만들면, 잠금과 신호 전달의 필요성이 줄어든다. 그렇지만 저수준 수단들을 동원해야 하는 경우도 여전히 존재한다.

동기화 수단들은 크게 다음 세 부류로 나뉜다.

독점 잠금

독점 잠금(exclusive locking)은 한 번에 단 하나의 스레드만 어떠한 활동을 수행하거나 코드의 한 부분을 실행하게 만드는 수단이다. 독점 잠금은 여러 스레드가 서로 간섭하지 않고 공유 상태에 접근해서 상태를 변경할 수 있게 하는 데 주로 쓰인다. C#의 독점 잠금 수단으로는 `lock`과 `Mutex`, `SpinLock`이 있다.

비독점 잠금

비독점 잠금(nonexclusive locking)은 동시성을 **제한하는** 수단이다. 비독점 잠금 수단으로는 `Semaphore(Slim)`과 `ReaderWriterLock(Slim)`이 있다.

신호 전달

신호 전달(signaling)은 다른 스레드(들)로부터 하나 또는 여러 개의 통지를 받을 때까지 한 스레드의 실행을 차단하는 수단이다. 신호 전달 수단으로는 `ManualResetEvent(Slim)`, `AutoResetEvent`, `CountdownEvent`, `Barrier`가 있다. 처음 셋을 **이벤트 대기 핸들**(event wait handles)이라고 부른다.

비차단 동기화(nonblocking synchronization) 수단들을 이용해서 잠금 없이 공유 상태에 대한 동시적 연산을 수행하는 것도 가능하다(까다롭긴 하지만). 비차단 동기화 수단으로는 Thread.MemoryBarrier, Thread.VolatileRead, Thread.VolatileWrite, volatile 키워드, Interlocked 클래스가 있다. 이 주제는 웹에서 따로 다루기로 한다. *http://albahari.com/threading/*에서 이 주제에 대한 논의와 커스텀 신호 전달 논리를 작성하는 데 사용할 수 있는 Monitor의 Wait/Pulse 메서드에 관한 논의를 볼 수 있다.

독점 잠금

C#의 독점 잠금 수단은 lock 문, Mutex, SpinLock 세 가지이다. lock 문이 가장 편리하고 널리 쓰이지만, 다른 둘도 나름의 용도가 있다.

- Mutex를 이용하면 독점 잠금을 여러 프로세스에 걸쳐 적용할 수 있다(컴퓨터 범위 자물쇠).
- SpinLock은 고도의 동시성이 필요한 상황에서 문맥 전환 비용을 줄일 수 있는 세밀한 최적화를 구현한다(*http://albahari.com/threading/* 참고).

lock 문

잠금의 필요성을 보여주는 예로, 다음과 같은 클래스를 생각해 보자.

```
class ThreadUnsafe
{
  static int _val1 = 1, _val2 = 1;

  static void Go()
  {
    if (_val2 != 0) Console.WriteLine (_val1 / _val2);
    _val2 = 0;
  }
}
```

이 클래스는 스레드에 안전하지 않다. Go를 두 스레드가 동시에 호출하면 0으로 나누기 오류가 발생할 수 있다. 한 스레드가 if의 조건식을 판정하고 아직 Console.WriteLine 호출을 실행하지 않은 상황에서 다른 스레드가 _val2를 0으로 설정할 수 있기 때문이다. 다음은 lock 문을 이용해서 이 문제를 해결한 버전이다.

```
class ThreadSafe
{
  static readonly object _locker = new object();
  static int _val1 = 1, _val2 = 1;

  static void Go()
  {
    lock (_locker)
    {
      if (_val2 != 0) Console.WriteLine (_val1 / _val2);
      _val2 = 0;
    }
  }
}
```

하나의 동기화 대상 객체(이 예제의 _locker), 즉 독점 자물쇠는 한 번에 한 스레드만 잠글 수 있으며, 같은 자물쇠를 잠그려 하는 다른 모든 스레드는 자물쇠가 풀릴 때까지 차단된다. 둘 이상의 스레드가 하나의 자물쇠를 두고 경합하는 경우, 그 스레드들은 '준비 대기열(ready queue)'에 추가되며, 선착순 방식으로 자물쇠가 주어진다.[1] 독점 자물쇠는 자물쇠가 보호하려는 대상에 대한 접근을 강제로 **직렬화**하는 효과를 낸다고 할 수 있다. 다른 말로 하면, 독점 잠금에서는 한 스레드의 접근이 다른 어떤 스레드의 접근과 겹치는 일이 없다. 지금 예제에서 독점 자물쇠는 Go 메서드 안의 논리와 _val1, _val2 필드를 보호하는 역할을 한다.

Monitor.Enter와 Monitor.Exit

사실, C#의 lock 문은 Monitor.Enter 메서드 호출과 Monitor.Exit 메서드 호출, 그리고 하나의 try/finally 블록으로 확장되는 일종의 단축 표기이다. 앞의 예제의 Go 메서드는 실제로는 다음과 같은 코드가 된다(어느 정도 단순화했음).

```
Monitor.Enter (_locker);
try
{
  if (_val2 != 0) Console.WriteLine (_val1 / _val2);
  _val2 = 0;
}
finally { Monitor.Exit (_locker); }
```

Monitor.Exit를 호출하려면 같은 객체에 대해 먼저 Monitor.Enter를 호출했어야 한다. 이를 위반하면 Monitor.Exit가 예외를 던진다.

1 Windows와 CLR의 미묘한 행동 방식 때문에, 선착순 방식이 가끔은 공평하지 않게 적용되기도 한다.

lockTaken 메서드 중복적재

앞에서 본 코드는 C# 1.0, 2.0. 3.0의 컴파일러가 lock 문을 번역한 결과에 해당한다.

그런데 이 코드에는 미묘한 취약점이 있다. 확률이 높지는 않지만, Monitor.Enter 호출과 try 블록 사이에서 예외가 발생할 수도 있다(이를테면 그 스레드에 대해 Abort가 호출되었거나, OutOfMemoryException 예외가 발생했거나 등의 이유로). 그런 경우에는 자물쇠가 잠길(획득) 수도 있고 아닐 수도 있다. 예외 때문에 실행이 try/finally 블록에 진입하지 않으므로, 만일 자물쇠가 잠겼다면 그 자물쇠는 절대 풀리지 않는다. 그러면 '자물쇠 누수'가 생긴다. 이러한 위험을 피하기 위해, CLR 4.0 설계자들은 Monitor.Enter에 다음과 같은 중복적재 버전을 추가했다.

```
public static void Enter (object obj, ref bool lockTaken);
```

Enter 호출 이후에 lockTaken이 false라면, Enter 메서드가 예외를 던졌으며 자물쇠가 획득되지(잠기지) 않았다는 뜻이다. 그 외의 상황에서 lockTaken이 false가 되는 경우는 전혀 없다.

다음은 이를 이용해서 자물쇠 누수를 방지하는 예이다(C# 4.0 이후의 컴파일러가 lock 문을 번역한 결과와 정확히 일치한다).

```
bool lockTaken = false;
try
{
  Monitor.Enter (_locker, ref lockTaken);
  // 작업을 수행...
}
finally { if (lockTaken) Monitor.Exit (_locker); }
```

TryEnter 메서드

Monitor는 TryEnter라는 메서드도 제공한다. 이 메서드는 Enter와 같되, 만료 시간을 밀리초 단위의 정수 또는 TimeSpan 객체로 지정할 수 있다는 점이 다르다. 이 메서드는 만일 자물쇠를 획득했으면 true를, 자물쇠를 획득하지 못한 채로 시간이 만료되었으면 false를 돌려준다. 인수 없이 TryEnter를 호출할 수 있다. 그런 경우 메서드는 만일 자물쇠를 당장 획득하지 못하면 즉시 false를 돌려준다. 즉, 자물쇠 획득 가능 여부를 즉시 판정하고 싶다면 인수 없이 TryEnter를 호출하면 된다. Enter 메서드처럼, CLR 4.0부터 TryEnter는 lockTaken 인수를 받도록 중복적재되었다.

동기화 대상 객체의 선택

동기화할 모든 스레드가 볼 수 있는 객체라면 어떤 것이라도 동기화 대상 객체(synchronizing object)†가 될 수 있다. 단, 반드시 참조 형식의 객체이어야 한다는 규칙을 지켜야 한다. 흔히, 클래스의 전용(private) 인스턴스 필드 또는 전용 정적 필드를 동기화 대상 객체로 사용한다(전용 필드를 사용하면 잠금 논리를 캡슐화하는 데 도움이 되기 때문이다). 동기화 수단을 통해서 보호하고자 하는 객체 자체를 동기화 대상 객체로 사용하기도 한다. 다음의 _list 필드가 그러한 예이다.

```
class ThreadSafe
{
  List <string> _list = new List <string>();

  void Test()
  {
    lock (_list)
    {
      _list.Add ("Item 1");
      ...
```

이와는 달리, 자물쇠로만 사용할 필드를 따로 둘 수도 있다(이전 예제의 _locker가 그러한 예이다). 그러면 잠금의 범위와 입도(granularity)를 좀 더 세밀하게 제어할 수 있다는 장점이 생긴다. 또한, 보호할 필드를 담고 있는 객체(this)를 동기화 대상 객체로 사용하거나,

```
lock (this) { ... }
```

심지어는 그 형식을 동기화 대상 객체로 사용할 수도 있다.

```
lock (typeof (Widget)) { ... }    // 정적 멤버에 대한 접근을 보호하려는 경우
```

이런 방식의 잠금에는 잠금의 논리를 캡슐화할 수 없다는, 그래서 교착(deadlock)과 과도한 차단을 방지하기가 어렵다는 단점이 있다. 또한, 형식에 대

† (옮긴이) 동기화 대상 객체(synchronizing object)는 동기화 객체(synchronization object), 즉 뮤텍스, 세마포, 이벤트 등 동기화 기능을 가진 객체와는 다른 것임을 주의하기 바란다. 동기화 대상 객체는 간단히 말하면 lock 문의 괄호 안에 들어가는 객체 또는 Moniter.Enter/Exit의 첫째 인수이며, 개념적으로는 '자물쇠'이다. 그리고 동기화 '대상' 객체라는 번역어는 이번 문단에서 보듯이 이 객체가 실제로 동기화의 대상이 되기도 한다는 점을 반영한 것이다.

한 잠금은 현재 응용 프로그램 도메인 경계를 벗어나서 다른 도메인(같은 프로세스 안의)으로 스며들 여지가 있다(응용 프로그램 도메인은 제24장에서 논의한다).

람다 표현식이나 익명 메서드에 갈무리된 지역 변수에 대해 자물쇠를 걸 수도 있다.

동기화 대상 객체를 잠근다고 해서 동기화 대상 객체 자체에 대한 접근이 제한되지는 않는다. 예를 들어 다른 스레드가 lock(x)를 실행했다고 해서 x.ToString() 호출이 차단되지는 않는다. 차단이 일어나려면 두 스레드 모두 lock(x)를 실행해야 한다.

언제 잠글 것인가?

기본적인 규칙은, **임의의 쓰기 가능 공유 필드**에 대한 접근이 일어나는 부분을 잠가야 한다는 것이다. 한 필드에 하나의 배정 연산을 수행하는 아주 간단한 경우에도 동기화를 고려할 필요가 있다. 한 예로, 다음 클래스의 Increment 메서드와 Assign 메서드 모두 스레드에 안전하지 않다.

```
class ThreadUnsafe
{
  static int _x;
  static void Increment() { _x++; }

  static void Assign()    { _x = 123; }
}
```

다음은 Increment와 Assign의 스레드 안전 버전이다.

```
static readonly object _locker = new object();
static int _x;

static void Increment() { lock (_locker) _x++; }
static void Assign()    { lock (_locker) _x = 123; }
```

잠금이 필요한 곳에 자물쇠를 걸지 않으면 두 가지 문제가 발생한다.

- 변수 증가 같은 연산이(심지어는, 특정 상황에서는 하나의 변수를 읽고 쓰는 연산도) 원자적이지 않다.
- 컴파일러와 CLR, CPU는 성능 향상을 위해 명령들의 순서를 바꾸거나 변수들을 CPU 레지스터들에 보관할 수 있다. 단일 스레드 프로그램의(또는, 자물쇠

를 사용하는 다중 스레드 프로그램의) 행동을 변경하지 않는 한, 그러한 최적화는 적법하다.

잠금은 자물쇠 전후에 **메모리 장벽**(memory barrier)을 만들어서 둘째 문제를 완화한다. 메모리 장벽은 명령 순서 변경과 캐싱의 효과가 넘지 못하는 '울타리'에 해당한다.

자물쇠뿐만 아니라 다른 모든 동기화 수단도 메모리 장벽을 만든다. 따라서, 예를 들어 신호 전달 수단을 이용해서 한 번에 하나의 스레드만 변수를 읽고 쓸 수 있게 했다면, 추가로 자물쇠를 둘 필요가 없다. 다음 코드는 x 접근 주변을 잠그지 않아도 이미 스레드에 안전하다.

```
var signal = new ManualResetEvent (false);
int x = 0;
new Thread (() => { x++; signal.Set(); }).Start();
signal.WaitOne();
Console.WriteLine (x);    // 1 (항상)
```

메모리 장벽이 필요한 상황과, 그런 상황에서 메모리 장벽과 `Interlocked` 클래스를 잠금 대신 사용하는 방법을 웹의 글 "Nonblocking Synchronization"(*http://albahari.com/threading*)에서 설명한다.

잠금과 원자성

일단의 변수들을 항상 같은 자물쇠를 걸어서 읽고 쓴다면, 그 변수들의 읽기/쓰기는 **원자적**(atomic)으로 일어난다고 할 수 있다. 예를 들어 필드 x와 y를 항상 다음과 같은 `locker`에 대한 `lock` 블록 안에서 읽고 쓴다고 하자.

```
lock (locker) { if (x != 0) y /= x; }
```

이 블록에서 x와 y는 원자적으로 접근된다. 왜냐하면, 다른 어떤 스레드가 이 블록이 실행되는 도중에 x나 y를 변경함으로써 이 블록의 **실행 결과를 무효화**할 수는 없기 때문이다. 다른 모든 스레드도 항상 `locker`를 잠근 채로 x와 y에 접근하는 한, 이 `lock` 블록에서 0으로 나누기 오류는 절대 발생하지 않는다.

독점 자물쇠가 제공하는 원자성은 `lock` 블록 안에서 예외가 발생하면 깨진다. 예를 들어 다음 코드를 생각해 보자.

```
decimal _savingsBalance, _checkBalance;

void Transfer (decimal amount)
```

```
{
  lock (_locker)
  {
    _savingsBalance += amount;
    _checkBalance -= amount + GetBankFee();
  }
}
```

만일 GetBankFee()가 예외를 던지면 은행은 돈을 잃게 된다. 지금 예에서는 GetBankFee를 더 일찍 호출하면 이 문제를 피할 수 있다. 좀 더 복잡한 경우는 catch 절이나 finally 절 안에서 '롤백rollback(거래 취소)' 논리를 구현하는 것이 해결책이다.

이와 비슷하지만 다른 개념으로 **명령 원자성**이 있다. 어떤 명령이 원자적이라는 것은, 그 명령이 바탕 프로세서에서 더 작은 단위로 나뉘어서 실행되는 일이 없음을 뜻한다.

중첩된 잠금

하나의 스레드가 같은 객체를 여러 번 잠글 수도 있다. 이러한 능력을 **재진입**(rentrant)이라고 부른다. 재진입은 반드시 다음 예처럼 중첩된 형태이어야 한다.

```
lock (locker)
  lock (locker)
    lock (locker)
    {
       // 뭔가를 수행한다...
    }
```

또는, 다음과 같이 중첩할 수도 있다.

```
Monitor.Enter (locker); Monitor.Enter (locker);  Monitor.Enter (locker);
// 뭔가를 수행한다...
Monitor.Exit (locker);  Monitor.Exit (locker);   Monitor.Exit (locker);
```

이런 식으로 잠긴 객체(지금 예의 locker)는 오직 가장 바깥쪽 lock 문이 종료되어야, 또는 Monitor.Exit가 Monitor.Enter와 똑같은 횟수로 호출되어야 풀린다.

중첩된 잠금(nested locking)은 한 메서드가 자물쇠를 가진 상태에서 다른 메서드를 호출할 때 유용하다. 다음이 그러한 예이다.

```
static readonly object _locker = new object();

static void Main()
```

```
{
  lock (_locker)
  {
     AnotherMethod();
     // 여전히 자물쇠를 가진 상태이다(잠금의 재진입이 가능하므로)
  }
}

static void AnotherMethod()
{
  lock (_locker) { Console.WriteLine ("다른 메서드"); }
}
```

하나의 스레드는 오직 첫 번째 잠금(최외곽 lock 문)에서만 차단될 수 있다.

교착

교착(deadlock)은 두 스레드가 각자 상대방이 가진 자원을 기다릴 때 발생한다. 그런 경우 두 스레드 모두 상대를 무한히 기다리게 된다. 다음은 두 개의 자물쇠로 이루어진 교착 상태를 보여주는 예이다.

```
object locker1 = new object();
object locker2 = new object();

new Thread (() => {
                    lock (locker1)
                    {
                      Thread.Sleep (1000);
                      lock (locker2);      // 교착
                    }
                  }).Start();
lock (locker2)
{
  Thread.Sleep (1000);
  lock (locker1);                          // 교착
}
```

셋 이상의 스레드가 맞물려서 서로를 기다릴 때에도 이러한 교착이 발생할 수 있다.

> **!** SQL Server의 CLR은 교착을 자동으로 검출하고 관련 스레드 중 하나를 종료해서 교착 상태를 풀지만, 표준 호스팅 환경의 CLR은 그렇지 않다. 잠금 시 만료 시간을 지정하지 않는 경우, 스레드 교착이 발생하면 관련 스레드들이 무한히 차단된다. (반면 SQL Server CLR 통합 호스트는 교착을 **자동으로 검출**해서, 관련 스레드 중 하나에 대해 예외(잡을 수 있는)를 던진다.)

교착은 다중 스레드 프로그래밍에서 아주 어려운 문제 중 하나이다. 특히 서로 연관된 객체들이 많으면 문제가 더욱 심해진다. 이 문제를 어렵게 만드는 근본 원인은, 현재 메서드를 **호출한** 코드가 어떤 자물쇠를 획득하고 있는지 확실하게 알아 내기가 불가능하다는 점이다.

예를 들어 전용 필드 a와 그 필드를 잠그는 어떤 메서드를 가진 클래스 x가 있다고 할 때, 교착은 이런 식으로 일어난다. 한 스레드가, 자신의 호출자(또는 그 호출자의 호출자)가 클래스 y의 필드 b를 이미 잠근 상태임을 모르는 상태에서 자신의 필드 a를 잠근다. 한편, 다른 어떤 스레드는 a가 잠겨 있음을 모르는 상태에서 클래스 y의 b를 잠근다. 그러면 두 스레드는 상대가 가진 자물쇠가 풀리길 무한히 기다리게 된다. 모순적이게도, (좋은) 객체지향 설계 패턴은 이러한 문제를 더욱 악화한다. 그런 패턴들은 호출 사슬이 실행시점에서야 결정되게 만드는 경향이 있기 때문이다.

"교착을 피하려면 객체들을 일관된 순서로 잠가야 한다"라는 유명한 조언은 이번 절의 첫 번째 예제에는 도움이 되지만, 방금 설명한 상황에는 적용하기 힘들다. 더 나은 전략은 객체 자신을 참조하고 있을 수도 있는 다른 어떤 객체의 메서드를 호출하는 코드 주변을 세심하게 잠그는 것이다. 또한, 다른 클래스의 메서드를 호출하는 부분을 꼭 잠가야 하는지도 고려해야 한다('스레드 안전성(p.782)'에 나오듯이 꼭 그래야 하는 경우가 있긴 하지만, 다른 대안이 있는 경우도 종종 있다). 그리고 작업 조합기나 연속 작업, 자료 병렬성, 불변이 형식(이에 대해서는 이번 장에서 나중에 설명한다) 같은 고수준 동기화 수단들을 좀 더 많이 사용해서 잠금의 필요성을 줄이는 것도 한 방법이다.

이 문제를, 자물쇠를 가진 상태에서 다른 객체의 메서드를 호출하면, 그 자물쇠의 캡슐화가 미묘하게 **새어나간다**고 이해할 수도 있을 것이다. 이는 CLR이나 .NET Framework의 잘못이 아니라 일반적인 잠금 기법의 근본 한계이다. 잠금의 문제점을 해결하려는 연구가 다양하게 진행되고 있는데, 그중 하나는 **소프트웨어 트랜잭션 메모리**(Software Transactional Memory)이다.

자물쇠를 가진 상태에서 `Dispatcher.Invoke`(WPF 응용 프로그램의 경우)나 `Control.Invoke`(Windows Forms 응용 프로그램의 경우)를 호출할 때에도 교착이 발생할 수 있다. 하필 UI가 같은 자물쇠가 풀리길 기다리는 다른 메서드에서 실행되고 있다면, 그 지점에서 교착이 발생한다. 이 문제는 그냥 `Invoke` 대신

BeginInvoke를 호출하는 것으로(또는, 동기화 문맥이 존재할 때 이를 암묵적으로 수행하는 비동기 함수들을 사용해서) 간단히 해결되는 경우가 많다. 아니면 Invoke 호출 전에 자물쇠를 풀 수도 있지만, 현재 코드의 **호출자**가 이미 자물쇠를 가지고 있다면 교착이 해결되지 않는다.

성능

잠금은 빠르다. 경합이 없다고 할 때, 자물쇠 하나를 획득하고 해제하는 데에는 50나노초 미만이 걸린다(2015년급 컴퓨터를 기준으로). 여러 스레드가 경합하는 경우에는 그에 따른 문맥 전환 때문에 소비 시간이 마이크로초 수준으로 올라가며, 운영체제가 스레드에 실제로 실행 시간을 할당하기까지는 더 많은 시간이 걸릴 수 있다.

뮤텍스

C#에서 Mutex 클래스로 대표되는 뮤텍스는 독점 자물쇠(lock 문으로 잠그는)와 비슷하되, 프로세스의 경계를 넘어서 작동한다는 차이가 있다. 다른 말로 하면, 뮤텍스는 **응용 프로그램 전역**뿐만 아니라 **컴퓨터 전역**에서 작동한다. 경합이 없을 때 뮤텍스 하나를 획득하고 해제하는 데에는 약 1마이크로초가 걸린다. 이는 lock 문보다 약 20배 느린 속도이다.

Mutex 클래스는 뮤텍스를 잠그는 WaitOne 메서드와 뮤텍스를 푸는 ReleaseMutex 메서드를 제공한다. lock 문과 마찬가지로, 하나의 뮤텍스(Mutex 객체)는 반드시 그것을 획득한 스레드에서 풀어야 한다.

> 잠긴 뮤텍스에 대해 ReleaseMutex를 호출하지 않고 Close나 Dispose를 호출하면 그 뮤텍스를 기다리던 다른 한 스레드†에서 AbandonedMutexException 예외가 발생한다.

여러 프로세스에 걸친 Mutex는 프로그램을 한 번에 한 인스턴스만 실행할 수 있게 하는 데 흔히 쓰인다. 다음이 그러한 예이다.

```
class OneAtATimePlease
{
  static void Main()
  {
```

† (옮긴이) 이 스레드는 뮤텍스가 정상적으로 풀렸다면 그것을 획득했을 스레드, 즉 준비 대기열의 1순위 스레드이다.

```
        // 이름을 부여한 Mutex 객체는 컴퓨터 전역에서 사용할 수 있다.
        // 독자의 회사와 응용 프로그램에 고유한 이름(이를테면 URL이 포함된)을
        // 부여하는 것이 바람직하다.

        using (var mutex = new Mutex (true, "oreilly.com OneAtATimeDemo"))
        {
          // 프로그램의 다른 인스턴스가 종료 절차를 진행하고 있을
          // 수도 있으므로, 경합이 해소될 여유 시간을 둔다.

          if (!mutex.WaitOne (TimeSpan.FromSeconds (3), false))
          {
            Console.WriteLine ("이 앱의 다른 인스턴스가 실행 중이므로 종료합니다. ");
            return;
          }
          try { RunProgram(); }
          finally { mutex.ReleaseMutex (); }
        }
      }

      static void RunProgram()
      {
        Console.WriteLine ("실행 중 - 종료하려면 Enter 키를 누르세요.");
        Console.ReadLine();
      }
    }
```

> 응용 프로그램을 터미널 서비스 하에서 실행하는 경우, 일반적으로 컴퓨터 전역 Mutex는 같은 터미널 서버 세션에서 실행되는 응용 프로그램들에만 보인다. 모든 터미널 서버 세션에서 보이게 하려면 뮤텍스 이름을 *Global*로 시작해야 한다.

잠금과 스레드 안전성

임의의 다중 스레드 상황에서 정확히 작동하는 프로그램이나 메서드를 가리켜 "스레드에 안전하다"라고 말한다. 스레드 안전성(thread safety)은 기본적으로 잠금을 통해서, 그리고 스레드들의 상호작용 가능성을 줄임으로써 얻을 수 있다.

범용 형식이 그 자체로 스레드에 안전한 경우는 드물다. 그 이유는 다음과 같다.

- 스레드 안전성을 만족하는 데 필요한 개발상의 부담이 클 수 있다. 형식에 필드가 많으면 더욱 그렇다(모든 필드가 임의의 다중 스레드 문맥에서 접근될 가능성이 있으므로).
- 스레드 안전성을 확보하면 성능이 나빠질 수 있다(게다가, 형식이 실제로 다중 스레드 상황에서 쓰이지 않는다고 해도 스레드 안전성 확보에 의한 비용이 부분적이나마 발생할 수 있다).

- 형식을 스레드에 안전하게 만든다고 해도 그 형식을 사용하는 프로그램이 저절로 스레드에 안전해지지는 않는다. 프로그램의 스레드 안전성을 확보하는 데 들이는 노력이 형식의 스레드 안전성 관련 노력과 겹치는 경우도 많다.

따라서, 일반적으로 스레드 안전성은 구체적인 다중 스레드 시나리오를 처리하는 목적으로 필요한 곳에서 필요한 만큼만 확보한다.

그렇긴 하지만, 크고 복잡한 클래스를 임의의 다중 스레드 환경에서 안전하게 실행되게 만드는 '요령'이 몇 가지 있긴 하다. 그중 하나는 세밀한 잠금을 포기하고, 대신 코드의 커다란 부분을 하나의 독점 자물쇠로 감싸서(심지어는 객체 전체에 대한 접근을 그런 식으로 잠그기도 한다) 고수준에서 접근을 직렬화하는 것이다. 사실, 스레드에 안전하지 않은(이하, 간단히 스레드 비안전) 서드파티 코드(대부분의 .NET Framework 형식들도 여기에 속한다)를 다중 스레드 문맥에서 사용하려는 경우에는 이 접근방식이 필수이다. 이때 핵심은 스레드 비안전 객체의 모든 속성, 메서드, 필드에 대한 접근을 동일한 독점 자물쇠로 보호하는 것이다. 이 해법은 객체의 메서드들이 모두 짧게만 실행되는 경우에 효과적이다(그렇지 않다면 차단이 많이 발생한다).

> **!** 기본 내장 형식들을 제외할 때, .NET Framework의 형식들의 인스턴스는 동시적인 읽기 전용 접근을 제외한 모든 접근에서 스레드에 안전하지 않다. 기본적으로, 스레드 안전성 확보(주로 독점 자물쇠를 이용한)는 전적으로 프로그래머의 몫이다. (단, 제23장에서 이야기하는 `System.Collections.Concurrent` 형식의 컬렉션은 예외이다.)

또 다른 요령은 공유 자료를 최소화해서 스레드들의 상호작용을 최소화하는 것이다. 이는 훌륭한 접근방식이며, 여러 '상태 없는' 중간층 응용 프로그램과 웹 페이지 서버가 암묵적으로 이 접근방식을 사용한다. 그런 서버들은 흔히 클라이언트들의 동시적인 요청을 다수의 스레드로 처리하므로, 요청을 처리하는 서버 메서드들은 반드시 스레드에 안전해야 한다. 상태 없는 설계(규모가변성이 좋아서 인기 있다)에서는 클래스들이 요청들 사이에서 자료를 유지하지 않으며, 따라서 상호작용 가능성이 애초에 제한된다. 따라서 스레드 상호작용은 그냥 필요한 정적 필드를 공유하는 정도로만 일어난다. 이를테면 서버의 클래스들은 자주 쓰이는 자료를 메모리에 담아 두거나 인증 및 감사 같은 기반 서비스를 제공하는 목적으로 정적 필드들을 둘 수 있다.

상태 '있는' 리치-클라이언트 응용 프로그램에 적용할 만한 또 다른 해법은, 공유 상태에 접근하는 코드를 UI 스레드에서 실행하는 것이다. 제14장에서 보았듯이, 비동기 함수들을 이용하면 이러한 해법을 손쉽게 적용할 수 있다.

스레드 안전성을 확보하는 마지막 접근방식은 자동 잠금 체제(automatic locking regime)를 사용하는 것이다. ContextBoundObject의 파생 클래스를 만들어서 거기에 Synchronization 특성을 부여할 때 .NET Framework가 적용하는 것이 바로 이 방법이다. 그러한 클래스의 객체에 대해 어떤 메서드나 속성이 호출되면 자동으로 객체 전역 자물쇠가 잠기며, 메서드나 속성의 실행이 끝나면 자물쇠가 풀린다. 이 방법은 프로그래머의 스레드 안전성 확보 부담을 줄여주지만, 대신 다른 여러 문제점을 가지고 있다. 바로, 다른 방법에서는 발생하지 않았을 교착이 발생할 수 있다는 점과 동시성 수준이 낮아진다는 점, 그리고 의도치 않은 재진입성이 생긴다는 점이다. 이러한 이유로, 일반적으로는 프로그래머가 직접 잠금을 적용하는 방식이 더 낫다. 적어도 덜 단순한 자동 잠금 체제가 .NET Framework에 도입되기 전까지는 그렇다.

스레드 안전성과 .NET Framework의 형식들

잠금을 적절히 적용하면 스레드 비안전 코드를 스레드에 안전한(줄여서 스레드 안전) 코드로 바꿀 수 있다. 이를 적용하기에 적합한 대상이 바로 .NET Framework 자체이다. 기본 내장 형식이 아닌 거의 대부분의 .NET Framework 형식들은 그 인스턴스가 스레드에 안전하지 않다(읽기 전용 접근 이상의 모든 접근에 대해). 그렇긴 하지만, 주어진 객체에 대한 모든 접근을 하나의 자물쇠로 보호한다면 그런 형식들도 다중 스레드 코드에서 사용할 수 있다. 한 예로, 다음은 두 스레드가 하나의 목록(List 형식의 컬렉션)에 동시에 항목을 추가한 후 목록을 열거하는 코드이다.

```
class ThreadSafe
{
  static List <string> _list = new List <string>();

  static void Main()
  {
    new Thread (AddItem).Start();
    new Thread (AddItem).Start();
  }

  static void AddItem()
  {
```

```
      lock (_list) _list.Add ("Item " + _list.Count);

      string[] items;
      lock (_list) items = _list.ToArray();
      foreach (string s in items) Console.WriteLine (s);
    }
  }
```

이 예제는 _list 객체 자체를 자물쇠로 사용한다. 만일 서로 연관된 두 개의 목록을 보호해야 했다면 둘에 공통인 어떤 객체를 잠가야 했을 것이다(두 목록 중 하나를 사용할 수도 있지만, 개별적인 필드를 사용하는 것이 더 낫다).

.NET 컬렉션의 열거 역시, 열거 도중 컬렉션이 수정되면 예외가 발생한다는 점에서 스레드에 안전하지 않은 연산이다. 이 예제는 열거의 시작에서 끝까지 잠금을 유지하는 대신, 목록의 항목들을 배열에 복사하는 동안만 잠금을 유지하고 그 배열을 열거한다. 컬렉션을 열거하면서 시간이 많이 걸리는 작업을 수행해야 하는 경우, 이렇게 하면 자물쇠를 필요 이상으로 오래 잠가둘 필요가 없다. (또 다른 해결책은 읽기/쓰기 자물쇠를 사용하는 것인데, 이에 관해서는 '읽기/쓰기 자물쇠(p.1140)'를 보기 바란다.)

스레드 안전 객체에 대한 접근의 잠금

스레드 안전 객체에 대한 접근을 잠가야 하는 경우도 있다. 이해를 돕는 예로, .NET Framework의 List 클래스가 스레드에 안전하다고 가정하고 목록에 항목을 하나 추가한다고 하자.

```
  if (!_list.Contains (newItem)) _list.Add (newItem);
```

목록 자체가 실제로 스레드에 안전하다고 해도 이 문장은 전혀 스레드에 안전하지 않다. 항목 존재 여부를 판정하는 부분과 새 항목을 추가하는 부분 사이에서 스레드 선점이 일어날 수 있기 때문이다. 이를 피하려면 문장 전체를 자물쇠로 잠가야 하며, 이 목록을 수정하는 모든 코드에서 그 자물쇠를 사용해야 한다. 예를 들어 앞의 문장이 선점되지 않게 하려면, 다음 문장도 같은 자물쇠로 보호해야 한다.

```
  _list.Clear();
```

다른 말로 하면, 스레드에 안전한 컬렉션이라도 스레드 비안전 컬렉션과 정확히 동일한 방식으로 잠금을 적용할 필요가 있다(따라서 List 클래스 자체를 스레드에 안전하게 만드는 것은 노력의 중복일 뿐이다).

동시성 수준이 높은 환경에서는 컬렉션 접근 코드를 잠그면 차단이 과도하게 일어날 수 있다. 이 문제 때문에 .NET Framework 4.0은 스레드에 안전한 대기열과 스택, 사전을 제공하는데, 이들은 제23장에서 논의한다.

정적 멤버

한 객체에 대한 접근을 커스텀 자물쇠로 감싸는 것은 관련된 모든 동시적 스레드가 그 자물쇠를 알고 있으며 실제로 사용하는 경우에만 효과가 있다. 그런데 객체의 범위가 아주 넓다면 그러한 규칙을 일관되게 적용하기가 힘들다. 최악의 경우는 공용 형식의 정적 멤버이다. 예를 들어 DateTime 구조체의 한 정적 속성인 DateTime.Now가 스레드에 안전하지 않다고 상상해보자. 그러면 동시적인 두 호출 때문에 결과가 엉망이 되거나 예외가 발생할 것이다. 이를 해결하는 유일한 방법은 외부 자물쇠로 형식 자체를 잠근 후에 DateTime.Now를 호출하는 것, 즉 lock(typeof(DateTime)) 블록 안에서 DateTime.Now에 접근하는 것이다. 단, 이는 한 응용 프로그램을 개발하는 모든 프로그래머가 그런 규칙을 철저히 지킬 때에만(사실 그럴 가능성은 작다) 효과가 있다. 더 나아가서, 형식을 잠그는 것 자체에도 나름의 문제점이 있다.

그래서 DateTime 구조체의 정적 멤버들은 애초에 스레드에 안전하도록 세심하게 구현되어 있다. **정적 멤버는 스레드 안전, 인스턴스 멤버는 스레드 비안전**이라는 패턴은 .NET Framework 전반에서 흔히 볼 수 있다. 공개적으로 쓰일 형식을 독자가 직접 만들 때에도, 스레드 안전과 관련해서 해결 불가능한 골칫거리를 만들어 내기 싫다면 이 패턴을 따르는 것이 바람직하다. 다른 말로 하면, 정적 메서드를 스레드에 안전하게 만든다는 것은 그 형식의 소비자가 스레드 안전성을 좀 더 쉽게 확보할 수 있도록 돕는 것에 해당한다.

정적 메서드의 스레드 안전성은 반드시 명시적으로 코딩해야 할 과제이다. 메서드를 정적으로 지정한다고 해서 저절로 스레드에 안전해지는 것이 아니다!

읽기 전용 스레드 안전성

커스텀 형식을 만들 때, 동시적인 읽기 전용 접근에 대한 스레드 안전성을 갖추는(가능한 경우에) 것은, 그 형식을 사용하는 코드에서 과도한 잠금을 피할 수 있다는 점에서 바람직한 일이다. 실제로 .NET Framework의 여러 형식이 그러한 원칙을 따른다. 예를 들어 컬렉션들은 동시적인 판독자들에 대해 스레드 안전이다.

독자가 이 원칙을 따르는 것도 어렵지 않다. 동시적인 읽기 전용 접근에 대한 스레드 안전성을 형식에 부여하려면, 사용자가 읽기 전용이라고 기대할 만한 메서드에서는 필드의 값을 변경하지 말아야(또는, 필드 변경 주변을 잠가야) 한다. 한 예로, 어떤 컬렉션 클래스의 ToArray 메서드는 배열을 출력하기 전에 먼저 컬렉션의 내부 자료구조를 정리하는 과정이 필요할 수 있다. 그러나 그렇게 하면, 이 메서드가 읽기 전용이라고 기대하는 소비자가 작성한 코드는 스레드에 안전하지 않을 것이다.

읽기 전용 스레드 안전성은 .NET Framework에서 열거 가능 형식과 열거자(enumerator)가 분리된 이유 중 하나이다. 두 스레드가 하나의 컬렉션을 동시에 열거할 수 있는 것은, 각자 개별적인 열거자 객체를 사용하기 때문이다.

✓ 문서화가 없는 상황에서는 주어진 메서드가 읽기 전용인지 아닌지를 추측할 수밖에 없는데, 이때 최대한 조심할 필요가 있다. 좋은 예가 Random 클래스이다. Random.Next는 읽기 전용일 것 같지만, 사실 이 메서드를 호출하면 난수 발생 알고리즘에 쓰이는 어떤 전용 필드가 변한다. 따라서 Random 객체를 사용하는 부분을 자물쇠로 잠그거나, 스레드마다 개별적인 인스턴스를 둘 필요가 있다.

응용 프로그램 서버의 스레드 안전성

응용 프로그램 서버가 여러 클라이언트의 요청을 동시에 처리하려면 여러 개의 스레드를 돌려야 한다. WCF, ASP.NET, Web Services 응용 프로그램은 암묵적으로 다중 스레드이다. TCP나 HTTP 같은 네트워크 채널을 사용하는 Remoting 서버 응용 프로그램 역시 마찬가지이다. 따라서, 서버 쪽에서 실행되는 코드를 작성할 때 만일 클라이언트 요청들을 처리하는 스레드들 사이의 상호작용이 발생할 가능성이 있다면 반드시 스레드 안전성을 고려해야 한다. 다행히 그런 상호작용이 발생하는 부분은 흔치 않다. 전형적인 서버 쪽 클래스는 상태가 없거나(즉, 필드가 하나도 없거나), 각 클라이언트 또는 각 요청에 대해 개별적인 객체 인스턴스를 생성하는 활성화 모형을 사용한다. 상호작용은 오직 정적 필드들(이를테면 데이터베이스의 자료 일부를 메모리에 캐싱하거나 성능 개선을 위해 쓰이는)을 통해서만 일어난다.

예를 들어 데이터베이스 질의를 수행하는 RetrieveUser라는 메서드가 있다고 하자.

```
// User는 사용자 자료를 담은 필드들을 가진 커스텀 클래스
internal User RetrieveUser (int id) { ... }
```

이 메서드가 자주 호출된다면, 호출 결과들을 정적 Dictionary에 캐싱해서 성능을 향상할 수 있을 것이다. 다음은 스레드 안전성을 고려한 캐싱 구현이다.

```
static class UserCache
{
  static Dictionary <int, User> _users = new Dictionary <int, User>();

  internal static User GetUser (int id)
  {
    User u = null;

    lock (_users)
      if (_users.TryGetValue (id, out u))
        return u;

    u = RetrieveUser (id);           // 데이터베이스에서 사용자를 조회
    lock (_users) _users [id] = u;
    return u;
  }
}
```

스레드 안전성을 보장하려면, 적어도 사전을 읽고 갱신하는 부분은 자물쇠로 보호해야 한다. 지금 예에서는 단순함과 잠금 성능 사이의 현실적인 타협점을 선택했다. 사실, 이 설계에는 약간의 비효율성이 존재한다(아주 드물게만 발생하겠지만). 만일 두 스레드가 동시에 이 메서드를 호출한다면, 그리고 두 id 모두 이전에 조회된 적이 없다면, RetrieveUser가 두 번 호출된다. 그리고 사전이 쓸데없이 갱신된다. 메서드 전체를 잠그면 이러한 비효율성이 방지되지만, 그러면 더 큰 비효율성이 생긴다. RetrieveUser 호출이 진행되는 동안 캐시 전체가 잠기며, 그 동안 다른 스레드는 그 어떤 사용자도 조회할 수 없다.

불변이 객체

불변이 객체(immutable object)란 내부에서나 외부에서나 객체의 상태를 변경할 수 없는 객체를 말한다. 보통의 경우 불변이 객체의 필드들은 읽기 전용으로 선언되며, 필드들의 값은 전적으로 객체 생성 과정에서 결정된다.

불변이성은 함수형 프로그래밍의 주요 특징이다. 함수형 프로그래밍(functional programming)에서는 기존 객체를 **변이**(mutating)하는 대신, 다른 속성들로 새 객체를 생성한다. LINQ도 이 패러다임을 따른다. 공유 쓰기 가능 상태의 문제를 피할 수 있다는 점에서, 불변이성은 다중 스레드 상황에서도 가치가 있다. 불변이성은 애초에 '쓰기 가능'을 제거(또는 최소화)한다.

불변이 객체의 한 가지 응용 패턴은, 잠금이 유지되는 동안 관련 필드들의 그룹을 캡슐화하는 것이다. 아주 간단한 예로, 어떤 클래스에 다음과 같은 두 필드가 있으며, 이들을 원자적으로 읽고 써야 한다고 하자.

```
int _percentComplete;
string _statusMessage;
```

이들에 대한 접근을 자물쇠로 잠그는 대신, 다음과 같은 불변이 클래스를 정의한다.

```
class ProgressStatus    // 어떤 활동의 진행 정도를 나타내는 클래스
{
  public readonly int PercentComplete;
  public readonly string StatusMessage;

  // ...이외에도 여러 필드가 있을 수 있다...

  public ProgressStatus (int percentComplete, string statusMessage)
  {
    PercentComplete = percentComplete;
    StatusMessage = statusMessage;
  }
}
```

다시 원래의 클래스로 돌아가서, 이제 이 ProgressStatus 형식의 필드 하나를 잠금용 객체와 함께 정의한다.

```
readonly object _statusLocker = new object();
ProgressStatus _status;
```

이제는 배정문 하나만 잠근 채로 이 형식의 값들을 읽고 쓸 수 있다.

```
var status = new ProgressStatus (50, "작업 중");
// ...여기서 다른 여러 필드를 배정한다...
// ...
lock (_statusLocker) _status = status;    // 아주 짧은 잠금
```

객체를 읽을 때에는 우선 잠금 상태에서 객체 참조의 복사본을 얻는다. 그런 다음에는 잠금을 푼 상태에서 얼마든지 값들을 읽을 수 있다.

```
ProgressStatus status;
lock (_statusLocker) status = _status;   // 역시 아주 짧은 잠금
int pc = status.PercentComplete;
string msg = status.StatusMessage;
...
```

비독점 잠금

세마포

세마포semaphore†는 나이트클럽과 비슷하다. 수용할 수 있는 사람의 수가 유한하고, 입구에서 경비원이 입장을 통제한다. 자리가 다 차면 더 이상의 입장이 불허되며, 입장을 원하는 사람들은 문밖에 줄을 서야 한다. 한 사람이 나이트클럽에서 나오면 대기열의 한 사람이 들어간다. 따라서, 나이트클럽을 나타내는 클래스의 생성자는 적어도 두 개의 인수, 즉 더 받을 수 있는 인원수를 설정하는 인수와 클럽의 최대 수용 인원수를 설정하는 인수를 받아야 할 것이다.‡

수용량(더 받을 수 있는 인원수)이 1인 세마포는 Mutex나 lock과 비슷하다. 단, 세마포에는 '소유자'라는 것이 없다. 즉, 세마포는 **스레드를 구분하지 않는다**. 그 어떤 스레드도 Semaphore 객체에 대해 Release를 호출할 수 있다. 반면 Mutex나 lock에서는 오직 자물쇠를 획득한 스레드만 그 자물쇠를 풀 수 있다.

.NET Framework에는 세마포를 대표하는, 비슷한 기능을 가진 클래스가 두 개 있다. Semaphore와 SemaphoreSlim이 바로 그것이다. 후자는 .NET Framework에서 도입된 것으로, 병렬 프로그래밍의 낮은 잠복지연 요구를 만족하도록 최적화되었다. SemaphoreSlim은 전통적인 다중 스레드 적용에도 유용하다. 대기 시 취소 토큰(제14장의 '취소(p.760)' 참고)을 지정할 수 있고, 비동기 프로그래밍을 위한 WaitAsync 메서드도 제공하기 때문이다. 그러나 프로세스 간 신호 전달에는 사용할 수 없다.

Semaphore는 WaitOne과 Release 호출에 약 1마이크로초를 소비한다. SemaphoreSlim의 소비 시간은 그것의 10분의 1 정도이다.

† (옮긴이) 원래 세마포는 이를테면 군대나 선박, 철도 등에서 신호를 주고받는 데 쓰이는 작은 깃발(수기)을 뜻한다. 이 용어는 네덜란드의 전산학자 E. W. 데이크스트라가 제안한 것으로, 원래는 네덜란드어 단어인 seinpaal(역시 손깃발이라는 뜻)이었다.

‡ (옮긴이) 잠시 후의 예제에는 매개변수가 하나인 SemaphoreSlim 생성자가 나오는데, 그 매개변수는 현재 수용 가능 인원수이자 최대 수용 인원수로 쓰인다. 그리고 SemaphoreSlim에는 실제로 인수를 두 개 받는 생성자도 있다.

동시성을 제한하려 할 때, 즉 특정 코드 조각을 한 번에 너무 많은 스레드가 실행하는 일을 방지하려 할 때 세마포가 유용할 수 있다. 다음은 다섯 개의 스레드가 나이트클럽에 입장하려 하지만 한 번에 세 스레드만 입장하도록 제한하는 예이다.

```
class TheClub      // 입구 목록이 없음을 주목!
{
  static SemaphoreSlim _sem = new SemaphoreSlim (3);    // 수용량 3

  static void Main()
  {
    for (int i = 1; i <= 5; i++) new Thread (Enter).Start (i);
  }

  static void Enter (object id)
  {
    Console.WriteLine (id + "번 손님 입장 원함");
    _sem.Wait();
    Console.WriteLine (id + "번 입장했음!");           // 한 번에 스레드 셋만
    Thread.Sleep (1000 * (int) id);                   // 입장 가능.
    Console.WriteLine (id + "번 나감");
    _sem.Release();
  }
}
```

출력:

```
1번 손님 입장 원함
1번 입장했음!
2번 손님 입장 원함
2번 입장했음!
3번 손님 입장 원함
3번 입장했음!
4번 손님 입장 원함
5번 손님 입장 원함
1번 나감
4번 입장했음!
2번 나감
5번 입장했음!
```

Mutex처럼, 이름을 지정해서 생성한 Semaphore 객체는 여러 프로세스에서 사용할 수 있다.

읽기/쓰기 자물쇠

한 형식의 인스턴스가 동시적 읽기 연산에 대해서는 스레드에 안전하지만 동시적 갱신에 대해서는(그리고 동시적 읽기 및 갱신에 대해서도) 안전하지 않은 경우가 아주 많다. 파일 같은 자원들도 마찬가지이다. 그런 형식의 인스턴스에 대한 모든 종류의 접근을 간단한 독점 자물쇠로 보호하는 방법도 잘 통하지만, 읽

기 연산은 자주 일어나지만 갱신은 드물게 일어나는 경우에는 동시성이 필요 이상으로 제한된다. 빠른 조회를 위해 자주 쓰이는 자료를 정적 필드들에 담아두는 업무용 응용 프로그램 서버가 그런 경우에 해당한다. 바로 그런 상황에서 잠금을 최소화하는 목적으로 만들어진 것이 ReaderWriterLockSlim 클래스이다.

ReaderWriterLockSlim은 기존의 '뚱뚱한' ReaderWriterLock 클래스를 대체하려는 목적으로 .NET Framework 3.5에서 도입되었다. ReaderWriterLock 클래스도 이 클래스와 비슷한 기능을 제공하지만, 속도가 몇 배 느릴 뿐만 아니라 자물쇠 업그레이드를 처리하는 메커니즘의 설계에 본질적인 결함이 존재한다.

그러나 ReaderWriterLockSlim도 보통의 lock 문(Monitor.Enter/Exit 조합)보다는 느리다(두 배 정도). 대신 경합이 적다는 장점이 있다(읽기가 많고 쓰기는 아주 적은 경우).

두 클래스 모두, 기본적으로 두 종류의 자물쇠를 하나씩 사용한다. 바로 읽기 자물쇠와 쓰기 자물쇠이다.

- 쓰기 자물쇠는 응용 프로그램 전역에서 독점적이다.
- 읽기 자물쇠는 다른 읽기 자물쇠와 호환된다.

좀 더 구체적으로 말하면, 한 스레드가 쓰기 자물쇠를 잠그고 있는 상황에서 다른 스레드들은 그 쓰기 자물쇠는 물론이고 읽기 자물쇠도 얻지 못한다. 그러나 쓰기 자물쇠가 잠겨 있지 않으면 임의의 개수의 스레드가 동시에 읽기 자물쇠를 획득할 수 있다.

읽기 자물쇠와 쓰기 자물쇠를 획득하거나 해제하는 ReaderWriterLockSlim의 메서드들은 다음과 같다.

```
public void EnterReadLock();
public void ExitReadLock();
public void EnterWriteLock();
public void ExitWriteLock();
```

또한, 모든 Enter*XXX*에는 이름 앞에 Try가 붙은 버전이 있다. 이전에 살펴본 Monitor.TryEnter처럼, 그런 버전들은 만료 시간 인수를 추가로 받는다(자원에 대한 경합이 심하면 시간 만료가 상당히 쉽게 일어날 수 있다). ReaderWriterLock도 비슷한 메서드들을 제공하는데, 이름이 Acquire*XXX*와 Release*XXX*이다. 이들은 시간이 만료되면 false를 돌려주는 것이 아니라 ApplicationException을 던진다.

다음은 ReaderWriterLockSlim의 사용법을 보여주는 프로그램이다. 스레드 세 개가 하나의 목록을 계속해서 열거하는 동안, 다른 두 스레드가 100ms마다 난수를 목록에 추가한다. 판독자(reader), 즉 목록을 읽는 스레드들의 연산은 읽기 자물쇠를 이용해서 보호하고, 목록 기록자(writer)들의 연산은 쓰기 자물쇠를 이용해서 보호한다.

```
class SlimDemo
{
  static ReaderWriterLockSlim _rw = new ReaderWriterLockSlim();
  static List<int> _items = new List<int>();
  static Random _rand = new Random();

  static void Main()
  {
    new Thread (Read).Start();
    new Thread (Read).Start();
    new Thread (Read).Start();

    new Thread (Write).Start ("A");
    new Thread (Write).Start ("B");
  }

  static void Read()
  {
    while (true)
    {
      _rw.EnterReadLock();
      foreach (int i in _items) Thread.Sleep (10);
      _rw.ExitReadLock();
    }
  }

  static void Write (object threadID)
  {
    while (true)
    {
      int newNumber = GetRandNum (100);
      _rw.EnterWriteLock();
      _items.Add (newNumber);
      _rw.ExitWriteLock();
      Console.WriteLine ("Thread " + threadID + " added " + newNumber);
      Thread.Sleep (100);
    }
  }

  static int GetRandNum (int max) { lock (_rand) return _rand.Next(max); }
}
```

실제 코드에서는 try/finally를 이용해서, 잠금 도중 예외가 발생해도 자물쇠들이 확실히 해제되게 해야 할 것이다.

다음은 이 프로그램의 출력 예이다.

```
Thread B added 61
Thread A added 83
Thread B added 55
Thread A added 33
...
```

ReaderWriterLockSlim을 사용하면 보통의 자물쇠를 사용할 때보다 더 많은 스레드가 Read 연산을 동시에 수행할 수 있다. 동시 판독자 수를 확인하기 위해, Write 메서드의 while 루프 시작 부분에 다음 줄을 추가해 보자.

```
Console.WriteLine (_rw.CurrentReadCount + " concurrent readers");
```

프로그램을 실행하면 거의 항상 "3 concurrent readers"가 출력될 것이다(Read 메서드는 대부분의 시간을 foreach 루프에서 소비한다). CurrentReadCount 외에도, ReaderWriterLockSlim은 다음과 같이 자물쇠들을 감시하는 데 유용한 여러 속성을 제공한다.

```
public bool IsReadLockHeld            { get; }
public bool IsUpgradeableReadLockHeld { get; }
public bool IsWriteLockHeld           { get; }

public int  WaitingReadCount          { get; }
public int  WaitingUpgradeCount       { get; }
public int  WaitingWriteCount         { get; }

public int  RecursiveReadCount        { get; }
public int  RecursiveUpgradeCount     { get; }
public int  RecursiveWriteCount       { get; }
```

업그레이드 가능 자물쇠

하나의 원자적 연산에서 읽기 자물쇠와 쓰기 자물쇠를 교환하는 것이 유용할 때가 있다. 예를 들어 주어진 항목이 목록에 아직 없을 때에만 그것을 목록에 추가하는 메서드를 작성한다고 하자. 이상적으로는 (독점) 쓰기 자물쇠를 잠그는 시간을 최소화하는 것이 바람직하므로, 메서드를 다음과 같이 진행하면 될 것이다.

1. 읽기 자물쇠를 얻는다.
2. 주어진 항목이 목록에 있는지 점검해서, 있다면 자물쇠를 풀고 반환한다(return 문).
3. 읽기 자물쇠를 푼다.

4. 쓰기 자물쇠를 얻는다.
5. 항목을 추가한다.

그런데 이러한 과정에는 심각한 문제가 있다. 바로, 단계 3과 4 사이에서 다른 어떤 스레드가 끼어들어서 목록을 수정(이를테면 같은 항목을 추가)할 수 있다는 점이다. 이 문제를 해결하기 위해, ReaderWriterLockSlim은 **업그레이드 가능 자물쇠**(upgradeable lock)라는 제3의 자물쇠를 제공한다. 업그레이드 가능 자물쇠는 읽기 자물쇠와 비슷하되, 나중에 하나의 원자적인 연산으로 쓰기 자물쇠로 승격할 수 있다는 차이가 있다. 다음은 이 자물쇠를 사용하는 과정이다.

1. EnterUpgradeableReadLock을 호출한다.
2. 읽기 기반 활동을 수행한다(이를테면 주어진 항목이 목록에 있는지 판정하는 등).
3. EnterWriteLock을 호출한다(업그레이드 가능 자물쇠가 쓰기 자물쇠로 바뀐다).
4. 쓰기 기반 활동을 수행한다(이를테면 항목에 목록을 추가하는 등).
5. ExitWriteLock을 호출한다(쓰기 자물쇠가 다시 업그레이드 가능 자물쇠로 바뀐다).
6. 다른 읽기 기반 활동을 수행한다.
7. ExitUpgradeableReadLock을 호출한다.

호출자의 관점에서 보면 이는 중첩된 잠금 또는 재귀적 잠금과 꽤 비슷하다. 그러나 기능 면에서 보면, 단계 3에서 ReaderWriterLockSlim은 읽기 자물쇠를 해제하고 완전히 새로운 쓰기 자물쇠를 얻는 과정을 원자적으로 수행한다.

업그레이드 가능 자물쇠와 읽기 자물쇠의 또 다른 중요한 차이점은, 업그레이드 가능 자물쇠는 임의의 개수의 **읽기** 자물쇠와 공존할 수 있지만, 업그레이드 가능 자물쇠 자체는 한 번에 한 스레드만 획득할 수 있다는 점이다. 이는 서로 경합하는 자물쇠 변환들을 **직렬화**하는 과정에서 변환이 교착되는 상황을 방지하기 위한 것으로, SQL Server의 갱신 자물쇠(update lock)와 동일한 작동 방식이다.

SQL Server	ReaderWriterLockSlim
공유 자물쇠	읽기 자물쇠
독점 자물쇠	쓰기 자물쇠
갱신 자물쇠	업그레이드 가능 자물쇠

업그레이드 가능 자물쇠의 활용 방법을 보여주는 예로, 다음은 이전 예제의 Write 메서드를 주어진 수가 목록에 없는 경우에만 목록에 추가하도록 고친 것이다.

```
while (true)
{
  int newNumber = GetRandNum (100);
  _rw.EnterUpgradeableReadLock();
  if (!_items.Contains (newNumber))
  {
    _rw.EnterWriteLock();
    _items.Add (newNumber);
    _rw.ExitWriteLock();
    Console.WriteLine ("Thread " + threadID + " added " + newNumber);
  }
  _rw.ExitUpgradeableReadLock();
  Thread.Sleep (100);
}
```

ReaderWriterLock도 자물쇠 변환을 수행할 수 있지만, 업그레이드 가능 자물쇠라는 개념을 지원하지 않으므로 신뢰성이 없다. ReaderWriterLockSlim의 설계자들이 애초에 새로운 클래스를 만든 것은 이 때문이다.

재귀적 잠금

보통의 경우 ReaderWriterLockSlim은 재귀적 잠금(recursive locking) 또는 중첩된 잠금을 허용하지 않는다. 예를 들어 다음 코드는 예외를 던진다.

```
var rw = new ReaderWriterLockSlim();
rw.EnterReadLock();
rw.EnterReadLock();
rw.ExitReadLock();
rw.ExitReadLock();
```

그러나 ReaderWriterLockSlim 인스턴스를 다음과 같이 생성하면 위의 재귀적 잠금이 오류 없이 작동한다.

```
var rw = new ReaderWriterLockSlim (LockRecursionPolicy.SupportsRecursion);
```

이는 프로그래머가 실제로 재귀적 잠금을 원하는 경우에만 재귀적 잠금을 활성화하는 장치라 할 수 있다. 재귀적 잠금에서는 다음과 같이 종류가 다른 자물쇠들이 동시에 잠길 수 있으며, 그러면 코드가 필요 이상으로 복잡해질 여지가 있다.

```
rw.EnterWriteLock();
rw.EnterReadLock();
Console.WriteLine (rw.IsReadLockHeld);      // True
Console.WriteLine (rw.IsWriteLockHeld);     // True
rw.ExitReadLock();
rw.ExitWriteLock();
```

재귀적 잠금의 기본적인 규칙은, 어떤 자물쇠를 획득한 상태에서는 그보다 '작은' 자물쇠만 획득할 수 있다는 것이다. 자물쇠들의 대소 관계는 다음과 같다.

- 읽기 자물쇠 〈 업그레이드 가능 자물쇠 〈 쓰기 자물쇠

단, 업그레이드 가능 자물쇠에서 쓰기 자물쇠로의 승격 요청은 항상 적법하다.

이벤트 대기 핸들을 이용한 신호 전달

가장 간단한 신호 전달(signaling) 수단은 **이벤트 대기 핸들**(event wait handle)이다(여기서 말하는 이벤트는 C#의 함수 멤버의 일종인 이벤트와는 다른 것이다). 이벤트 대기 핸들은 `AutoResetEvent`, `ManualResetEvent(Slim)`, `CountdownEvent` 세 종류이다. 처음 둘은 `EventWaitHandle` 클래스의 파생 클래스들로, 그 클래스의 모든 기능성을 상속한다.

AutoResetEvent

Windows의 자동 재설정 이벤트(auto reset event)를 대표하는 `AutoResetEvent`는 지하철에서 볼 수 있는 자동 개폐식 개찰구와 비슷하다. 자동 재설정 이벤트의 '자동'은 유효한 티켓(또는 교통 카드)을 제시하면 출입구가 자동으로 열림을 뜻하고, '재설정'은 승객이 개찰구를 통과하면 문이 원래의 닫힌 상태로 되돌아감을 뜻한다. 스레드가 `AutoResetEvent`에 대해 `WaitOne`을 호출하는 것은 개찰구 뒤에 줄을 서는 것에 해당한다. 여러 스레드가 `WaitOne`을 호출하면 개찰구 뒤에 줄(대기열)이 생긴다[2]. 일단 `WaitOne` 호출의 차단이 풀린, 다시 말해 개찰구 바로 앞에 도달한 스레드는 `Set`을 호출해서 개찰구에 티켓을 넣는다. 그 어떤 스레드도 티켓을 제시할 수 있다. 다른 말로 하면, `AutoResetEvent` 객체에 접근할 수 있는 모든 (차단되지 않은) 스레드는 `Set`을 호출할 수 있다. 그러면 `WaitOne` 호출이 차단된 한 스레드의 차단이 풀린다.

---

2 `lock` 문과 마찬가지로, 운영체제의 실행 일정 관련 세부사항 때문에 가끔은 준비 대기열이 공평하지 않게 작동하기도 한다.

AutoResetEvent 객체를 생성하는 방법은 두 가지이다. 첫째는 다음처럼 생성자를 사용하는 것이다.

```
var auto = new AutoResetEvent (false);
```

(생성자에 true를 지정하는 것은 객체를 생성한 즉시 Set을 호출하는 것과 같다.) AutoResetEvent 객체를 생성하는 둘째 방법은 다음과 같다.

```
var auto = new EventWaitHandle (false, EventResetMode.AutoReset);
```

다음 예제는 두 개의 스레드를 실행한다. 한 스레드는 그냥 다른 스레드가 신호하길 기다리기만 한다(그림 22-1).

```
class BasicWaitHandle
{
  static EventWaitHandle _waitHandle = new AutoResetEvent (false);

  static void Main()
  {
    new Thread (Waiter).Start();
    Thread.Sleep (1000);                  // 1초 지연
    _waitHandle.Set();                    // Waiter를 깨운다.
  }

  static void Waiter()
  {
    Console.WriteLine ("대기 중...");
    _waitHandle.WaitOne();                // 통지를 기다린다.
    Console.WriteLine ("통지되었음");
  }
}
```

출력:

대기 중... *(잠시 지연)* 통지되었음.

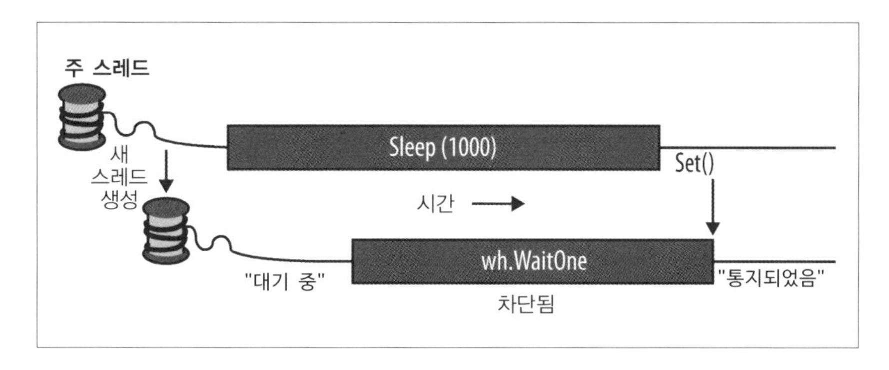

그림 22-1 EventWaitHandle을 이용한 신호 전달

대기 중인 스레드가 하나도 없는 상태에서 Set이 호출되면, 해당 이벤트 대기 핸들은 어떤 스레드가 WaitOne을 호출할 때까지 열린 상태를 유지한다. 이러한 행동 방식은 개찰구에 다가가는 스레드와 개찰구에 티켓을 넣는 스레드 사이의 경쟁 조건을 피하는 데 도움이 된다(한 스레드가 개찰구에 다가가는 사이에 다른 스레드가 티켓을 넣어 버리면 전자의 스레드는 무한히 대기하게 된다). 그런데 대기 중인 스레드가 하나도 없는 상태에서 Set을 여러 번 호출한다고 해서, 나중에 도달한 스레드들이 한꺼번에 개찰구를 통과하게 되지는 않는다. 오직 바로 다음 스레드 하나만 개찰구를 통과하며, 그 외의 스레드들은 "티켓을 날린" 결과가 된다.

AutoResetEvent 객체에 대해 Reset을 호출하면 대기 또는 차단 없이 바로 개찰구가 닫힌다(열려 있었던 경우).

WaitOne을 호출할 때 만료 시간을 지정할 수도 있다. 만일 신호를 받아서가 아니라 시간이 만료되어서 대기가 끝났다면 WaitOne은 false를 돌려준다.

만료 시간을 0으로 해서 WaitOne을 호출하면 해당 대기 핸들이 "열려 있는지"의 여부를 차단 없이 판정할 수 있다. 그런데 그러한 호출이 AutoResetEvent를 재설정한다는(즉, 개찰구가 열려 있었다면 그것을 닫는다는) 점을 주의해야 한다.

대기 핸들의 처분

대기 핸들을 다 사용한 후 관련 자원을 운영체제에 돌려주고 싶다면 해당 객체에 대해 Close 메서드를 호출하면 된다. 아니면, 그냥 대기 핸들에 대한 모든 참조가 범위를 벗어난 후 쓰레기 수거기가 자원을 해제하길 기다릴 수도 있다(대기 핸들들은 종료자가 Close를 호출하는 처분 의미론을 구현한다). 대기 핸들은 운영체제의 자원을 조금만 사용한다는 점에서, 이처럼 자원 정리를 쓰레기 수거기에 맡겨도 큰 문제가 없다(논의의 여지가 있긴 하지만). 이는 흔치 않은 경우이다.

처분되지 않은 대기 핸들들은 응용 프로그램 도메인이 메모리에서 제거될 때 자동으로 해제된다.

양방향 신호 전달

주 스레드가 일꾼 스레드(worker thread)에게 연달아 세 번 신호해야 한다고 하자. 일꾼 스레드가 신호를 처리하는 데에는 어느 정도 시간이 걸릴 것이므로, 주 스레드가 그냥 대기 핸들에 대해 Set을 쉬지 않고 여러 번 호출하면 일꾼 스레드가 두 번째나 세 번째 신호를 놓칠 위험이 있다.

이에 대한 해결책은 주 스레드가 일꾼 스레드가 신호를 받을 준비가 될 때까지 기다렸다가 신호를 보내는 것이다. 다음은 이를 두 개의 AutoResetEvent를 이용해서 구현한 예이다.

```
class TwoWaySignaling
{
  static EventWaitHandle _ready = new AutoResetEvent (false);
  static EventWaitHandle _go = new AutoResetEvent (false);
  static readonly object _locker = new object();
  static string _message;

  static void Main()
  {
    new Thread (Work).Start();

    _ready.WaitOne();                  // 우선 일꾼이 준비되길 기다린다.
    lock (_locker) _message = "ooo";
    _go.Set();                         // 일꾼에게 신호를 보낸다.

    _ready.WaitOne();
    lock (_locker) _message = "ahhh";  // 일꾼에게 또 다른 메시지를 보낸다.
    _go.Set();

    _ready.WaitOne();
    lock (_locker) _message = null;    // 일꾼에게 종료 신호를 보낸다.
    _go.Set();
  }

  static void Work()
  {
    while (true)
    {
      _ready.Set();                    // 신호 받을 준비가 되었음을 알리고
      _go.WaitOne();                   // 신호를 기다린다.
      lock (_locker)
      {
        if (_message == null) return;    // 매끄럽게 종료한다.
        Console.WriteLine (_message);
      }
    }
  }
}
```

출력:

ooo
ahhh

그림 22-2는 이러한 과정을 도식화한 것이다.

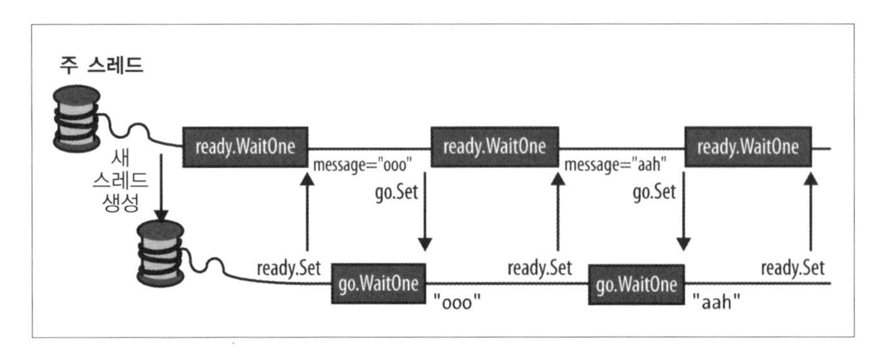

그림 22-2 양방향 신호 전달

이 예제는 널 메시지를 일꾼에게 작업을 마치라고 알려주는 의미로 사용한다. 무한히 실행되는 스레드에는 이런 '출구 전략'을 갖추는 것이 중요하다.

ManualResetEvent

제14장에서 설명했듯이, 수동 재설정 이벤트에 해당하는 ManualResetEvent는 단순한 관문처럼 작동한다. Set을 호출하면 문이 열리며, 그러면 임의의 개수의 스레드들이 WaitOne을 호출해서 관문을 통과할 수 있다. Reset을 호출하면 문이 닫힌다. 스레드가 닫힌 문에 대해 WaitOne을 호출하면 실행이 차단된다. 나중에 문이 열리면, 차단되었던 모든 스레드가 한꺼번에 문을 통과한다. 이러한 차이점들을 제외하면 ManualResetEvent는 AutoResetEvent와 같은 방식으로 작동한다.

AutoResetEvent처럼 ManualResetEvent도 객체 생성 방법이 두 가지다.

```
var manual1 = new ManualResetEvent (false);
var manual2 = new EventWaitHandle (false, EventResetMode.ManualReset);
```

.NET Framework 4.0부터는 ManualResetEventSlim이라는 또 다른 수동 재설정 이벤트 클래스가 생겼다. 이 클래스는 대기 시간을 줄이도록 최적화되었으며, 필요하다면 일정 횟수만큼 반복해서 이벤트의 설정을 시도하는 '회전(spinning)' 기능도 제공한다. 또한, 관리되는 구현이 좀 더 효율적이며, CancellationToken을 이용해서 Wait를 취소하는 기능도 있다. 그러나 프로세스 간 신호 전달에는 사용할 수 없다. ManualResetEventSlim은 WaitHandle을 상속하지 않는다. 대신 WaitHandle 기반 객체(전통적인 대기 핸들에 상응하는 성능을 내는)를 돌려주는 WaitHandle 속성을 제공한다.

신호 전달 수단들의 성능 비교

AutoResetEvent나 ManualResetEvent의 대기나 신호 전달에는 약 1마이크로초가 걸린다(차단이 없다고 할 때).

대기 시간이 짧은 시나리오에서는 ManualResetEventSlim과 CountdownEvent가 50배까지 빠를 수 있다. 운영체제에 의존하지 않으며 회전 기능을 적절히 사용하기 때문에 그러한 속도가 나온다.

그러나 어차피 신호 전달 클래스 자체의 추가부담 때문에 병목이 생기는 경우는 드물기 때문에, 이러한 속도 비교가 큰 의미가 있는 것은 아니다.

ManualResetEvent는 한 스레드가 다른 여러 스레드를 차단할 필요가 있을 때 유용하다. 그 반대의 경우에 유용한 것은 CountdownEvent이다.

CountdownEvent

CountdownEvent를 이용하면 한 스레드가 여러 스레드의 신호를 기다릴 수 있다. 이 클래스는 .NET Framework 4.0에서 도입되었으며, 관리되는 코드로만 이루어진 구현이 효율적이다. 이 클래스를 사용하려면, 우선 기다리려는 스레드들의 개수를 지정해서 객체를 생성한다. 이 개수는 이벤트가 설정되기까지 남은 신호 횟수(count)에 해당한다.

```
var countdown = new CountdownEvent (3);  // 개수를 3으로 해서 객체를 생성
```

Signal을 호출하면 남은 신호 횟수가 하나 감소한다. 그리고 Wait 호출은 그 횟수가 0이 될 때까지 차단된다. 다음 예를 보자.

```
static CountdownEvent _countdown = new CountdownEvent (3);

static void Main()
{
  new Thread (SaySomething).Start ("저는 스레드 1입니다");
  new Thread (SaySomething).Start ("저는 스레드 2입니다");
  new Thread (SaySomething).Start ("저는 스레드 3입니다");
  _countdown.Wait();   // Signal이 세 번 호출될 때까지 차단된다.
  Console.WriteLine ("모든 스레드가 발언을 마쳤음!");
}

static void SaySomething (object thing)
{
  Thread.Sleep (1000);
```

```
    Console.WriteLine (thing);
    _countdown.Signal();
  }
```

CountdownEvent를 사용해서 효과적으로 풀 수 있는 문제 중에는 제23장에서 설명하는 **구조적 병렬성** 수단들(PLINQ와 Parallel 클래스)을 이용해서 좀 더 쉽게 풀 수 있는 것도 있다.

CountdownEvent의 횟수를 AddCount를 호출해서 다시 증가할 수 있다. 그러나 이미 횟수가 0이 된 상태에서 이 메서드를 호출하면 예외가 발생한다. 즉, 이미 설정된 CountdownEvent를 AddCount를 호출해서 설정되지 않은 상태로 만들 수는 없다. 예외 발생을 피하고 싶다면 AddCount 대신 TryAddCount를 호출해야 한다. 만일 이 메서드가 false를 돌려준다면 남은 신호 횟수가 이미 0에 도달한 것이다.

CountdownEvent 객체를 신호되지 않은 상태로 재설정하려면 Reset을 호출한다. 그러면 객체가 신호되지 않은 상태로 재설정될 뿐만 아니라 남은 신호 횟수도 원래 값으로 되돌아간다.

ManualResetEventSlim처럼 CountdownEvent도 WaitHandle 속성을 제공한다. WaitHandle 파생 형식의 객체를 요구하는 다른 클래스나 메서드가 있다면 이 속성을 사용하면 된다.

프로세스 간 EventWaitHandle 생성

EventWaitHandle 객체를 생성할 때 셋째 인수로 대기 핸들의 이름을 지정할 수 있으며, 그러면 대기 핸들을 여러 프로세스에 걸쳐서 사용할 수 있다. 대기 핸들 이름은 그냥 임의의 문자열이다. 그 이름이 의도치 않게 다른 누군가의 대기 핸들 이름과 겹칠 수도 있음을 주의해야 한다. 만일 현재 컴퓨터에서 이미 쓰이는 이름을 지정하면 생성자는 해당 대기 핸들의 참조를 돌려주고, 새로운 이름이면 운영체제가 새로 생성한 핸들을 돌려준다. 다음 예를 보자.

```
EventWaitHandle wh = new EventWaitHandle (false, EventResetMode.AutoReset,
                                          "MyCompany.MyApp.SomeName");
```

같은 컴퓨터에서 두 응용 프로그램이 이 코드를 실행하면, 이 이벤트 대기 핸들을 이용해서 서로 신호를 보낼 수 있다. 명명된 대기 핸들은 두 프로세스의 모든 스레드에 걸쳐서 작동한다.

대기 핸들과 연속

어떤 조건이 만족하길 기다렸다가 뭔가를 실행하려 할 때, 앞에서처럼 이벤트 대기 핸들을 기다리는(따라서 스레드가 차단되는) 대신 ThreadPool.RegisterWaitForSingleObject를 호출해서 '연속 작업'을 등록하는 방법도 있다. 호출 시 지정한 대리자는 이후 대기 핸들이 신호를 받으면 실행된다.

```
static ManualResetEvent _starter = new ManualResetEvent (false);

public static void Main()
{
  RegisteredWaitHandle reg = ThreadPool.RegisterWaitForSingleObject
   (_starter, Go, "어떤 자료", -1, true);
  Thread.Sleep (5000);
  Console.WriteLine ("일꾼에게 신호 중...");
  _starter.Set();
  Console.ReadLine();
  reg.Unregister (_starter);    // 다 마쳤으면 정리한다.
}

public static void Go (object data, bool timedOut)
{
  Console.WriteLine ("시작됨 - " + data);
  // 작업을 수행한다...
}
```

출력:

```
(5초 지연 후)
일꾼에게 신호 중...
시작됨 - 어떤 자료
```

대기 핸들이 신호되면(또는 시간이 만료되면), 스레드 풀에서 얻은 스레드에서 대리자가 실행된다. 그런 다음에는 Unregister를 호출해서, 콜백에 대한 비관리 핸들을 해제하는 것이 바람직하다.

RegisterWaitForSingleObject 메서드는 대기 핸들과 대리자 외에 하나의 '블랙박스' 객체를 받는다. 그 객체는 이후 대리자 메서드에 전달된다(ParameterizedThreadStart 대리자와 비슷한 방식이다). 이 메서드는 또한 밀리초 단위의 만료 시간(시간 만료 기능을 원하지 않으면 -1을 지정하면 된다)과 대리자를 한 번만 실행할 것인지 아니면 신호될 때마다 거듭 실행할 것인지를 결정하는 부울 플래그도 받는다.

대기 핸들을 작업 객체로 변환

그런데 실제 응용에서 ThreadPool.RegisterWaitForSingleObject를 직접 사용하려면 다소 어색한 상황을 만나게 된다. 보통은 Unregister를 콜백 메서드 자체에서 호출하고 싶겠지만, 그러려면 등록 토큰이 마련되길 기다리는 장치가 필요하다. 그런 이유로, 다음처럼 대기 핸들을 Task 객체로 변환해서 await를 적용하는 확장 메서드를 만들어서 사용하는 것이 바람직하다.

```
public static Task<bool> ToTask (this WaitHandle waitHandle,
                                 int timeout = -1)
{
  var tcs = new TaskCompletionSource<bool>();
  RegisteredWaitHandle token = null;
  var tokenReady = new ManualResetEventSlim();
  token = ThreadPool.RegisterWaitForSingleObject (
    waitHandle,
    (state, timedOut) =>
    {
      tokenReady.Wait();
      tokenReady.Dispose();
      token.Unregister (waitHandle);
      tcs.SetResult (!timedOut);
    },
    null,
    timeout,
    true);
  tokenReady.Set();
  return tcs.Task;
}
```

이런 메서드가 있으면, 대기 핸들에 연속 작업을 다음처럼 부착할 수 있다.

```
myWaitHandle.ToTask().ContinueWith (...)
```

또는 다음처럼 대기 핸들을 기다리거나,

```
await myWaitHandle.ToTask();
```

다음처럼 만료 시간을 지정할 수도 있다.

```
if (!await (myWaitHandle.ToTask (5000)))
  Console.WriteLine ("시간 만료");
```

ToTask 구현에 또 다른 대기 핸들(ManualResetEventSlim)이 쓰였음을 주목하기 바란다. 이것은 등록 토큰이 token 변수에 배정되기 전에 콜백이 실행되는 경쟁 조건을 피하기 위한 것이다.

WaitAny, WaitAll, SignalAndWait

WaitHandle 클래스에는 Set과 WaitOne, Reset 메서드 외에, 좀 더 복잡한 동기화 문제를 해결하는 데 도움이 되는 여러 정적 메서드가 있다. WaitAny, WaitAll,

SignalAndWait 메서드는 여러 개의 핸들에 대한 대기 연산과 신호 연산을 수행한다. 이 메서드들은 형식이 다른 대기 핸들들에 대해서도 작동한다. Mutex와 Semphore도 추상 WaitHandle 클래스를 상속하므로 이 메서드들의 적용 대상에 속한다. 그리고 ManualResetEventSlim과 CountdownEvent도 가능하다. 해당 객체의 WaitHandle 속성을 거치면 된다.

WaitAll과 SignalAndWait는 구식 COM 구조와 기묘하게 연계되어 있다. 이 메서드들은 반드시 호출자가 COM의 다중 스레드 아파트먼트(multithreaded apartment)에서 호출해야 한다. 그런데 다중 스레드 아파트먼트 모형은 상호운용성에는 몹시 나쁜 모형이다. 예를 들어 이 모형에서 WPF나 Windows Forms 응용 프로그램은 클립보드와 상호작용하지 못한다. 잠시 후에 이 두 메서드의 대안 몇 가지를 논의하겠다.

WaitHandle.WaitAny는 배열로 지정된 여러 대기 핸들 중 임의의 하나가 신호될 때까지만 기다리고, WaitHandle.WaitAll은 대기 핸들들이 모두 신호될 때까지 기다린다. 따라서, 예를 들어 두 AutoResetEvents를 기다린다고 할 때,

- WaitAny가 두 이벤트 모두 "빗장을 거는" 결과를 낼 수는 없으며,
- WaitAll이 두 이벤트 중 하나만 "빗장을 거는" 결과를 낼 수도 없다.

SignalAndWait는 한 WaitHandle에 대해 Set을 호출한 후 다른 WaitHandle에 대해 WaitOne을 호출한다. AutoResetEvent와 ManualResetEvent 모두 대기 핸들로 사용할 수 있다. 이 메서드는 첫 핸들에 신호를 전달한 후 둘째 핸들을 기다리는 대기열의 제일 앞자리로 건너뛴다. 따라서 그 핸들을 획득할 가능성이 높아진다(단, 이 연산이 진정으로 원자적인 것은 아니다). 이 메서드의 한 가지 용도는 두 스레드가 두 핸들을 시간상의 한 지점에 집결하게, 즉 "만나게" 하는 것이다. 그런 경우 두 스레드가 각자 핸들들의 순서를 반대로 해서 이 메서드를 호출한다. 즉, 첫 스레드는 다음과 같이 호출하고,

```
WaitHandle.SignalAndWait (wh1, wh2);
```

둘째 스레드는 다음과 같이 호출한다.

```
WaitHandle.SignalAndWait (wh2, wh1);
```

WaitAll과 SignalAndWait의 대안

단일 스레드 아파트먼트에서는 WaitAll과 SignalAndWait가 작동하지 않는다. 다행히 이들 대신 쓸 수 있는 수단들이 있다. 우선 SignalAndWait를 보면, 사실 이

메서드의 대기열 '새치기' 의미론이 실제로 필요한 경우는 드물다. 앞에서 본 스레드 집결 예의 경우 그냥 첫 스레드는 첫 대기 핸들에 대해 Set을 호출하고 둘째 스레드는 둘째 핸들에 대해 WaitOne을 호출하는 식으로 구현해도 된다(그 대기 핸들들이 전적으로 해당 스레드 집결에만 쓰인다고 할 때). 다음 절에서는 스레드 집결을 구현하는 또 다른 수단을 살펴볼 것이다.

WaitAll(그리고 WaitAny)로 넘어가서, 만일 원자성이 필요하지 않다면 이전 절의 예제에서처럼 대기 핸들을 작업 객체로 변환한 후 Task.WhenAny와 Task.WhenAll(제14장)을 적용하는 방법이 있다.

원자성이 필요하다면 저수준 신호 전달 접근방식을 취해서, Monitor의 Wait와 Pulse 메서드를 이용해서 대기 논리를 직접 작성해야 할 것이다. Wait와 Pulse 메서드에 대한 자세한 논의를 *http://albahari.com/threading/*에서 볼 수 있다.

Barrier 클래스

Barrier 클래스는 다수의 스레드가 시간상의 한 지점에서 집결하게 하는 **스레드 실행 장벽**(thread execution barrier)을 구현한다. 내부적으로 Wait와 Pulse, 그리고 회전 자물쇠(spinlock)를 사용하는 이 클래스는 아주 빠르고 효율적이다.

이 클래스의 사용법은 다음과 같다.

1. 먼저, 집결할 스레드 개수를 지정해서 Barrier 객체를 생성한다(이 개수를 나중에 AddParticipants/RemoveParticipants로 변경할 수도 있다).
2. 각 스레드에서 그 Barrier 객체에 대해 SignalAndWait를 호출한다(집결할 때가 되었을 때).

3을 인수로 해서 Barrier 객체를 생성하면, 한 스레드의 SignalAndWait 호출은 다른 두 스레드가 SignalAndWait를 호출할 때까지, 즉 전체적인 호출 횟수가 3이 될 때까지 차단된다. 일단 차단이 풀리면 횟수는 다시 0으로 초기화된다. 즉, 이 메서드를 다시 호출하면 전체적으로 3회 호출될 때까지 차단된다. 모든 스레드가 이런 식으로 이 메서드를 호출한다면, 각 스레드가 다른 모든 스레드와 "발을 맞추어" 작업을 진행하는 효과가 생긴다.

한 예로, 다음 프로그램은 세 스레드가 각자 다른 스레드들과 발을 맞추어서 0에서 4까지의 숫자를 출력한다.

```
static Barrier _barrier = new Barrier (3);

static void Main()
{
  new Thread (Speak).Start();
  new Thread (Speak).Start();
  new Thread (Speak).Start();
}

static void Speak()
{
  for (int i = 0; i < 5; i++)
  {
    Console.Write (i + " ");
    _barrier.SignalAndWait();
  }
}
```

출력:

```
0 0 0 1 1 1 2 2 2 3 3 3 4 4 4
```

Barrier의 진정으로 유용한 특징은, 객체를 생성할 때 **페이즈 후 동작**(post-phase action)을 지정할 수 있다는 것이다. 페이즈 후 동작은 SignalAndWait가 *n*번 호출된 후에, 그러나 스레드들의 차단이 아직 풀리기 전에(그림 22-3의 회색 영역) 실행되는 대리자이다. 앞의 예에서 만일 스레드 실행 장벽을 다음과 같이 생성한다면,

```
static Barrier _barrier = new Barrier (3, barrier => Console.WriteLine());
```

출력이 다음과 같이 바뀔 것이다.

```
0 0 0
1 1 1
2 2 2
3 3 3
4 4 4
```

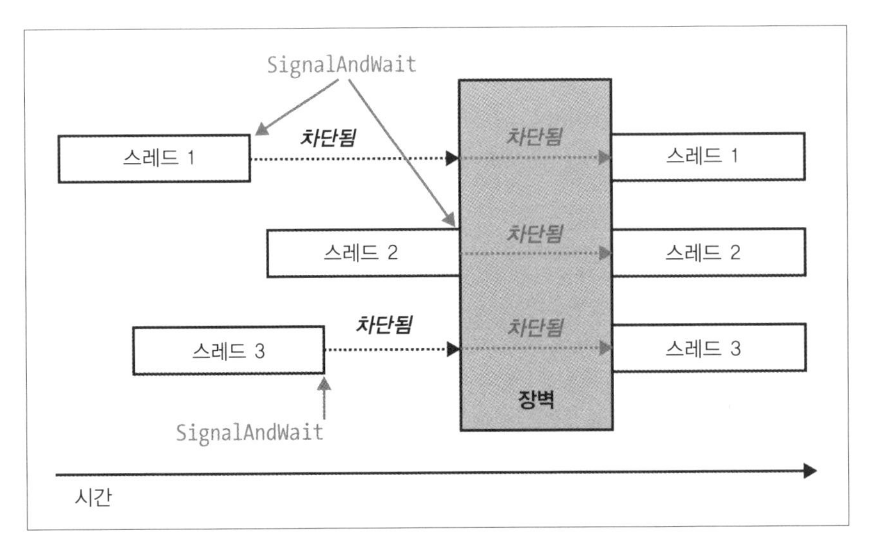

그림 22-3 Barrier 클래스

페이즈 후 동작은 예를 들어 각 일꾼 스레드가 산출한 자료를 하나로 합치려 할 때 유용하다. 이 동작이 수행되는 동안에는 모든 일꾼 스레드가 여전히 차단된 상태이므로, 스레드 선점을 걱정할 필요가 없다.

게으른 초기화

다중 스레드를 적용할 때에는 공유 필드의 '게으른 초기화(lazy initialization)'를 스레드에 안전한 방식으로 수행하는 문제를 흔히 만나게 된다. 필드의 게으른 초기화란 해당 필드가 실제로 필요해질 때까지 초기화를 미루는 것을 말한다(그래서 '초기화 지연'이라고 부르기도 한다). 생성 비용이 높은 형식의 필드에서는 이러한 게으른 초기화가 필요하다. 다음 예를 보자.

```
class Foo
{
  public readonly Expensive Expensive = new Expensive();
  ...
}
class Expensive {  /* 생성 비용이 높은 클래스라고 가정 */  }
```

이 코드의 문제는, Foo 객체를 생성하면 자동으로 값비싼 Expensive 객체가 생성되며, Expensive 필드가 실제로 접근되지 않는다고 해도 그 생성 비용을 물어야 한다는 것이다. 이에 대한 자명한 해결책은 다음처럼 해당 인스턴스를 **요구에 따라** 생성하는 것이다.

```
class Foo
{
  Expensive _expensive;
  public Expensive Expensive         // Expensive를 게으르게 초기화한다.
  {
    get
    {
      if (_expensive == null) _expensive = new Expensive();
      return _expensive;
    }
  }
  ...
}
```

그런데 문제는, 이것이 "스레드에 안전한가?"이다. 잠금 바깥에서 메모리 장벽 없이 _expensive에 접근한다는 점은 일단 차치하고, 두 스레드가 이 속성에 동시에 접근하면 어떤 일이 생기는지 생각해 보자. 두 스레드 모두 if 문의 조건을 만족할 것이며, 따라서 각 스레드는 Expensive의 서로 다른 인스턴스를 얻게 된다. 그러면 미묘한 오류들이 발생할 것이며, 따라서 일반적으로 이 코드는 스레드에 안전하지 않다고 말할 수 있다.

이 문제의 해결책은 객체의 점검과 초기화 코드를 자물쇠로 감싸는 것이다.

```
Expensive _expensive;
readonly object _expenseLock = new object();

public Expensive Expensive
{
  get
  {
    lock (_expenseLock)
    {
      if (_expensive == null) _expensive = new Expensive();
      return _expensive;
    }
  }
}
```

Lazy<T> 클래스

.NET Framework 4.0에는 게으른 초기화를 돕는 Lazy<T>라는 클래스가 도입되었다. 생성 시 true를 지정하면, 방금 설명한 스레드 안전 초기화 패턴을 사용하는 게으른 초기화 객체가 만들어진다.

Lazy<T>는 사실 이 패턴을 세밀하게 최적화한, **이중 점검 잠금**(double-checked locking) 패턴을 구현한다. 이중 점검 잠금에서는 객체가 이미 초기화되었을 때 자물쇠를 획득하는 비용을 피하기 위해 추가적으로 volatile 변수를 점검한다.

Lazy<T>의 사용법은 간단하다. 새 값을 초기화하는 방법을 알려주는 값 팩토리 대리자와 true를 지정해서 Lazy<T> 객체를 생성하고, 게으른 초기화를 적용할 속성의 구현에서 Lazy<T> 객체의 Value 속성을 사용하면 된다.

```
Lazy<Expensive> _expensive = new Lazy<Expensive>
  (() => new Expensive(), true);

public Expensive Expensive { get { return _expensive.Value; } }
```

Lazy<T> 생성자의 둘째 인수에 false를 지정하면 이번 절의 시작에서 말한 스레드에 안전하지 않은 게으른 초기화 패턴이 적용된다. Lazy<T>를 단일 스레드 문맥에서 사용하는 경우라면 그렇게 하는 것이 합당하다.

LazyInitializer 클래스

LazyInitializer는 다음 두 가지만 제외하면 Lazy<T>와 정확히 동일하게 작동하는 정적 클래스이다.

- 독자가 원하는 형식의 필드에 직접 작용하는 정적 메서드를 통해서 게으른 초기화 기능을 제공한다.
- 여러 스레드가 초기화를 두고 경쟁할 수 있는 또 다른 초기화 모드를 제공한다.

LazyInitializer를 사용할 때에는 필드에 접근하기 전에 EnsureInitialized를 호출해야 한다. 이때 필드에 대한 참조와 팩토리 대리자를 지정한다.

```
Expensive _expensive;
public Expensive Expensive
{
  get          // 이중 점검 잠금을 구현한다.
  {
    LazyInitializer.EnsureInitialized (ref _expensive,
                                      () => new Expensive());
    return _expensive;
  }
}
```

생성 시 또 다른 인수를 지정해서, 여러 스레드가 초기화를 두고 **경쟁**(race)하게 만들 수도 있다. 이는 이번 절 처음의 스레드 비안전 예와 비슷해 보이지만, 값을 제일 먼저 초기화한 스레드가 항상 승리한다는 점이 다르다. 결과적으로 모든 스레드가 동일한 하나의 인스턴스를 가지게 된다. 이 기법의 장점은 이중 점검 잠금보다도 빠르다는 것이다(다중 코어 환경에서). 이는 이 기법이 이번 장의 '비차단 동기화'와 웹의 "Lazy Initialization"(*http://albahari.com/threading/*)에서 이야기하는 고급 기법을 이용해서 자물쇠를 전혀 쓰지 않고 스레드들을 관리하기 때문이다. 이러한 극단적인(그리고 필요한 경우가 드문) 최적화에는 다음과 같은 대가가 따른다.

- 코어 수보다 많은 스레드가 경쟁할 때에는 다른 기법보다 더 느리다.
- 초기화를 중복해서 수행하느라 CPU 자원을 낭비할 여지가 있다.
- 초기화 논리가 반드시 스레드에 안전해야 한다(지금 예에서는, 예를 들어 만일 `Expensive`의 생성자가 정적 필드를 수정한다면 스레드에 안전하지 않게 된다).
- 초기치 절에서 나중에(다 사용한 후에) 처분이 필요한 어떤 객체가 생성되는 경우, 추가적인 처리를 해주지 않는 한 그 객체는 다 사용된 후에도 처분되지 않는다.

스레드 지역 저장소

지금까지는 주로 동기화 수단들에, 그리고 여러 스레드가 같은 자료에 동시에 접근할 때 생기는 문제점에 초점을 두었다. 그러나 스레드마다 개별적인 복사본을 두어서 각자 다른 자료를 사용하게 하고 싶을 때도 있다. 지역 변수로도 그런 효과를 낼 수 있지만, 지역 변수는 오직 일시적인 자료에만 유용하다는 문제가 있다.

이에 대한 해결책은 **스레드 지역 저장소**(thread-local storage)를 사용하는 것이다. 그런데 스레드 지역 저장소에는 어떤 자료를 담아야 할까? 일반적으로, 각 스레드가 따로 가져야 할 자료는 대체로 일시적인 성격의 자료인 경우가 많다. 그런 자료는 지역 변수에 담으면 그만이다. 스레드 지역 저장소는 주로 '대역 밖(out-of-band)' 자료를 담는 데 쓰인다. 대역 밖 자료란 실행 경로의 기반구조를 지지하는 데 쓰이는 자료로, 이를테면 메시징이나 트랜잭션, 보안 토큰을 위한 자료가 이에 속한다. 그런 자료를 메서드 매개변수 형태로 전달하려면 메서드 서명이 복잡해져서 코드가 지저분해진다. 이는 요즘 인기 있는 코딩 방식이 아니다. 한편, 그런 자료를 보통의 정적 필드들에 저장한다면 모든 스레드가 공유하게 되므로 원래의 의도에서 벗어난다.

> ✓ 스레드 지역 저장소는 병렬 코드의 최적화에도 유용할 수 있다. 스레드 비안전 객체의 개별 복사본을 각 스레드의 스레드 지역 저장소에 담아 두면, 결과적으로 모든 스레드가 자물쇠 없이도 그 객체에 독점적으로 접근하는 결과가 된다. 또한 메서드 호출들 사이에서 객체를 재구축할 필요도 없다.
> 그러나 이러한 기법은 비동기 코드와는 잘 맞지 않는다. 연속 작업이 이전의 스레드와는 다른 스레드에서 실행될 수도 있기 때문이다.

스레드 지역 저장소를 마련하는 방법은 크게 세 가지이다.

[ThreadStatic] 특성

스레드 지역 저장소를 마련하는 가장 쉬운 방법은 정적 필드에 [ThreadStatic] 특성을 지정하는 것이다.

```
[ThreadStatic] static int _x;
```

이렇게 하면 각 스레드가 _x의 개별적인 복사본을 보게 된다.

안타깝게도 인스턴스 필드에는 [ThreadStatic]이 통하지 않는다(지정해도 그냥 아무 일도 하지 않는다). 또한, 이 특성은 필드 초기치와도 잘 맞지 않는다. 필드 초기치 절은 정적 생성자가 호출될 때 실행 중이던 스레드에서 단 **한 번만** 실행된다. 인스턴스 필드를 사용해야 한다면, 또는 정적 필드를 기본값 이외의 값으로 초기화고 싶다면, ThreadLocal<T>가 더 나은 선택이다.

ThreadLocal<T> 클래스

ThreadLocal<T>는 .NET Framework에 새로 추가된 클래스이다. 이 클래스를 이용하면 정적 필드뿐만 아니라 인스턴스 필드도 스레드 지역 저장소에 저장할 수 있으며, 또한 필드의 초기치를 임의로 지정할 수 있다.

다음은 세 개의 스레드 각각에 초기 값이 3인 ThreadLocal<int> 객체를 생성하는 예이다.

```
static ThreadLocal<int> _x = new ThreadLocal<int> (() => 3);
```

이제부터 각 스레드는 _x의 Value 속성에 자신만의 스레드 지역 정수 값을 저장할 수 있다. ThreadLocal을 사용하면 해당 값이 게으르게 평가된다는 장점도 생긴다. 생성 시 지정한 팩토리 함수는 첫 접근 시 실행된다(스레드마다 따로).

ThreadLocal⟨T⟩와 인스턴스 필드

ThreadLocal<T>는 인스턴스 필드와 갈무리된 지역 변수에도 유용하다. 예를 들어 다중 스레드 환경에서 난수를 발생하는 문제를 생각해 보자. Random 클래스는 스레드에 안전하지 않으므로, Random 객체를 사용하는 코드를 일일이 자물쇠로 감싸거나(그러면 동시성이 제한된다), 아니면 스레드마다 개별적인 Random 객체를 두어야 한다. ThreadLocal<T>를 이용하면 후자가 좀 더 쉬워진다.

```
var localRandom = new ThreadLocal<Random>(() => new Random());
Console.WriteLine (localRandom.Value.Next());
```

그런데 Random 객체를 생성하는 팩토리 함수를 이 예제보다는 좀 더 정교하게 만들 필요가 있다. Random의 매개변수 없는 생성자는 시스템 클록을 이용해서 난수 종잣값을 결정하기 때문에, 만일 두 Random이 ~10ms 이내로 연달아 생성되면 둘의 종잣값이 같을 수도 있다. 다음은 이를 해결하는 한 방법을 보여준다.

```
var localRandom = new ThreadLocal<Random>
 ( () => new Random (Guid.NewGuid().GetHashCode()) );
```

이 코드는 다음 장의 PLINQ를 이용한 병렬적인 철자 점검 예제에 다시 등장한다.

GetData와 SetData

스레드 지역 저장소를 마련하는 세 번째 접근방식은 Thread 클래스의 두 메서드 GetData와 SetData를 사용하는 것이다. 이 메서드들은 각 스레드에 고유한 '슬롯slot' 들을 자료 저장소로 사용한다. Thread.GetData는 스레드 고유의 자료 저장소에서 자료를 조회하고, Thread.SetData는 거기에 자료를 기록한다. 두 메서드 모두, 자료 저장소의 특정 슬롯을 지정하는 LocalDataStoreSlot 객체를 받는다. 하나의 슬롯 객체를 모든 스레드에서 사용할 수 있다. 같은 슬롯이라고 해도 실제 저장 위치는 스레드마다 다르므로 각자 다른 값을 유지한다. 다음 예를 보자.

```
class Test
{
  // 같은 LocalDataStoreSlot 객체를 모든 스레드에서 사용할 수 있다.
  LocalDataStoreSlot _secSlot = Thread.GetNamedDataSlot ("securityLevel");

  // 이 속성은 스레드마다 개별적인 값을 가진다.
  int SecurityLevel
  {
    get
```

```
    {
      object data = Thread.GetData (_secSlot);
      return data == null ? 0 : (int) data;    // null이면 아직 초기화되지
                                               // 않은 것이다.
    }
    set { Thread.SetData (_secSlot, value); }
  }
  ...
```

이 예제는 Thread.GetNamedDataSlot을 호출해서 명명된 슬롯을 생성한다. 이처럼 슬롯에 이름을 붙이면 응용 프로그램 전반에서 슬롯을 공유할 수 있다. 슬롯을 특정 범위로 제한해서 독자가 직접 관리하려는 경우에는 Thread.AllocateDataSlot을 호출해서 이름 없는 슬롯을 얻으면 된다.

```
class Test
{
  LocalDataStoreSlot _secSlot = Thread.AllocateDataSlot();
  ...
```

명명된 슬롯에 대해 Thread.FreeNamedDataSlot을 호출하면 그 슬롯은 모든 스레드에서 해제 대상이 된다. 그 LocalDataStoreSlot 객체에 대한 모든 참조가 범위를 벗어나면, 그래서 쓰레기 수거기가 거둬 가면, 슬롯이 실제로 해제된다. 다른 말로 하면, 다른 모든 스레드가 슬롯을 버린다고 해도, 슬롯을 더 사용하고자 하는 스레드는 얼마든지 슬롯을 유지할 수 있다(해당 LocalDataStoreSlot 객체에 대한 참조를 유지하면 된다).

Interrupt 메서드와 Abort 메서드

Interrupt 메서드와 Abort 메서드는 다른 스레드에 대해 선점적으로 작동한다. Interrupt는 사실상 쓸모가 없지만, Abort는 나름의 용도가 있다.

Interrupt는 대기 중인 스레드의 차단을 강제로 풀고 그 스레드에 ThreadInterruptedException을 던진다. 차단되지 않은 스레드에 대해 이 메서드를 호출하면, 다음번에 스레드가 차단될 때 ThreadInterruptedException을 던진다. 그러나 Interrupt로 풀 수 있는 문제는 신호 전달 수단과 취소 토큰으로(또는 Abort 메서드로) 더 잘 풀 수 있기 때문에, Interrupt는 사실상 쓸모가 없다. 게다가, 애초에 이 메서드는 위험하다. 코드의 어느 지점에서 스레드의 차단이 강제로 풀릴지 확신할 수 없기 때문이다(이를테면 .NET Framework 내부에서 차단이 풀릴 수도 있다).

Abort는 다른 스레드를 강제로 끝내려 한다. 이 메서드는 스레드의 현재 실행 지점에서 즉시 ThreadAbortException이 던져지게 만든다(단, 비관리 코드는 제외). ThreadAbortException 예외의 한 가지 특징은, 이 예외를 잡을 수는 있지만, 해당 catch 블록 안에서 Thread.ResetAbort를 호출하지 않으면 그 블록의 끝에서 다시 던져진다는(스레드를 확실히 종료하기 위해) 점이다. (그리고 그 사이에서 스레드의 상태(ThreadState)는 '스레드 종료가 요청되었음'을 뜻하는 AbortRequested이다.)

예외를 처리하지 않아도 응용 프로그램이 종료되지 않는 예외 형식은 딱 두 가지인데, 그중 하나가 ThreadAbortException이다(다른 하나는 AppDomainUnloadException).

응용 프로그램 도메인의 무결성이 깨지지 않으려면 스레드 실행 취소(종료) 시 모든 finally 블록이 제대로 실행되어야 하며, 정적 생성자가 실행 도중에 종료되는 일도 없어야 한다. Abort는 이러한 규칙을 모두 지킨다. 그래도 Abort가 범용적인 취소 수단으로 적합한 것은 아니다. 종료된 스레드가 문제를 일으켜서 응용 프로그램 도메인을(또는, 심지어 프로세스를) 오염시킬 여지가 여전히 존재하기 때문이다. 예를 들어 어떤 형식의 인스턴스 생성자에서 비관리 자원(이를테면 파일 핸들)을 얻으며, 그것을 Dispose 메서드에서 해제한다고 하자. 만일 그 생성자의 실행이 완료되기 전에 스레드의 실행이 취소되면 객체가 완성되지 못한다. 부분적으로만 생성된 객체는 처분될 수 없으며, 따라서 비관리 자원의 누수가 일어난다. (종료자가 있다면 실행되겠지만, 그 실행시점은 나중에 쓰레기 수거기가 작동할 때이다.) 이러한 취약점은 FileStream을 비롯한 기본 .NET Framework 형식들에 적용되기 때문에, Abort를 안전하게 사용할 수 있는 상황은 아주 적다. .NET Framework 코드의 실행을 취소하는 것이 안전하지 않은 이유를 웹의 글 "Aborting Threads(*http://www.albahari.com/threading/*)"에서 좀 더 자세히 논의하니 참고하기 바란다.

Abort를 완전히 대체하는 대안은 없지만, 잠재적인 피해를 대부분 덜어내는 방법은 있다. 바로, 스레드를 다른 응용 프로그램 도메인에서 실행하고, 만일 어떠한 이유로 그 스레드의 실행을 취소했다면 해당 응용 프로그램 도메인을 다시 생성하는 것이다(사용자가 질의를 취소했을 때 LINQPad가 하는 일이 바로 이것이다). 응용 프로그램 도메인은 제24장에서 논의한다.

일부러 문제가 될 만한 지점에서 호출하는 것이 아닌 한, 스레드가 자신에 대해 Abort를 호출하는 것은 완전히 유효하고 안전하다. 각 catch 블록의 끝에서 예외가 다시 던져지게 하고 싶을 때 이러한 기법이 유용한 경우가 종종 있다. 실제로, Redirect 호출 시 ASP.NET이 이 기법을 사용한다.

Suspend 메서드와 Resume 메서드

Suspend와 Resume은 다른 스레드의 실행을 일시적으로 멈추거나 재개한다. 전자를 스레드를 "얼린다(freeze)", 후자를 "녹인다(unfreeze)"라고 표현하기도 한다. 언 스레드는 겉으로 보기에는 호출이 차단된 경우와 다를 바 없지만, 적어도 ThreadState 속성을 놓고 보면 일시 정지는 차단과 다른 어떤 상태이다. Interrupt처럼, Suspend와 Resume은 사실상 쓸모가 없고 잠재적으로 위험하다. 만일 자물쇠를 가진 스레드에 대해 Suspend를 호출하면 다른 모든 스레드는 그 자물쇠를 얻을 수 없다. 게다가 언 스레드가 자신을 녹이지는 못한다. 따라서 프로그램이 교착 상태에 빠질 수 있다. 그래서 Suspend와 Resume은 .NET Framework 2.0에서 폐기 예정으로 분류되었다.

그러나 다른 스레드의 스택 추적 정보를 얻으려면 그 스레드를 일시 정지시키는 수밖에 없다. 스택 추적 정보(stack trace)는 종종 진단에 유용하며, 다음과 같이 얻을 수 있다.

```
StackTrace stackTrace;   // System.Diagnostics
targetThread.Suspend();
try { stackTrace = new StackTrace (targetThread, true); }
finally { targetThread.Resume(); }
```

안타깝게도 이 코드는 교착을 일으킬 수 있다. 스택 추적 정보를 얻는 과정에서 반영 기능이 쓰이는데, 그때 자물쇠를 잠그고 푸는 과정이 일어나기 때문이다. 한 가지 해결책은 이 스레드가 이를테면 200ms 이후에도 일시 정지 상태이면(그러면 교착 상태에 빠졌다고 가정할 수 있다) 다른 스레드에서 Resume을 호출하게 하는 것이다. 물론 그렇게 하면 스택 추적 정보가 무효화되겠지만, 그래도 응용 프로그램이 교착 상태에 빠지는 것보다는 무한대로 낫다.

```
StackTrace stackTrace = null;
var ready = new ManualResetEventSlim();

new Thread (() =>
```

```
{
  // 교착 시 스레드의 차단을 풀기 위한 안전장치
  ready.Set();
  Thread.Sleep (200);
  try { targetThread.Resume(); } catch { }
}).Start();

ready.Wait();
targetThread.Suspend();
try { stackTrace = new StackTrace (targetThread, true); }
catch { /* 교착 */ }
finally
{
  try { targetThread.Resume(); }
  catch { stackTrace = null;  /* 교착 */  }
}
```

타이머

어떤 메서드를 일정 간격으로 거듭 실행하는 가장 쉬운 방법은 타이머를 사용하는 것이다. 다음과 같은 기법에 비해 타이머는 사용하기 편할 뿐만 아니라 메모리와 자원 사용도 효율적이다.

```
new Thread (delegate() {
                         while (enabled)
                         {
                           DoSomeAction();
                           Thread.Sleep (TimeSpan.FromHours (24));
                         }
                       }).Start();
```

이런 코드는 스레드 자원을 영구히 묶어 둘 뿐만 아니라, 추가적인 처리가 없는 한 DoSomeAction의 실행시점이 매일 조금씩 늦어진다. 타이머는 이런 문제점들을 모두 해결한다.

.NET Framework는 네 종류의 타이머를 제공한다. 이 중 다음 둘은 범용 다중 스레드 타이머이다.

- System.Threading.Timer
- System.Timers.Timer

나머지 둘은 특별한 용도로만 쓰이는 단일 스레드 타이머이다.

- System.Windows.Forms.Timer (Windows Forms 타이머)
- System.Windows.Threading.DispatcherTimer (WPF 티이머)

범용 다중 스레드 타이머들이 더 강력하고, 정확하고, 유연하다. 단일 스레드 타이머는 Windows Forms 컨트롤이나 WPF 요소들을 갱신하는 간단한 작업을 실행할 때 좀 더 안전하고 편리하다.

다중 스레드 타이머

두 다중 스레드 타이머 중 System.Threading.Timer가 더 간단하다. 이 클래스에는 생성자 하나와 메서드 두 개밖에 없다(이 책의 저자들 같은 미니멀리스트들이 좋아할 클래스이다). 다음 예제는 타이머를 이용해서 Tick 메서드를 5초 후에 한 번 호출한 후 1초마다 한 번씩 호출한다. 호출된 Tick 메서드는 매번 "tick..."을 출력한다. 사용자가 Enter 키를 누르면 반복 호출이 끝난다.

```
using System;
using System.Threading;

class Program
{
  static void Main()
  {
    // 첫 간격은 5000ms; 이후 간격들은 1000ms.
    Timer tmr = new Timer (Tick, "tick...", 5000, 1000);
    Console.ReadLine();
    tmr.Dispose();          // 타이머를 중지하고 자원들이 정리한다.
  }

  static void Tick (object data)
  {
    // 이 코드는 풀 스레드에서 실행된다.
    Console.WriteLine (data);          // "tick..."을 출력한다.
  }
}
```

> ✓ 다중 스레드 타이머의 처분에 관해서는 제12장의 '타이머(p.641)'를 보라.

타이머 객체를 생성한 후에 타이머 발동 간격을 변경하고 싶으면 Change 메서드를 호출하면 된다. 타이머가 한 번만 발동되게 하려면 생성자의 마지막 매개변수에 Timeout.Infinite를 지정하면 된다.

.NET Framework의 System.Timers 이름공간에도 같은 이름(Timer)의 타이머 클래스가 있다. 이 클래스는 그냥 System.Threading.Timer를 감싸고 추가적인 편의 수단을 제공하는 클래스로, 내부 타이머 엔진은 동일하다. 다음은 이 클래스가 제공하는 추가 기능이다.

- IComponent를 구현하므로 Visual Studio 디자이너의 구성요소 모음에 둘 수 있다.
- Change 메서드 대신 Interval 속성을 이용해서 발동 간격을 변경할 수 있다.
- 콜백 대리자 대신 Elapsed라는 이벤트를 사용한다.
- Enabled 속성을 이용해서 타이머를 시작하거나 중지할 수 있다(이 속성의 기본 값은 중지 상태에 해당하는 false이다).
- Enabled 속성이 헷갈린다면 Start 메서드와 Stop 메서드를 사용해도 된다.
- 이벤트 반복 여부를 AutoReset 플래그로 지정할 수 있다(기본값은 true).
- Invoke 메서드와 BeginInvoke 메서드를 가진 객체를 돌려주는 Synchronizing Object 속성이 있다. 그 객체를 이용해서 WPF 요소나 Windows Forms 컨트롤의 메서드를 안전하게 호출할 수 있다.

다음은 이 타이머의 사용 예이다.

```
using System;
using System.Timers;   // 이름공간이 Threading이 아니라 Timers임을 주의

class SystemTimer
{
  static void Main()
  {
    Timer tmr = new Timer();       // 아무 인수 없이 생성자를 호출할 수 있다.
    tmr.Interval = 500;
    tmr.Elapsed += tmr_Elapsed;    // 대리자 대신 이벤트를 사용한다.
    tmr.Start();                   // 타이머를 시작한다.
    Console.ReadLine();
    tmr.Stop();                    // 타이머를 중지한다.
    Console.ReadLine();
    tmr.Start();                   // 타이머를 다시 시작한다.
    Console.ReadLine();
    tmr.Dispose();                 // 타이머를 완전히 중지한다.
  }

  static void tmr_Elapsed (object sender, EventArgs e)
  {
    Console.WriteLine ("Tick");
  }
}
```

다수의 타이머를 그보다 적은 수의 스레드로 돌리기 위해 다중 스레드 타이머 클래스들은 스레드 풀을 사용한다. 이는 콜백 메서드나 Elapsed 이벤트가 매번 다른 스레드에서 호출될 수 있음을 뜻한다. 더 나아가서, Elapsed 이벤트는 이전 Elapsed 이벤트 처리부의 실행 종료 여부와는 무관하게 항상 (근사적으로) 제 시

간에 발동한다. 따라서 콜백 메서드나 이벤트 처리부는 반드시 스레드에 안전해야 한다.

다중 스레드 타이머의 정밀도(해상도)는 운영체제에 따라 다른데, 대체로 10~20ms 범위이다. 더 정밀한 타이머가 필요하다면 네이티브 상호운용 기능을 이용해서 Windows의 멀티미디어 타이머를 사용할 수도 있다. 이 타이머의 정밀도는 1ms까지 내려가며, 관련 함수들은 *winmm.dll*에 정의되어 있다. 우선 `timeBeginPeriod`를 호출해서 고정밀 타이머가 필요함을 운영체제에게 알리고, 그런 다음 `timeSetEvent`를 호출해서 하나의 멀티미디어 타이머를 시작하면 된다.

타이머를 다 사용한 후에는 `timeKillEvent`를 호출해서 타이머를 멈추고, `timeEndPeriod`를 호출해서 운영체제에게 고정밀 타이머가 더 이상 필요하지 않음을 알려 준다. 제25장에 P/Invoke를 이용해서 외부 메서드를 호출하는 방법이 나온다. *dllimport winmm.dll timesetevent* 같은 키워드로 웹을 검색해 보면 멀티미디어 타이머 사용법에 관한 자료를 찾을 수 있다.†

단일 스레드 타이머

.NET Framework는 WPF와 Windows Forms 응용 프로그램을 위한 타이머 두 가지를 제공한다. 이들은 스레드 안전성 문제를 피하도록 설계되었다.

- `System.Windows.Threading.DispatcherTimer` (WPF)
- `System.Windows.Forms.Timer` (Windows Forms)

> ❗ 이 단일 스레드 타이머들은 해당 환경에서만 사용하도록 만들어진 것이다. 예를 들어 Windows Forms용 타이머를 Windows Service 응용 프로그램에서 사용하면 `Timer` 이벤트가 발동하지 않는다.

둘 다 `System.Timers.Timer`처럼 `Interval`, `Start`, `Stop` 같은 멤버들을 제공한다(또한, `Tick`이라는 멤버도 있는데, 이는 `Elapsed`에 해당한다). 그리고 둘 다 사용법도 `System.Timers.Timer`와 비슷하다. 그러나 내부 작동 방식은 다르다. 이들

† (옮긴이) 멀티미디어 타이머보다 더 정밀한 타이머도 있다. Windows의 성능 카운터를 이용하는 고해상도 타이머는 해상도가 1μs(마이크로초) 미만이다. 웹에서 *QueryPerformanceCounter*를 검색하면 관련 자료를 얻을 수 있다.

은 스레드 풀에서 가져온 스레드에서 타이머 이벤트를 발동하지 않는다. 대신 이벤트를 WPF나 Windows Forms 메시지 루프에 추가한다. 따라서 Tick 이벤트는 항상 애초에 타이머를 생성했던 그 스레드에서 발동한다. 보통의 응용 프로그램에서 그 스레드는 곧 모든 UI 요소들과 컨트롤들을 관리하는 데 쓰이는 스레드이다. 이런 방식에는 다음과 같은 여러 장점이 있다.

- 스레드 안전성 문제를 고민할 필요가 없다.
- 이전 Tick 이벤트의 처리가 끝나지 않으면 새 Tick 이벤트가 발동하지 않는다.
- Tick 이벤트 처리부에서 직접 UI 요소들과 컨트롤들을 갱신해도 된다. Control.BeginInvoke나 Dispatcher.BeginInvoke를 호출할 필요가 없다.

따라서, 이 타이머들을 사용하는 응용 프로그램은 사실 다중 스레드 프로그램이 아니다. UI 스레드에서 실행되는 비동기 함수들을 이용해서 제14장에서 설명한 것과 같은 종류의 유사동시성(pseudoconcurrency)을 실현하는 것일 뿐이다. 이러한 구조에서는 모든 타이머가 하나의 스레드에서 돌아가며, UI 이벤트들의 처리도 그 스레드에서 일어난다. 따라서 Tick 이벤트 처리부는 실행이 빨리 끝나야 마땅하다. 그렇지 않으면 UI의 반응성이 떨어진다.

이러한 이유로, WPF와 Windows Forms 타이머는 UI의 일부 측면(이를테면 시계나 카운트다운 표시)을 갱신하는 등의 작은 일에 적합하다.

정밀도 면에서 단일 스레드 타이머들은 다중 스레드 타이머들과 비슷하다(정밀도가 수십 밀리초 수준이다). 그러나 다른 UI 요청(또는 다른 타이머 이벤트)들을 처리하느라 타이머 이벤트 처리가 지연되기도 하기 때문에, **정확도**는 대체로 다중 스레드 타이머들보다 떨어진다.

23장

C# 6.0 in a Nutshell

병렬 프로그래밍

이번 장에서는 다중 코어 프로세서의 활용을 목적으로 하는 다음과 같은 다중 스레드 API들과 구축 요소들을 살펴본다.

- *PLINQ*(Parallel LINQ; 병렬 LINQ)
- `Parallel` 클래스
- 작업 병렬성 구축 요소
- 동시적 컬렉션(concurrent collection)

이들은 모두 .NET Framework 4.0에서 도입되었다. 이들을 통틀어 PFX(Parallel Framework; 병렬 프레임워크)라고 부르기도 한다. 그리고 `Parallel` 클래스와 작업 병렬성 요소들을 합해서 *TPL*(Task Parallel Library; 작업 병렬 라이브러리)이라고 부른다.

이번 장을 이해하려면 제14장에서 말한 기본 개념들에 익숙해야 한다. 특히 잠금, 스레드 안전성, `Task` 클래스를 숙지할 필요가 있다.

PFX가 왜 필요한가?

지난 10여 년 사이에 CPU 제조사들은 단일 코어 프로세서에서 다중 코어 프로세서로 초점을 옮겼다. 우리 같은 프로그래머들에게는 안 된 일이지만, 이 때문에 예전처럼 그냥 CPU가 빨라지면 단일 스레드 코드도 저절로 빨라지는 현상은 더 이상 기대할 수 없게 되었다. 이제는, 성능 향상을 위해서는 여러 개의 코어^core^를 제대로 활용해야 한다.

서버 응용 프로그램들은 대부분 각 클라이언트 요청을 개별 스레드에서 처리하는 형태이므로 여러 코어를 활용하는 것이 어렵지 않다. 그러나 데스크톱 응용 프로그램은 그렇지 않다. 데스크톱 응용 프로그램에서 다중 코어를 활용하려면, 프로그램 중 처리량이 많은 코드의 구조를 다음과 같은 형태로 개선해야 한다.

1. 처리할 일거리를 더 작은 덩어리들로 **분할**(partitioning)한다.
2. 각 덩어리를 다중 스레드 기법을 이용해서 병렬로 처리한다.
3. 처리가 끝난 스레드들의 결과를 스레드에 안전한, 그리고 성능 효율적인 방식으로 **취합**(collating)한다.

이러한 개선을 고전적인 다중 스레드 적용 수단들을 이용해서 독자가 직접 수행할 수도 있지만, 그리 쉬운 일은 아니다. 특히 분할과 취합 단계가 까다롭다. 게다가 다수의 스레드가 같은 자료를 동시에 다루는 경우, 스레드 안전성 확보에 흔히 쓰이는 잠금 전략들을 그대로 적용하면 경합이 심해져서 성능이 떨어진다.

PFX 라이브러리들은 바로 이러한 상황에 도움이 되도록 설계되었다.

다중 코어 또는 다중 프로세서를 활용하는 프로그래밍을 **병렬 프로그래밍**(parallel programming)이라고 부른다. 병렬 프로그래밍은 그보다 더 넓은 개념인 다중 스레드 적용(multithreading)의 일부이다.

PFX의 개념들

일거리(work)를 여러 스레드로 분할하는 전략은 크게 두 가지이다. 하나는 **자료 병렬성**(data parallelism)을 실현하는 것이고 또 하나는 **작업 병렬성**(task parallelism)을 실현하는 것이다.

어떤 작업들을 많은 수의 자료 값들에 대해 수행할 때에는, 모든 스레드가 같은 종류의 작업들을 수행하되 각 스레드가 그 자료의 일부만 처리하게 하는 구조가 적합하다. 여러 스레드로 분할해서 그 처리를 병렬화하는 대상이 **자료**라서(작업이 아니라), 이를 **자료 병렬성**이라고 부른다. 그와는 반대로 **작업 병렬성** 전략에서는 작업들을 분할한다. 즉, **작업** 병렬성 전략에서는 스레드가 각자 다른 작업을 수행한다.

일반적으로 자료 병렬성이 더 쉽고 더 병렬적인 하드웨어로의 규모가변성도 좋다. 이는, 자료들을 분할하는 덕분에 스레드들이 공유하는 자료가 줄어들거나 아에 사라지기 때문이다(공유 자료가 적으면 경합과 스레드 안전성 문제도 줄어든다). 또한, 자료 병렬성 전략은 일반적으로 서로 다른 종류의 작업들보다 서로 다른 자료 값들이 더 많은 경우가 흔하다는 사실과 잘 맞는다. 이는 병렬성 수준을 더욱 높이는 요인이 된다.

자료 병렬성은 또한 **구조적 병렬성**(structured parallelism)에 도움이 된다. 구조적 병렬성이란 병렬적인 작업 단위들이 프로그램의 동일한 지점에서 시작하고 끝나는 것을 말한다. 반면 작업 병렬성은 프로그램의 구조를 흐트러뜨리는 경향이 있다. 즉, 작업 병렬성을 적용하면 병렬 작업 단위들이 프로그램의 여러 곳에서 시작하고 끝나는 경우가 많다. 구조적 병렬성이 좋으면 코드가 간단해지고 오류의 여지가 줄어든다. 또한, 어려운 과제인 일거리 분할과 스레드 실행 관리를(심지어는 자료 취합도) 외부 라이브러리에 맡길 수 있게 된다.

PFX의 구성요소

PFX의 기능은 두 계층으로 이루어져 있다(그림 23-1). 상위 계층에는 PLINQ와 `Parallel` 클래스라는 두 **구조적 자료 병렬성** API가 있다. 하위 계층은 주로 자료 병렬성 클래스들로 구성되며, 병렬 프로그래밍 활동을 돕는 일단의 추가 요소들도 있다.

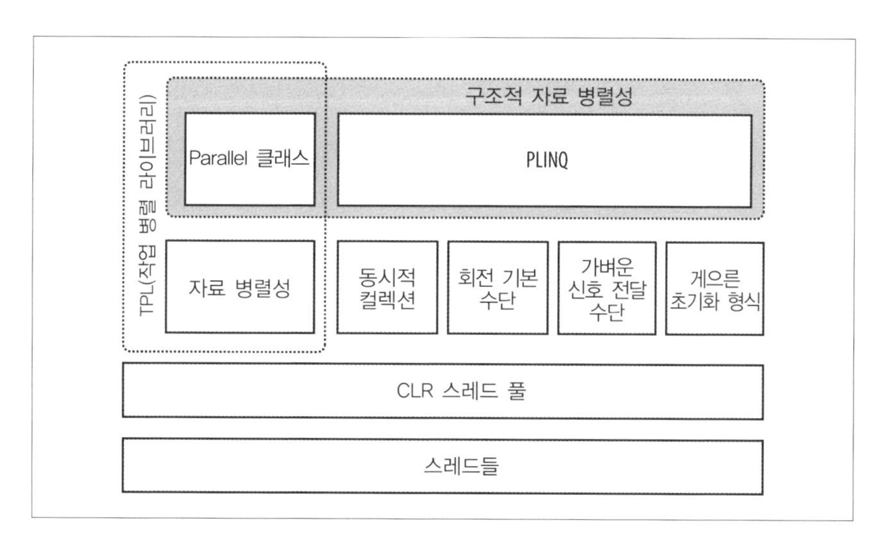

그림 23-1 PFX의 구조

이 중 가장 풍부한 기능을 제공하는 것은 PLINQ이다. PLINQ는 병렬화의 모든 단계(일거리를 작업들로 분할하고, 그 작업들을 여러 스레드에서 실행하고, 그 결과들을 하나의 단일한 출력 순차열로 취합하는 등등)를 자동화한다. PLINQ는

선언식(declarative)이다. 즉, 프로그래머가 이러이러한 작업(LINQ 질의 형태로 된)을 병렬화하겠다고 선언하기만 하면 .NET Framework가 알아서 구현 세부사항을 처리해 준다. 반면 PFX의 다른 구성요소들은 **명령식**(imperative)이다. 즉, 분할이나 취합을 수행하는 코드를 독자가 명시적으로 작성해야 한다. 예를 들어 `Parallel` 클래스를 사용할 때에는 스레드들의 결과를 독자가 직접 취합해야 하며, 자료 병렬성 수단들을 사용할 때에는 일거리를 독자가 직접 분할해야 한다.

	자동 일거리 분할	자동 결과 취합
PLINQ	예	예
`Parallel` 클래스	예	아니요
PFX의 작업 병렬성	아니요	아니요

동시적 컬렉션과 회전 기본수단(spinning primitive)들은 저수준 병렬 프로그래밍 활동을 돕는다. 이들은 PFX가 오늘날의 하드웨어뿐만 아니라 코어 수가 훨씬 많은 향후 세대의 프로세서들에도 작동하도록 설계된 것이라는 점에서 중요하다. 예를 들어 벌목한 나무들을 32명의 일꾼이 옮긴다고 할 때 가장 어려운 부분은 일꾼들이 서로의 길을 방해하지 않게 하는 것이다. 알고리즘을 32개의 코어로 분할할 때도 마찬가지이다. 만일 공유 자원을 보통의 잠금 수단을 이용해서 보호한다면, 경합과 차단 때문에 임의의 시점에서 코어 중 일부만 작동하고 나머지는 빈둥거릴 가능성이 크다. 동시적 컬렉션은 고도로 동시적인 접근 상황에 적합하도록 차단의 최소화 또는 제거에 초점을 두고 특별히 조율된 컬렉션이다. PLINQ와 `Parallel` 클래스 자체는 이러한 동시적 컬렉셜과 회전 기본수단에 의존해서 작업을 효율적으로 관리한다.

PFX의 또 다른 용도

병렬 프로그래밍 구축 요소들은 다중 코어를 활용할 때뿐만 아니라 다음과 같은 상황들에 유용하다.

- 스레드에 안전한 대기열이나 스택, 사전이 필요할 때 동시적 컬렉션이 적합한 경우가 종종 있다.
- `BlockingCollection`을 이용하면 생산자/소비자 구조를 손쉽게 구현할 수 있으며, **동시성을 제한**하기도 쉽다.
- 제14장에서 보았듯이, 작업 객체는 비동기 프로그래밍의 토대이다.

PFX의 바람직한 적용 대상

PFX의 주된 용도는 **병렬 프로그래밍**, 즉 다수의 코어 또는 프로세서를 활용해서 계산량이 많은 코드의 속도를 높이는 것이다.

다중 코어 활용은 암달의 법칙(Amdahl's law)으로 제한된다. 암달의 법칙은, 병렬화로 얻을 수 있는 최대 성능 향상은 반드시 순차적으로 실행해야 하는 코드의 비율로 결정된다는 것이다. 예를 들어 알고리즘의 실행 시간 중 3분의 2를 병렬화할 수 있다면, 코어가 무한히 많다고 해도 성능 향상은 세 배를 넘지 못한다.

따라서, 계산량이 많은 코드를 병렬화할 때에는 먼저 그 코드에서 병목에 해당하는 부분을 실제로 병렬화할 수 있는지부터 확인할 필요가 있다. 또한, 애초에 코드의 계산량이 그렇게 많을 필요가 있는지도 점검해 보는 것이 좋다. 병렬화보다는 최적화가 더 쉽고 효과적일 때가 많다. 단, 일부 최적화 기법은 코드의 병렬화를 어렵게 만들기도 한다는 점을 기억할 필요가 있다.

PFX를 적용해서 성능 이득을 얻을 수 있는 가장 쉬운 대상은 소위 **대놓고 병렬적인**(embarrassingly parallel) 문제, 즉 효율적으로 실행할 수 있는 작업 단위들로 손쉽게 분할할 수 있는 일거리이다(이런 문제에는 구조적 병렬성 전략이 아주 적합하다). 이를테면 영상(화상) 처리 작업, 광선 추적(ray tracinc) 렌더링, 그리고 수학이나 암호학의 무차별 시도(brute force) 접근방식 등이 그러한 문제에 속한다. 대놓고 병렬적인 것은 아닌 문제의 예로는 빠른정렬(quicksort) 알고리즘의 한 최적화 버전을 들 수 있다. 그 알고리즘을 병렬화해서 좋은 결과를 얻으려면 미리 고민을 좀 해야 하며, 어쩌면 비구조적 병렬성이 필요할 수도 있다.

PLINQ

PLINQ는 지역 LINQ 질의를 자동으로 병렬화한다. PLINQ의 장점은 사용하기 쉽다는 것이다. PLINQ에서는 일거리의 분할과 결과의 취합을 .NET Framework에 맡길 수 있다.

PLINQ를 사용하려면, 그냥 입력 순차열에 대해 `AsParallel`을 호출한 후 평소대로 LINQ 질의를 계속 진행하면 된다. 다음 질의는 컴퓨터의 모든 코어를 활용해서 3에서 100,000 사이의 소수素數를 계산한다.

```
// 간단한(최적화되지 않은) 알고리즘을 이용해서 소수를 계산한다.
```

```
IEnumerable<int> numbers = Enumerable.Range (3, 100000-3);

var parallelQuery =
  from n in numbers.AsParallel()
  where Enumerable.Range (2, (int) Math.Sqrt (n)).All (i => n % i > 0)
  select n;

int[] primes = parallelQuery.ToArray();
```

AsParallel은 System.Linq.ParallelEnumerable 클래스에 정의되어 있는 확장 메서드이다. 이 메서드는 입력을 ParallelQuery<TSource> 파생 형식의 순차열로 감싼다. 이에 의해, 이후에 호출되는 LINQ 질의 연산자들은 평소와는 달리 ParallelEnumerable에 정의되어 있는 일단의 확장 메서드들에 묶인다. ParallelEnumerable에는 각 표준 질의 연산자를 병렬적으로 구현한 확장 메서드가 갖추어져 있다. 본질적으로 이 확장 메서드들은 입력 순차열을 여러 덩어리로 분할하고 각각을 개별 스레드에서 처리한 후 그 결과들을 하나의 출력 순차열로 취합한다(그림 23-3). 그 출력 순차열은 통상적인 방식으로 접근 또는 열거할 수 있다.

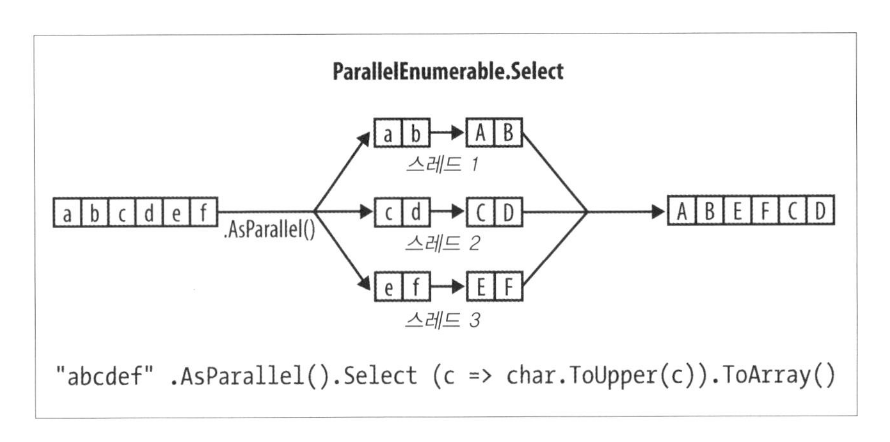

그림 23-2 PLINQ의 실행 모형

AsParallel이 돌려준 ParallelQuery 순차열에 대해 AsSequential을 호출하면, 이후의 질의 연산자들은 평소대로 표준 질의 연산자들에 묶여서 순차적으로 처리된다. 부수 효과가 있거나 스레드에 안전하지 않은 메서드를 호출하려면 반드시 이 단계를 먼저 밟아야 한다.

입력 순차열 두 개를 받는 질의 연산자(Join, GroupJoin, Concat, Union, Intersect, Except, Zip)를 사용하려면 반드시 두 입력 순차열 모두에 AsParallel을 적

용해야 한다(그렇지 않으면 예외가 발생한다). 그러나 질의의 단계마다 매번 AsParallel을 적용할 필요는 없다. PLINQ의 질의 연산자들은 또 다른 ParallelQuery 순차열을 출력하기 때문이다. 사실, AsParallel을 다시 호출하면 그때까지의 결과들을 취합하고 순차열을 다시 분할해야 하므로 오히려 성능이 떨어진다.

```
mySequence.AsParallel()            // 순차열을 ParallelQuery<int>로 감싼다.
          .Where (n => n > 100)    // 또 다른 ParallelQuery<int>를 출력한다.
          .AsParallel()            // 불필요하며 오히려 비효율적이다.
          .Select (n => n * n)
```

모든 질의 연산자가 효과적으로 병렬화되지는 않는다. 효과적으로 병렬화할 수 없는 연산자들('PLINQ의 한계(p.1181)' 참고)에 대한 PLINQ의 연산자들은 그냥 순차적으로 구현되어 있다. 또한, 병렬화에 따른 부담 때문에 주어진 질의의 실행이 오히려 느려질 가능성이 있으면 PLINQ가 질의를 순차적으로 실행할 수도 있다.

PLINQ는 지역 컬렉션에만 작동한다. LINQ to SQL이나 Entity Framework에는 작동하지 않는데, 그런 종류의 LINQ 질의는 런타임이 SQL 문으로 번역해서 데이터베이스 서버에서 실행하기 때문이다. 그러나 데이터베이스 질의에서 얻은 결과 집합에 대한 추가적인 지역 질의에 PLINQ를 적용하는 것은 가능하다.

> PLINQ 질의에서 예외가 발생하면, 그 예외는 AggregateException 형식의 예외로 다시 던져진다. 원래의 예외는(또는 예외들은) 그 AggregateException 예외의 InnerExceptions 속성에 들어 있다. 좀 더 자세한 내용은 이번 장의 'Aggregate Exception 다루기(p.1214)'를 보기 바란다.

AsParallel이 기본이 아닌 이유

AsParallel이 LINQ 질의를 투명하게 병렬화해준다는 점을 생각하면, "애초에 Microsoft가 표준 질의 연산자들을 병렬화해서 PLINQ를 기본으로 해도 되지 않았을까?"라는 의문이 생길 만도 하다.

그러나 PLINQ를 기본이 아니라 **선택 사항**으로 두는 게 합당한 이유가 몇 가지 있다. 첫째로, PLINQ가 유용하려면 일꾼 스레드들을 충분히 활용할 수 있을 정도도 계산량이 많은 일거리가 있어야 한다. 대부분의 LINQ to Objects 질의는 아주 빨리 끝나므로 병렬화가 필요 없을 뿐만 아니라, 사실 분할과 취합, 추가적인 스레드들의 관리 때문에 속도가 더 느려질 수 있다.

그 외에도 다음과 같은 이유가 있다.

- 요소들의 순서와 관련해서, PLINQ 질의의 출력이 (기본적으로) LINQ 질의의 출력과 다를 수 있다('PLINQ와 요소 순서(p.1181)' 참고).
- PLINQ는 예외를 `AggregateException`으로 감싼다(하나의 질의에서 여러 개의 예외가 던져질 수도 있기 때문이다).
- 질의가 스레드에 안전하지 않은 메서드를 호출하면 PLINQ가 신뢰할 수 없는 결과를 낸다.

마지막으로, PLINQ는 조율과 조정을 위한 확장 지점을 꽤 많이 제공한다. 표준 LINQ to Objects API에 그런 미묘한 기능들을 부여하면 프로그래머의 주의를 흐트러뜨릴 위험이 있다.

병렬 실행의 득과 실

보통의 LINQ 질의처럼 PLINQ 질의들도 게으르게 평가된다. 즉, 질의는 질의 결과를 소비하는 지점에 도달했을 때 비로소 실행된다. 질의 결과를 소비하는 지점은 흔히 `foreach` 문이지만, `ToArray` 같은 변환 연산자나 하나의 요소 또는 값을 돌려주는 연산자일 수도 있다.

그러나 결과의 열거에 의해 PLINQ 질의가 실제로 실행되는 시점부터는 진행 방식이 보통의 순차적인 질의와 조금 다르다. 순차 질의의 과정은 전적으로 소비자가 '끌어오기(pull)' 방식으로 주도한다. 즉, 입력 순차열의 요소들은 소비자의 요구에 의해 하나씩 끌려 나온다. 그러나 일반적으로 병렬 질의에서는 소비자의 요구보다 조금 앞서서 개별적인 스레드들이 입력 순차열에서 요소들을 주동적으로 가져온다(뉴스 진행자나 연사 앞에 원고를 띄워 주는 프롬프터 장치나 CD 재생기의 튐 방지 버퍼링과 비슷하다). 그런 다음 스레드들은 그 요소들을 질의 사슬을 따라 병렬로 처리하고, 그 결과를 작은 버퍼에 담아 두었다가 나중에 소비자가 요구하면 바로 제공한다. 만일 소비자가 열거를 일시 정지하거나 일찍 종료하면 CPU 시간이나 메모리를 낭비하지 않도록 질의 처리기도 정지 또는 중단된다.

PLINQ의 버퍼링 방식을 `AsParallel` 호출 다음에 `WithMergeOptions`를 호출해서 변경할 수 있다. 보통의 경우 기본 값인 `AutoBuffered`가 전반적으로 가장 나은 결과를 낸다. `NotBuffered`를 지정하면 버퍼링이 완전히 비활성화된다. 이는 결과를 최대한 빨리 보고 싶을 때 유용하다. `FullyBuffered`는 결과 집합 전체를 버퍼에 담았다가 소비자에게 제공한다(OrderBy와 Reverse 연산자는 애초에 이런 방식으로 작동하며, 요소, 집계, 변환 연산자들도 그렇다).

PLINQ와 요소 순서

질의 연산자들을 병렬화할 때 생기는 한 가지 부작용은, 결과들을 취합한 최종 출력 순차열의 요소들이 원래 제출된 것과는 순서가 다를 수 있다는 것이다(그림 23-2 참고). 다른 말로 하면, PLINQ 질의는 LINQ 질의의 통상적인 순차열 요소 순서 유지 특징을 보장하지 않는다.

강제로라도 요소들의 순서를 유지하고 싶으면 AsParallel 호출 다음에 AsOrdered를 호출해야 한다.

```
myCollection.AsParallel().AsOrdered()...
```

요소들이 아주 많은 경우 AsOrdered를 호출하면 성능에 부담이 된다. PLINQ가 각 요소의 원래 위치를 일일이 기억해야 하기 때문이다.

한 질의에서 AsOrdered의 효과를 나중에 다시 무효화할 수도 있다. AsUnordered를 호출하면 된다. 그러면 질의 안에 하나의 '무작위 섞기 지점'이 생기며, 그 지점부터는 질의가 좀 더 효율적으로 실행될 수 있다. 예를 들어 다음은 처음 두 질의 연산자까지만 입력 순차열 순서를 유지하는 예이다.

```
inputSequence.AsParallel().AsOrdered()
  .질의_연산자1()
  .질의_연산자2()
  .AsUnordered()       // 여기서부터는 순서 관계가 중요하지 않다.
  .질의_연산자3()
  ...
```

AsOrdered가 기본이 아닌 이유는, 대부분의 질의에서 원래의 입력 순서가 중요하지 않기 때문이다. 만일 AsOrdered를 기본으로 했다면, 대부분의 병렬 질의에서 최상의 성능을 얻으려면 AsUnordered를 추가해야 했을 것이다. 이는 프로그래머에게 불필요한 부담일 뿐이다.

PLINQ의 한계

현재, PLINQ가 병렬화할 수 있는 것에는 몇 가지 현실적인 한계가 있다. 이러한 한계들은 이후의 서비스 팩이나 .NET Framework 버전에서 완화될 수 있다.

원본 요소들이 원래의 색인화 위치에 있지 않은 한, 다음 질의 연산자들을 사용하는 질의는 병렬화되지 않는다.

- `Select`, `SelectMany`, `ElementAt`의 색인화 버전

대부분의 질의 연산자는 요소들의 색인화 위치를 변경한다(`Where`처럼 요소들을 제거하는 연산자도 포함해서). 따라서, 일반적으로 병렬 질의에 위의 연산자들을 사용하려면 질의의 시작에서 사용해야 한다.

다음 질의 연산자들은 병렬화할 수 있긴 하지만 분할 전략의 비용이 높기 때문에 순차 처리보다 실행이 느릴 수 있다.

- `Join`, `GroupBy`, `GroupJoin`, `Distinct`, `Union`, `Intersect`, `Except`

표준 `Aggregate` 연산자의 **종잣값 있는** 중복적재 버전들은 병렬화되지 않는다. 이를 위해 PLINQ는 특별한 중복적재들을 제공한다('PLINQ 최적화(p.1187)' 참고).

그 외의 모든 연산자는 병렬화할 수 있지만, 그런 연산자들만 사용한다고 해서 질의가 반드시 병렬화되는 것은 아니다. PLINQ는 만일 병렬화의 추가부담 때문에 오히려 속도가 느려질 여지가 있으면 질의를 순차적으로 처리한다. 만일 PLINQ의 판단을 무시하고 병렬 처리를 강제하고 싶다면, `AsParallel` 호출 다음에 다음을 호출하면 된다.

```
.WithExecutionMode (ParallelExecutionMode.ForceParallelism)
```

예제: 병렬 영어 단어 철자 검사

아주 큰 문서들의 영어 단어 철자 검사를 가용 코어들을 모두 활용해서 빠르게 수행한다고 하자. 철자 검사 알고리즘을 LINQ 질의 형태로 표현하기만 한다면, 그 질의를 병렬화하는 것은 아주 쉬운 일이다.

우선 할 일은 영어 단어 사전을 내려받고 빠른 조회를 위해 영어 단어들을 `HashSet`에 넣는 것이다.

```
if (!File.Exists ("WordLookup.txt"))    // 약 15만 개의 영어 단어가 들어 있다.
  new WebClient().DownloadFile (
    "http://www.albahari.com/ispell/allwords.txt", "WordLookup.txt");
```

```
var wordLookup = new HashSet<string> (
  File.ReadAllLines ("WordLookup.txt"),
  StringComparer.InvariantCultureIgnoreCase);
```

다음으로, 철자 검사 질의를 시험하는 데 사용할 시험용 '문서'를 만든다. 우선 단어 사전에서 무작위로 단어 100만 개를 뽑아서 배열을 만들고, 거기에 일부러 철자가 틀린 단어 두 개를 집어 넣는다.

```
var random = new Random();
string[] wordList = wordLookup.ToArray();

string[] wordsToTest = Enumerable.Range (0, 1000000)
  .Select (i => wordList [random.Next (0, wordList.Length)])
  .ToArray();

wordsToTest [12345] = "woozsh";     // 철자 오류 사례를
wordsToTest [23456] = "wubsie";     // 두 개 도입한다.
```

다음으로, wordLookup을 기준으로 wordsToTest를 검사하는 순차 질의를 작성하고, 그것을 병렬 질의로 바꾼다. 그냥 PLINQ의 **.AsParallel** 호출을 삽입하면 되므로 아주 쉽다.

```
var query = wordsToTest
  .AsParallel()
  .Select  ((word, index) => new IndexedWord { Word=word, Index=index })
  .Where   (iword => !wordLookup.Contains (iword.Word))
  .OrderBy (iword => iword.Index);

foreach (var mistake in query)
  Console.WriteLine (mistake.Word + "의 색인은 " + mistake.Index);
```

출력:

```
woozsh의 색인은 12345
wubsie의 색인은 23456
```

이 예제에서 IndexedWord는 다음과 같이 정의된 커스텀 구조체이다.

```
struct IndexedWord { public string Word; public int Index; }
```

Where의 술어에 쓰인 wordLookup.Contains 메서드는 어느 정도 시간이 걸리는 연산을 수행한다. 이 질의가 병렬화할 만한 가치가 있는 것은 이 메서드 때문이다.

IndexedWord 구조체 대신 익명 형식을 사용한다면 질의가 약간 더 간단해진다. 그러나 그렇게 하면 성능이 떨어진다. 왜냐하면, 익명 형식은 클래스라서 참조 형식인데, 참조 형식의 객체에는 힙 비용과 쓰레기 수거의 비용이 따르기 때문이다.

순차 질의에서는 이러한 차이가 별로 중요하지 않겠지만, 스택 기반 할당을 선호하는 병렬 질의에서는 힙 할당을 피하는 것이 큰 이득이 될 수 있다. 왜냐하면, 스택 기반 할당은 고도로 병렬화할 수 있지만(스레드마다 개별적인 스택이 있으므로) 힙 기반 할당에서는 모든 스레드가 같은 힙(하나의 메모리 관리자와 쓰레기 수거기가 관리하는)을 두고 경합을 벌여야 하기 때문이다.

ThreadLocal⟨T⟩ 활용

앞의 예제를 좀 더 확장해서, 시험용 무작위 단어 목록을 생성하는 작업도 병렬화해보자. 생성 작업을 LINQ 질의로 만들기만 한다면 별 어려움 없이 병렬화할 수 있을 것이다. 다음은 무작위 단어 목록을 생성하는 순차 질의이다.

```
string[] wordsToTest = Enumerable.Range (0, 1000000)
  .Select (i => wordList [random.Next (0, wordList.Length)])
  .ToArray();
```

그런데 안타깝게도 random.Next 호출은 스레드에 안전하지 않다. 따라서 그냥 AsParallel()을 삽입한다고 해서 이 질의가 병렬화되지는 않는다. 가능한 해결책 하나는 random.Next 주변을 잠그는 함수를 작성해서 질의에 사용하는 것이지만, 그러면 동시성이 제한될 수 있다. 더 나은 옵션은 ThreadLocal<Random>(제22장의 '스레드 지역 저장소(p.1161)' 참고)을 이용해서 스레드마다 개별적인 Random 객체를 두는 것이다. 그러면 질의를 다음과 같이 병렬화할 수 있다.

```
var localRandom = new ThreadLocal<Random>
 ( () => new Random (Guid.NewGuid().GetHashCode()) );

string[] wordsToTest = Enumerable.Range (0, 1000000).AsParallel()
  .Select (i => wordList [localRandom.Value.Next (0, wordList.Length)])
  .ToArray();
```

Random 객체를 생성하는 팩토리 함수에서는 생성자에 Guid의 해시 코드를 넘겨준다. 이는 두 Random 객체가 짧은 시간 간격으로 생성되어도 서로 다른 난수열을 발생하게 하기 위한 것이다.

PLINQ의 바람직한 적용 대상

어쩌면 독자의 기존 응용 프로그램에서 LINQ 질의들을 모두 찾아서 병렬화해보고 싶을지도 모르겠다. 그러나 대체로 그렇게 해서 이득을 얻을 수 있는 경우는 드물다. 왜냐하면, LINQ

가 최고의 해답임이 자명한 문제들은 대부분 아주 빨리 처리되므로 병렬화해도 이득이 없기 때문이다. 더 나은 접근방식은 CPU 사용량이 많은 병목을 찾아서 "이것을 LINQ 질의로 표현할 수 있을까?"를 고찰하는 것이다. (이러한 코드 수정의 또 다른 장점은, 일반적으로 LINQ 질의를 사용하면 코드가 더 짧아지고 가독성도 좋아진다는 것이다.)

PLINQ는 '대놓고 병렬적인 문제'들에 잘 맞는다. 그러나 화상 처리(imaging)에는 잘 맞지 않을 수 있다. 수백 만개의 픽셀을 하나의 출력 순차열로 취합하는 부분이 병목이 되기 때문이다. 화상 처리에는 픽셀들을 배열 또는 비관리 메모리 블록에 직접 기록하고 Parallel 클래스나 작업 병렬성 전략을 이용해서 다중 스레드 처리를 관리하는 것이 더 낫다. (한편, ForAll을 이용해서 결과 취합을 아예 생략할 수도 있다. 이에 대해서는 잠시 후의 'PLINQ의 최적화'에서 논의한다. 애초에 LINQ 질의로 만들기에 적합한 형태의 화상 처리 알고리즘이라면 이 방법이 합당할 것이다.

함수적 순수성

PLINQ는 질의를 여러 개의 스레드에서 병렬로 처리하므로, 질의에 스레드에 안전하지 않은 연산이 끼어들지 않게 하는 것이 중요하다. 특히, 다음 예처럼 변수에 값을 기록하는 것은 **부수 효과**(side effect)에 해당하며, 따라서 스레드에 안전하지 않다.

```
// 다음 질의는 각 요소에 요소의 위치를 곱한다.
// 입력 순차열 Enumerable.Range(0,999)에 대해 이 질의는 그 수들의 제곱을
// 출력한다.
int i = 0;
var query = from n in Enumerable.Range(0,999).AsParallel() select n * i++;
```

i의 증가를 자물쇠로 잠가서 스레드에 안전하게 만들 수도 있지만, 그렇다고 해도 병렬 처리 때문에 i가 해당 입력 요소의 위치가 아닐 수도 있다는 문제는 해결되지 않는다. 이 문제는 AsOrdered를 질의에 추가한다고 해도 해결되지 않는다. AsOrdered는 오직 출력의 요소들이 질의를 순차적으로 실행했을 때와 같은 순서가 되게 할 뿐, 실제로 그 요소들을 순차적으로 **처리**하지는 않기 때문이다.

대신, 질의를 다음과 같이 Select의 색인화 버전을 사용하도록 고쳐야 한다.

```
var query = Enumerable.Range(0,999).AsParallel().Select ((n, i) => n * i);
```

병렬 처리를 위해서는 질의 연산자에서 호출하는 모든 메서드가 스레드에 안전해야 하며, 최상의 성능을 위해서는 스레드에 안전한 이유가 "필드나 속성을 수

정하지 않음"이어야 한다. 즉, 메서드에 부수 효과가 없어야 한다. 그런 메서드를 "함수적으로 순수한(functionally pure)" 함수라고 부른다. **잠금** 때문에 스레드에 안전해진 메서드를 질의 연산자가 호출하면, 병렬성의 잠재력이 잠금 기간을 그 메서드가 사용하는 전체 시간으로 나눈 비율만큼 제한된다.

병렬도 설정

기본적으로 PLINQ는 현재 쓰이는 프로세서에 맞는 최적의 병렬도(degree of parallelism)†를 선택한다. 그러나 `AsParallel` 호출 이후 `WithDegreeOfParallelism`을 호출해서 이 병렬도를 직접 지정할 수도 있다.

```
...AsParallel().WithDegreeOfPallelism(4)...
```

병렬도를 코어 개수 이상으로 증가하는 것이 바람직한 예로는 입출력 한정(I/O-bound) 작업이 있다(이를테면 다수의 웹 페이지를 한꺼번에 내려받는 등). 그러나 .NET Framework 4.5부터는 작업 조합기와 비동기 함수가 PLINQ 질의만큼이나 쉬운, 그리고 좀 더 **효율적인** 해법이다(제14장의 '작업 조합기(p.765)' 참고). `Task` 객체와는 달리, PLINQ로 입출력 한정 작업을 처리하려면 스레드 차단이 반드시 일어난다(게다가 그 스레드들은 **스레드 풀**에서 가져온 스레드들이라서 문제가 더 심해진다).

병렬도 변경

하나의 PLINQ 질의가 진행되는 동안에는 `WithDegreeOfParallelism`을 한 번만 호출할 수 있다. 이를 다시 호출하려면 `AsParallel`을 호출해서 질의 결과를 병합하고 다시 분할해야 한다.

```
"The Quick Brown Fox"
  .AsParallel().WithDegreeOfParallelism (2)
  .Where (c => !char.IsWhiteSpace (c))
  .AsParallel().WithDegreeOfParallelism (3)   // 병합과 분할을 강제한다.
  .Select (c => char.ToUpper (c))
```

취소

`foreach` 루프 때문에 실행된 PLINQ 질의는 취소하기 쉽다. 그냥 `foreach` 루프를 벗어나면 열거자가 암묵적으로 처분되면서 질의도 자동으로 취소된다.

† (옮긴이) 병렬도는 말 그대로 병렬성의 정도 또는 수준을 뜻하는데, PLINK에서 구체적인 의미는 주어진 질의를 처리하기 위해 동시에 실행할 작업 객체의 최대 개수이다.

변환 연산자나 요소 또는 집계 연산자로 끝나는 질의는 다른 스레드에서 **취소 토큰**(제14장의 '취소(p.760)' 참고)을 이용해서 취소할 수 있다. 토큰을 삽입하려면 AsParallel 호출 후에 CancellationTokenSource 객체의 Token 속성을 인수로 해서 WithCancellation을 호출하면 된다. 그런 다음 다른 스레드에서 토큰 원본에 대해 Cancel을 호출하면, 질의 결과를 소비하는 쪽에서 OperationCanceledException 예외가 발생한다.

```
IEnumerable<int> million = Enumerable.Range (3, 1000000);

var cancelSource = new CancellationTokenSource();

var primeNumberQuery =
  from n in million.AsParallel().WithCancellation (cancelSource.Token)
  where Enumerable.Range (2, (int) Math.Sqrt (n)).All (i => n % i > 0)
  select n;

new Thread (() => {
                    Thread.Sleep (100);      // 100ms 후에
                    cancelSource.Cancel();   // 질의를 취소한다.
                  }
           ).Start();
try
{
  // 질의 실행을 시작한다.
  int[] primes = primeNumberQuery.ToArray();
  // 다른 스레드가 이 스레드를 취소하므로 여기에는 절대 도달하지 않는다.
}
catch (OperationCanceledException)
{
  Console.WriteLine ("Query canceled");
}
```

PLINQ는 스레드들을 선점적으로 취소하지 않는다. 그러면 프로그램이 불안정해질 위험이 있기 때문이다(제22장의 'Interrupt 메서드와 Abort 메서드(p.1164)' 참고). 대신 PLINQ는 취소가 요청되면 모든 일꾼 스레드가 현재 요소의 처리를 끝낼 때까지 기다린 후 질의 실행을 끝낸다. 이는 질의 연산자가 호출한 모든 메서드가 중간에 강제로 종료되지 않고 끝까지 실행됨을 의미한다.

PLINQ 최적화

출력 쪽 최적화

PLINQ가 편리한 점 하나는, 병렬화된 일거리의 처리 결과를 단일한 하나의 출력 순차열로 취합해 준다는 것이다. 그런데 출력 순차열로 하는 일이 다음 예처럼 그냥 각 요소에 대해 어떤 함수를 실행하는 것뿐일 때가 종종 있다.

```
foreach (int n in parallelQuery)
  DoSomething (n);
```

이런 경우에는, 그리고 요소들의 처리 순서가 중요하지 않다면, PLINQ의 ForAll 메서드를 이용해서 효율성을 높일 수 있다.

ForAll 메서드는 ParallelQuery의 모든 출력 요소에 대해 하나의 대리자를 실행한다. PLINQ는 결과 취합 및 열거 과정을 생략하고, 각 스레드에서 대리자를 직접 호출하게 한다. 다음은 ForAll을 사용하는 간단한 예이다.

```
"abcdef".AsParallel().Select (c => char.ToUpper(c)).ForAll (Console.Write);
```

그림 23-3에 이 질의의 처리 과정이 나와 있다.

> 결과 취합 및 열거의 비용이 아주 높지는 않기 때문에, ForAll 최적화로 최고의 이득을 보려면 요소들의 수가 많고 한 요소의 처리에 걸리는 시간이 짧아야 한다.

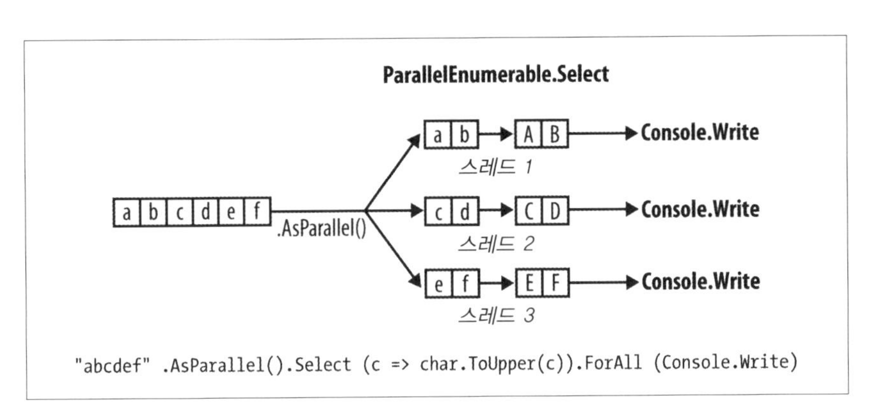

그림 23-3 PLINQ ForAll

입력 쪽 최적화

PLINQ가 입력 요소들을 스레드들에 배정하는 데 사용하는 분할 전략은 다음 세 가지이다.

전략	요소 할당	상대 성능
덩어리 분할	동적	평균
범위 분할	정적	나쁨~훌륭함
해시 분할	정적	나쁨

요소들을 비교해야 하는 질의 연산자(GroupBy, Join, GroupJoin, Intersect, Except, Union, Distinct)를 사용할 때에는 선택의 여지가 없다. 그런 경우 PLINQ는 항상 해시 분할을 사용한다. **해시 분할**은 해시 코드가 같은 요소들을 같은 스레드에 배정한다. 모든 요소의 해시 코드를 미리 계산해야 하므로 상대적으로 비효율적이다. 이 때문에 질의가 너무 느리게 실행된다면, 대안은 AsSequential을 호출해서 병렬화를 포기하는 것뿐이다.

다른 모든 질의 연산자에 대해서는 범위 분할(range partitioning; 또는 구간 분할) 전략과 덩어리 분할(chunk partitioning) 전략 중 하나가 쓰인다. PLINQ의 기본적인 분할 전략 선택 방법은 다음과 같다.

- 만일 입력 순차열이 **색인화가 가능한** 형식이면(즉, 배열이거나 IList<T>를 구현하면, PLINQ는 **범위 분할**을 선택한다.
- 그 외의 경우에는 **덩어리 분할**을 선택한다.

대체로, 모든 요소의 처리 속도(CPU 시간 사용량)가 비슷하고 요소들의 개수가 많으면 범위 분할이 더 빠르고, 그 외의 경우에는 덩어리 분할이 더 빠르다.

범위 분할이 선택되게 하는 방법은 다음과 같다.

- 질의가 Enumerable.Range로 시작한다면 그것을 ParallelEnumerable.Range로 바꾼다.
- 그렇지 않으면 그냥 입력 순차열에 대해 ToList나 ToArray를 호출한다(물론, 이 호출 자체가 성능에 일정한 부담을 준다는 점도 고려해야 한다).

> ParallelEnumerable.Range가 단지 Enumerable.Range(...).AsParallel()의 단축 표기는 아님을 주의해야 한다. ParallelEnumerable.Range는 범위 분할을 활성화하며, 그 때문에 질의의 성능이 바뀐다.

덩어리 분할이 선택되게 하려면 다음처럼 입력 순차열을 Partitioner.Create (System.Collection.Concurrent에 있다)로 감싸야 한다.

```
int[] numbers = { 3, 4, 5, 6, 7, 8, 9 };
var parallelQuery =
  Partitioner.Create (numbers, true).AsParallel()
  .Where (...)
```

Partitioner.Create의 둘째 인수는 질의 실행 시 **부하 분산**(load-balancing) 기능을 사용할 것인지를 뜻한다. 이 인수에 true를 지정하는 것 역시 덩어리 분할 전략을 사용하겠다고 PLINQ에 요청하는 것에 해당한다.

덩어리 분할 전략에서, 각 스레드는 입력 순차열에서 말 그대로 한 '덩어리'의 요소들을 가져와서 처리한다(그림 23-4). PLINQ는 처음에는 아주 작은 덩어리들(덩어리당 요소 한두 개)로 시작해서, 질의가 진행됨에 따라 덩어리 크기를 점차 키운다. 이렇게 하면 작은 입력 순차열이 효과적으로 병렬화될 뿐만 아니라, 큰 순차열에서 스레드들이 너무 자주 덩어리를 가져오는 일도 방지된다. "만만한(즉, 빠르게 처리할 수 있는)" 요소들을 가져온 일꾼 스레드는 더 많은 덩어리를 처리하게 된다. 이러한 체계에서 모든 스레드는 모두 비슷한 수준으로 바쁘게 돌아간다. 다른 말로 하면, 코어들에 "부하가 분산된다." 이 전략의 유일한 단점은 공유 입력 순차열에서 요소들의 덩어리를 가져올 때 동기화가 필요하다는 것이다(흔히 독점 자물쇠를 이용한다). 이 동기화 때문에 약간의 추가부담과 경합이 발생한다.

범위 분할 전략은 통상적인 입력 쪽 열거를 건너뛰고, 각 일꾼 스레드에게 동일한 개수의 요소들을 미리 배정한다. 따라서 입력 순차열에 대한 경합은 발생하지 않는다. 그러나 만만한 요소들을 받아서 작업을 일찍 끝낸 스레드들은 다른 스레드들이 일하는 동안 빈둥거리게 된다. 예를 들어 앞의 소수 계산기 예제에 범위 분할을 적용한다면 그런 현상이 심해서 성능이 나쁠 것이다. 범위 분할이 적합한 예로, 다음은 1에서 1,000만까지의 제곱근들의 합을 구하는 질의이다.

```
ParallelEnumerable.Range (1, 10000000).Sum (i => Math.Sqrt (i))
```

ParallelEnumerable.Range는 ParallelQuery<T>를 돌려주므로, AsParallel 호출을 붙이지 않아도 질의가 병렬로 처리된다.

범위 분할이 요소 범위들을 반드시 **연속된** 블록으로 배정하지는 않는다. 대신 '건너뛰기(striping)' 방식이 쓰일 수도 있다. 예를 들어 일꾼 스레드가 둘일 때 한 스레드는 홀수 번째 요소들만, 다른 한 스레드는 짝수 번째 요소들만 받을 수도 있다. TakeWhile 연산자에는 거의 확실하게 건너뛰기 방식이 쓰인다(순차열 뒤쪽 요소들의 불필요한 처리를 피하려고).

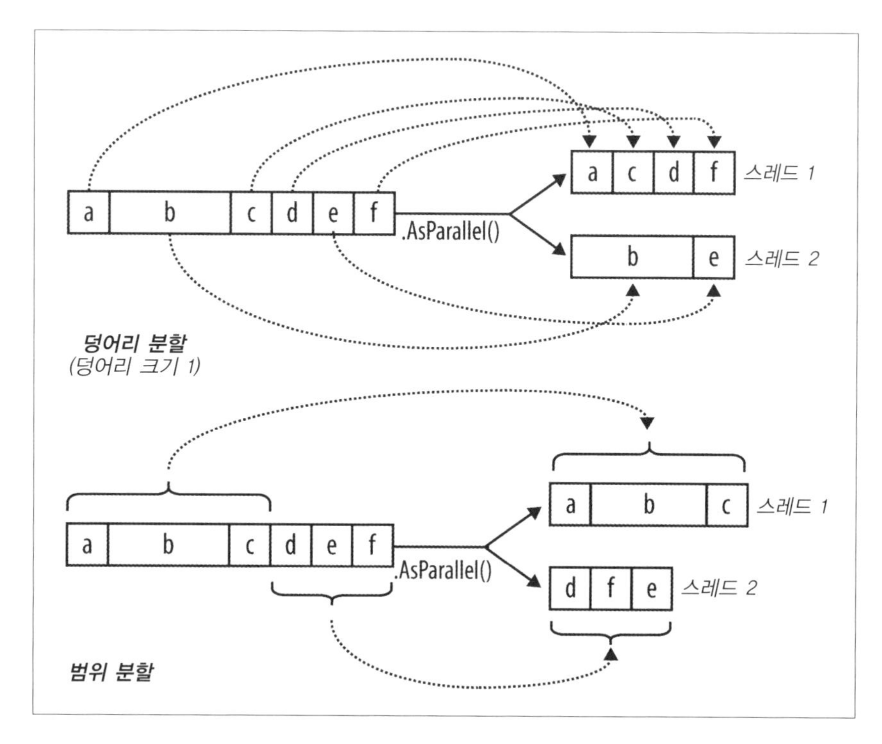

그림 23-4 덩어리 분할 대 범위 분할

커스텀 집계 연산자의 최적화

프로그래머가 개입하지 않아도 PLINQ는 표준 Sum, Average, Min, Max 연산자를 병렬화한다. 그러나 커스텀 집계 연산자, 즉 Aggregate의 병렬화는 PLINQ에게 어려운 문제이다. 제9장에서 설명했듯이 Aggregate는 커스텀 집계 연산을 수행한다. 다음은 Sum 연산자처럼 주어진 수들의 합을 계산하는 커스텀 연산자의 예이다.

```
int[] numbers = { 1, 2, 3 };
int sum = numbers.Aggregate (0, (total, n) => total + n);   // 6
```

또한, 제9장에서 보았듯이 **종잣값 없는**(unseeded) 집계 연산에는 반드시 교환법칙과 결합법칙을 만족하는 대리자를 지정해야 한다. 만일 이 규칙을 어기면 PLINQ는 부정확한 결과를 낸다. 이는 PLINQ가 입력 순차열의 여러 분할을 동시에 집계하기 위해 입력 순차열로부터 **여러 개의 종잣값**을 가져오기 때문이다.

종잣값을 명시적으로 지정한 집계 연산에는 PLINQ를 안심하고 적용할 수 있을 것 같지만, 안타깝게도 보통의 경우 그런 연산은 하나의 종잣값에 의존하기 때문에 순차적으로 실행된다. 다수의 종잣값을 적용할 수 있도록, PLINQ는 다수의 종잣값 또는 **종잣값 팩토리 함수**를 받는 또 다른 Aggregate 중복적재 버전을 제공한다. 이 버전을 사용하는 경우 각 스레드는 그 팩토리 함수를 호출해서 종잣값을 생성하며, 그것을 **스레드 지역** 누산기(thread-local accumulator)로 사용해서 요소들을 지역적으로 집계한다.

또한, 커스텀 집계 연산자를 병렬화하려면 지역 누산기와 주 누산기의 결합 방식을 알려주는 함수도 이 Aggregate 중복적재 버전에 지정해야 한다. 마지막으로, 이 Aggregate는 집계 결과에 대해 임의의 최종적인 변환을 수행하는 대리자도 받는다. 정리하자면, Aggregate 호출 시 지정해야 하는 대리자는 다음 네 가지이다.

seedFactory
: 새 지역 누산기를 돌려준다.

updateAccumulatorFunc
: 하나의 요소를 지역 누산기에 쌓는다.

combineAccumulatorFunc
: 지역 누산기를 주 누산기에 합친다.

resultSelector
: 집계 결과에 대해 임의의 최종 변환을 적용한다.

> ✓ 간단한 시나리오에서는 종잣값 팩토리 대신 하나의 **종잣값**을 지정할 수도 있다. 그러나 이 접근방식은 만일 그 종잣값이 변이하고자 하는 참조 형식이면 원하는 결과를 얻지 못한다. 그런 경우 같은 종잣값 인스턴스를 모든 스레드가 공유하기 때문이다.

아주 간단한 예로, 다음은 numbers 배열에 있는 값들의 합을 계산한다는 질의이다.

```
numbers.AsParallel().Aggregate (
  () => 0,                                   // seedFactory
   (localTotal, n) => localTotal + n,        // updateAccumulatorFunc
   (mainTot, localTot) => mainTot + localTot, // combineAccumulatorFunc
   finalResult => finalResult)               // resultSelector
```

더 간단한 접근방식으로도 같은 결과를 얻을 수 있다는 점에서(종잣값 없는 집계를 사용해도 되고, 아니면 그냥 Sum을 사용하는 것이 더 낫다), 이 예제는 다소 작위적이다. 좀 더 현실적인 예로, 주어진 문자열에서 영어 알파벳의 각 문자가 나오는 빈도를 계산한다고 하자. 다음은 간단한 순차적 해법이다.

```
string text = "Let's suppose this is a really long string";
var letterFrequencies = new int[26];
foreach (char c in text)
{
  int index = char.ToUpper (c) - 'A';
  if (index >= 0 && index <= 26) letterFrequencies [index]++;
};
```

입력 텍스트가 아주 긴 예로 유전자 서열이 있다. 이 경우 '알파벳'은 *A*, *C*, *G*, *T* 네 글자로 이루어진다.

이 순차 질의를 병렬화는 한 방법은 foreach 문을 잠시 후에 설명할 Parallel.ForEach 호출로 바꾸는 것이다. 그러나 그렇게 하면 공유 배열에 대한 동시성 문제를 처리해야 한다. 그리고 그 배열 주변을 자물쇠로 잠그면 병렬화의 잠재력이 훼손될 뿐이다.

이 문제에 대해 Aggregate는 깔끔한 해결책을 제공한다. 이 해법에서도 누산기는 이전 예제의 letterFrequencies처럼 하나의 배열이다. 다음은 Aggregate를 이용하는 순차적 버전이다.

```
int[] result =
  text.Aggregate (
    new int[26],                // "누산기"를 생성한다.
    (letterFrequencies, c) =>   // 글자 하나를 누산기에 쌓는다.
    {
      int index = char.ToUpper (c) - 'A';
      if (index >= 0 && index <= 26) letterFrequencies [index]++;
      return letterFrequencies;
    });
```

그리고 다음은 PLINQ의 특별한 Aggregate 중복적재 버전을 이용한 병렬 버전이다.

```
int[] result =
  text.AsParallel().Aggregate (
   () => new int[26],             // 새 지역 누산기를 생성한다.

    (localFrequencies, c) =>       // 지역 누산기에 쌓는다.
    {
      int index = char.ToUpper (c) - 'A';
```

```
    if (index >= 0 && index <= 26) localFrequencies [index]++;
    return localFrequencies;
  },
                              // 지역 누산기를 주 누산기에 합친다.
  (mainFreq, localFreq) =>
    mainFreq.Zip (localFreq, (f1, f2) => f1 + f2).ToArray(),

  finalResult => finalResult     // 집계 결과에 대해 임의의
);                               // 최종 변환을 수행한다.
```

지역 누산 함수가 localFrequencies를 **변이한다**(mutate)는 점에 주목하기 바란다. 이러한 최적화를 수행하는 이 능력은 중요하다. 그리고 이런 최적화가 가능한 것은, localFrequencies가 각 스레드의 지역 배열이기 때문이다.

Parallel 클래스

PFX는 Parallel 클래스의 다음 세 정적 메서드를 통해서 기본적인 형태의 구조적 병렬성을 제공한다.

Parallel.Invoke
  대리자들의 배열을 병렬로 실행한다.

Parallel.For
  C# for 루프의 기능을 병렬로 수행한다.

Parallel.ForEach
  C# foreach 루프의 기능을 병렬로 수행한다.

세 메서드 모두, 모든 작업이 끝날 때까지 차단된다. PLINQ에서처럼, 처리되지 않은 예외가 발생하면 나머지 일꾼 스레드들은 현재 요소를 처리한 후에 중지되며, 발생한 예외(또는 예외들)를 감싼 AggregateException 예외가 호출자에게 던져진다(이번 장의 'AggregateException 다루기(p.1214)' 참고).

Parallel.Invoke 메서드

Parallel.Invoke는 배열에 담인 Action 대리자들을 병렬로 수행하고, 모든 대리자가 완료되길 기다린다. 이 메서드의 가장 간단한 버전은 다음과 같이 정의되어 있다.

```
public static void Invoke (params Action[] actions);
```

PLINQ처럼 Parallel의 메서드들은 입출력 한정 작업이 아니라 계산량 한정 작업에 최적화되어 있다. 그렇긴 하지만, Parallel.Invoke의 사용법을 간단히 파악하기에는 다음처럼 두 웹 페이지를 한꺼번에 내려받는 예제가 적합하다.

```
Parallel.Invoke (
 () => new WebClient().DownloadFile ("http://www.linqpad.net", "lp.html"),
 () => new WebClient().DownloadFile ("http://www.jaoo.dk", "jaoo.html"));
```

겉으로 보기에는 이것이 그냥 두 개의 스레드 한정 Task 객체를 생성해서 완료를 기다리는 작업을 짧게 표기하는 편의 수단 정도인 것 같지만, 사실은 중요한 차이점이 있다. 바로, 대리자 백만 개의 배열을 지정해도 Parallel.Invoke는 여전히 효율적으로 작동한다는 것이다. 이는 Parallel.Invoke가 대리자마다 개별적인 Task 객체를 생성하는 것이 아니라, 대리자들을 적당한 개수의 단위로 분할해서 적당한 개수의 바탕 Task 객체에 배정하기 때문이다.

Parallel의 다른 모든 메서드처럼, 결과들을 취합하는 것은 프로그래머인 독자의 몫이다. 따라서 독자는 대리자들의 스레드 안전성을 반드시 염두에 두어야 한다. 예를 들어 다음은 스레드에 안전하지 못하다.

```
var data = new List<string>();
Parallel.Invoke (
 () => data.Add (new WebClient().DownloadString ("http://www.foo.com")),
 () => data.Add (new WebClient().DownloadString ("http://www.far.com")));
```

목록 추가 부분을 잠그면 스레드 안전성이 생기지만, 만일 빨리 실행되는 대리자들을 아주 많이 지정한다면 그 부분이 병목이 될 것이다. 더 나은 해법은 이번 장에서 나중에 설명하는 스레드 안전 컬렉션 중 하나를 사용하는 것이다. 지금 예라면 ConcurrentBag이 이상적이다.

Parallel.Invoke에는 ParallelOptions 객체를 받는 중복적재 버전도 있다.

```
public static void Invoke (ParallelOptions options,
                           params Action[] actions);
```

ParallelOptions 객체를 이용해서 취소 토큰을 지정할 수 있으며, 최대 동시성을 제한하거나 커스텀 작업 스케줄러를 지정할 수도 있다. 취소 토큰은 코어 수보다 많은(어림잡아) 작업을 실행할 때 중요하다. 취소 시 아직 시작되지 않은 대리자들은 모두 폐기되지만 이미 실행 중인 대리자는 끝까지 실행된다. 이번 장의 '작업 취소(p.1206)'에 취소 토큰의 사용법을 보여주는 예가 나온다.

Parallel.For와 Parallel.ForEach

Parallel.For와 Parallel.ForEach는 C#의 for 루프와 foreach 루프와 비슷하되, 반복들을 차례로 실행하는 것이 아니라 병렬로 실행한다. 다음은 이들의 (가장 간단한) 서명이다.

```
public static ParallelLoopResult For (
  int fromInclusive, int toExclusive, Action<int> body)

public static ParallelLoopResult ForEach<TSource> (
  IEnumerable<TSource> source, Action<TSource> body)
```

예를 들어 다음과 같은 순차적 for 루프를,

```
for (int i = 0; i < 100; i++)
  Foo (i);
```

다음과 같이 병렬화할 수 있다.

```
Parallel.For (0, 100, i => Foo (i));
```

또는 다음과 같이 좀 더 간결하게 표기할 수도 있다.

```
Parallel.For (0, 100, Foo);
```

마찬가지로, 다음과 같은 순차적 foreach 루프를

```
foreach (char c in "Hello, world")
  Foo (c);
```

다음과 같이 병렬화할 수 있다.

```
Parallel.ForEach ("Hello, world", Foo);
```

좀 더 실용적인 예로, 다음은 System.Security.Cryptography 이름공간에 있는 클래스를 이용해서 여섯 개의 공개 키/비밀 키 쌍 문자열을 병렬로 생성하는 예이다.

```
var keyPairs = new string[6];

Parallel.For (0, keyPairs.Length,
              i => keyPairs[i] = RSA.Create().ToXmlString (true));
```

Parallel.Invoke처럼, Parallel.For와 Parallel.ForEach는 많은 수의 항목을 지정해도 효율적으로 실행된다(다수의 요소를 비교적 적은 수의 작업으로 나누어 처리함으로써).

 키 쌍 생성 예제를 다음과 같이 PLINQ 질의 형태로 수행할 수도 있다.

```
string[] keyPairs =
  ParallelEnumerable.Range (0, 6)
  .Select (i => RSA.Create().ToXmlString (true))
  .ToArray();
```

바깥쪽 루프 대 안쪽 루프

Parallel.For와 Parallel.ForEach는 안쪽 루프보다는 바깥쪽 루프에 적용하는 것이 바람직하다. 안쪽 루프에 적용하면 병렬화할 작업 항목들의 '덩어리'가 더 커지기 때문에 관리상의 추가부담이 증가해서 병렬화의 이득이 상쇄되기 때문이다. 그리고 안쪽과 바깥쪽 루프를 모두 병렬화해야 하는 경우는 별로 없다. 예를 들어 다음의 이중 루프에서 안쪽 루프의 병렬화가 이득이 되려면 코어가 100개 이상이어야 한다.

```
Parallel.For (0, 100, i =>
{
  Parallel.For (0, 50, j => Foo (i, j));   // 안쪽 루프에는 순차 루프가
});                                         // 더 나을 것이다.
```

색인화된 Parallel.ForEach

각 반복에서 루프 반복 색인을 사용해야 하는 경우도 종종 있다. 순차 foreach에서는 간단하다.

```
int i = 0;
foreach (char c in "Hello, world")
  Console.WriteLine (c.ToString() + i++);
```

그러나 병렬 루프에서 이는 공유 변수를 갱신하는 것이므로 스레드에 안전하지 않다. 대신 ForEach의 다음과 같은 버전을 사용해야 한다.

```
public static ParallelLoopResult ForEach<TSource> (
  IEnumerable<TSource> source, Action<TSource,ParallelLoopState,long> body)
```

ParallelLoopState는 잠시 후에 다루기로 하고, 일단은 Action의 셋째 형식 매개변수에 집중하자. 이 형식 매개변수는 루프 색인의 형식(지금 예에서는 long)에 해당한다. 이제 앞의 루프를 다음과 같이 병렬화할 수 있다.

```
Parallel.ForEach ("Hello, world", (c, state, i) =>
{
```

```
    Console.WriteLine (c.ToString() + i++);
});
```

좀 더 실용적인 예로, 앞에서 PLINQ로 작성했던 철자 검사 예제를 다시 생각해 보자. 다음은 그 예제에서 영어 단어 사전을 채우고 100만 개의 시험용 단어 배열을 만드는 부분이다.

```
if (!File.Exists ("WordLookup.txt"))    // 약 15만 개의 영어 단어가 들어 있다.
  new WebClient().DownloadFile (
    "http://www.albahari.com/ispell/allwords.txt", "WordLookup.txt");

var wordLookup = new HashSet<string> (
  File.ReadAllLines ("WordLookup.txt"),
  StringComparer.InvariantCultureIgnoreCase);

var random = new Random();
string[] wordList = wordLookup.ToArray();

string[] wordsToTest = Enumerable.Range (0, 1000000)
  .Select (i => wordList [random.Next (0, wordList.Length)])
  .ToArray();

wordsToTest [12345] = "woozsh";     // 철자 오류 사례를
wordsToTest [23456] = "wubsie";     // 두 개 도입한다.
```

다음은 wordsToTest 배열에 있는 단어들의 철자를 Parallel.ForEach의 색인화된 버전을 이용해서 점검하는 예이다.

```
var misspellings = new ConcurrentBag<Tuple<int,string>>();

Parallel.ForEach (wordsToTest, (word, state, i) =>
{
  if (!wordLookup.Contains (word))
    misspellings.Add (Tuple.Create ((int) i, word));
});
```

결과들을 스레드 안전 컬렉션으로 취합해야 함을 주목하기 바란다. 이 점은 PLINQ 버전에 비한 단점이다. PLINQ에 비한 장점은 색인화된 Select 질의 연산자가 유발하는 비용을 피할 수 있다는 점이다. 색인화된 Select 질의 연산자는 색인화된 ForEach보다 덜 효율적이다.

ParallelLoopState를 이용한 이른 루프 종료

병렬 For나 ForEach의 루프 본문은 하나의 대리자이므로 break 문을 이용해서 루프를 일찍 벗어날 수 없다. 대신 ParallelLoopState 객체에 대해 Break나 Stop을 호출해야 한다.

```
public class ParallelLoopState
{
  public void Break();
  public void Stop();

  public bool IsExceptional { get; }
  public bool IsStopped { get; }
  public long? LowestBreakIteration { get; }
  public bool ShouldExitCurrentIteration { get; }
}
```

ParallelLoopState 객체를 얻는 것은 쉽다. For와 ForEach의 모든 버전은 Action<TSource,ParallelLoopState> 형식의 루프 본문(대리자)을 받도록 중복적재되어 있다. 예를 들어 다음과 같은 루프를

```
foreach (char c in "Hello, world")
  if (c == ',')
    break;
  else
    Console.Write (c);
```

다음과 같이 병렬화할 수 있다.

```
Parallel.ForEach ("Hello, world", (c, loopState) =>
{
  if (c == ',')
    loopState.Break();
  else
    Console.Write (c);
});
```

출력:

```
Hlloe
```

출력에서 보듯이, 루프 본문들이 무작위 순으로 완료될 수도 있다. 순서가 다를 수는 있지만, 적어도 Break 호출 시 산출되는 요소들이 루프를 순차적으로 실행했을 때 나오는 요소들과 동일하다는 점은 보장된다. 지금 예제는 항상 *H*, *e*, *l*, *l*, *o*를 임의의 순서로 출력한다. 그러나 Break 대신 Stop을 호출하면 모든 스레드는 현재 반복을 마친 즉시 종료된다. 지금 예제의 경우, 일부 스레드의 실행이 조금 늦는 상태에서 Stop이 호출되면 *H*, *e*, *l*, *l*, *o* 중 일부 글자는 출력되지 않는다. Stop은 컬렉션에서 원하는 뭔가를 찾았으므로 더 이상의 반복이 무의미할 때, 또는 뭔가 잘못되어서 결과를 얻을 필요가 없어졌을 때 유용하다.

Parallel.For 메서드와 Parallel.ForEach 메서드는 ParallelLoopResult 객체를 돌려주는데, 이 객체에는 IsCompleted와 LowestBreakIteration이라는 속성이 있다. 이들은 루프가 끝까지 돌았는지, 아니라면 몇 번째 반복에서 루프가 종료되었는지를 알려준다. 만일 LowestBreakIteration이 null이면 Break가 아니라 Stop에 의해 루프가 끝났다는 뜻이다.

루프 본문이 길다면, 다른 스레드가 Break나 Stop으로 일찍 루프를 끝냈을 때 현재 스레드의 루프 본문 역시 일찍 루프를 종료하는 것이 바람직할 것이다. 그런 경우 코드의 여러 지점에서 ShouldExitCurrentIteration 속성을 점검하면 된다. 이 속성은 Stop 호출 직후에, 또는 Break 호출 얼마 후에 true가 된다.

ShouldExitCurrentIteration은 취소 요청이 처리되었거나 루프 본문에서 예외가 발생해도 true가 된다.

다른 스레드에서 예외가 발생했는지는 IsExceptional 속성으로 알아낼 수 있다. 처리되지 않은 예외가 발생하면 각 스레드의 현재 반복에서 루프가 중지된다. 이를 피하려면 예외를 반드시 루프 본문 안에서 명시적으로 처리해야 한다.

지역 값을 이용한 최적화

Parallel.For와 Parallel.ForEach는 TLocal이라는 형식 매개변수가 있는 일단의 제네릭 중복적재 버전들을 제공한다. 이 중복적재들은 반복 횟수가 많은 루프에서 자료의 취합을 최적화하는 용도로 만들어진 것이다. 이들 중 가장 단순한 형태는 다음이다.

```
public static ParallelLoopResult For <TLocal> (
  int fromInclusive,
  int toExclusive,
  Func <TLocal> localInit,
  Func <int, ParallelLoopState, TLocal, TLocal> body,
  Action <TLocal> localFinally);
```

그러나 실무에서 이런 형태의 중복적재 버전들이 필요한 경우는 드물다. 이들로 해결할 수 있는 문제들을 대부분 PLINQ로도 해결할 수 있기 때문이다(이들의 서명과 사용법이 좀 복잡하다는 점에서, 이는 다행이다).

이들로 해결할 수 있는 문제를 잘 보여주는 예로, 1에서 1,000만까지의 제곱근들의 합을 계산하는 문제를 생각해 보자. 제곱근 1,000만 개를 계산하는 것 자체는 쉽게 병렬화할 수 있지만, 그 제곱근들을 모두 합하는 것의 병렬화는 간단하지 않다. 총합을 갱신하는 부분을 자물쇠로 보호해야 하기 때문이다.

```
object locker = new object();
double total = 0;
Parallel.For (1, 10000000,
              i => { lock (locker) total += Math.Sqrt (i); });
```

이 경우 자물쇠를 1,000만 개 만드는 데 드는 비용과 그로 인한 스레드 차단 때문에 병렬화의 이득이 사라진다.

그런데 사실 자물쇠를 실제로 1,000만 개나 만들 **필요**는 없다. 비유하자면, 일단의 자원봉사자들이 행사장에 남겨진 쓰레기를 치운다고 하자. 만일 쓰레기통이 하나라면 자원봉사자들은 쓰레기통까지 먼 거리를 왕복해야 하며, 다른 자원봉사자들과 쓰레기통을 두고 경합을 펼쳐야 하므로 청소 과정이 극도로 비효율적일 것이다. 자명한 해결책은 각 자원봉사자가 개인용 쓰레기통, 즉 '지역' 쓰레기통을 사용하고, 가끔 자신의 쓰레기통을 중앙 쓰레기통에 비우게 하는 것이다.

`TLocal` 형식 매개변수가 있는 `For`와 `ForEach`가 딱 그런 식으로 작동한다. 이 경우 자원봉사자들은 내부 일꾼 스레드들이고, 지역 쓰레기통은 대리자에 전달되는 `TLocal` 객체이다. 이를 **지역 값**(local value)이라고 부른다. 지역 값을 사용하는 `For`와 `ForEach`를 호출할 때에는 루프 본문 대리자와 함께 다음과 같은 대리자들도 지정해야 한다.

1. 새 지역 값을 초기화하는 대리자
2. 지금까지 집계된 지역 값을 주 집계 값(주 쓰레기통)에 결합하는 대리자

그 외에, 루프 본문 대리자는 `void`가 아니라 집계된 지역 값을 돌려주어야 한다. 다음은 앞의 제곱근 계산 예제를 개선한 코드이다.

```
object locker = new object();
double grandTotal = 0;

Parallel.For (1, 10000000,

  () => 0.0,                        // 지역 값을 초기화한다.

  (i, state, localTotal) =>         // 루프 본문 대리자. 갱신된 지역 값을
     localTotal + Math.Sqrt (i),    // 돌려준다는 점을 주목할 것.
```

```
    localTotal =>                                   // 지역 값을
      { lock (locker) grandTotal += localTotal; }   // 주 집계 값에 더한다.
);
```

자물쇠가 아예 없어지지는 않았지만, 지역 값을 총합에 추가하는 부분에만 잠금이 적용된다는 점이 중요하다. 이 덕분에 전체 처리 과정의 효율성이 극적으로 증가한다.

앞에서 언급했듯이, 이런 용도에는 PLINQ가 적합할 때가 많다. 지금 예제를 PLINQ로 병렬화한다면 다음과 같은 모습이 될 것이다.

```
ParallelEnumerable.Range (1, 10000000)
                  .Sum (i => Math.Sqrt (i))
```

(**범위 분할** 전략이 선택되게 하려고 ParallelEnumerable을 사용했음을 주목할 것: 지금 예제에서는 모든 수의 처리 속도가 같으므로 범위 전략을 사용하면 성능이 향상된다.)

좀 더 복잡한 시나리오라면 Sum 대신 LINQ의 Aggregate 연산자를 사용할 수도 있다. Parallel.For에 지역 값 대리자를 제공하는 것은 Aggregate 연산자에 지역 종잣값 팩토리를 지정하는 것과 다소 비슷하다.

작업 병렬성

작업 병렬성(task parallelism) 전략은 PFX를 이용한 병렬화 접근방식 중 가장 낮은 수준에 해당한다. 다음은 이 수준의 병렬 프로그래밍에 쓰이는 클래스들로, 모두 System.Threading.Tasks 이름공간에 있다.

클래스	용도
Task	작업(일거리의 최소 단위)의 관리
Task<TResult>	반환값이 있는 일거리 단위의 관리
TaskFactory	작업 객체 생성
TaskFactory<TResult>	반환 형식이 같은 작업 및 연속 작업들의 생성
TaskScheduler	작업 일정 수립 관리
TaskCompletionSource	한 작업의 흐름을 직접 제어

작업 객체의 기본 사항은 제14장에서 이야기했다. 이번 절에서는 병렬 프로그래밍을 위한 작업 객체의 고급 기능들을 살펴본다. 구체적으로 다음과 같은 주제들을 다룬다.

- 작업 일정 수립 조율
- 한 작업에서 다른 작업을 실행해서 생기는 부모/자식 관계
- 연속(continuation) 기능의 고급 용법
- TaskFactory

TPL(Task Parallel Library)을 이용하면 최소의 추가부담으로 수백 개의(심지어는 수천 개의) 작업을 생성할 수 있다. 그러나 수백만 개의 작업을 생성해야 한다면, 효율성을 위해서는 그 작업들을 더 큰 일거리 단위들로 나눌 필요가 있다. Parallel 클래스와 PLINQ는 그러한 분할을 자동으로 처리해준다.

Visual Studio는 작업 감시를 위한 창을 제공한다(디버그→창→병렬 작업). 이 창은 스레드 창과 비슷하되 작업 관련 객체들을 보여준다는 점이 다르다. 그리고 '병렬 스택' 창에도 작업 객체들을 볼 수 있는 특별한 모드가 있다.

작업의 생성과 실행

제14장에서 설명했듯이, Task.Run 메서드는 Task나 Task<TResult> 객체를 생성해서 실행한다. 사실 이 메서드는 Task.Factory.StartNew 호출의 단축 표기에 해당한다. Task.Factory.StartNew의 추가적인 중복적재 버전들을 이용하면 작업 객체를 좀 더 유연한 방식으로 생성할 수 있다.

상태 객체 지정

Task.Factory.StartNew를 이용하면 대상 메서드에 전달할 **상태 객체**를 지정할 수 있다. 상태 객체를 지정하는 경우, 대상 메서드로는 object 형식 매개변수 하나를 받는 메서드를 지정해야 한다.

```
static void Main()
{
  var task = Task.Factory.StartNew (Greet, "Hello");
  task.Wait();  // 작업이 완료되길 기다린다.
}

static void Greet (object state) { Console.Write (state); }   // Hello
```

만일 상태 객체를 사용하지 않았다면, StartNew 호출 시 Greet 자체가 아니라 Hello로 Greet를 호출하는 람다식을 지정해야 했을 것이다. 이처럼 상태 객체를 이용하면 람다식 생성 비용을 절약할 수 있다. 그러나 이는 미시적인 최적화

이며, 실무에서 이런 최적화가 꼭 필요한 경우는 드물다. **상태 객체의 좀 더 나은 용도는 작업에 의미 있는 이름을 부여하는 것이다.** 그 이름은 이후 AsyncState 속성으로 조회할 수 있다.

```
static void Main()
{
  var task = Task.Factory.StartNew (state => Greet ("Hello"), "Greeting");
  Console.WriteLine (task.AsyncState);   // Greeting
  task.Wait();
}

static void Greet (string message) { Console.Write (message); }
```

Visual Studio는 각 작업 객체의 AsyncState를 병렬 작업 창에 표시하므로, 이 예제처럼 작업 객체에 의미 있는 이름을 부여하면 디버깅이 훨씬 쉬워진다.

TaskCreationOptions 열거형

StartNew를 호출할 때(또는 Task 객체를 인스턴스화할 때) TaskCreationOptions 열거형의 한 값을 지정해서 작업 객체의 실행 방식을 조율할 수 있다. TaskCreationOptions는 다음과 같은 값들(조합 가능)로 이루어진 플래그 열거형이다.

```
LongRunning, PreferFairness, AttachedToParent
```

StartNew 호출 시 LongRunning을 지정하면 스케줄러는 작업 객체에 전담 스레드를 배정한다. 그리고 제14장에서 설명했듯이, 이는 입출력 한정 작업이나 오래 실행되는 작업에 알맞은 방식이다(만일 그런 작업에 짧게 전담 스레드를 배정하지 않는다면, 짧게 실행되는 작업들에는 비합리적일 정도로 긴 시간이 지난 후에야 실행 일정이 부여될 위험이 있다).

PreferFairness를 지정하면 스케줄러는 그런 작업들의 실행 일정을 그 생성 순서에 따라 정하려 한다. 보통은 그렇게 하지 않을 가능성이 크다. 왜냐하면, 스케줄러는 내부적인 일거리 훔치기 대기열(work-stealing queue)을 이용해서 작업들의 일정을 최적화하기 때문이다. 일거리 훔치기 대기열은 보통의 단일 일거리 대기열에서 발생할 수 있는 경합 부담 없이도 자식 작업들을 생성할 수 있도록 하는 일종의 최적화이다. **자식 작업 객체를 직접 생성하고 싶으면 StartNew 호출 시 AttachedToParent를 지정하면 된다.**

자식 작업

한 작업에서 다른 작업을 실행할 때, 필요하다면 둘 사이에 부모-자식 관계를 만들 수 있다.

```
Task parent = Task.Factory.StartNew (() =>
{
  Console.WriteLine ("부모 작업");

  Task.Factory.StartNew (() =>        // 부모와는 무관한 개별 작업
  {
    Console.WriteLine ("개별 작업");
  });

  Task.Factory.StartNew (() =>        // 자식 작업
  {
    Console.WriteLine ("자식 작업");
  }, TaskCreationOptions.AttachedToParent);
});
```

자식 작업의 특징은, 자식 작업에서 **부모** 작업의 완료를 기다리면 그 부모 작업의 다른 모든 자식 작업의 완료도 기다리게 된다는 것이다. 또한, 대기가 끝났을 때 자식 작업들에서 발생한 모든 예외가 대기 지점까지 올라온다.

```
TaskCreationOptions atp = TaskCreationOptions.AttachedToParent;
var parent = Task.Factory.StartNew (() =>
{
  Task.Factory.StartNew (() =>   // 자식
  {
    Task.Factory.StartNew (() => { throw null; }, atp);   // 손주
  }, atp);
});

// 다음 호출은 NullReferenceException(실제로는 중첩된
// AggregateException들로 감싸인)을 던진다:
parent.Wait();
```

잠시 후 보겠지만, 이러한 기능은 자식 작업이 하나의 연속 작업일 때 특히나 유용하다.

여러 작업 기다리기

제14장에서 보았듯이, 한 작업의 완료를 기다리려면 해당 객체에 대해 `Wait` 메서드를 호출하면 된다. `Task<TResult>` 객체의 경우에는 `Result` 속성에 접근해도 완료 대기가 진행된다. 그리고 여러 개의 작업을 동시에 기다리는 것도 가능하다. 정적 메서드 `Task.WaitAll`(지정된 작업들이 모두 완료해야 대기가 끝난다)이나 `Task.WaitAny`(작업 중 하나만 완료해도 대기가 끝난다)를 호출하면 된다.

WaitAll은 각 작업을 차례로 기다리는 것과 비슷하나, 많아야 한 번의 문맥 전환만 필요하므로 그보다 효율적이다. 또한, 하나 이상의 작업들이 미처리 예외를 던져도 WaitAll은 모든 작업의 완료를 기다린다. 대신, 대기가 풀리면 실패한 작업들이 던진 예외들을 모두 모은 AggregateException 예외를 다시 던진다(이것이 AggregateException이 진정으로 유용한 상황이다). WaitAll이 하는 일을 풀어서 표현하면 다음과 같다.

```
// t1, t2, t3이 작업 객체라고 할 때:
var exceptions = new List<Exception>();
try { t1.Wait(); } catch (AggregateException ex) { exceptions.Add (ex); }
try { t2.Wait(); } catch (AggregateException ex) { exceptions.Add (ex); }
try { t3.Wait(); } catch (AggregateException ex) { exceptions.Add (ex); }
if (exceptions.Count > 0) throw new AggregateException (exceptions);
```

WaitAny를 호출하는 것은 실행이 완료된 임의의 작업 객체로부터 신호를 받는 ManualResetEventSlim 객체를 기다리는 것에 해당한다.

Wait* 메서드들에는 만료 시간과 **취소 토큰**을 받는 중복적재 버전들도 있다. 이때 취소 토큰은 **작업 자체**가 아니라 대기 연산을 취소하기 위한 것이다.

작업 취소

작업을 시작할 때 취소 토큰을 지정할 수도 있다. 그런 경우, 만일 그 토큰을 통해서 작업이 취소되면 작업 객체 자체는 '취소됨(Canceled)' 상태로 진입한다.

```
var cts = new CancellationTokenSource();
CancellationToken token = cts.Token;
cts.CancelAfter (500);

Task task = Task.Factory.StartNew (() =>
{
  Thread.Sleep (1000);
  token.ThrowIfCancellationRequested();  // 취소 요청을 점검한다.
}, token);

try { task.Wait(); }
catch (AggregateException ex)
{
  Console.WriteLine (ex.InnerException is TaskCanceledException);  // True
  Console.WriteLine (task.IsCanceled);                             // True
  Console.WriteLine (task.Status);                             // Canceled
}
```

TaskCanceledException은 OperationCanceledException의 파생 클래스이다. OperationCanceledException을 명시적으로 던지려면 반드시 Operation

CanceledException의 생성자에 취소 토큰을 전달해야 한다. 그렇게 하지 않으면 작업 객체는 TaskStatus.Canceled 상태가 되지 않으며, 따라서 OnlyOnCanceled 연속 작업이 실행되지 않는다.

시작하기도 전에 취소된 작업에는 실행 일정이 배정되지 않으며, 그 작업 객체에 대해 즉시 OperationCanceledException 예외가 던져진다.

취소 토큰은 다른 API들도 인식하므로, 취소 토큰을 다른 코드 요소에 넘겨주어도 취소 처리가 매끄럽게 전파된다.

```
var cancelSource = new CancellationTokenSource();
CancellationToken token = cancelSource.Token;

Task task = Task.Factory.StartNew (() =>
{
  // 취소 토큰을 PLINQ 질의에 전달한다.
  var query = someSequence.AsParallel().WithCancellation (token)...
  ... 여기서 질의를 열거한다 ...
});
```

이 예제에서 cancelSource에 대해 Cancel을 호출하면 PLINQ 질의가 취소되며, 그러면 작업 본문에서 OperationCanceledException 예외가 발생한다. 이에 의해 작업 자체가 취소된다.

Wait나 CancelAndWait 같은 메서드에 취소 토큰을 전달하면 작업 자체가 아니라 **대기** 연산이 취소된다.

연속 작업

ContinueWith 메서드는 주어진 대리자를 해당 작업이 끝난 직후에 실행한다. 다음 예를 보자.

```
Task task1 = Task.Factory.StartNew (() => Console.Write ("antecedant.."));
Task task2 = task1.ContinueWith (ant => Console.Write ("..continuation"));
```

이 예에서 task1이 완료되거나, 실패하거나, 취소되자마자 task2가 실행된다. 이때 task1이 **선행 작업**(antecedent task)이고 task2가 **연속 작업**(continuation task)이다. (만일 둘째 줄이 실행되기 전에 task1이 완료되었다면, task2는 즉시 실행되도록 일정이 잡힌다.) 연속 작업의 람다식에 전달된 ant 인수는 선행 작업에 대한 참조이다. ContinueWith 메서드 자체는 하나의 작업 객체를 돌려준다. 이 덕분에 연속 작업들을 메서드 호출 연쇄 방식으로 손쉽게 추가할 수 있다.

기본적으로, 선행 작업과 연속 작업이 서로 다른 스레드에서 실행될 수 있다. 만일 두 작업이 같은 스레드에서 실행되게 하고 싶으면 ContinueWith 호출 시 TaskContinuationOptions.ExecuteSynchronously를 지정하면 된다. 그렇게 하면 간접이 줄어들므로, 아주 세밀한 연속 작업들의 경우에는 성능이 향상될 수 있다.

연속 작업과 Task〈TResult〉

보통의 작업 객체처럼, 연속 작업 객체 역시 Task<TResult> 형식일 수 있다. 다른 말로 하면, 연속 작업이 어떤 값을 돌려주게 하는 것도 가능하다. 다음은 여러 작업을 메서드 호출 연쇄로 엮어서 Math.Sqrt(8*2)를 계산하고 그 결과를 출력하는 예이다.

```
Task.Factory.StartNew<int> (() => 8)
  .ContinueWith (ant => ant.Result * 2)
  .ContinueWith (ant => Math.Sqrt (ant.Result))
  .ContinueWith (ant => Console.WriteLine (ant.Result));   // 4
```

간단한 예제를 만들다 보니 다소 작위적인 예제가 되었는데, 실제 응용에서는 람다식들에서 계산량이 좀 더 많은 메서드를 호출할 것이다.

연속 작업과 예외

선행 작업의 실패 여부를 연속 작업에서 알아내야 한다면, 선행 작업 객체의 Exception 속성을 조회해도 되지만 그냥 Result나 Wait를 호출해서 AggregateException 예외를 잡는 것이 더 간단할 것이다. 선행 작업과 연속 작업 둘 다 실패하면 해당 예외는 **관찰되지 않은** 것으로 간주되며, 이후 쓰레기 수거기가 작업 객체를 수거할 때 TaskScheduler.UnobservedTaskException 이벤트가 발동된다.

안전성을 위해 미관찰/미처리 예외를 피하는 데 유용한 패턴은, 연속 작업에서 선행 작업의 예외들을 다시 던지는 것이다. 누군가가 연속 작업에 대해 Wait를 호출하는 한, 그 예외는 Wait 호출자에게 다시 던져진다.

```
Task continuation = Task.Factory.StartNew     (()  => { throw null; })
                                .ContinueWith (ant =>
  {
    ant.Wait();
    // 처리를 계속한다....
  });

continuation.Wait();    // 호출자에게 예외가 던져진다.
```

예외를 다루는 또 다른 방법은, 예외적인 결과와 정상적인 결과에 대해 서로 다른 연속 작업을 지정하는 것이다. 이때 필요한 것이 TaskContinuationOptions 열거형이다.

```
Task task1 = Task.Factory.StartNew (() => { throw null; });

Task error = task1.ContinueWith (ant => Console.Write (ant.Exception),
                                 TaskContinuationOptions.OnlyOnFaulted);

Task ok = task1.ContinueWith (ant => Console.Write ("Success!"),
                              TaskContinuationOptions.NotOnFaulted);
```

잠시 후 보겠지만, 이 패턴은 자식 작업들에 사용할 때 특히나 유용하다.

다음 확장 메서드는 작업의 미처리 예외를 "삼켜버린다."

```
public static void IgnoreExceptions (this Task task)
{
  task.ContinueWith (t => { var ignore = t.Exception; },
    TaskContinuationOptions.OnlyOnFaulted);
}
```

(실제 응용에서는 예외의 내용을 로그에 기록하는 것이 바람직할 것이다.) 다음은 이 메서드를 사용하는 예이다.

```
Task.Factory.StartNew (() => { throw null; }).IgnoreExceptions();
```

연속 작업과 자식 작업

연속 작업의 아주 유용한 특징 하나는, 모든 자식 작업이 완료되었을 때에만 연속 작업이 실행된다는 점이다(그림 23-5 참고). 모든 자식 작업이 완료되면 자식 작업들이 던진 모든 예외가 연속 작업에게 인도된다.

다음 예제는 자식 작업 세 개를 시작한다. 세 자식 작업 모두 NullReferenceException을 던지는데, 부모 작업을 선행 작업으로 하는 연속 작업에서 그 예외들을 한꺼번에 잡는다.

```
TaskCreationOptions atp = TaskCreationOptions.AttachedToParent;
Task.Factory.StartNew (() =>
{
  Task.Factory.StartNew (() => { throw null; }, atp);
  Task.Factory.StartNew (() => { throw null; }, atp);
  Task.Factory.StartNew (() => { throw null; }, atp);
})
```

```
.ContinueWith (p => Console.WriteLine (p.Exception),
                    TaskContinuationOptions.OnlyOnFaulted);
```

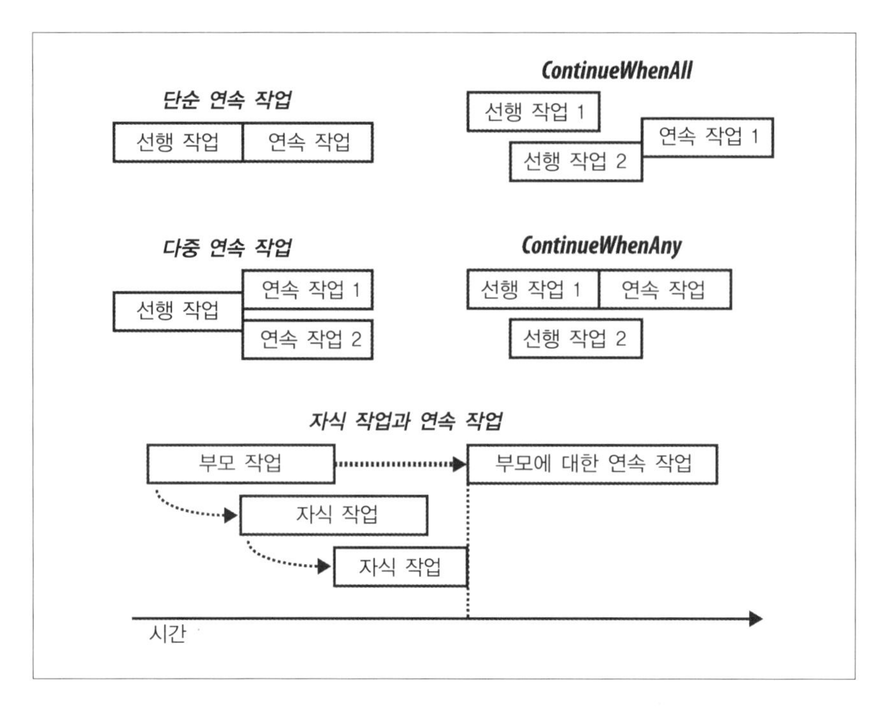

그림 23-5 여러 종류의 연속 작업

조건부 연속 작업

기본적으로 연속 작업은 선행 작업이 완료되든, 예외를 던지든, 취소되든 상관없이 무조건 실행되도록 일정이 잡힌다. 그런 방식이 싫다면 TaskContinuationOptions 열거형의 플래그를 적절히 지정하면 된다(필요하다면 여러 플래그를 조합해서). 다음은 조건부 연속 작업의 제어에 쓰이는 주요 플래그들이다.

```
NotOnRanToCompletion = 0x10000,
NotOnFaulted = 0x20000,
NotOnCanceled = 0x40000,
```

이 플래그들은 감산적이다. 즉, 더 많이 지정할수록 연속 작업이 실행될 여지가 줄어든다. 편의를 위해, TaskContinuationOptions는 다음과 같이 미리 조합된 값들도 제공한다.

```
OnlyOnRanToCompletion = NotOnFaulted | NotOnCanceled,
OnlyOnFaulted = NotOnRanToCompletion | NotOnCanceled,
OnlyOnCanceled = NotOnRanToCompletion | NotOnFaulted
```

(모든 Not* 플래그(NotOnRanToCompletion과 NotOnFaulted, NotOnCanceled)를 모두 결합하는 것은 무의미하다. 그러면 연속 작업이 항상 취소되기 때문이다.)

플래그들에서 "RanToCompletion"은 선행 작업이 무사히, 즉 취소나 미처리 예외 없이 완료되었음을 뜻한다.

"Faulted"는 선행 작업에서 미처리 예외가 발생했음을 뜻한다.

"Canceled"는 다음 둘 중 하나를 뜻한다.

- 선행 작업이 취소 토큰을 통해서 취소되었다. 다른 말로 하면, 선행 작업에서 OperationCanceledException 예외가 던져졌으며, 그 CancellationToken 속성이 선행 작업을 시작할 때 지정한 취소 토큰과 부합한다.
- 조건부 연속 작업의 실행 조건들을 **선행 작업이** 만족하지 못해서 선행 작업이 암묵적으로 취소되었다.

여기서 중요한 점 하나는, 이 플래그들 때문에 연속 작업이 실행되지 않았다고 해서 그것이 잊혀지거나 폐기된 것은 아니라는 것이다. 그런 경우 연속 작업은 그냥 **취소된** 것이다. 따라서 그 연속 작업을 선행 작업으로 하는 추가적인 연속 작업은 **여전히 실행된다**(물론, 그 연속 작업 자체에 NotOnCanceled를 실행 조건으로 걸지 않았다고 할 때).

```
Task t1 = Task.Factory.StartNew (...);

Task fault = t1.ContinueWith (ant => Console.WriteLine ("fault"),
                              TaskContinuationOptions.OnlyOnFaulted);

Task t3 = fault.ContinueWith (ant => Console.WriteLine ("t3"));
```

이 예에서 t3은 항상 실행 일정이 잡힌다. 특히, t1이 예외를 던지지 않아도 실행된다(그림 23-6). 이는 t1이 성공해도 fault는 **취소될** 뿐이기 때문이다. 게다가 t3에는 아무런 조건도 걸려 있지 않으므로, 결과적으로 t3은 무조건 실행된다.

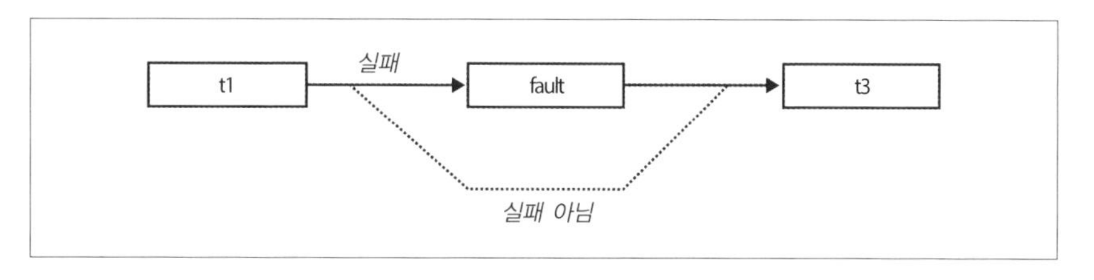

그림 23-6 조건부 연속 작업

fault가 실제로 실행되었을 때에만 t3이 실행되게 하려면 다음처럼 해야 한다.

```
Task t3 = fault.ContinueWith (ant => Console.WriteLine ("t3"),
                              TaskContinuationOptions.NotOnCanceled);
```

(아니면 OnlyOnRanToCompletion을 지정해도 된다. 차이점은, fault 안에서 예외가 던져지면 t3이 실행되지 않는다는 것이다.)

선행 작업이 여러 개인 연속 작업

TaskFactory 클래스의 ContinueWhenAll과 ContinueWhenAny를 이용하면 여러 개의 선행 작업이 완료되었을 때 연속 작업이 실행되게 할 수도 있다. 그러나 이 메서드들이 하는 일은 .NET Framework에 새로 도입된 작업 조합기들(제14장에서 논의한 WhenAll과 WhenAny)로도 할 수 있다. 한 예로, 다음과 같은 두 작업을 생각해 보자.

```
var task1 = Task.Run (() => Console.Write ("X"));
var task2 = Task.Run (() => Console.Write ("Y"));
```

이 두 작업이 모두 완료되었을 때 연속 작업이 실행되게 하려면 다음과 같이 하면 된다.

```
var continuation = Task.Factory.ContinueWhenAll (
  new[] { task1, task2 }, tasks => Console.WriteLine ("Done"));
```

그러나 WhenAll 작업 조합기로도 같은 결과를 얻을 수 있다.

```
var continuation = Task.WhenAll (task1, task2)
                       .ContinueWith (ant => Console.WriteLine ("Done"));
```

선행 작업 하나에 대한 여러 개의 연속 작업

같은 작업 객체에 대해 ContinueWith를 여러 번 호출함으로써, 하나의 선행 작업에 여러 개의 연속 작업을 부착할 수 있다. 그 선행 작업이 완료되면 모든 연속 작업이 동시에 실행을 시작한다(단, TaskContinuationOptions.ExecuteSynchronously를 지정하면 연속 작업들이 차례로 실행된다).

다음 코드는 1초 지연 후 "XY" 또는 "YX"를 출력한다.

```
var t = Task.Factory.StartNew (() => Thread.Sleep (1000));
t.ContinueWith (ant => Console.Write ("X"));
t.ContinueWith (ant => Console.Write ("Y"));
```

작업 스케줄러

추상 클래스 TaskScheduler로 대표되는 **작업 스케줄러**(task scheduler)는 작업 객체들을 스레드들에 배정하는 역할을 담당한다. .NET Framework는 두 가지 구현 클래스를 제공한다. 하나는 CLR 스레드 풀을 사용하는 **기본 스케줄러**에 해당하는 클래스이고, 다른 하나는 **동기화 문맥 스케줄러**에 해당하는 클래스이다. 후자는 (기본적으로) WPF나 Windows Forms의 스레드 적용 모형을 위해 만들어진 것이다. 그런 스레드 적용 모형에서, UI 요소나 컨트롤에는 그것을 생성한 스레드만 접근할 수 있다(제14장의 '리치 클라이언트 응용 프로그램의 다중 스레드 적용(p.716)' 참고). 동기화 문맥이 존재한다고 할 때, 어떤 작업 또는 연속 작업이 그 문맥 안에서 실행되게 하려면 다음과 같이 하면 된다.

```
// 현재 스레드가 Windows Forms/WPF 응용 프로그램의 한 UI 스레드라고 가정할 때:
_uiScheduler = TaskScheduler.FromCurrentSynchronizationContext();
```

Foo가 문자열을 돌려주는 계산량 한정 메서드이고 lblResult가 WPF나 Windows Forms의 이름표(레이블) 컨트롤이라고 할 때, 다음은 위의 작업이 완료된 후 이름표를 안전하게 갱신하는 코드이다.

```
Task.Run (() => Foo())
  .ContinueWith (ant => lblResult.Content = ant.Result, _uiScheduler);
```

물론 이런 종류의 일은 그냥 C#의 비동기 함수들을 사용해서 해결하는 경우가 더 많다.

독자만의 작업 스케줄러를 작성하는 것도 가능하지만(ITaskScheduler를 파생해서), 그런 일은 아주 특별한 상황에서나 필요하다. 그냥 TaskCompletionSource를 사용해서 작업의 실행 일정을 적절히 조정하는 것으로 충분한 경우가 더 많다.

TaskFactory

정적 속성 Task.Factory는 기본 TaskFactory 객체를 돌려준다. TaskFactory는 작업 생성을 위한 팩토리를 대표하는 클래스로, 다음 세 종류의 작업을 생성할 수 있다.

- '보통' 작업(StartNew로 생성)
- 선행 작업이 여러 개인 연속 작업(ContinueWhenAll이나 ContinueWhenAny로 생성)
- 이제는 필요 없는 비동기 프로그래밍 모형(APM; 제14장의 '더 이상 필요 없는 패턴들(p.770)' 참고)을 따르는 메서드를 감싸는 작업(FromAsync로 생성).

Task를 인스턴스화하고 Start를 호출해서 작업을 생성하는 방법도 있지만, 이 방법으로는 보통의 작업만 생성할 수 있을 뿐 연속 작업은 생성할 수 없다.

커스텀 작업 팩토리 만들기

TaskFactory는 추상 클래스가 아니다. 실제로 이 클래스를 인스턴스화해서 사용할 수 있다. 같은(그리고 기본 값이 아닌) TaskCreationOptions 값이나 TaskContinuationOptions, TaskScheduler 값들을 지정해서 작업을 거듭해서 생성해야 할 때 TaskFactory가 유용하다. 예를 들어 오래 실행되며 **부모가 있는**(parented) 작업을 거듭 생성해야 한다고 하자. 그런 경우 일단 다음과 같은 커스텀 작업 팩토리를 만든다.

```
var factory = new TaskFactory (
  TaskCreationOptions.LongRunning | TaskCreationOptions.AttachedToParent,
  TaskContinuationOptions.None);
```

그런 다음에는 그냥 이 팩토리에 대해 StartNew만 호출하면 된다.

```
Task task1 = factory.StartNew (Method1);
Task task2 = factory.StartNew (Method2);
...
```

커스텀 연속 작업 옵션들은 ContinueWhenAll이나 ContinueWhenAny를 호출할 때 적용된다.

AggregateException 다루기

앞에서 보았듯이, PLINQ와 Parallel 클래스, 그리고 Task는 발생한 예외를 자동으로 소비자에 인도한다. 그런 처리가 필요한 이유를 살펴보기 위해, 다음과 같이 첫 반복에서 DivideByZeroException을 던지는 LINQ 질의를 생각해 보자.

```
try
{
  var query = from i in Enumerable.Range (0, 1000000)
              select 100 / i;
  ...
}
catch (DivideByZeroException)
{
  ...
}
```

만일 PLINQ로 이 질의를 병렬화했는데 PLINQ가 앞에서 말한 방식으로 예외를 처리하지 않는다면, DivideByZeroException 예외가 현재 스레드가 아닌 다른 스레드에서 던져질 수 있다. 그러면 예외가 catch 블록에 걸리지 않으므로 결국 응용 프로그램이 죽게 된다.

이 때문에 병렬화 라이브러리들은 예외를 자동으로 잡아서 호출자에게 다시 던진다. 그러나 안타깝게도 이런 상황을 그냥 DivideByZeroException 예외 하나를 잡아서 처리할 수는 없다. 이 라이브러리들은 다수의 스레드를 활용하므로, 둘 이상의 예외가 동시에 던져질 가능성이 실제로 존재한다. 모든 예외를 확실히 보고하기 위해 라이브러리들은 자신이 잡은 예외들을 하나의 AggregateException 컨테이너로 감싼다. 잡힌 예외들은 그 AggregateException 객체의 InnerExceptions 속성에 담겨 있다.

```
try
{
  var query = from i in ParallelEnumerable.Range (0, 1000000)
              select 100 / i;
  // 질의 결과를 열거한다 ...
  ...
}
catch (AggregateException aex)
{
  foreach (Exception ex in aex.InnerExceptions)
    Console.WriteLine (ex.Message);
}
```

PLINQ와 Parallel 클래스 둘 다 첫 예외 발생 시 질의 또는 루프 실행을 끝낸다. 여기서 "끝낸다"는 더 이상의 요소를 처리하지 않거나 루프 본문을 더 반복하지 않음을 뜻한다. 그러나 현재 요소 또는 현재 반복을 마치기 전에 또 다른 예외가 발생할 수는 있다. AggregateException의 첫 예외는 InnerException 속성에서 볼 수 있다.

Flatten 메서드와 Handle 메서드

AggregateException 클래스에는 예외 처리를 단순화하는 데 도움이 되는 메서드가 두 개 있다. 바로 Flatten과 Handle이다.

Flatten

한 AggregateException 객체가 또 다른 AggregateException 객체를 담는 경우도 흔하다. 예를 들어 자식 작업이 예외를 던지면 그런 일이 발생할 수 있다. 예외 처리를 단순화하기 위해 예외들의 내포 관계를 제거하고 싶다면 Flatten을 호출하면 된다. 이 메서드는 내부 예외들이 그냥 단순하게 나열된 형태의 새 AggregateException 객체를 돌려준다.

```
catch (AggregateException aex)
{
  foreach (Exception ex in aex.Flatten().InnerExceptions)
    myLogWriter.LogException (ex);
}
```

Handle

특정 형식의 예외들만 잡고 그 외의 예외들은 다시 던져야 할 때가 종종 있는데, AggregateException의 Handle 메서드를 이용하면 그런 처리를 간단히 수행할 수 있다. 이 메서드는 주어진 예외 술어(predicate)를 모든 내부 예외에 적용한다.

```
public void Handle (Func<Exception, bool> predicate)
```

만일 술어가 true를 돌려주면 이 메서드는 그 예외를 "처리된" 것으로 간주한다. 모든 내부 예외에 대해 술어를 적용한 후, 이 메서드는 내부 예외들을 다음과 같이 처리한다.

- "처리된" 예외, 즉 술어 대리자가 true를 돌려준 예외들은 다시 던지지 않는다.
- "처리되지 않은" 예외, 즉 술어 대리자가 false를 돌려준 예외들을 새 AggregateException에 담아서 다시 던진다.

예를 들어 다음 코드는 하나의 NullReferenceException을 담은 또 다른 AggregateException 객체를 다시 던진다.

```
var parent = Task.Factory.StartNew (() =>
{
  // 자식 작업 세 개를 이용해서 예외 세 개를 동시에 던진다.

  int[] numbers = { 0 };

  var childFactory = new TaskFactory
   (TaskCreationOptions.AttachedToParent, TaskContinuationOptions.None);

  childFactory.StartNew (() => 5 / numbers[0]);   // 0으로 나누기
  childFactory.StartNew (() => numbers [1]);      // 범위 밖 색인
  childFactory.StartNew (() => { throw null; });  // 널 참조
});
```

```
try { parent.Wait(); }
catch (AggregateException aex)
{
  aex.Flatten().Handle (ex =>   // Flatten은 여전히 호출해 주어야 함을 주의할 것.
  {
    if (ex is DivideByZeroException)
    {
      Console.WriteLine ("0으로 나누기");
      return true;                              // "처리된" 예외
    }
    if (ex is IndexOutOfRangeException)
    {
      Console.WriteLine ("범위 밖 색인");
      return true;                              // "처리된" 예외
    }
    return false;    // 그 밖의 모든 예외는 다시 던진다.
  });
}
```

동시적 컬렉션

.NET Framework 4.0에는 `System.Collections.Concurrent`라는 이름공간이 추가되었는데, 여기에는 다음과 같은 새로운 컬렉션들이 들어 있다. 이들은 모두 스레드에 완전히 안전하다.

동시적 컬렉션	해당 비동시적 버전
ConcurrentStack<T>	Stack<T>
ConcurrentQueue<T>	Queue<T>
ConcurrentBag<T>	(없음)
ConcurrentDictionary<TKey,TValue>	Dictionary<TKey,TValue>

동시적 컬렉션(concurrent collection)들은 동시성이 높은 시나리오에 최적화되어 있지만, 스레드에 안전한 컬렉션이 필요한 상황이라면 언제라도 보통의 컬렉션 주변을 잠그는 대신 이 컬렉션들을 유용하게 사용할 수 있다. 단, 다음과 같은 사항들을 조심해야 한다.

- 동시성이 높은 상황을 제외하면 보통의 컬렉션이 동시적 컬렉션보다 성능이 우월하다.
- 스레드에 안전한 컬렉션을 사용한다고 해서 코드가 저절로 스레드에 안전해지는 것은 아니다(제22장의 '스레드 안전성(p.782)' 참고).

- 동시적 컬렉션을 열거하는 도중에 다른 스레드가 그 컬렉션을 수정해도 예외가 발생하지 않는다. 그냥 기존 내용과 새 내용이 뒤섞여 나올 뿐이다.
- List<T>의 동시적 버전은 없다.
- 동시적 스택, 대기열, 자루(bag) 클래스는 내부적으로 연결 목록(linked list)을 사용한다. 그래서 비동시적 Stack 클래스나 Queue 클래스보다 메모리 사용이 비효율적이다. 그러나 동시적 접근에는 연결 목록이 유리하다. 연결 목록은 무잠금(lock-free)이나 저低잠금(low-lock) 구현에 도움이 되기 때문이다. (이는 한 노드를 연결 목록에 삽입할 때 그냥 참조 두 개만 갱신하면 되기 때문이다. 반면 List<T> 같은 자료구조에 요소를 삽입하려면 수천 개의 기존 요소들을 이동해야 할 수도 있다.)

다른 말로 하면, 이 컬렉션들은 단지 보통의 컬렉션을 자물쇠로 감싸는 수준으로 간단하게 구현된 것이 아니다. 한 예로, 만일 다음과 같이 동시적 컬렉션을 사용하는 코드를 하나의 스레드에서 실행하면,

```
var d = new ConcurrentDictionary<int,int>();
for (int i = 0; i < 1000000; i++) d[i] = 123;
```

다음과 같이 보통의 컬렉션을 사용하는 경우보다 세 배나 느리다.

```
var d = new Dictionary<int,int>();
for (int i = 0; i < 1000000; i++) lock (d) d[i] = 123;
```

(단, ConcurrentDictionary를 읽는 것은 빠르다. 읽기 연산에는 잠금이 없기 때문이다.)

보통의 컬레션과의 또 다른 차이점으로, 동시적 컬렉션은 원자적인 '검사 후 작동(test-and-act)' 연산을 수행하는 특별한 메서드들을 제공한다. 이를테면 TryPop이 그러한 메서드이다. 이런 메서드들은 대부분 IProducerConsumerCollection<T> 인터페이스를 통해서 통합된다.

IProducerConsumerCollection<T> 클래스

다음 두 용법을 지원하는 컬렉션이면 어떤 것이라도 생산자/소비자 컬렉션(producer/consumer collection)으로 사용할 수 있다.

- 컬렉션에 요소를 추가한다('생산').
- 컬렉션에서 요소를 가져온다. 그 요소는 컬렉션에서 제거된다('소비').

이런 컬렉션의 전형적인 예가 스택과 대기열이다. 효율적인 무잠금 구현에 도움이 된다는 점에서, 생산자/소비자 컬렉션은 병렬 프로그래밍에서 중요하다.

인터페이스 IProducerConsumerCollection<T>는 스레드에 안전한 생산자/소비자 컬렉션을 나타낸다. .NET Framework에서 이 인터페이스를 구현하는 구체 클래스는 다음 세 가지이다.

```
ConcurrentStack<T>
ConcurrentQueue<T>
ConcurrentBag<T>
```

IProducerConsumerCollection<T>는 ICollection을 확장한다. 특히, 다음 네 메서드를 추가한다.

```
void CopyTo (T[] array, int index);
T[] ToArray();
bool TryAdd (T item);
bool TryTake (out T item);
```

TryAdd 메서드와 TryTake 메서드는 추가/제거 연산을 수행할 수 있는지 점검해서 할 수 있으면 수행한다. 점검과 수행이 원자적으로 일어나므로 자물쇠가 필요하지 않다. 보통의 컬렉션이라면 다음 예처럼 점검과 수행에 자물쇠를 걸어야 한다.

```
int result;
lock (myStack) if (myStack.Count > 0) result = myStack.Pop();
```

TryTake는 만일 컬렉션이 비어 있으면 false를 돌려준다. 앞의 세 구체 클래스의 경우 TryAdd는 항상 성공하며, 따라서 항상 true를 돌려준다. 예를 들어 중복 요소를 금지하는 커스텀 동시적 컬렉션(이를테면 **집합**(set)을 나타내는 동시적 컬렉션)을 작성하는 경우에는, 만일 주어진 요소가 컬렉션에 이미 존재하면 false를 돌려주도록 TryAdd를 구현해야 할 것이다.

TryTake가 구체적으로 어떤 요소를 제거하는지는 구체 클래스마다 다르다.

- 스택(ConcurrentStack<T>)의 TryTake는 가장 최근 추가된 요소를 제거한다.
- 대기열(ConcurrentQueue<T>)의 TryTake는 가장 오래전에 추가된 요소를 제거한다.
- 자루(ConcurrentBag<T>)의 TryTake는 자신이 가장 효율적으로 제거할 수 있는 요소를 제거한다.

세 구체 클래스 중 대기열과 스택은 TryTake와 TryAdd 메서드를 명시적으로 구현해서 숨기고, 대신 해당 기능성을 각각 TryDequeue와 TryPop이라는 좀 더 구체적인 이름의 공용 메서드를 통해서 제공한다.

ConcurrentBag<T> 클래스

ConcurrentBag<T>는 객체들의 순서 없는 컬렉션을 저장한다(중복 요소를 허용함). ConcurrentBag<T>는 '푸대자루'처럼 막 사용할 수 있는 동시적 컬렉션을 대표한다. 특히, 이 컬렉션은 Take나 TryTake를 호출했을 때 구체적으로 어떤 요소가 나오는지가 중요하지 않을 때 적합하다.

동시적 대기열이나 스택보다 ConcurrentBag<T>가 우월한 점은, 여러 스레드가 동시에 Add 메서드를 호출해도 경합이 거의 없다는 점이다. 반면 대기열이나 스택에 대해 Add를 병렬로 호출하면 약간의 경합이 생긴다(비동시적 컬렉션을 잠글 때보다는 경합이 훨씬 적지만). Take 호출도 아주 효율적이다. 단, 스레드가 자신이 Add로 추가한 것보다 더 많은 요소를 꺼내려 하면 효율이 떨어진다.

동시적 자루에 접근하는 모든 스레드는 각자 고유한 전용 연결 목록을 사용하게 된다. 한 스레드에서 Add를 호출하면 해당 요소는 그 스레드의 전용 목록에 추가된다. 자루 전체를 열거하면 열거자는 각 스레드의 적용 목록을 훑으면서 요소들을 차례로 산출한다.

Take를 호출하면 자루는 먼저 현재 스레드의 전용 목록을 본다. 만일 그 목록에 요소가 하나라도 있으면[1] 그냥 그 요소를 돌려준다. 이 경우에는 어떠한 경합도 일어나지 않는다. 목록이 비었으면, 다른 스레드의 전용 목록에서 요소를 "훔쳐와야" 한다. 이때는 약간의 경합이 발생할 수 있다.

좀 더 구체적으로 말해서, Take를 호출하면 그 스레드의 목록에 가장 최근 추가된 요소가 반환된다. 만일 그 스레드의 목록에 요소가 하나도 없으면 자루는 무작위로 다른 스레드를 하나 선택해서 그 스레드가 마지막으로 추가한 요소를 돌려준다.

동시적 자루는 컬렉션에 대한 병렬 연산의 대부분이 요소 추가(Add 호출)일 때, 또는 Add와 Take 호출 횟수가 거의 비슷할 때 이상적이다. 이전의 병렬 철자 검

1 구현 세부사항 때문에, 경합이 전혀 없게 하려면 실제로는 목록에 적어도 두 개의 요소가 있어야 한다.

사 예제에서 Parallel.ForEach를 이용해서 시험용 단어 목록을 채우는 부분이 전자의 예이다. 다음은 그 부분을 동시적 자루를 이용해서 다시 구현한 것이다.

```
var misspellings = new ConcurrentBag<Tuple<int,string>>();

Parallel.ForEach (wordsToTest, (word, state, i) =>
{
  if (!wordLookup.Contains (word))
    misspellings.Add (Tuple.Create ((int) i, word));
});
```

동시적 자루를 생산자/소비자 대기열로 사용하는 것은 바람직하지 않다. 생산자/소비자 모형에서는 요소들을 추가하는 스레드와 제거하는 스레드가 서로 다를 수 있기 때문이다.

BlockingCollection<T> 클래스

앞 절에서는 다음과 같은 세 생산자/소비자 컬렉션을 소개했다.

```
ConcurrentStack<T>
ConcurrentQueue<T>
ConcurrentBag<T>
```

이런 컬렉션들이 비어 있는 상태에서 TryTake 메서드를 호출하면 메서드는 즉시 false를 돌려준다. 그런데 그보다는, 컬렉션에 요소가 추가될 때까지 기다리는(즉, 메서드 호출이 차단되는) 것이 더 유용할 때도 있다.

PFX 설계자들은 그런 기능성을 위해 TryTake 메서드를 중복적재하는 대신(TryTake는 이미 취소 토큰과 만료 시간을 지원하기 위해 여러 번 중복적재되어 있다), 그런 기능성을 담은 BlockingCollection<T>라는 래퍼 클래스를 추가했다. '차단 컬렉션(blocking collection)'을 대표하는 이 클래스는 IProducerConsumerCollection<T>를 구현하는 임의의 컬렉션을 감싸며, Take 호출 시 바탕 컬렉션에 요소가 하나도 없으면 요소가 생길 때까지 기다린다.

차단 컬렉션은 만일 컬렉션이 일정 크기에 도달하면 **생산자**를 차단함으로써 컬렉션의 전체 크기를 제한하는 기능도 제공한다. 그런 식으로 크기가 제한된 컬렉션을 **유계 차단 컬렉션**(bounded blocking collection)이라고 부른다.†

† (옮긴이) '유계有界'는 한계(상계 또는 하계)가 있다는 뜻의 수학 용어이다.

BlockingCollection<T>를 사용하는 방법은 다음과 같다.

1. 클래스를 인스턴스화한다. 이때 필요하다면 바탕 컬렉션(IProducerConsumerCollection<T> 구현 객체)과 그 컬렉션의 최대 크기(상계)를 지정한다.
2. Add나 TryAdd를 호출해서 바탕 컬렉션에 요소들을 추가한다('생산').
3. Take나 TryTake를 호출해서 바탕 컬렉션에서 요소들을 조회 및 제거한다('소비').

BlockingCollection<T> 생성자 호출 시 바탕 컬렉션을 지정하지 않으면 클래스가 자동으로 ConcurrentQueue<T>를 인스턴스화한다. 생산 및 소비 메서드들에는 취소 토큰과 만료 시간을 받는 중복적재 버전들도 있다. 최대 크기를 지정해서 생성한 컬렉션에 대한 Add와 TryAdd 호출은 차단될 수 있다. 한편, 컬렉션이 비어 있으면 Take와 TryTake 호출이 차단된다.

요소들을 소비하는 또 다른 방법은 GetConsumingEnumerable을 호출하는 것이다. 이 메서드는 요소가 생길 때마다 산출하는, 잠재적으로 무한한 순차열을 돌려준다. 순차열을 강제로 종료하려면 CompleteAdding을 호출하면 된다. 그러면 요소들을 더 이상 추가할 수 없게 되는 효과도 생긴다.

BlockingCollection은 또한 AddToAny와 TakeFromAny라는 정적 메서드도 제공한다. 이들을 이용하면 여러 차단 컬렉션에 하나의 요소를 추가하거나 여러 차단 컬렉션에서 하나의 요소를 가져올 수 있다. 이 정적 메서드들은 추가 또는 제거가 가능한 첫 번째 컬렉션에 대해 해당 연산을 수행한다.

생산자/소비자 대기열 작성

생산자/소비자 대기열은 병렬 프로그래밍과 일반적인 동시성 상황 모두에서 유용한 자료구조이다. 생산자/소비자 대기열의 전형적인 용법은 다음과 같다.

- 일거리 항목 또는 해당 일거리에 쓰이는 자료를 담는 대기열을 만든다.
- 어떤 작업을 실행할 때가 되면 해당 항목을 대기열에 추가한다. 추가한 스레드는 그 즉시 자신의 다음 일로 넘어간다.
- 배경에서 하나 이상의 일꾼 스레드가 대기열에서 일거리 항목을 가져가서 수행한다.

생산자/소비자 대기열을 이용하면 한 번에 실행되는 일꾼 스레드의 개수를 세밀하게 제어할 수 있다. 이는 CPU 소비량뿐만 아니라 다른 자원의 사용량을 제한하는 데에도 유용하다. 예를 들어 작업이 디스크 입출력을 많이 수행하는 경우, 운영체제와 다른 응용 프로그램의 디스크 입출력 기회를 빼앗지 않으려면 동시성을 적절히 제한할 필요가 있다. 생산자/소비자 대기열의 또 다른 장점은 대기열이 살아 있는 동안 동적으로 일꾼 스레드들을 추가하거나 제거할 수 있다는 점이다. CLR의 스레드 풀 자체가 일종의 생산자/소비자 대기열(짧게 실행되는 계산량 한정 작업에 최적화된)이다.

일반적으로 생산자/소비자 대기열에는 작업 수행 시 사용할 자료 항목들을 담는다. 그리고 자료 항목마다 동일한 작업을 수행한다. 이를테면 대기열에 파일 이름들을 담아 두고, 일꾼 스레드들이 그 파일 이름을 이용해서 해당 파일을 암호화하는 예를 생각할 수 있다. 그러나 대기열에 대리자들을 담게 하면 일꾼 스레드들이 서로 다른 일을 할 수 있는 좀 더 범용적인 생산자/소비자 대기열이 된다.

AutoResetEvent를 이용해서(그리고 나중에는 Monitor의 Wait와 Pulse를 이용해서) 생산자/소비자 대기열을 처음부터 직접 작성하는 방법이 *http://albahari.com/threading*에 나온다. 그러나 .NET Framework 4.0부터는 생산자/소비자 대기열을 독자가 처음부터 직접 만들 필요가 없다. 필요한 대부분의 기능성을 BlockingCollection<T>가 제공하기 때문이다. 다음은 BlockingCollection<T>를 이용한 생산자/소비자 대기열 클래스의 예이다.

```
public class PCQueue : IDisposable
{
  BlockingCollection<Action> _taskQ = new BlockingCollection<Action>();

  public PCQueue (int workerCount)
  {
    // 소비자마다 개별적인 Task 객체를 만들어서 실행한다.
    for (int i = 0; i < workerCount; i++)
      Task.Factory.StartNew (Consume);
  }

  public void Enqueue (Action action) { _taskQ.Add (action); }

  void Consume()
  {
    // 다음의 순차열 열거는 가져올 요소가 없으면 차단되며,
    // CompleteAdding이 호출되면 종료된다.

    foreach (Action action in _taskQ.GetConsumingEnumerable())
      action();     // 작업을 수행한다.
  }

  public void Dispose() { _taskQ.CompleteAdding(); }
}
```

인수 없이 BlockingCollection 생성자를 호출했으므로 BlockingCollection은 자동으로 동시적 대기열을 인스턴스화한다. 만일 ConcurrentStack 객체를 넘겨 주었다면 생산자/소비자 대기열이 아니라 생산자/소비자 스택이 만들어졌을 것이다.

Task 클래스 활용

조금 전에 만든 생산자/소비자 대기열은 대기열에 추가한 일거리 항목들을 추적할 수 없다는 점에서 다소 유연하지 못하다. 다음과 같은 기능들을 추가한다면 좋을 것이다.

- 일거리 항목이 완료되었는지 알아낸다(그리고 await를 적용해서 완료를 기다린다).
- 일거리 항목을 취소한다.
- 일거리 항목이 던진 모든 예외를 매끄럽게 처리한다.

이상적인 해법은 위의 기능들을 제공하는 어떤 객체를 돌려주도록 Enqueue 메서드를 개선하는 것이다. 다행히 바로 그런 기능들을 제공하는 클래스가 이미 있다. 바로 Task 클래스이다. 이 클래스의 객체는 TaskCompletionSource로 생성해도 되고, 아니면 생성자를 이용해서 직접 인스턴스화해도 된다(이 경우 시작되지 않은, 즉 **차가운** 작업 객체가 만들어진다).

```
public class PCQueue : IDisposable
{
  BlockingCollection<Task> _taskQ = new BlockingCollection<Task>();

  public PCQueue (int workerCount)
  {
    // 각 소비자마다 개별적인 Task 객체를 만들어서 실행한다.
    for (int i = 0; i < workerCount; i++)
      Task.Factory.StartNew (Consume);
  }

  public Task Enqueue (Action action, CancellationToken cancelToken
                                          = default (CancellationToken))
  {
    var task = new Task (action, cancelToken);
    _taskQ.Add (task);
    return task;
  }

  public Task<TResult> Enqueue<TResult> (Func<TResult> func,
            CancellationToken cancelToken = default (CancellationToken))
  {
    var task = new Task<TResult> (func, cancelToken);
```

```
      _taskQ.Add (task);
      return task;
    }

    void Consume()
    {
      foreach (var task in _taskQ.GetConsumingEnumerable())
        try
        {
            if (!task.IsCanceled) task.RunSynchronously();
        }
        catch (InvalidOperationException) { }  // 경쟁 조건
    }

    public void Dispose() { _taskQ.CompleteAdding(); }
  }
```

이 예제에서, Enqueue 메서드는 일거리 항목을 대기열에 추가한 후, 생성만 하고 실행을 시작하지는 않은 작업 객체를 호출자에 돌려준다.

한편 Consume 메서드는 작업 객체를 소비자의 스레드에서 동기적으로 실행한다. 또한, 그 작업이 취소되었는지 점검하는 지점과 그 작업을 실행하는 지점 사이에서 작업이 취소되는(그럴 확률이 낮긴 하지만) 상황을 해결하기 위해 InvalidOperationException 예외를 잡아서 처리한다.

다음은 이 클래스의 사용법을 보여주는 예이다.

```
  var pcQ = new PCQueue (2);    // 최대 동시성은 2
  string result = await pcQ.Enqueue (() => "참 쉽죠?");
  ...
```

이상으로, 작업의 실행 일정을 원하는 대로 조정하면서 예외 전파, 반환값, 취소 등의 모든 고급 기능을 활용하는 방법을 살펴보았다.

24장

C# 6.0 in a Nutshell

응용 프로그램 도메인

응용 프로그램 도메인(application domain)[†]은 .NET 프로그램이 실행되는 하나의 실행 시점 격리 단위(unit of isolation)이다. 응용 프로그램 도메인은 관리되는 메모리 경계로 작용하며, 적재된 어셈블리들과 응용 프로그램 구성 설정들을 담는 컨테이너이기도 하다. 또한, 분산 응용 프로그램의 경우에는 통신의 경계를 나타내기도 한다.

일반적으로 하나의 .NET 프로세스는 하나의 응용 프로그램 도메인을 수용한다. 프로세스 시동 시 CLR이 자동으로 생성한 기본(default) 도메인이 바로 그것이다. 그러나 한 프로세스가 응용 프로그램 도메인들을 더 생성하는 것이 가능하며, 종종 유용하다. 응용 프로그램 도메인을 추가로 생성하면 개별 프로세스들을 둘 때 발생하는 통신상의 복잡한 문제를 피하면서도 코드 실행 단위들을 서로 격리할 수 있다. 이러한 접근방식은 부하 검사나 응용 프로그램 부분 갱신(patching) 같은 시나리오에 유용하며, 안정적인 오류 복구 메커니즘을 구현할 때에도 유용하다.

이번 장은 Windows 스토어 앱이나 CoreCLR 앱과는 무관하다. 그런 앱에서는 오직 하나의 응용 프로그램 도메인만 사용할 수 있다.

응용 프로그램 도메인의 구조

그림 24-1은 단일 도메인, 다중 도메인, 그리고 전형적인 분산 클라이언트/서버 응용 프로그램의 응용 프로그램 도메인 구조를 나타낸 것이다. 대부분의 경우,

† (옮긴이) 줄여서 '앱 도메인'이라고 부르기도 하며, 다른 도메인(이를테면 네트워크 도메인)과 혼동할 여지가 없는 문맥에서는 그냥 '도메인'이라고 부르기도 한다.

응용 프로그램 도메인을 수용하는 프로세스들은 운영체제가 암묵적으로 생성한다(이를테면 사용자가 .NET 실행 파일을 더블클릭하거나 Windows 서비스가 시작될 때). 그러나 IIS 같은 다른 프로세스가 응용 프로그램 도메인을 가지거나 SQL Server가 CLR 통합을 통해서 응용 프로그램 도메인을 가지기도 한다.

단순한 실행 파일에서 비롯된 프로세스는 기본 응용 프로그램 도메인의 실행이 끝나면 함께 끝난다. 그러나 IIS나 SQL Server 같은 호스트에서는 프로세스가 그 수명을 제어한다. 즉, 필요에 따라 .NET 응용 프로그램 도메인을 생성하고 파괴한다.

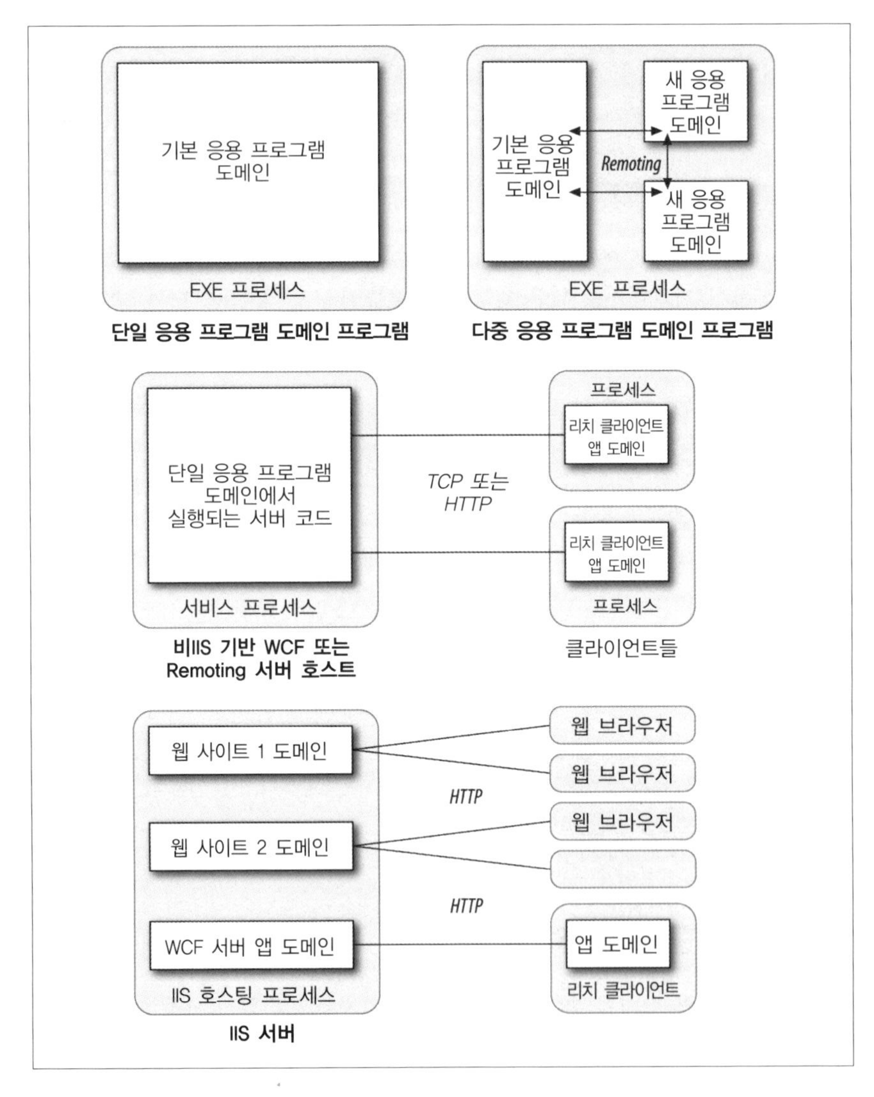

그림 24-1 응용 프로그램 도메인 구조

응용 프로그램 도메인의 생성과 파괴

프로세스에서 응용 프로그램 도메인을 생성하고 파괴할 때에는 정적 메서드 AppDomain.CreateDomain과 AppDomain.Unload를 사용한다. 다음은 *test.exe*를 격리된 응용 프로그램 도메인에서 실행한 후 그 도메인을 해제(unload)하는 예이다.

```
static void Main()
{
  AppDomain newDomain = AppDomain.CreateDomain ("New Domain");
  newDomain.ExecuteAssembly ("test.exe");

  AppDomain.Unload (newDomain);
}
```

기본 응용 프로그램 도메인(프로그램 시동 시 CLR이 생성한 도메인)이 해제되면 응용 프로그램의 다른 모든 도메인이 자동으로 해제되며, 응용 프로그램 자체가 종료된다. 주어진 도메인이 기본 도메인인지는 AppDomain의 IsDefaultDomain 속성으로 알 수 있다.

특정 옵션들을 지정해서 새 도메인을 생성하려면 먼저 AppDomainSetup 클래스를 인스턴스화해야 한다. 다음은 이 클래스에서 가장 유용한 속성들이다.

```
public string ApplicationName { get; set; }        // "친근한" 이름
public string ApplicationBase { get; set; }        // 기준 디렉터리

public string ConfigurationFile { get; set; }
public string LicenseFile       { get; set; }

// 자동 어셈블리 환원을 돕는 속성들
public string PrivateBinPath      { get; set; }
public string PrivateBinPathProbe { get; set; }
```

ApplicationBase 속성은 응용 프로그램 도메인의 기준 디렉터리에 해당한다. 도메인 기준 디렉터리는 자동 어셈블리 탐색의 루트 디렉터리로 쓰인다. 기본 응용 프로그램 도메인의 기준 디렉터리는 주 실행 파일이 있는 폴더이다. 새 도메인을 생성할 때에는 임의의 디렉터리를 기준 디렉터리로 지정할 수 있다.

```
AppDomainSetup setup = new AppDomainSetup();
setup.ApplicationBase = @"c:\MyBaseFolder";
AppDomain newDomain = AppDomain.CreateDomain ("New Domain", null, setup);
```

또한, 새 도메인의 메서드를 현재 도메인에 정의되어 있는 어셈블리 환원(assembly resolution) 이벤트들에 등록(구독)할 수도 있다.

```
static void Main()
{
  AppDomain newDomain = AppDomain.CreateDomain ("test");
  newDomain.AssemblyResolve += new ResolveEventHandler (FindAssem);
  ...
}

static Assembly FindAssem (object sender, ResolveEventArgs args)
{
  ...
}
```

단, 이것이 제대로 작동하려면 이벤트 처리부가 두 도메인 모두가 접근할 수 있는 형식에 정의된 정적 메서드이어야 한다. 그런 조건을 만족한다면 CLR이 해당 이벤트 처리부를 정확한 도메인에서 실행할 수 있다. 지금 예제에서 FindAssem은 기본 도메인에서 등록했지만 newDomain 안에서 실행된다.

PrivateBinPath 속성은 기준 디렉터리 아래의 하위 디렉터리 이름들이 세미콜론으로 구분된 형태의 문자열을 담는다. 자동 어셈블리 환원 시 CLR은 그 하위 디렉터리들에서 어셈블리를 찾는다. (응용 프로그램 기준 디렉터리와 마찬가지로, 이 속성은 응용 프로그램 도메인을 시작하기 전에만 설정할 수 있다). 예를 들어 어떤 프로그램의 디렉터리 구성이 다음과 같다고 하자. 기준 디렉터리에는 실행 파일이(그리고 어쩌면 구성 파일이) 있고, 세 하위 폴더에는 응용 프로그램이 참조하는 어셈블리들이 들어 있다.

```
c:\MyBaseFolder\                    -- 주 실행 파일
               \bin
               \bin\v1.23           -- 최신 어셈블리 DLL들
               \bin\plugins         -- 기타 DLL들
```

다음은 이러한 폴더 구조를 사용하도록 응용 프로그램 도메인을 설정하는 예이다.

```
AppDomainSetup setup  = new AppDomainSetup();
setup.ApplicationBase = @"c:\MyBaseFolder";
setup.PrivateBinPath  = @"bin\v1.23;bin\plugins";
AppDomain d = AppDomain.CreateDomain ("New Domain", null, setup);
d.ExecuteAssembly (@"c:\MyBaseFolder\Startup.exe");
```

PrivateBinPath 속성을 구성하는 경로들은 항상 상대 경로이며, 반드시 응용 프로그램 기준 디렉터리의 하위 디렉터리이어야 함을 주의하기 바란다. 절대 경로를 지정하는 것은 위법이다. AppDomain은 또한 PrivateBinPathProbe라는 속

성도 제공한다. 이 속성에 빈 문자열이 아닌 어떤 문자열을 지정하면, CLR은 어셈블리 파일 탐색 대상에서 기준 디렉터리를 제외한다. (`PrivateBinPathProbe`가 `bool` 형식이 아니라 문자열인 것은 COM 호환성과 관련된 문제 때문이다.)

기본 도메인이 아닌 모든 응용 프로그램 도메인은 해제 직전에 `DomainUnload` 이벤트가 발생한다. 도메인을 모든 `DomainUnload` 이벤트 처리부의 실행이 완료되기 전까지는 해제되지 않으므로, 도메인(그리고 필요하다면 응용 프로그램 전체의) 해제 전에 어떤 정리 작업이 필요하다면 이 이벤트를 활용하면 된다.

응용 프로그램 자체가 종료되기 직전에는 적재된 모든 응용 프로그램 도메인(기본 도메인 포함)에 대해 `ProcessExit` 이벤트가 발동된다. `DomainUnload` 이벤트와는 달리 `ProcessExit` 이벤트의 처리에는 시간제한이 있다. 기본 CLR은 이 이벤트의 처리부들에게 도메인당 2초, 전체적으로는 3초를 허용한다. 그 시간이 지나면 해당 스레드들을 강제로 종료한다.

다중 응용 프로그램 도메인 활용

다중 응용 프로그램 도메인의 핵심적인 용도는 다음 두 가지이다.

- 최소한의 추가부담으로 프로세스와 비슷한 격리성을 제공한다.
- 프로세스를 재시작하지 않고도 어셈블리 파일을 해제한다.

한 프로세스에서 기본 도메인 이외의 응용 프로그램 도메인을 추가로 생성하면 CLR은 개별 프로세스들에서 돌릴 때와 비슷한 수준의 격리성을 각 도메인에 부여한다. 좀 더 구체적으로 말하면, 각 도메인은 개별적인 메모리를 가지며, 한 도메인의 객체가 다른 도메인의 객체에 간섭하지 못한다. 더 나아가서, 같은 클래스의 정적 멤버라도 도메인마다 독립적인 값을 가질 수 있다. ASP.NET에서 수많은 사이트가 서로에게 영향을 주지 않고 하나의 공유 프로세스 안에서 실행되는 것은 바로 이러한 접근방식 덕분이다.

ASP.NET에서 응용 프로그램 도메인은 프로그래머의 개입 없이 ASP.NET 기반 시스템이 직접 생성한다. 그러나 한 프로세스 안에서 독자가 여러 개의 도메인을 명시적으로 생성하는 것이 바람직한 경우도 종종 있다. 예를 들어 어떤 커스텀 인증 시스템을 개발하는 과정에서, 스트레스 검사(stress testing)를 위해 20개의 클라이언트가 동시에 로그인하는 상황을 시뮬레이션한다고 하자. 20개의 동시적 로그인을 흉내 내는 방법은 다음 세 가지이다.

- Process.Start를 20회 호출해서 20개의 개별 프로세스를 시작한다.
- 한 프로세스와 도메인 안에서 스레드 20개를 실행한다.
- 한 프로세스 안에서 스레드 20개를 각각 개별적인 응용 프로그램 도메인에서 실행한다.

첫 옵션은 지저분하고 자원을 많이 소비한다. 또한, 프로세스 간 통신도 쉽지 않다(프로세스들에 좀 더 구체적인 명령을 내려야 하는 경우).

둘째 옵션은 클라이언트 쪽 코드가 스레드에 안전해야 유효한데, 그럴 가능성은 작다. 특히, 만일 현재 인증 상태를 정적 변수들에 담는다면 더욱 작다. 그리고 클라이언트 쪽 코드 주변에 자물쇠를 걸면 서버의 스트레스 검사에 필요한 병렬 실행 능력이 제한된다.

이상적인 해결책은 셋째 옵션이다. 이 방법에서는 각 스레드가 격리되어서 독립적인 상태를 가지며, 그러면서도 호스팅 프로그램이 스레드들에 쉽게 접근할 수 있다.

명시적인 응용 프로그램 도메인 생성은 프로세스를 끝내지 않고 특정 어셈블리를 해제하고자 할 때에도 유용하다. 어셈블리는 그것이 적재된 응용 프로그램 도메인을 닫지 않은 한 해제되지 않으므로, 프로세스 종료 없이 어셈블리만 해제하려면 추가 도메인 생성이 필수이다. 특히, 기본 도메인에 적재한 어셈블리는 응용 프로그램 자체를 닫지 않는 한 해제되지 않는다. 어셈블리가 적재된 상태에서는 해당 어셈블리 이진 파일이 잠겨 있다. 따라서 그 파일을 부분 갱신하거나 다른 파일로 대체할 수 없다. 어셈블리들을 필요에 따라 종료/재생성할 수 있는 개별 응용 프로그램 도메인에 적재하면 그런 문제가 사라진다. 이러한 접근방식은 가끔 큰 어셈블리들을 적재해야 하는 응용 프로그램의 메모리 사용량을 줄이는 데에도 도움이 된다.

[LoaderOptimization] 특성

기본적으로, 직접 생성한 응용 프로그램 도메인에 어셈블리를 적재하면 JIT 컴파일러가 그 어셈블리를 다시 처리한다. 특히, 다음과 같은 어셈블리들에도 JIT 컴파일이 다시 적용된다.

- 호출자의 도메인에서 이미 JIT 컴파일을 거친 어셈블리
- 네이티브 이미지를 *ngen.exe* 도구로 생성한 어셈블리
- *mscorlib*를 제외한 .NET Framework의 모든 어셈블리

이러한 재컴파일 때문에 성능이 크게 떨어질 수 있다. 특히, 큰 .NET Framework 어셈블리를 참조하는 응용 프로그램 도메인을 거듭 생성하고 해제하는 경우에는 더욱 그렇다. 이에 대한 한 가지 우회책은 응용 프로그램의 주 진입점 메서드에 다음 특성을 부여하는 것이다.

```
[LoaderOptimization (LoaderOptimization.MultiDomainHost)]
```

이렇게 하면 CLR은 GAC 어셈블리들을 **도메인에 중립적인**(domain-neutral) 방식으로 적재한다. 즉, 네이티브 이미지들이 존중되며, 여러 응용 프로그램 도메인들이 JIT 이미지들을 공유한다. GAC에 모든 .NET Framework 어셈블리가(또한, 독자의 응용 프로그램에서 변하지 않은 일부 어셈블리도) 포함된다는 점에서, 일반적으로 이것이 이상적인 방식이다.

더 나아가서 `LoaderOptimization.MultiDomain`을 지정할 수도 있다. 그러면 **모든** 어셈블리가 도메인 중립적으로 적재된다(단, 보통의 어셈블리 환원 메커니즘 바깥에서 적재되는 어셈블리들은 제외). 그러나 어셈블리가 도메인과 함께 해제되길 원한다면 이 방식은 바람직하지 않다. 도메인 중립적 어셈블리는 모든 도메인이 공유하므로, 부모 프로세스가 종료되기 전까지는 해제되지 않는다.

DoCallBack 활용

가장 기본적인 다중 도메인 시나리오를 다시 생각해 보자.

```
static void Main()
{
  AppDomain newDomain = AppDomain.CreateDomain ("New Domain");
  newDomain.ExecuteAssembly ("test.exe");
  AppDomain.Unload (newDomain);
}
```

개별 도메인에 대해 `ExecuteAssembly`를 호출해서 어셈블리를 실행하는 것이 편리하긴 하지만, 그 도메인과의 상호작용 여지가 거의 없어서 유연성이 떨어진다. 또한, 이 방법은 실행 파일 형태의 어셈블리만 지원하며, 하나의 진입점만 실행할 수 있다. 유연성을 조금이나마 확보하는 유일한 방법은 실행 파일에 명령줄 인수들을 문자열 형태로 제공하는 것뿐이다.

좀 더 강력한 접근방식은 AppDomain의 DoCallBack 메서드를 사용하는 것이다. 이를 이용하면 주어진 형식의 한 메서드를 다른 응용 프로그램 도메인에서 실행할 수 있다. CLR은 그 형식의 어셈블리를 해당 도메인에 자동으로 적재한다(그 어셈블리의 이진 파일이 현재 도메인이 참조할 수 있는 곳에 있다면 CLR도 그 파일을 찾을 수 있다). 다음 예제는 현재 실행 중인 메서드가 속한 클래스의 다른 한 메서드를 새 도메인에서 실행한다.

```
class Program
{
  static void Main()
  {
    AppDomain newDomain = AppDomain.CreateDomain ("New Domain");
    newDomain.DoCallBack (new CrossAppDomainDelegate (SayHello));
    AppDomain.Unload (newDomain);
  }

  static void SayHello()
  {
    Console.WriteLine ("Hi from " + AppDomain.CurrentDomain.FriendlyName);
  }
}
```

이 예제가 작동하는 이유는 대리자가 정적 메서드를 참조하기 때문이다. 즉, 대리자는 인스턴스가 아니라 형식을 가리키는데, 이 덕분에 대리자가 '도메인과 무관한(domain-agnostic)' 또는 '민첩한(agile)' 대리자가 된다. 그러한 대리자는 원래의 도메인의 그 어떤 것과도 연관되어 있지 않으므로 그 어떤 도메인에서도 동일하게 실행된다. 인스턴스 메서드를 참조하는 대리자에 DoCallBack을 적용하는 것도 가능하긴 하지만, 그러면 CLR은 Remoting 의미론(잠시 후에 설명한다)을 적용한다. 지금 예제에서 Remoting 의미론은 우리가 원하는 것의 정반대에 해당한다.

응용 프로그램 도메인 감시

.NET Framework 4.0부터는 특정 응용 프로그램 도메인의 메모리와 CPU 소비량을 감시(monitoring)할 수 있다. 이를 위해서는 먼저 다음과 같은 설정을 통해서 응용 프로그램 도메인 감시 기능을 활성화해야 한다.

```
AppDomain.MonitoringIsEnabled = true;
```

이렇게 하면 현재 프로세스의 모든 도메인에 대한 감시가 활성화된다. 일단 감시를 활성화하면 다시 비활성화할 수 없다. 이 속성에 false를 배정하면 예외가 발생한다.

응용 프로그램 구성 파일을 통해서 도메인 감시를 활성화할 수도 있다. 구성 파일에 다음과 같이 요소 하나를 추가하면 된다.

```
<configuration>
   <runtime>
     <appDomainResourceMonitoring enabled="true"/>
  </runtime>
</configuration>
```

이 역시 응용 프로그램의 모든 도메인의 감시를 활성화한다.

도메인 감시를 활성화한 후에는, AppDomain의 다음 세 속성을 이용해서 CPU와 메모리 사용량을 조회할 수 있다.

```
MonitoringTotalProcessorTime
MonitoringTotalAllocatedMemorySize
MonitoringSurvivedMemorySize
```

처음 두 속성은 해당 도메인이 시작된 후 누적된 **총** CPU 소비량과 관리되는 메모리 할당량을 돌려준다. (이 수치들은 증가할 뿐 감소하지 않는다.) 셋째 속성은 마지막 쓰레기 수거 당시 도메인의 관리되는 메모리의 실제 소비량을 돌려준다.

현재 도메인뿐만 아니라 다른 도메인에 대해서도 이 속성들을 조회할 수 있다.

도메인과 스레드

어떤 메서드를 다른 응용 프로그램 도메인에서 호출하면 그 메서드의 실행이 끝날 때까지 호출이 차단된다. 이는 메서드를 현재 도메인에서 호출할 때와 마찬가지이다. 일반적으로는 이러한 행동 방식이 바람직하지만, 종종 메서드를 다른 도메인에서 현재 도메인과 동시에 실행하고 싶을 때도 있다. 그러려면 다중 스레드 기법을 사용해야 한다.

인증 시스템의 스트레스 검사를 위해 다중 응용 프로그램 도메인을 이용해서 20개의 동시 클라이언트 로그인을 흉내 내는 시나리오를 앞에서 언급했었다. 각 클라이언트가 개별 응용 프로그램 도메인에서 로그인을 시도하게 하면 클라이언트들이 격리되며, 따라서 정적 클래스 멤버를 통해서 서로에게 영향을 미치는 일도 없어진다. 그럼 이를 실제로 구현해 보자. 다음 예제는 스레드 20개를 생성하고 각각 개별적인 응용 프로그램 도메인에서 로그인 메서드를 실행한다.

```
class Program
{
  static void Main()
  {
    // 도메인 20개와 스레드 20개를 생성한다.
    AppDomain[] domains = new AppDomain [20];
    Thread[] threads = new Thread [20];

    for (int i = 0; i < 20; i++)
    {
      domains [i] = AppDomain.CreateDomain ("Client Login " + i);
      threads [i] = new Thread (LoginOtherDomain);
    }

    // 모든 스레드를 시작하되, 각자 개별적인 앱 도메인을 지정한다.
    for (int i = 0; i < 20; i++) threads [i].Start (domains [i]);

    // 모든 스레드의 완료를 기다린다.
    for (int i = 0; i < 20; i++) threads [i].Join();

    // 앱 도메인들을 해제한다.
    for (int i = 0; i < 20; i++) AppDomain.Unload (domains [i]);
    Console.ReadLine();
  }

  // 매개변수화된 스레드 시작 메서드. 스레드가 실행될 도메인을 받는다.
  static void LoginOtherDomain (object domain)
  {
    ((AppDomain) domain).DoCallBack (Login);
  }

  static void Login()
  {
    Client.Login ("Joe", "");
    Console.WriteLine ("로그인된 이름: " + Client.CurrentUser + ", 도메인: " +
      AppDomain.CurrentDomain.FriendlyName);
  }
}

class Client
{
  // 만일 모든 클라이언트를 같은 앱 도메인에서 실행했다면
  // 이 정적 필드를 통해서 클라이언트들 사이에 간섭이 생겼을 것이다.
  public static string CurrentUser = "";

  public static void Login (string name, string password)
```

```
    {
      if (CurrentUser.Length == 0)    // 아직 로그인하지 않았으면
      {
        // 인증 과정을 흉내 내기 위해 잠시 지연한다.
        Thread.Sleep (500);
        CurrentUser = name;            // 인증된 것으로 기록한다.
      }
    }
  }
```

출력:

```
로그인된 이름: Joe, 도메인: Client Login 0
로그인된 이름: Joe, 도메인: Client Login 1
로그인된 이름: Joe, 도메인: Client Login 4
로그인된 이름: Joe, 도메인: Client Login 2
로그인된 이름: Joe, 도메인: Client Login 3
로그인된 이름: Joe, 도메인: Client Login 5
로그인된 이름: Joe, 도메인: Client Login 6
...
```

다중 스레드 적용에 관한 추가 정보는 제22장에 있다.

도메인 간 자료 공유

슬롯을 이용한 자료 공유

둘 이상의 응용 프로그램 도메인이 명명된 슬롯(named slot)을 이용해서 자료를 공유할 수 있다. 다음이 그러한 예이다.

```
class Program
{
  static void Main()
  {
    AppDomain newDomain = AppDomain.CreateDomain ("New Domain");

    // "Message"라는 이름의 슬롯에 자료를 기록한다. 슬롯 이름(키)은
    // 그 어떤 문자열이라도 가능하다.
    newDomain.SetData ("Message", "저기 말이야...");

    newDomain.DoCallBack (SayMessage);
    AppDomain.Unload (newDomain);
  }

  static void SayMessage()
  {
    // "Message" 슬롯에서 자료를 읽는다.
    Console.WriteLine (AppDomain.CurrentDomain.GetData ("Message"));
  }
}
```

출력:

```
저기 말이야...
```

슬롯은 처음 쓰일 때 자동으로 생성된다. 슬롯을 통해 주고받는 자료(지금 예제에서는 "guess what ...")는 반드시 **직렬화 가능** 형식(제17장 참고)이거나 MarshalByRefObject 파생 형식이어야 한다. 직렬화 가능 자료(지금 예제의 문자열처럼)는 다른 응용 프로그램 도메인에 복사된다. MarshalByRefObject 파생 형식의 자료에는 Remoting 의미론이 적용된다.

프로세스 내부 Remoting 적용

다른 응용 프로그램 도메인과 통신하는 가장 유연한 방법은 원하는 객체를 프록시를 통해서 **다른 도메인 안에** 생성하는 것이다. .NET의 *Remoting* 프레임워크가 바로 그러한 원격 생성 기능을 제공한다.

"원격 생성되는" 클래스는 반드시 MarshalByRefObject를 상속하는 형식이어야 한다. 클라이언트는 원격 도메인의 AppDomain 클래스에 대해 CreateInstance*XXX* 메서드를 호출해서 원격으로 객체를 인스턴스화한다.

다음 예제는 Foo 형식의 객체를 다른 응용 프로그램 도메인 안에서 생성한 후 SayHello 메서드를 호출한다.

```
class Program
{
  static void Main()
  {
    AppDomain newDomain = AppDomain.CreateDomain ("New Domain");

    Foo foo = (Foo) newDomain.CreateInstanceAndUnwrap (
                    typeof (Foo).Assembly.FullName,
                    typeof (Foo).FullName);

    Console.WriteLine (foo.SayHello());
    AppDomain.Unload (newDomain);
    Console.ReadLine();
  }
}

public class Foo : MarshalByRefObject
{
  public string SayHello()
    => "Hello from " + AppDomain.CurrentDomain.FriendlyName;

  // 다음은 클라이언트가 원하는 만큼 객체가 오래 유지되게 하는 효과를 낸다.
```

```
    public override object InitializeLifetimeService() => null;
  }
```

현재 도메인의 foo가 다른 응용 프로그램 도메인(이를 '원격(remote)' 도메인이라고 부른다)에 생성된 Foo 객체를 직접 참조하지는 않는다. 이는 응용 프로그램 도메인들이 격리되어 있기 때문이다. 현재 도메인의 foo는 사실 하나의 투명한 프록시이다. '투명한'이라는 말은 foo가 마치 원격 객체를 직접 참조하는 것처럼 보이기 때문에 붙은 말이다. foo에 대해 SayHello 메서드를 호출하면 *Remoting* 프레임워크는 내부적으로 하나의 메시지를 생성해서 '원격' 응용 프로그램 도메인에 전달한다. 그러면 그 도메인에서 진짜 Foo 객체에 대해 해당 메서드가 호출된다. 이는 마치 전화기에 대고 "안녕하세요"라고 말하는 것과 비슷하다. 이때 통화자는 정말도 상대방에게 말하는 것이 아니라, 상대방의 투명한 프록시(대리인)로 행동하는 플라스틱 조각에 대고 말하는 것일 뿐이다. 메서드가 어떤 값을 돌려주면, 비슷한 과정을 통해서 그 값이 호출자에게 전달된다.

.NET Framework 3.0에서 WCF(Windows Communication Foundation)가 도입되기 전에는 Remoting이 주된 분산 응용 프로그램 작성 기술 두 가지 중 하나였다(다른 하나는 (Web Services). 분산 Remoting 응용 프로그램에서는, 프로세스와 네트워크 경계를 넘는 통신을 수행하려면 프로그래머가 양쪽에 HTTP 또는 TCP/IP 통신 채널을 명시적으로 설정해야 한다.

분산 응용 프로그램 작성에는 WCF가 Remoting보다 우월하지만, 프로세스 내부의 도메인 간 통신에는 Remoting이 적합한 부분이 여전히 남아 있다. 지금 예제에서 Remoting의 장점은 따로 설정할 것이 없다는 점이다. 통신 채널이 자동으로 생성되며, 형식을 미리 등록할 필요도 없다. 그냥 바로 사용하면 된다.

Foo의 메서드들이 또 다른 MarshalByRefObject 인스턴스를 돌려줄 수도 있다. 즉, 그런 메서드들을 호출하면 또 다른 투명 프록시가 생긴다. 또한, Foo의 메서드들이 MarshalByRefObject 인스턴스를 인수로 받을 수도 있다. 이 경우에는 호출자가 '원격' 객체를 가지고, 호출 대상이 프록시를 가진다.

객체를 참조 전달 방식으로 인도하는 것 외에, 응용 프로그램 도메인들이 스칼라값이나 임의의 직렬화 가능 객체를 실제로 주고받을 수도 있다. 여기서 **직렬화 가능 객체**는 [Serializable] 특성이 부여되었거나 ISerializable을 구현하는 형식의 객체를 말한다. 그런 객체를 응용 프로그램 도메인 경계를 넘어 전달할 때에는 프록시가 아니라 객체의 완전한 복사본이 전달된다. 다른 말로 하면, 객체가 참조가 아니라 값으로 인도된다.

같은 프로세스 안에서의 Remoting 적용은 클라이언트가 활성화한다. 다른 말로 하면, CLR은 같은 또는 다른 클라이언트들에서 원격으로 생성한 객체들을 공유하거나 재사용하려 들지 않는다. 예를 들어 클라이언트가 Remoting 프레임워크를 이용해서 Foo 객체를 두 개 생성하면 두 객체는 원격 도메인에서 생성되고, 클라이언트 쪽에서는 프록시 두 개가 생성된다. 클라이언트 쪽에서 객체를 평소처럼 자연스럽게 사용하게 하려면 이런 방식이 제일 낫다. 한 가지 단점은, 원격 도메인이 클라이언트의 쓰레기 수거기에 의존하게 된다는 것이다. 즉, 원격 도메인의 실제 Foo 객체는 클라이언트의 쓰레기 수거기가 foo(프록시)를 더 이상 유효하지 않다고 판단한 후에야 비로소 메모리에서 제거된다. 만일 클라이언트의 응용 프로그램 도메인이 충돌하면(crash) 원격 객체는 영영 해제되지 못할 수 있다. 이런 시나리오를 방지하기 위해, CLR은 원격으로 생성된 객체의 수명을 관리하는 임대(lease) 기반 메커니즘을 제공한다. 이 메커니즘의 기본 행동 방식은, 5분 이상 쓰이지 않은 원격 생성 객체는 자동으로 파괴한다는 것이다.

이 예제에서 클라이언트는 기본 응용 프로그램 도메인에서 실행되므로, 클라이언트만 따로 충돌할 수는 없다. 클라이언트가 죽으면 그냥 프로세스 전체가 끝난다. 따라서 이 예제에서는 5분 수명 임대 기능을 끄는 것이 바람직하다. 이를 위해 이 예제는 InitializeLifetimeService가 null을 돌려주도록 재정의했다. 이 메서드가 null을 돌려주면 원격 생성 객체는 클라이언트의 쓰레기 수거에 의해서만 파괴된다.

형식과 어셈블리의 격리

다음은 앞의 예제에서 Foo 형식의 객체를 원격 생성하는 데 사용한 코드이다.

```
Foo foo = (Foo) newDomain.CreateInstanceAndUnwrap (
                typeof (Foo).Assembly.FullName,
                typeof (Foo).FullName);
```

여기에 쓰인 CreateInstanceAndUnwrap 메서드의 서명은 다음과 같다.

```
public object CreateInstanceAndUnwrap (string assemblyName,
                                       string typeName)
```

이 메서드는 어셈블리와 형식의 이름을 받는다. Type 객체를 받는 것이 아님을 주목하기 바란다. 이 덕분에, 현재 도메인에 해당 형식을 적재하지 않고도 원격 도메인에서 객체를 생성할 수 있다. 이는 형식의 어셈블리를 호출자의 응용 프로그램 도메인에 적재하고 싶지 않을 때 유용한 기능이다.

AppDomain은 또한 CreateInstance**From**AndUnwrap이라는 메서드도 제공한다. 두 메서드의 차이점은 다음과 같다.

- CreateInstanceAndUnwrap은 **완전 한정 어셈블리 이름**(제18장 참고)을 받지만,
- CreateInstanceFromAndUnwrap은 어셈블리의 **경로** 또는 **파일 이름**을 받는다.

이해를 돕기 위한 예로, 사용자가 서드파티 플러그인들을 적재하고 해제할 수 있는 텍스트 편집기를 작성한다고 하자. 제21장의 '다른 어셈블리에 모래상자 적용(p.1092)'에서는 이런 플러그인의 보안 문제에 초점을 두었기 때문에 플러그인을 실제로 실행하는 문제는 그냥 ExecuteAssembly 호출로 간단하게 처리했다. 이번 예제에서는 Remoting을 이용해서 호스트 프로그램이 플러그인과 좀 더 다채로운 방식으로 상호작용한다.

우선 할 일은 호스트와 플러그인이 참조할 공통 라이브러리를 작성하는 것이다. 그러한 라이브러리는 플러그인이 할 수 있는 일을 서술하는 하나의 인터페이스를 정의하는 역할을 한다. 다음은 그러한 라이브러리의 간단한 예이다.

```
namespace Plugin.Common
{
  public interface ITextPlugin
  {
    string TransformText (string input);
  }
}
```

다음으로, 간단한 플러그인을 작성한다. 다음 어셈블리를 *AllCapitals.dll*이라는 파일로 컴파일한다고 가정한다.

```
namespace Plugin.Extensions
{
  public class AllCapitals : MarshalByRefObject, Plugin.Common.ITextPlugin
  {
    public string TransformText (string input) => input.ToUpper();
  }
}
```

이제 이 플러그인을 사용하는 호스트 쪽 코드를 보자. 다음의 호스트는 *AllCapitals.dll*을 기본 응용 프로그램 도메인과는 개별적인 응용 프로그램 도메인

에 적재하고, Remoting을 이용해서 플러그인의 TransformText 메서드를 호출하고, 해당 응용 프로그램 도메인을 해제한다.

```
using System;
using System.Reflection;
using Plugin.Common;

class Program
{
  static void Main()
  {
    AppDomain domain = AppDomain.CreateDomain ("Plugin Domain");

    ITextPlugin plugin = (ITextPlugin) domain.CreateInstanceFromAndUnwrap
      ("AllCapitals.dll", "Plugin.Extensions.AllCapitals");

    // Remoting을 이용해서 TransformText 메서드를 호출한다.
    Console.WriteLine (plugin.TransformText ("hello"));   // "HELLO"

    AppDomain.Unload (domain);

    // 이제 AllCapitals.dll 파일이 완전히 해제되었으며,
    // 따라서 이동하거나 삭제할 수 있다.
  }
}
```

이 프로그램은 오직 공통의 인터페이스인 ITextPlugin을 통해서만 플러그인과 상호작용하므로, AllCapitals의 형식들은 호출자의 응용 프로그램 도메인에 절대로 적재되지 않는다. 이 덕분에 호출자의 도메인의 무결성이 유지되며, 플러그인 도메인을 해제하면 플러그인 어셈블리 파일에 대해 그 어떤 잠금도 남아있지 않게 된다.

형식 발견

실제 응용 프로그램에서 플러그인을 지원하려 한다면, Plugin.Extensions.AllCapitals 같은 플러그인 형식의 이름을 코드 자체에 박아 둘 수는 없다. 어떤 방법으로든 플러그인 형식의 이름을 알아낼 수 있어야 한다. 즉, '형식 발견(type discovery)' 능력이 필요하다.

한 가지 방법은 공통 라이브러리에 반영(reflection) 기능을 이용한 형식 발견 클래스를 추가하는 것이다. 다음이 그러한 클래스의 예이다.

```
public class Discoverer : MarshalByRefObject
{
```

```
    public string[] GetPluginTypeNames (string assemblyPath)
    {
      List<string> typeNames = new List<string>();
      Assembly a = Assembly.LoadFrom (assemblyPath);
      foreach (Type t in a.GetTypes())
        if (t.IsPublic
          && t.IsMarshalByRef
          && typeof (ITextPlugin).IsAssignableFrom (t))
      {
        typeNames.Add (t.FullName);
      }
      return typeNames.ToArray();
    }
  }
```

그런데 이 클래스에서 한 가지 주의할 점은, GetPluginTypeNames 메서드의 Assembly.LoadFrom 호출이 어셈블리를 현재 응용 프로그램 도메인에 적재한다는 것이다. 따라서 GetPluginTypeNames 메서드를 반드시 플러그인 도메인에서 호출해야 한다.

```
  class Program
  {
    static void Main()
    {
      AppDomain domain = AppDomain.CreateDomain ("Plugin Domain");

      Discoverer d = (Discoverer) domain.CreateInstanceAndUnwrap (
        typeof (Discoverer).Assembly.FullName,
        typeof (Discoverer).FullName);

      string[] plugInTypeNames = d.GetPluginTypeNames ("AllCapitals.dll");

      foreach (string s in plugInTypeNames)
        Console.WriteLine (s);            // Plugin.Extensions.AllCapitals

      ...
```

System.AddIn.Contract 어셈블리에는 이러한 프로그램 확장성 개념들을 하나의 완결적인 프레임워크로까지 발전시킨 API가 있다. 그 API는 격리, 버전 관리, 발견, 활성화 같은 문제들을 처리해 준다. *http://blogs.msdn.com*에서 "CLR Add-In Team Blog"를 검색해 보면 이 API에 관한 좋은 참고 자료를 볼 수 있다.

C# 6.0 in a Nutshell

25장 상호운용성

이번 장은 네이티브(비관리) DLL과 COM 구성요소를 .NET 응용 프로그램과 통합하는 방법을 설명한다. 특별한 언급이 없는 한, 이번 장에서 소개하는 형식들은 `System` 이름공간이나 `System.Runtime.InteropServices` 이름공간에 있다.

네이티브 DLL 호출

Platform Invocation Services(플랫폼 호출 서비스)를 줄인 *P/Invoke*는 .NET 응용 프로그램에서 비관리(unmanaged; .NET이 관리하지 않는) DLL에 있는 함수나 구조체, 콜백에 접근하는 데 사용하는 기술이다. 예를 들어 Windows DLL *user32.dll*에 있는 `MessageBox` 함수를 생각해 보자. 이 C 함수는 다음과 같이 선언되어 있다.

```
int MessageBox (HWND hWnd, LPCTSTR lpText, LPCTSTR lpCaption, UINT uType);
```

.NET 응용 프로그램에서 이 함수를 직접 호출하는 것은 생각보다 쉽다. 같은 이름의 정적 메서드를 선언하되 `extern` 키워드를 적용하고 `DllImport` 특성을 부여하면 된다.

```
using System;
using System.Runtime.InteropServices;

class MsgBoxTest
{
  [DllImport("user32.dll")]
  static extern int MessageBox (IntPtr hWnd, string text, string caption,
```

```
                                int type);
    public static void Main()
    {
      MessageBox (IntPtr.Zero,
                  "Please do not press this again.", "Attention", 0);
    }
  }
```

실제로, System.Windows 이름공간과 System.Windows.Forms 이름공간에 있는 MessageBox 클래스들이 이와 비슷한 비관리 메서드들을 이런 식으로 호출한다.

CLR에는 .NET 형식들과 비관리 형식들 사이에서 매개변수들과 반환 값들을 변환하는 방법을 아는 '인도기(marshaler)'가 있다. 지금 예에서 int 매개변수는 함수가 기대하는 4바이트 정수로 직접 대응되며, 문자열 매개변수는 2바이트 유니코드 문자들의 널 종료(null-terminated) 배열로 변환된다. IntPtr은 비관리 핸들을 캡슐화하도록 만들어진 하나의 구조체로, 그 너비는 32비트 플랫폼에서는 32비트이고 64비트 플랫폼에서는 64비트이다.

형식 인도

공통 형식의 인도

비관리 코드에서는 주어진 한 종류의 자료를 나타내는 형식이 여러 개일 수 있다. 한 예로 문자열은 단일 바이트 ANSI 문자들의 배열일 수도 있고 2바이트 유니코드 문자들의 배열일 수도 있으며, 널로 끝나는 가변 길이 배열일 수도 있고 길이가 고정된 배열일 수도 있다. 인도기가 어떤 것을 사용할 것인지를 명시적으로 지정하려면 다음 예처럼 [MarshalAs] 특성을 지정하면 된다.

```
[DllImport("...")]
static extern int Foo ( [MarshalAs (UnmanagedType.LPStr)] string s );
```

UnmanagedType 열거형에는 인도기가 이해하는 Win32와 COM의 모든 형식에 해당하는 멤버들이 있다. 지금 예는 인도기에게 문자열을 LPStr에 대응시키라고 지정한다. LPStr은 널 종료(널 문자로 끝나는) 단일 바이트 ANSI 문자열이다.

.NET 쪽에서도 여러 형식 중 하나를 선택해야 할 수 있다. 예를 들어 비관리 핸들을 IntPtr에 대응시킬 수도 있고, int나 uint, long, ulong에 대응시킬 수도 있다.

> 대부분의 비관리 핸들은 메모리 주소나 포인터를 캡슐화하므로, 32비트 운영체제와 64비트 운영체제 모두에서 호환되게 하려면 반드시 `IntPtr`에 대응시켜야 한다. 그러한 핸들의 전형적인 예는 `HWND`이다.

Win32 함수들에서는 *WinUser.h* 같은 C++ 헤더 파일에 정의되어 있는 일단의 상수 중 하나를 받는 정수 매개변수를 흔히 볼 수 있다. 그런 상수들을 개별 C# 상수들로 정의하는 것보다는 하나의 열거형으로 묶는 것이 바람직하다. 열거형을 사용하면 코드가 깔끔해지고 정적 형식 안전성도 높아지기 때문이다. 이에 관한 예를 이번 장의 '공유 메모리(p.1252)'에서 볼 것이다.

> Microsoft Visual Studio를 설치할 때, C++의 다른 구성요소들은 설치하지 않더라도 C++ 헤더 파일들은 꼭 설치하기 바란다. 모든 네이티브 Win32 상수들이 거기에 정의되어 있다. Visual Studio 프로그램 디렉터리에서 **.h*를 검색하면 그 헤더 파일들을 모두 찾을 수 있다.

비관리 코드에서 .NET 코드로 문자열을 인도하는 과정에서 어느 정도의 메모리 관리가 일어난다. 만일 외부 메서드를 선언할 때 문자열을 `string`이 아니라 `StringBuilder`로 선언하면 그런 작업을 CLR의 인도기가 자동으로 처리해 준다. 다음이 그러한 예이다.

```
using System;
using System.Text;
using System.Runtime.InteropServices;

class Test
{
  [DllImport("kernel32.dll")]
  static extern int GetWindowsDirectory (StringBuilder sb, int maxChars);

  static void Main()
  {
    StringBuilder s = new StringBuilder (256);
    GetWindowsDirectory (s, 256);
    Console.WriteLine (s);
  }
}
```

> 특정 Win32 메서드의 구체적인 호출 방법이 확실하지 않은 경우, 메서드 이름과 *DllImport*를 함께 검색하면 관련 자료가 나오는 경우가 많다. 또한, 모든 Win32 서명을 문서화하는 것을 목적으로 하는 위키위키 사이트 *http://www.pinvoke.net*도 참고하기 바란다.

클래스와 구조체의 인도

비관리 메서드에 구조체를 넘겨 주어야 할 때가 종종 있다. 예를 들어 다음과 같이 정의된 Win32 API 함수 GetSystemTime을 생각해 보자.

```
void GetSystemTime (LPSYSTEMTIME lpSystemTime);
```

이 함수가 받는 LPSYSTEMTIME은 다음과 같은 C 구조체를 가리키는 포인터이다.

```
typedef struct _SYSTEMTIME {
  WORD wYear;
  WORD wMonth;
  WORD wDayOfWeek;
  WORD wDay;
  WORD wHour;
  WORD wMinute;
  WORD wSecond;
  WORD wMilliseconds;
} SYSTEMTIME, *PSYSTEMTIME;
```

GetSystemTime을 호출하려면 이 C 구조체와 부합하는 .NET 클래스 또는 구조체를 정의해야 한다.

```
using System;
using System.Runtime.InteropServices;

[StructLayout(LayoutKind.Sequential)]
class SystemTime
{
   public ushort Year;
   public ushort Month;
   public ushort DayOfWeek;
   public ushort Day;
   public ushort Hour;
   public ushort Minute;
   public ushort Second;
   public ushort Milliseconds;
}
```

[StructLayout] 특성은 이 클래스의 각 필드를 비관리 구조체의 필드들에 대응시키는 방법을 인도기에 알려주는 역할을 한다. LayoutKind.Sequential은 필드들을 **팩 크기**(pack-size) 경계에 맞게 차례로 정합(alignment; 맞춤)하라는 뜻이다(이것의 구체적인 의미는 잠시 후에 설명한다). 이러한 필드 배치는 해당 C 구조체의 필드 배치와 일치한다. 여기서 필드 이름들은 중요하지 않다. 중요한 것은 필드들의 순서이다.

이제 GetSystemTime을 다음과 같이 호출할 수 있다.

```
[DllImport("kernel32.dll")]
static extern void GetSystemTime (SystemTime t);

static void Main()
{
  SystemTime t = new SystemTime();
  GetSystemTime (t);
  Console.WriteLine (t.Year);
}
```

C에서나 C#에서나, 한 객체의 필드들은 그 객체의 시작 위치에서 *n*바이트만큼 떨어진 위치에 있다. C와 C#의 차이는, C# 프로그램에서는 실행시점에서 CLR이 그러한 오프셋을 필드 토큰을 이용해서 찾아내지만 C에서는 컴파일 과정에서 필드 이름에 해당하는 오프셋이 계산, 고정된다는 점이다. 예를 들어 C에서 wDay는 SystemTime 객체의 시작 주소에 24바이트를 더한 위치에 있는 것을 지칭하는 토큰일 뿐이다.

접근 속도를 위해, 각 필드의 위치를 결정하는 오프셋은 항상 특정 크기(바이트 수)의 정수배로 결정된다. 그 특정 크기가 바로 앞에서 말한 **팩 크기**이다. 현재 구현에서 기본 팩 크기는 8바이트이므로, sbyte(1바이트) 필드 하나 다음에 long(8바이트) 필드 하나가 있는 구조체는 16바이트를 차지하며, sbyte 다음의 7바이트는 낭비된다. 이러한 낭비를 줄이려면 팩 크기를 더 줄여야 한다. 팩 크기는 [StructLayout] 특성의 Pack 속성으로 설정할 수 있다. 필드들은 설정된 팩 크기의 배수에 해당하는 오프셋으로 배치된다. 예를 들어 팩 크기를 1로 설정하면 방금 설명한 구조체는 9바이트만 차지한다. 팩 크기로 설정할 수 있는 값은 1, 2, 4, 8, 16이다.

[StructLayout] 특성은 또한 필드 오프셋들을 명시적으로 지정하는 수단도 제공한다('C 공용체 흉내 내기(p.1251)' 참고).

입력/출력 매개변수의 인도

앞의 예에서는 SystemTime을 클래스로 구현했다. 클래스 대신 구조체로 구현할 수도 있는데, 그러면 GetSystemTime을 선언할 때 SystemTime 매개변수에 ref나 out을 붙여야 한다.

```
[DllImport("kernel32.dll")]
static extern void GetSystemTime (out SystemTime t);
```

대부분의 경우 C#의 방향 있는 매개변수 의미론은 외부 메서드와 같은 방식으로 작동한다. 즉, C#의 값 전달 매개변수는 비관리 함수의 안으로(in) 복사되고, C# ref 매개변수는 함수 안팎으로(in 및 out) 복사되며, C# out 매개변수는 함수 바깥으로(out) 복사된다. 그러나 변환이 특별한 방식으로 일어나는 형식들도 있다. 예를 들어 배열 클래스들과 StringBuilder 클래스는 함수 바깥으로 나올 때 복사가 필요하므로 in/out 매개변수이다. 그런데 이러한 행동 방식을 [In] 특성과 [Out] 특성을 이용해서 임의로 변경하는 것이 유용할 때가 종종 있다. 예를 들어 함수가 배열을 읽기 전용으로 사용한다면, 다음처럼 [In] 특성을 지정해서 배열이 항상 함수 안으로만 복사될 뿐 밖으로 복사되지는 않음을 인도기에 알려주는 것이 바람직하다.

```
static extern void Foo ( [In] int[] array);
```

비관리 코드의 콜백 호출

프로그래머들이 관리되는 코드와 관리되지 않는 코드 모두에서 해당 언어의 가장 자연스러운 프로그래밍 모형에 따라 코드를 짤 수 있도록, P/Invoke 계층은 양쪽의 관련된 코드 구축 요소들을 최대한 매끄럽게 대응시키기 위해 노력한다. C#에서 C 함수를 호출하는 것뿐만 아니라 C 함수에서 C# 메서드를 호출할 수도 있으므로(함수 포인터를 통해서), P/Invoke 계층은 비관리 함수 포인터를 그에 가장 가까운 C# 구축 요소인 대리자에 대응시킨다.

한 예로, 최상위 창 핸들들을 모두 열거하고 싶다면 *User32.dll*에 있는 다음 함수를 사용하면 된다.

```
BOOL EnumWindows (WNDENUMPROC lpEnumFunc, LPARAM lParam);
```

EnumWindows는 각 최상위 핸들을 인수로 해서 주어진 콜백 함수를 호출한다. 단, 콜백 함수가 false를 돌려주면 열거를 종료한다. 다음은 그러한 콜백 함수를 나타내는 WNDENUMPROC 형식의 정의이다.

```
BOOL CALLBACK EnumWindowsProc (HWND hwnd, LPARAM lParam);
```

C#에서 EnumWindows를 사용하려면 이 콜백 형식에 부합하는 대리자를 선언하고 그 대리자의 인스턴스를 외부 메서드에 전달해야 한다.

```
using System;
using System.Runtime.InteropServices;

class CallbackFun
{
  delegate bool EnumWindowsCallback (IntPtr hWnd, IntPtr lParam);

  [DllImport("user32.dll")]
  static extern int EnumWindows (EnumWindowsCallback hWnd, IntPtr lParam);

  static bool PrintWindow (IntPtr hWnd, IntPtr lParam)
  {
    Console.WriteLine (hWnd.ToInt64());
    return true;
  }

  static void Main() => EnumWindows (PrintWindow, IntPtr.Zero);
}
```

C 공용체 흉내 내기

한 구조체(struct)의 각 필드에는 그 필드의 자료를 담기에 충분한 공간이 주어진다. int 필드 하나와 char 필드 하나가 있는 구조체를 생각해 보자. int 필드는 오프셋 0에서 시작할 것이며, 적어도 4바이트의 공간이 보장된다. 따라서 char 필드는 적어도 오프셋 4에서 시작한다. 그런데 어떤 이유로 char 필드가 오프셋 2에서 시작한다면, 그 필드에 어떤 값을 배정하면 int 필드의 값이 바뀔 것이다. 이는 엄청난 재앙이지만, 이상하게도 C 언어는 바로 이런 일을 허용하는 특별한 종류의 구조체를 제공한다. **공용체**(union)가 바로 그것이다. C#에서는 [LayoutKind.Explicit] 특성과 [FieldOffset] 특성으로 공용체를 흉내 낼 수 있다.

공용체가 유용한 상황을 생각해내기 어렵겠지만, 공용체에는 나름의 용도가 있다. 예를 들어 외부 신시사이저에서 어떤 음을 연주한다고 하자. Windows Mulitmedia API는 MIDI 프로토콜을 통해서 외부 음원을 제어하는 다음과 같은 함수를 제공한다.

```
[DllImport ("winmm.dll")]
public static extern uint midiOutShortMsg (IntPtr handle, uint message);
```

이 함수의 둘째 인수 message는 연주하고자 하는 음표를 서술하는 정수이다. 이 부호 없는 32비트 정수는 원하는 MIDI 채널, 음표, 음의 세기(구체적으로는 타건 속도)를 뜻하는 여러 바이트로 구성된다. 특정 채널, 음표, 세기로 하나의 32

비트 정수를 만들려면 그 바이트들을 비트 단위 <<, >>, &, | 연산자를 이용해서 하나의 '압축된' 32비트 메시지로 조합해야 하는데, 그리 쉬운 일은 아니다. 다행히 그보다 훨씬 쉬운 방법이 있다. 바로, 그런 바이트들을 하나의 구조체 형태로 배치하는 것이다.

```
[StructLayout (LayoutKind.Explicit)]
public struct NoteMessage
{
  [FieldOffset(0)] public uint PackedMsg;    // 전체 길이는 4바이트

  [FieldOffset(0)] public byte Channel;      // FieldOffset이 0임을 주목
  [FieldOffset(1)] public byte Note;
  [FieldOffset(2)] public byte Velocity;
}
```

Channel, Note, Velocity 필드를 32비트의 압축된 메시지 자체와 의도적으로 겹쳤음을 주목하기 바란다. 이 덕분에 하나의 32비트 정수를 그대로 읽고 쓸 수도 있고, 개별 필드를 따로 읽고 쓸 수도 있다. 게다가, 특정 필드 값을 변경할 때마다 32비트 값을 다시 조합할 필요가 없다.

```
NoteMessage n = new NoteMessage();
Console.WriteLine (n.PackedMsg);    // 0

n.Channel = 10;
n.Note = 100;
n.Velocity = 50;
Console.WriteLine (n.PackedMsg);    // 3302410

n.PackedMsg = 3328010;
Console.WriteLine (n.Note);         // 200
```

공유 메모리

메모리 대응 파일(memory-mapped file)이라고도 하는 **공유 메모리**(shared memory)는 한 컴퓨터의 여러 프로세스가 Remoting이나 WCF의 추가부담 없이도 자료를 공유할 수 있게 하는 Windows의 기능이다. 공유 메모리는 극히 빠르며, 파이프와는 달리 공유 자료에 대한 **임의 접근**(random access)을 지원한다. 제15장에서 MemoryMappedFile 클래스를 이용해서 공유 자료에 접근하는 방법을 설명했다. P/Invoke의 활용법을 잘 보여주는 예로, 이번에는 그 클래스에 의존하지 않고 Win32 메서드들을 직접 호출해서 공유 메모리를 사용해 보기로 한다.

공유 메모리를 할당하는 Win32 함수는 CreateFileMapping이다. 이 함수는 원하는 공유 메모리 영역의 크기(바이트 수)와 그 영역을 식별하는 데 쓰이는 문자열 이름을 받는다. 일단 이 함수로 공유 메모리를 생성했다면, 다른 응용 프로그램은 같은 이름으로 OpenFileMapping을 호출해서 그 공유 메모리에 접근한다. 두 함수 모두 핸들을 돌려주는데, MapViewOfFile 함수를 이용해서 그 핸들을 포인터로 변환할 수 있다.

다음은 공유 메모리 접근 기능을 캡슐화한 클래스이다.

```
using System;
using System.Runtime.InteropServices;
using System.ComponentModel;

public sealed class SharedMem : IDisposable
{
  // 상수들을 열거형에 담아서 사용한다(이렇게 하면 형식 안전성이 좋아진다).

  enum FileProtection : uint      // winnt.h의 상수들
  {
    ReadOnly = 2,
    ReadWrite = 4
  }

  enum FileRights : uint          // WinBASE.h의 상수들
  {
    Read = 4,
    Write = 2,
    ReadWrite = Read + Write
  }

  static readonly IntPtr NoFileHandle = new IntPtr (-1);

  [DllImport ("kernel32.dll", SetLastError = true)]
  static extern IntPtr CreateFileMapping (IntPtr hFile,
                                          int lpAttributes,
                                          FileProtection flProtect,
                                          uint dwMaximumSizeHigh,
                                          uint dwMaximumSizeLow,
                                          string lpName);

  [DllImport ("kernel32.dll", SetLastError=true)]
  static extern IntPtr OpenFileMapping (FileRights dwDesiredAccess,
                                        bool bInheritHandle,
                                        string lpName);

  [DllImport ("kernel32.dll", SetLastError = true)]
  static extern IntPtr MapViewOfFile (IntPtr hFileMappingObject,
                                      FileRights dwDesiredAccess,
                                      uint dwFileOffsetHigh,
```

```
                                          uint dwFileOffsetLow,
                                          uint dwNumberOfBytesToMap);

  [DllImport ("Kernel32.dll", SetLastError = true)]
  static extern bool UnmapViewOfFile (IntPtr map);

  [DllImport ("kernel32.dll", SetLastError = true)]
  static extern int CloseHandle (IntPtr hObject);

  IntPtr fileHandle, fileMap;

  public IntPtr Root { get { return fileMap; } }

  public SharedMem (string name, bool existing, uint sizeInBytes)
  {
    if (existing)
      fileHandle = OpenFileMapping (FileRights.ReadWrite, false, name);
    else
      fileHandle = CreateFileMapping (NoFileHandle, 0,
                                      FileProtection.ReadWrite,
                                      0, sizeInBytes, name);
    if (fileHandle == IntPtr.Zero)
      throw new Win32Exception();

    // 파일 전체에 대한 읽기/쓰기 맵을 얻는다.
    fileMap = MapViewOfFile (fileHandle, FileRights.ReadWrite, 0, 0, 0);

    if (fileMap == IntPtr.Zero)
      throw new Win32Exception();
  }

  public void Dispose()
  {
    if (fileMap != IntPtr.Zero) UnmapViewOfFile (fileMap);
    if (fileHandle != IntPtr.Zero) CloseHandle (fileHandle);
    fileMap = fileHandle = IntPtr.Zero;
  }
}
```

SetLastError 프로토콜을 통해서 오류를 보고하는 비관리 함수들에 대한 [DllImport] 특성들에 SetLastError=true가 지정되어 있음을 주목하기 바란다. 이렇게 하면 예외 발생 시 오류의 세부사항이 Win32Exception 예외에 채워진다. (또한, Marshal.GetLastWin32Error를 호출해서 오류 부호를 명시적으로 조회할 수 있게 된다.)

이 클래스를 시험해 보려면 응용 프로그램이 두 개 필요하다. 첫 응용 프로그램은 다음과 같은 코드를 통해서 공유 메모리를 생성한다.

```
using (SharedMem sm = new SharedMem ("MyShare", false, 1000))
{
```

```
    IntPtr root = sm.Root;
    // 이 프로세스가 공유 메모리의 소유자이다.

    Console.ReadLine();         // 이 지점에서 둘째 응용 프로그램을 실행해야 한다.
  }
```

둘째 응용 프로그램 역시 같은 이름으로 SharedMem 객체를 생성한다. 단, 공유 메모리를 새로 만드는 것이 아니라 기존 공유 메모리에 접근하려는 것이므로 existing 매개변수에 true를 지정한다.

```
using (SharedMem sm = new SharedMem ("MyShare", true, 1000))
{
  IntPtr root = sm.Root;
  // 이제 기존 공유 메모리에 접근할 수 있다!
  // ...
}
```

두 프로그램의 IntPtr들은 같은 비관리 메모리 안을 가리키는 포인터이다. 그런데 이 공통의 포인터를 통해서 두 프로그램이 그 메모리를 좀 더 편하게 읽고 쓰려면 어떻게 해야 할까? 한 가지 접근방식은 모든 공유 자료를 캡슐화하는 직렬화 가능 클래스를 만들고, UnmanagedMemoryStream을 이용해서 자료(그 클래스의 인스턴스)를 비관리 메모리에 직렬화(그리고 역직렬화)하는 것이다. 그러나 자료가 많을 때에는 이 방법이 비효율적이다. 예를 들어 공유 메모리 클래스에 1MB 분량의 자료가 있는데 그중 정수 하나만 갱신한다고 생각해 보면 이 방법이 얼마나 비효율적인지 이해가 될 것이다. 더 나은 접근방식은 공유 자료를 하나의 구조체로 정의하고, 그것을 공유 메모리에 직접 대응시키는 것이다. 그럼 이 접근방식을 좀 더 구체적으로 살펴보자.

구조체를 비관리 메모리에 대응

[StructLayout] 특성이 Sequential이나 Explicit인 구조체는 비관리 메모리에 직접 대응(사상)된다. 다음과 같은 구조체를 생각해 보자.

```
[StructLayout (LayoutKind.Sequential)]
unsafe struct MySharedData
{
  public int Value;
  public char Letter;
  public fixed float Numbers [50];
}
```

여기서 fixed 지시자는 해당 배열 필드(값 형식 원소들을 담는 고정 길이 배열)를 구조체 자체에 포함시키는('인라인화') 역할을 한다. 이 지시자 때문에 이 구조체는 비안전 코드(unsafe)의 영역에 들어가게 된다. 이 구조체를 인스턴스화하면 부동소수점 수 50개를 담을 공간이 그 인스턴스 안에 실제로 할당된다. 다시 말하면, 표준 C# 배열과는 달리 Numbers 필드는 배열에 대한 **참조**가 아니라 배열 **자체**이다. 실제로, 다음 코드를 실행하면

```
static unsafe void Main() => Console.WriteLine (sizeof (MySharedData));
```

208이 출력된다. 4바이트 float 50개 더하기 4바이트 정수 하나(Value 필드) 더하기 2바이트 문자 하나(Letter 필드)면 206바이트이고, 거기에 4바이트 경계 정합(4바이트는 float 하나의 크기)을 위한 2바이트를 추가하면 208이 된다.

unsafe 문맥에서 MySharedData를 사용하는 방법을 보여주는 간단한 예로, 다음 예제는 스택에 할당한 배열에 MySharedData를 적용한다.

```
MySharedData d;
MySharedData* data = &d;       // d의 주소를 얻는다.

data->Value = 123;
data->Letter = 'X';
data->Numbers[10] = 1.45f;
```

또는, 다음과 같이 사용할 수도 있다.

```
// 배열을 스택에 할당한다.
MySharedData* data = stackalloc MySharedData[1];

data->Value = 123;
data->Letter = 'X';
data->Numbers[10] = 1.45f;
```

물론 이 예제로 하는 일들은 모두 관리되는 문맥에서도 할 수 있다. 그렇지 않은 예로, 다음 예제는 MySharedData 인스턴스를 CLR의 쓰레기 수거기가 미치지 못하는 비관리 힙에 저장한다. 비관리 포인터는 이런 용도로 사용할 때 정말로 유용하다.

```
MySharedData* data = (MySharedData*)
  Marshal.AllocHGlobal (sizeof (MySharedData)).ToPointer();

data->Value = 123;
data->Letter = 'X';
data->Numbers[10] = 1.45f;
```

Marshal.AllocHGlobal은 비관리 힙에 메모리를 할당한다. 이 메서드로 할당한 메모리를 나중에 해제하려면 다음과 같이 해야 한다.

```
Marshal.FreeHGlobal (new IntPtr (data));
```

(이처럼 메모리를 해제해 주지 않으면 유서 깊은 방식의 메모리 누수가 발생한다.)

MySharedData라는 이름에 걸맞게, 이번에는 이 구조체를 앞에서 작성한 SharedMem 클래스와 함께 사용해보자. 다음 프로그램은 공유 메모리에 메모리 블록 하나를 할당하고 MySharedData 구조체를 그 메모리에 대응시킨다.

```
static unsafe void Main()
{
  using (SharedMem sm = new SharedMem ("MyShare", false, 1000))
  {
    void* root = sm.Root.ToPointer();
    MySharedData* data = (MySharedData*) root;

    data->Value = 123;
    data->Letter = 'X';
    data->Numbers[10] = 1.45f;
    Console.WriteLine ("공유 메모리에 기록했음");

    Console.ReadLine();

    Console.WriteLine ("값은 " + data->Value);
    Console.WriteLine ("문자는 " + data->Letter);
    Console.WriteLine ("11번째 수는 " + data->Numbers[10]);
    Console.ReadLine();
  }
}
```

SharedMem 대신 .NET Framework의 MemoryMappedFile 클래스를 다음과 같이 사용해도 된다.

```
using (MemoryMappedFile mmFile =
       MemoryMappedFile.CreateNew ("MyShare", 1000))
using (MemoryMappedViewAccessor accessor =
       mmFile.CreateViewAccessor())
{
  byte* pointer = null;
  accessor.SafeMemoryMappedViewHandle.AcquirePointer
   (ref pointer);
  void* root = pointer;
  ...
}
```

다음은 이 프로그램과 메모리 블록을 공유하는 둘째 프로그램이다. 둘째 프로그램은 해당 블록에 구조체를 대응시켜서 첫 프로그램이 기록한 값을 읽는다. (둘째 프로그램은 첫 프로그램이 ReadLine 호출에 걸려 있는 상태에서 실행해야 한다. 해당 using 문을 벗어나면 공유 메모리 객체가 처분되기 때문이다.)

```
static unsafe void Main()
{
  using (SharedMem sm = new SharedMem ("MyShare", true, 1000))
  {
    void* root = sm.Root.ToPointer();
    MySharedData* data = (MySharedData*) root;

    Console.WriteLine ("값은 " + data->Value);
    Console.WriteLine ("문자는 " + data->Letter);
    Console.WriteLine ("11번째 수는 " + data->Numbers[10]);

    // 더 나아가서, 공유 메모리를 갱신해 본다.
    data->Value++;
    data->Letter = '!';
    data->Numbers[10] = 987.5f;
    Console.WriteLine ("공유 메모리를 갱신했음");
    Console.ReadLine();
  }
}
```

두 프로그램의 출력은 다음과 같다.

첫 프로그램:

```
공유 메모리에 기록했음
값은 124
문자는 !
11번째 수는 987.5
```

둘째 프로그램:

```
값은 123
문자는 X
11번째 수는 1.45
공유 메모리를 갱신했음
```

포인터를 너무 두려워할 필요는 없다. C++ 프로그래머들은 응용 프로그램 전체에서 포인터를 사용하지만 그래도 응용 프로그램이 잘 돌아간다—적어도 대부분의 경우에는! 그에 비하면 이 예제들은 상당히 간단한 편이다.

사실 이 예제들은 실제로 안전하지 않은데, unsafe 키워드나 포인터를 사용했기 때문이 아니라 두 프로그램이 같은 메모리에 동시에 접근할 때 발생하는 스레드 안전성(좀 더 정확히 말하면 프로세스 안전성)을 고려하지 않았기 때문이다. 실제 응용 프로그램에서는 MyShareData 구조체의 Value 필드와 Letter 필드에 volatile 키워드를 추가해서 CPU 레지스터에 캐싱되지 않게 해야 한다. 더 나아가서, 필드들과의 상호작용이 지금 예제보다 더 복잡해진다면, 여러 프로세스가 공유하는 Mutex를 이용해서 접근을 보호해야 할 가능성이 크다(다중 스레드 프로그램에서 lock 문을 이용해서 필드 접근을 보호하듯이). 스레드 안전성은 제22장에서 자세히 논의했다.

fixed와 fixed {...}

어떤 구조체를 메모리에 직접 대응시킬 때 적용되는 제약 하나는 그 구조체의 필드들이 모두 비관리 형식이어야 한다는 것이다. 예를 들어 문자열 자료를 공유하려면 C#의 문자열 대신 고정 길이 문자 배열을 사용해야 하며, 따라서 공유 메모리에 문자열을 읽고 쓸 때마다 string 형식과의 변환이 필요하다. 다음은 그러한 변환 방법을 보여주는 예이다.

```
[StructLayout (LayoutKind.Sequential)]
unsafe struct MySharedData
{
  ...
  // 문자 200개(즉 400바이트)를 담을 공간을 할당한다.
  const int MessageSize = 200;
  fixed char message [MessageSize];

  // 이 코드는 보조(helper) 클래스에 따로 두는 것이 바람직할 것이다.
  public string Message
  {
    get { fixed (char* cp = message) return new string (cp); }
    set
    {
      fixed (char* cp = message)
      {
        int i = 0;
        for (; i < value.Length && i < MessageSize - 1; i++)
          cp [i] = value [i];

        // 널 종료 문자를 추가한다.
        cp [i] = '\0';
      }
    }
  }
}
```

고정 배열에 대한 참조라는 것은 없다. 고정 배열은 항상 포인터를 통해서 접근된다. 색인으로 고정 배열의 원소에 접근하면 실제로 포인터 산술이 일어난다!

fixed 키워드가 적용된 첫 문장은 구조체 안에 문자 200개를 담을 공간을 직접 할당한다. 그러나 속성 접근 메서드 안에 적용된 fixed 키워드는 첫 문장의 fixed와는 다른 의미로 쓰인다(이는 fixed의 다소 헷갈리는 측면이다). 두 번째 fixed는 CLR에게 이 객체를 **고정**(pinning)하라고 지시하는 역할을 한다. 이렇게 하면 CLR이 fixed 블록 안에서 해당 객체를 수거한다고 결정해도, 메모리 힙에서 바탕 구조체를 이동하지 않는다. fixed 블록 안에서 아직 그 내용을 직접적인 메모리 포인터를 통해서 반복하는 중이므로, 이처럼 이동을 금지해야 문제가 발생하지 않는다. 코드를 살펴보면 MySharedData가 메모리 안에서 이동할 이유가 없어 보인다. MySharedData는 관리되는 힙이 아니라 쓰레기 수거기의 영향권에서 벗어난 비관리 세계에 있기 때문이다. 그러나 컴파일러는 이 점을 모르며, 어쩌면 프로그램이 MySharedData를 관리되는 문맥에서 사용할 수도 있다고 생각한다. 이 때문에, 관리되는 문맥에서 unsafe 코드를 안전하게 실행하려면 이처럼 fixed 키워드를 명시적으로 적용할 필요가 있다. 그리고 컴파일러가 아예 틀린 것도 아니다. 다음과 같은 코드는 MySharedData를 힙에 할당한다.

```
object obj = new MySharedData();
```

이렇게 하면 MySharedData는 박싱된 객체로서 관리되는 힙에 존재하며, 따라서 쓰레기 수거 과정에서 이동할 수 있다.

이상의 예제는 문자열을 비관리 메모리에 대응된 구조체로 표현하는 방법을 보여준다. 좀 더 복잡한 형식이라면 그냥 기존의 직렬화 코드를 사용할 수도 있다. 이때 주의할 점은 직렬화된 자료의 길이가 구조체에 할당된 공간을 넘어서는 안 된다는 것이다. 만일 직렬화된 자료가 너무 길면 이후의 필드들과 겹칠 것이며, 그러면 구조체가 뜻하지 않게 공용체처럼 작동하게 될 것이다.

COM 상호운용성

.NET 런타임은 첫 버전부터 COM을 특별하게 지원했다. 덕분에 COM 객체를 .NET에서(그리고 그 반대로) 사용할 수 있었다. C# 4.0에서는 이러한 지원이 크게 향상되어서, 사용성은 물론 배치 방식도 개선되었다.

COM의 목적

Component Object Model(구성요소 객체 모형)의 약자인 COM은 여러 API를 위한 이진 코드 표준으로, Microsoft가 1993에 발표했다. Microsoft가 COM을 제정

한 동기는 여러 구성요소가 언어 독립적인, 그리고 버전 내구적인 방식으로 통신하게 하는 것이었다. COM이 나오기 전 Windows가 사용하던 전략은 C 프로그래밍 언어로 선언된 구조체들과 함수들을 DLL(Dynamic Link Library; 동적 링크 라이브러리)에 담아서 배포하는 것이었다. 이러한 접근방식은 언어에 종속적일 뿐만 아니라, 견고하지도 않았다. 그러한 DLL에 담긴 한 형식의 명세는 그 구현과 분리되지 않았기 때문에, 구조체에 필드 하나를 추가하기만 해도 명세가 깨졌다.

COM의 장점은 형식의 명세를 *COM* **인터페이스**라고 알려진 구축 요소를 통해서 그 바탕 구현과 분리한다는 것이다. 또한, COM은 단순한 프로시저 호출을 넘어서, 상태 있는(stateful) **객체**에 대한 메서드 호출도 가능하게 만들었다.

어찌 보면 .NET의 프로그래밍 모형은 COM 프로그래밍의 원리들이 진화한 형태라 할 수 있다. COM처럼 .NET도 다중 언어 개발을 지원하며, 이진 구성요소가 변해도 그것에 의존하는 응용 프로그램이 깨지지 않는다.

COM 형식 체계의 기초

COM 형식 체계(type system)는 인터페이스를 중심으로 구성된다. COM 인터페이스는 .NET 인터페이스와 상당히 비슷하지만, COM 형식의 기능성이 **오직** 인터페이스를 통해서만 노출된다는 점에서 그 중요성이 더 크다. 반면 .NET 세계에서는 다음 예처럼 인터페이스 없이 형식만 간단하게 선언할 수 있다.

```
public class Foo
{
  public string Test() => "Hello, world";
}
```

이 형식을 사용하는 코드는 Foo를 직접 인스턴스화해서 사용할 수 있다. 그리고 나중에 Test 메서드의 **구현**이 바뀌어도, 그 메서드를 호출하는 클래스를 다시 컴파일할 필요가 없다. 이러한 점에서, .NET은 인터페이스와 구현을 "인터페이스 없이" 분리한다고 할 수 있다. 심지어, 다음과 같은 중복적재 버전을 추가해도 호출자에 영향이 미치지 않는다.

```
public string Test (string s) => "Hello, world " + s;
```

그러나 COM 세계에서는 Foo의 기능성을 인터페이스를 통해 노출함으로써 이러한 분리성을 달성한다. 즉, Foo의 형식 라이브러리에 이를테면 다음과 같은 인터페이스가 존재해야 한다.

```
public interface IFoo { string Test(); }
```

(이것은 독자의 이해를 돕기 위해 예로 든 C# 인터페이스일 뿐, 실제 COM 인터페이스가 아니다. 어쨌든 원리는 동일하다. 단지 표현 수단이 다를 뿐이다.)

그리고 호출자는 Foo가 아니라 IFoo와 상호작용한다.

Test의 중복적재 버전 추가에 관련한 상황은 COM이 .NET보다 복잡하다. 우선, IFoo 인터페이스는 수정하지 말아야 한다. 인터페이스가 수정되면 이전 버전과의 이진 호환성이 깨지기 때문이다(COM의 원리 중 하나는, 일단 발표된 인터페이스는 **불변이**(immutable)라는 것이다). 둘째로, 애초에 COM은 메서드 중복적재를 지원하지 않는다. 중복적재를 흉내 내는 방법은 Foo가 다음과 같은 **또 다른 인터페이스**를 구현하게 하는 것이다.

```
public interface IFoo2 { string Test (string s); }
```

(이 역시 이해를 돕기 위한 .NET 인터페이스이지 실제 COM 인터페이스는 아니다.)

이처럼, 다중 인터페이스 지원은 COM 라이브러리의 버전 변화에 핵심적인 기능이다.

IUnknown 인터페이스와 IDispatch 인터페이스

모든 COM 인터페이스에는 식별용 GUID가 있다.

COM 형식 체계의 뿌리에 해당하는 인터페이스는 IUnknown이다. 모든 COM 객체는 반드시 이 인터페이스를 구현해야 한다. 이 인터페이스에는 다음 세 메서드가 있다.

- AddRef
- Release
- QueryInterface

AddRef와 Release는 객체의 수명 관리를 위한 메서드들이다. COM은 자동 쓰레기 수거가 아니라 참조 계수(reference counting) 방식으로 객체들의 수명을 관리하기 때문에 이런 메서드들이 필요하다(애초에 COM은 쓰레기 수거가 적합하지 않은 비관리 코드에 쓰이도록 설계된 것이다). QueryInterface 메서드는 특정 인터페이스를 지원하는 객체 참조를 돌려준다(그런 참조가 있다면).

동적 프로그래밍(이를테면 스크립팅과 Automation)이 가능하려면 COM 객체가 IDispatch도 구현해야 한다. 이를 통해서, 이를테면 VBScript에서 COM 객체를 지연 바인딩 방식으로 호출할 수 있다. 이는 C#의 dynamic과 비슷한 방식이다(C#과는 달리 단순한 호출만 가능하긴 하지만).

C#에서 COM 구성요소 호출

CLR은 COM 지원 기능을 내장하고 있으므로, C# 코드에서 IUnknown과 IDispatch를 직접 다룰 필요는 없다. 그냥 .NET의 객체를 그대로 사용하면 된다. 그러면 RCW(runtime-callable wrapper; 런타임 호출 가능 래퍼)라고 부르는 일종의 프록시를 통해서 런타임이 해당 호출을 COM 세계로 인도한다(마샬링). 런타임은 또한 AddRef와 Release를 적절히 호출해서(.NET 객체가 생성 및 종료(finalization)될 때) 객체의 수명을 관리해 주며, 두 세계 사이의 기본 형식 변환도 처리해 준다. 그러한 형식 변환 덕분에, .NET 세계의 코드와 COM 세계의 코드는 이를테면 정수나 문자열 형식을 자신에게 익숙한 형태 그대로 사용할 수 있다.

또한, 동적이 아니라 정적 형식에 맞는 방식으로 RCW에 접근하는 방법도 필요하다. 이를 담당하는 것이 ***COM* 상호운용** 형식(COM Interop type)들이다. COM 상호운용 형식은 주어진 COM 형식의 각 멤버에 대응되는 .NET 멤버들을 노출하는 프록시 형식인데, 프로그래머가 직접 정의할 필요는 없다. 명령줄에서 실행하는 형식 라이브러리 임포터 도구 *tlbimp.exe*는 지정된 COM 라이브러리에 기초해서 COM 상호운용 형식들을 생성하고, 그것들을 하나의 ***COM* 상호운용 어셈블리**로 컴파일한다.

COM 구성요소가 여러 개의 인터페이스를 구현하는 경우 *tlbimp.exe* 도구는 모든 인터페이스 멤버들의 합집합을 담은 하나의 형식을 생성한다.

Visual Studio에서도 COM 상호운용 어셈블리를 만들 수 있다. '참조 추가' 대화상자의 COM 탭에서 원하는 COM 라이브러리를 선택하면 된다. 예를 들어 독자의 컴퓨터에 Microsoft Excel 2007이 설치되어 있다고 할 때, COM 탭에서 Microsoft Excel 12.0 Office Library를 선택하면 Excel의 COM 클래스들을 C#에서 사용할 수 있게 된다. 다음은 Excel 통합 문서(workbook)를 생성해서 화면에 표시하고, 그 통합 문서의 한 셀cell을 채우는 C# 코드이다.

```
using System;
using Excel = Microsoft.Office.Interop.Excel;

class Program
{
  static void Main()
  {
    var excel = new Excel.Application();
    excel.Visible = true;
    Excel.Workbook workBook = excel.Workbooks.Add();
    excel.Cells [1, 1].Font.FontStyle = "Bold";
    excel.Cells [1, 1].Value2 = "Hello World";
    workBook.SaveAs (@"d:\temp.xlsx");
  }
}
```

Excel.Application 클래스는 실행시점 형식이 하나의 RCW인 COM 상호운용 형식이다. 이 클래스의 Workbooks 속성과 Cells 속성에 접근하면 더 많은 상호운용 형식들을 얻게 된다.

이 코드는 상당히 간단한데, 이는 C# 4.0에 도입된 여러 COM 관련 개선 사항들 덕분이다. 그런 개선 사항들이 없었다면 Main 메서드가 다음처럼 훨씬 복잡해졌을 것이다.

```
var missing = System.Reflection.Missing.Value;

var excel = new Excel.Application();
excel.Visible = true;
Excel.Workbook workBook = excel.Workbooks.Add (missing);
var range = (Excel.Range) excel.Cells [1, 1];
range.Font.FontStyle = "Bold";
range.Value2 = "Hello world";

workBook.SaveAs (@"d:\temp.xlsx", missing, missing, missing, missing,
  missing, Excel.XlSaveAsAccessMode.xlNoChange, missing, missing,
  missing, missing, missing);
```

그럼 언어 개선 사항들이 구체적으로 어떤 것인지, 그리고 그 개선 사항들이 COM 프로그래밍에 어떻게 도움이 되는지 살펴보자.

선택적 매개변수와 명명된 인수

COM API는 함수 중복적재를 지원하지 않기 때문에, COM의 메서드들을 보면 매개변수가 많고 그중 다수가 선택적(생략 가능)인 경우가 흔하다. 예를 들어

Excel 통합 문서의 Save 메서드를 인수들을 전혀 생략하지 않고 호출한다면 다음과 같은 모습이 된다.

```
var missing = System.Reflection.Missing.Value;

workBook.SaveAs (@"d:\temp.xlsx", missing, missing, missing, missing,
  missing, Excel.XlSaveAsAccessMode.xlNoChange, missing, missing,
  missing, missing, missing);
```

다행히 C#의 선택적 매개변수 지원 기능은 COM 상호운용 형식에도 적용되므로, 그냥 다음과 같이 호출할 수 있다.

```
workBook.SaveAs (@"d:\temp.xlsx");
```

(제3장에서 언급했듯이, 선택적 매개변수는 구문적인 편의 수단일 뿐이다. 컴파일러는 생략된 인수들을 모두 채워서 호출문을 완전한 형태로 "확장한다".)

또한, 명명된 인수(named argument) 기능 덕분에 추가적인 인수를 위치와 무관하게 지정할 수 있다.

```
workBook.SaveAs (@"c:\test.xlsx", Password:"foo");
```

암묵적 ref 매개변수

일부 COM API(특히 Microsoft Word)의 함수들은 매개변수 값을 수정하지 않더라도 모든 매개변수를 참조 전달로 선언한다. 이는 인수 값을 복사하면 성능이 나빠진다는 오랜 믿음 때문이다(그러나 모든 매개변수를 참조 전달로 바꾸어도 실질적인 성능 이득은 무시할 만한 수준이다).

예전에는 그런 메서드를 C#에서 호출하려면 코드가 상당히 지저분했다. 그런 함수를 호출하려면 모든 인수에 ref 키워드를 붙여야 하며, 그러면 선택적 매개변수를 사용할 수 없기 때문이다. 예를 들어 Word 문서를 하나 열려면 다음과 같은 장황한 코드가 필요했다.

```
object filename = "foo.doc";
object notUsed1 = Missing.Value;
object notUsed2 = Missing.Value;
object notUsed3 = Missing.Value;
...
Open (ref filename, ref notUsed1, ref notUsed2, ref notUsed3, ...);
```

그러나 C# 4.0부터는 COM 함수 호출 시 ref 수정자를 생략할 수 있으며, 따라서 다음처럼 선택적 매개변수 기능을 사용할 수 있다.

```
word.Open ("foo.doc");
```

단, 이 경우 호출하는 COM 메서드가 실제로 인수의 값을 변경한다고 해도 컴파일 시점 오류나 실행시점 오류가 발생하지 않는다는 점을 주의해야 한다.

인덱서

ref 수정자 생략 능력에는 또 다른 장점이 있다. 바로, ref 매개변수가 있는 COM 인덱서에 보통의 C# 인덱서 구문으로 접근할 수 있다는 것이다. C# 인덱서는 ref/out 매개변수를 지원하지 않으므로, ref 수정자 생략 능력이 없다면 COM에서도 그러한 접근이 불가능했을 것이다(ref 수정자를 생략할 수 없었던 C#의 이전 버전들에서는 get_*XXX*와 set_*XXX* 같은 배경 메서드를 호출하는 다소 번거로운 우회책을 사용했는데, 하위 호환성을 위해서는 이 우회책이 여전히 유효하다).

C# 4.0에서는 인덱서와의 상호운용 능력이 더욱 개선되었다. 예를 들어 이제는 인수를 받는 COM 속성을 인덱서 구문을 통해서 호출할 수 있다. 다음 예에서 Foo는 정수 인수를 받는 속성이다.

```
myComObject.Foo [123] = "Hello";
```

아직도 C#에서는 이런 속성을 독자가 직접 정의할 수 없다. 하나의 형식은 오직 그 형식 자체에 대한 인덱서('기본' 인덱서)만 노출할 수 있다. 따라서, C# 코드에서 위와 같은 문장이 유효하려면 Foo는 인덱서(기본 인덱서)를 노출하는 또 다른 형식을 돌려주어야 한다.

동적 바인딩

동적 바인딩이 COM 구성요소의 호출에 도움이 되는 이유는 두 가지이다. 첫째로, COM 상호운용 형식 없이도 COM 구성요소에 접근하는 것이 가능한데, 이러한 능력은 바로 동적 바인딩 덕분이다. COM 구성요소 형식의 이름으로 Type.GetTypeFromProgID를 호출하면 그 형식을 대표하는 Type 객체를 얻을 수 있으며, 그 객체를 이용해서 COM 인스턴스를 생성해서 원하는 멤버를 호출할 수 있다.

이는 모두 동적 바인딩 덕분이다. 물론 이런 코드에 대해서는 IntelliSense 지원이나 컴파일 시점 점검이 불가능하다.

```
Type excelAppType = Type.GetTypeFromProgID ("Excel.Application", true);
dynamic excel = Activator.CreateInstance (excelAppType);
excel.Visible = true;
dynamic wb = excel.Workbooks.Add();
excel.Cells [1, 1].Value2 = "foo";
```

(동적 바인딩 대신 반영 기능을 이용해서도 같은 결과를 얻을 수 있지만, 코드가 훨씬 지저분해진다.)

이 주제의 한 변형은 IDispatch만 지원하는 COM 구성요소를 호출하는 것이다. 그러나 그런 구성요소는 상당히 드물다.

동적 바인딩이 COM 호출에 도움이 되는 또 다른 이유는(첫 번째 이유보다는 도움이 덜하지만), 동적 바인딩을 통해서 COM variant 형식을 좀 더 수월하게 다룰 수 있다는 것이다. 필요성보다는 잘못된 설계의 탓이 더 크긴 하지만, COM API 함수들에는 이 variant 형식이 자주 쓰인다. 아주 대충 말하자면 이 형식은 .NET의 object 형식에 해당한다. Visual Studio 솔루션 탐색기에서 특정 참조를 선택한 후 참조 속성 중 'Interop 형식 포함'을 활성화하면(이에 관해서는 잠시 후에 좀 더 이야기한다) 런타임은 variant를 object에 대응시키는 것이 아니라 dynamic에 대응시킨다. 이렇게 하면 C# 코드에서 캐스팅을 생략할 수 있다. 예를 들어

```
var range = (Excel.Range) excel.Cells [1, 1];
range.Font.FontStyle = "Bold";
```

라고 하는 대신

```
excel.Cells [1, 1].Font.FontStyle = "Bold";
```

라고 해도 된다.

이런 방식의 단점은 코딩 시 Visual Studio의 자동 완성 기능의 지원을 받지 못한다는 것이다. 따라서 Font라는 속성이 존재함을 미리 알고 있어야 한다. 이 때문에, 보통은 그냥 결과를 알려진 상호운용 형식에 **동적으로** 배정하는 것이 더 쉽다. 다음이 그러한 예이다.

```
Excel.Range range = excel.Cells [1, 1];
range.Font.FontStyle = "Bold";
```

그러나 이 접근방식은 앞에서 본 구식의 캐스팅 코드에 비해 타자를 다섯 자밖에 줄여주지 못한다.

Visual Studio 2010부터는 COM 상호운용 어셈블리 참조에 대해서는 'Interop 형식 포함'이 기본적으로 활성화되며, 이에 의해 variant가 dynamic에 대응된다.

상호운용 형식들을 응용 프로그램에 내장

이전에 보았듯이, 보통의 경우 C#은 *tlbimp.exe* 도구로 생성된 상호운용 형식들을 통해서 COM 구성요소를 호출한다(*tlbimp.exe*는 명령줄에서 직접 실행할 수도 있고 Visual Studio가 자동으로 실행하게 할 수도 있다).

예전에는 상호운용 형식들을 담은 어셈블리들을(다른 종류의 어셈블리들도 마찬가지지만) **참조**할 수만 있었다. 그런데 복잡한 COM 구성요소들을 담은 상호운용 어셈블리는 덩치가 상당히 클 수 있다는 점이 문제였다. 예를 들어 Microsoft Word를 위한 작은 애드인을 실행하려면 그 애드인 자체보다 수십 배 큰 상호운용 어셈블리가 필요했다.

C# 4.0부터는 상호운용 어셈블리를 **참조**하는 대신 **링크**할 수 있게 되었다. 어셈블리를 링크하면 컴파일러는 그 어셈블리에서 응용 프로그램이 실제로 사용하는 형식들과 멤버들을 파악해서, 그것들의 정의를 응용 프로그램 자체에 직접 내장(포함)한다. 이 방식에서는 실제로 쓰이는 COM 인터페이스만 응용 프로그램에 포함되므로, 응용 프로그램 패키지의 크기를 크게 줄일 수 있다.

Visual Studio 2010과 그 이후 버전들에서는 COM 상호운용 어셈블리의 링크가 기본적으로 활성화된다. 이를 **비활성화**하려면 솔루션 탐색기에서 해당 참조를 선택한 후 참조 속성 시트의 'Interop 형식 포함'을 'False'로 설정하면 된다.

명령줄 컴파일러에서 상호운용 어셈블리 링크를 활성화하려면 `csc` 호출 시 `/reference` 대신 `/link`를(또는 `/R` 대신 `/L`을) 지정하면 된다.

형식 동치

CLR 4.0과 그 이후 버전들은 링크된 상호운용 형식들에 대한 **형식 동치**(type equivalence)를 지원한다. 무슨 말이냐 하면, 두 어셈블리가 각자 어떤 상호운용 형식을 링크했을 때 만일 그 형식들이 동일한 COM 형식을 감싼다면 두 상호운용 형식이 동등한 형식으로 간주된다는 뜻이다. 심지어 그 어셈블리들이 링크하는 상호운용 어셈블리들이 각자 개별적으로 생성된 경우에도 그렇다.

형식 동치는 `System.Runtime.InteropServices` 이름공간의 `TypeIdentifierAttribute` 특성에 의존한다. 상호운용 어셈블리를 링크하면 컴파일러가 자동으로 이 특성을 적용한다. 그러면 GUID가 같은 COM 형식들은 모두 동치로 간주된다.

형식 동치 지원 덕분에 **기본 상호운용 어셈블리**의 필요성이 사라졌다.

기본 상호운용 어셈블리(PIA)

C# 4.0 이전에는 상호운용 링크도, 형식 동치도 없었다. 그래서 두 개발자가 같은 COM 구성요소에 대해 각자 *tlbimp.exe*를 실행해서 만든 상호운용 어셈블리들이 호환되지 않았으며, 결과적으로 상호운용성이 훼손되었다. 이에 대한 우회책은 COM 라이브러리 작성자가 공식적으로 상호운용 어셈블리를 만들어서 배포하는 것이었는데, 그런 공식 버전의 어셈블리를 **기본 상호운용 어셈블리**(primary interop assembly, PIA)라고 부른다. 4.0 이전의 C#에 기초한 코드가 아직 많이 남아 있으므로, PIA도 여전히 중요하다.

사실 PIA는 좋은 해결책이 아니다. 그 이유는 다음과 같다.

모두가 PIA를 항상 사용하지는 않는다.

누구나 형식 라이브러리 임포터 도구를 사용할 수 있으며, 실제로 공식 버전을 사용하는 대신 그 도구로 상호운용 어셈블리를 직접 생성해서 사용하는 개발자가 많다. 또한, COM 라이브러리 작성자가 PIA를 제공하지 않아서 어쩔 수 없이 스스로 만들어 쓰는 경우도 있다.

PIA는 등록해야 한다.

PIA는 GAC에 등록해야 한다. 이는 COM 구성요소를 위한 간단한 애드인을 작성하는 개발자에게 부담스러운 일이다.

PIA 때문에 배포 패키지가 커진다.

앞에서 상호운용 어셈블리를 참조(링크가 아니라)할 때 생기는 패키지 크기 문제를 언급했는데, PIA가 바로 그러한 문제를 아주 잘 보여주는 예이다. 특히, Microsoft Office 팀은 이 문제 때문에 자신의 제품을 배포할 때 패키지에 PIA를 포함하지 않기로 했다.

COM 코드에서 C# 객체 사용

C# 클래스를 COM에서 사용할 수 있게 하는 것도 가능하다. CLR은 CCW(COM-callabel wrapper; COM 호출 가능 래퍼)라고 부르는 프록시를 통해서 이러한 기능을 지원한다. CCW는 두 세계 사이에서 형식들을 인도한다(RCW가 하는 것처럼). CCW는 COM 프로토콜이 요구하는 IUnknown을(경우에 따라서는 IDispatch도) 구현한다. CCW 객체의 수명은 COM 쪽에서 참조 계수 방식으로(CLR의 쓰레기 수거가 아니라) 관리한다.

공용 클래스이면 그 어떤 것도 COM 쪽에 노출할 수 있다. 단, [Guid] 특성을 이용해서 어셈블리 자체에 GUID를 부여해야 한다. 그 GUID는 이 어셈블리로부터 생성할 COM 형식 라이브러리를 고유하게 식별하는 용도로 쓰인다.

```
[assembly: Guid ("...")]     // COM 형식 라이브러리를 위한 고유한 GUID
```

기본적으로, 그 라이브러리의 모든 공용 형식을 COM 쪽에서 볼 수 있다. 특정 형식만 노출하려면 [ComVisible] 특성을 사용해야 한다. 예를 들어 몇몇 형식만 노출하고 싶다면, 어셈블리 자체에 [ComVisible(false)]를 지정해서 모든 형식을 감춘 다음, 노출할 형식에만 따로 [ComVisible(true)]를 지정하면 된다.

마지막으로 할 일은 *tlbexp.exe* 도구를 실행하는 것이다.

```
tlbexp.exe myLibrary.dll
```

이러면 하나의 COM 형식 라이브러리 파일(*.tlb*)이 만들어진다. 그것을 시스템에 등록한 후 COM 응용 프로그램에서 사용하면 된다. COM 노출 클래스들과 부합하는 COM 인터페이스들은 자동으로 생성된다.

26장

C# 6.0 in a Nutshell

정규 표현식

정규 표현식(regular expression), 줄여서 정규식(regex)은 문자 패턴을 식별하는 수단이다. 정규식을 지원하는 .NET 형식들은 Perl 5의 정규 표현식 문법을 따르며, 패턴을 찾는 기능뿐만 아니라 찾아 바꾸는 기능도 지원한다.

정규 표현식은 이를테면 다음과 같은 과제에 쓰인다.

- 패스워드나 전화번호 같은 텍스트 입력의 유효성 점검(ASP.NET은 이 용도만을 위해 RegularExpressionValidator라는 컨트롤을 제공한다).
- 텍스트 자료를 좀 더 구조화된 형태로 파싱(이를테면 HTML 페이지에서 자료를 추출해서 데이터베이스에 저장하는 등).
- 문서에 있는 특정 패턴의 텍스트를 치환(이를테면 온전한 단어만 치환하는 등)

이번 장은 .NET이 지원하는 정규 표현식의 기초를 가르치는 개념적인 절들과 정규 표현식 문법을 설명하는 참조/일람 절들로 이루어져 있다.

정규 표현식을 위한 C# 형식들은 모두 System.Text.RegularExpressions에 정의되어 있다.

정규 표현식에 대한 자료가 더 필요하다면, 온라인 자료로는 예제들이 많은 참고 사이트 *http://regular-expressions.info*가 있다. 그리고 좀 더 본격적으로 공부하고 싶은 독자에게는 제프리 E. F. 프리들Jeffrey E. F. Friedl이 쓴 *Mastering Regular Expressions*를 권한다.
이번 장의 예제들은 모두 LINQPad에 들어 있다. 또한, 사용자가 정규 표현식을 구축하면서 그 구조를 눈으로 직접 확인할 수 있는 Expresso(*http://www.ultrapico.com*)라는 대화식 유틸리티도 유용하다. Expresso에는 독자적인 정규식 라이브러리도 포함되어 있다.

정규 표현식의 기초

정규 표현식에는 여러 연산자가 있는데, 그중 **한정사**(quantifier; 양화사)라고 부르는 연산자들이 특히나 많이 쓰인다. 한정사 중 하나인 ?는 그 앞의 항목(item; 하나의 항목은 문자 하나일 수도 있고 괄호로 감싸인 복잡한 구조의 문자들일 수도 있다)이 0회 또는 1회 나와야 한다는 뜻이다. 다른 말로 하면 ?는 그 앞의 항목이 **선택적**(optional; 또는 생략 가능)임을 뜻한다. 예를 들어 "colou?r"라는 정규 표현식은 color와도 부합하고 colour와도 부합하지만 colouur와는 부합하지 않는다.

```
Console.WriteLine (Regex.Match ("color",   @"colou?r").Success);  // True
Console.WriteLine (Regex.Match ("colour",  @"colou?r").Success);  // True
Console.WriteLine (Regex.Match ("colouur", @"colou?r").Success);  // False
```

Regex.Match는 주어진 문자열에서 주어진 패턴과 부합하는 부분 문자열을 찾는다. 이 메서드가 돌려주는 객체에는 패턴과 부합하는 부분 문자열(줄여서 부합 문자열 또는 그냥 부합)의 시작 색인을 담은 Index 속성과 길이를 담은 Length 속성, 그리고 부합 문자열 자체를 담은 Value 속성이 있다.

```
Match m = Regex.Match ("any colour you like", @"colou?r");

Console.WriteLine (m.Success);     // True
Console.WriteLine (m.Index);       // 4
Console.WriteLine (m.Length);      // 6
Console.WriteLine (m.Value);       // colour
Console.WriteLine (m.ToString());  // colour
```

Regex.Match를 string의 IndexOf 메서드의 좀 더 강력한 버전이라고 생각해도 될 것이다. 차이점은, Regex.Match는 주어진 문자열을 곧이곧대로 검색하는 것이 아니라 **패턴**을 검색한다는 것이다.

IsMatch 메서드는 Match 호출 후 Success 속성을 판정하는 과정을 하나로 엮은 단축 메서드이다.

정규 표현식 엔진은 기본적으로 왼쪽에서 오른쪽으로 패턴을 점검하므로, Match는 가장 왼쪽의 부합만을 돌려준다. 더 많은 부합을 얻으려면 NextMatch 메서드를 사용해야 한다.

```
Match m1 = Regex.Match ("One color? There are two colours in my head!",
                        @"colou?rs?");
```

```
Match m2 = m1.NextMatch();
Console.WriteLine (m1);        // color
Console.WriteLine (m2);        // colours
```

Matches 메서드는 모든 부합을 배열에 담아 돌려준다. 다음은 앞의 예제를 Matches로 다시 작성한 것이다.

```
foreach (Match m in Regex.Matches
         ("One color? There are two colours in my head!", @"colou?rs?"))
  Console.WriteLine (m);
```

흔히 쓰이는 또 다른 정규 표현식 연산자로 **대안 선택자**(alternator)가 있다. 대안 선택자는 수직선 기호 |로 표시한다. 대안 선택자는 말 그대로 선택할 수 있는 대안들을 표현한다. 예를 들어 다음은 "Jen"이나 "Jenny", "Jennifer"와 부합한다.

```
Console.WriteLine (Regex.IsMatch ("Jenny", "Jen(ny|nifer)?"));  // True
```

대안 선택자를 감싸는 괄호는 대안들을 정규식의 나머지 부분과 구분하는 역할을 한다.

.NET Framework 4.5부터는 정규 표현식 부합 메서드 호출 시 만료 시간을 지정할 수 있다. TimeSpan 객체로 주어진 시간이 다 지나도 부합 연산이 완료되지 않으면 RegexMatchTimeoutException 예외가 발생한다. 임의의 정규 표현식(이를테면 고급 검색 대화상자에 사용자가 입력한 정규식)을 처리하는 프로그램이라면 잘못된 또는 악의적인 정규 표현식 때문에 프로그램이 무한히 멈추는 일을 방지하기 위해 이러한 시간 만료 기능을 활용하는 것이 바람직하다.

컴파일된 정규 표현식

앞의 몇몇 예제에서는 같은 패턴으로 정적 RegEx 메서드를 여러 번 호출했다. 그렇게 하는 대신, 원하는 패턴과 함께 RegexOptions.Compiled를 지정해서 Regex 객체를 생성하고 그 객체에 대해 인스턴스 메서드들을 호출하는 방법도 있다.

```
Regex r = new Regex (@"sausages?" , RegexOptions.Compiled);
Console.WriteLine (r.Match ("sausage"));   // sausage
Console.WriteLine (r.Match ("sausages"));  // sausages
```

RegexOptions.Compiled를 지정하면 RegEx 인스턴스는 가벼운 코드 생성 기능(Reflection.Emit의 DynamicMethod)을 이용해서 해당 정규 표현식을 위한 코드를 동적으로 구축하고 컴파일한다. 초기화 시 컴파일 비용이 있긴 하지만, 그 후에는 정규 표현식 부합 연산을 좀 더 빠르게 수행할 수 있다.

Regex 인스턴스는 불변이 객체이다.

.NET Framework의 정규 표현식 엔진은 빠르다. 초기 컴파일 과정을 거치지 않더라도, 간단한 패턴 부합에 걸리는 시간은 1마이크로초 미만이다.

RegexOptions 열거형

RegexOptions 플래그 열거형은 부합 연산의 작동 방식을 조율하는 옵션들을 나타낸다. RegexOptions의 흔한 용도 하나는 다음처럼 대소문자를 구분하지 않고 패턴을 찾는 것이다.

```
Console.WriteLine (Regex.Match ("a", "A", RegexOptions.IgnoreCase)); // a
```

이때 대소문자 구분은 현재 문화권의 규칙을 따른다. CultureInvariant 플래그를 지정하면 불변 문화권이 적용된다.

```
Console.WriteLine (Regex.Match ("a", "A", RegexOptions.IgnoreCase
                                         | RegexOptions.CultureInvariant));
```

RegexOptions의 플래그들 대부분을 정규 표현식 자체에서 한 글자 부호를 이용해서 활성화하는 것도 가능하다. 다음이 그러한 예이다.

```
Console.WriteLine (Regex.Match ("a", @"(?i)A"));                    // a
```

특정 플래그를 비활성화하려면 다음처럼 해당 문자 앞에 -를 붙이면 된다.

```
Console.WriteLine (Regex.Match ("AAAa", @"(?i)a(?-i)a"));           // Aa
```

또 다른 유용한 옵션으로 IgnorePatternWhitespace 또는 (?x)가 있다. 이 옵션을 활성화하면 정규 표현식 패턴의 공백 문자들이 무시된다. 이 옵션은 정규 표현식의 가독성을 높이기 위해 공백 문자들을 적절히 추가하고자 할 때 유용하다.

표 26-1에 RegExOptions 열거형의 모든 값과 그에 해당하는 한 글자 부호가 나와 있다.

표 26-1 정규 표현식 옵션들

열거형 값	정규 표현식 부호	설명
None		
IgnoreCase	i	대소문자를 구분하지 않는다(기본적으로 정규 표현식은 대소문자를 구분한다).

열거형 값	정규 표현식 부호	설명
Multiline	m	^와 $가 문자열의 시작/끝이 아니라 한 행의 시작/끝과 부합하게 한다.
ExplicitCapture	n	명명된 또는 번호가 명시적으로 지정된 그룹들만 갈무리한다('그룹(p.1283)' 참고).
Compiled		IL로의 컴파일을 강제한다('컴파일된 정규 표현식(p.1273)' 참고).
Singleline	s	.가 \n을 포함한 모든 문자와 부합하게 한다(기본은 \n을 제외한 모든 문자와 부합하는 것이다).
IgnorePatternWhitespace	x	패턴에서 탈출되지 않은 공백 문자들을 제거한다.
RightToLeft	r	오른쪽에서 왼쪽으로 검색한다. 정규 표현식 도중에 이 옵션을 지정할 수는 없다.
ECMAScript		ECMA 준수를 강제한다(기본적으로 .NET Framework의 정규 표현식 구현은 ECMA를 준수하지 않는다).
CultureInvariant		문자열 비교 시 문화권 고유의 규칙을 따르지 않도록 한다.

문자 탈출

정규 표현식에는 다음과 같은 메타문자(metacharacter)들이 있다. 이들은 해당 문자 그대로 쓰이는 것이 아니라 특별한 의미로 쓰인다.

```
\ * + ? | { [ () ^ $ . #
```

이러한 메타문자들을 문자 그대로 사용하려면 그 앞에 역슬래시를 붙여서 '탈출' 시켜야 한다. 다음은 문자열 "what?"와의 부합을 위해 메타문자 ?를 탈출시키는 예이다.

```
Console.WriteLine (Regex.Match ("what?", @"what\?")); // what? (정확한 답)
Console.WriteLine (Regex.Match ("what?", @"what?"));  // what  (부정확한 답)
```

> 대괄호로 감싸인 **문자 집합** 안에 있는 문자들에는 이러한 규칙이 적용되지 않는다. 문자 집합 안에서는 메타문자들이 해당 문자 그대로 처리된다. 문자 집합은 다음 절에서 설명한다.

Regex의 Escape 메서드는 주어진 문자열에 담긴 정규 표현식 메타문자들을 해당 탈출 표현으로 치환한 문자열을 돌려주고, Unescape 메서드는 그 반대의 일을 한다. 예를 들면 다음과 같다.

```
Console.WriteLine (Regex.Escape   (@"?"));     // \?
Console.WriteLine (Regex.Unescape (@"\?"));    // ?>
```

이번 장의 예제들에 나오는 모든 정규 표현식 문자열은 C#의 @ 리터럴 표기를 사용한다. 이는 C# 자체의 문자 탈출 메커니즘을 우회하기 위한 것이다. 그 메커니즘 역시 역슬래시를 사용하므로, 만일 @를 붙이지 않으면 리터럴 역슬래시를 표현하기 위해서는 역슬래시를 네 개나 써줘야 한다.

```
Console.WriteLine (Regex.Match ("\\", "\\\\"));    // \
```

(?x) 옵션을 지정하지 않는 한, 정규 표현식의 빈칸은 문자 그대로 빈칸으로 취급된다.

```
Console.Write (Regex.IsMatch ("hello world", @"hello world"));  // True
```

문자 집합

문자 집합(character set)은 대상 문자열의 한 문자에 부합할 수 있는 일단의 문자들을 지정하는 수단이다.

정규식	의미	역(부정)
[abcdef]	나열된 문자 중 하나와 부합한다.	[^abcdef]
[a-f]	주어진 **범위**에 있는 문자 중 하나와 부합한다.	[^a-f]
\d	십진 숫자 하나와 부합한다. [0-9]와 같다.	\D
\w	**단어**(word) 문자 하나와 부합한다(기본적으로 '단어 문자'의 의미는 CultureInfo.CurrentCulture의 설정을 따른다. 예를 들어 영어에서 단어 문자는 [a-zA-Z_0-9]와 같다).	\W
\s	공백 문자 하나와 부합한다. [\n\r\t\f\v]와 같다.	\S
\p{*범주*}	지정된 **범주**의 한 문자와 부합한다.	\P
.	(기본 모드) \n를 제외한 모든 문자와 부합한다.	\n
.	(SingleLine 모드) 모든 문자와 부합한다.	\n

패턴 안에서 여러 문자를 대괄호로 감싸면, 대상 문자열의 한 문자가 그 문자 중 딱 하나와 부합한다.

```
Console.Write (Regex.Matches ("That is that.", "[Tt]hat").Count);   // 2
```

부합하지 않아야 할 문자들을 지정하려면, 다른 말로 해서 주어진 문자들을 제외한 문자들하고만 부합하게 하려면, 대괄호 안의 첫 문자 앞에 ^ 기호를 붙이면 된다.

```
Console.Write (Regex.Match ("quiz qwerty", "q[^aeiou]").Index);    // 5
```

문자들을 일일이 나열하는 대신 하이픈(-)을 이용해서 문자들의 범위를 지정할 수도 있다. 다음의 정규 표현식은 하나의 체스 수(move)와 부합한다.

```
Console.Write (Regex.Match ("b1-c4", @"[a-h]\d-[a-h]\d").Success);  // True
```

\d는 십진 숫자를 나타낸다. 즉, \d는 임의의 십진 숫자와 부합한다. \D는 십진 숫자가 아닌 모든 문자와 부합한다.

\w는 단어 문자를 나타내는데, 단어 문자는 글자(letter)와 숫자, 밑줄로 구성된다. \W는 단어 문자가 아닌 모든 문자와 부합한다. 이는 키릴 문자 등 영문 알파벳 이외의 문자 체계에서도 같은 방식으로 작동한다.†

.(마침표)는 \n을 제외한 모든 문자(\r 포함)와 부합한다.

\p는 지정된 범주(category)에 속하는 문자와 부합한다. 예를 들어 {Lu}는 대문자들, {P}는 문장부호들을 뜻한다(이번 장의 참고 절에 모든 범주가 나온다).

```
Console.Write (Regex.IsMatch ("Yes, please", @"\p{P}"));    // True
```

\d와 \w, .를 한정사들과 결합하면 좀 더 다양한 방식으로 활용할 수 있다.

한정사

한정사들은 주어진 항목이 몇 번이나 부합할 수 있는지를 결정한다.

한정사	의미
*	0회 이상 부합
+	1회 이상 부합

† (옮긴이) 실제로 \w(그리고 해당 범주 구문 \p{L})는 한글 글자들과도 부합한다. 다른 말로 하면, 한글 글자들도 단어 문자의 '글자'에 해당한다. 한글의 모든 글자에만 부합하는 문자 집합 패턴은 [가-힣]이고, 자음·모음 낱글자까지 포함한다면 [ㄱ-ㅎㅏ-ㅣ가-힣]이다([ㄱ-힣]이 아닌 이유는 티바이트 블로그의 "'ㄱ- '과 한글만 입력받게 하기(*http://tibyte.kr/204*)"에 잘 나와 있다). 한 가지 주의할 점은, 영문 알파벳과는 달리 한글 글자들에는 대소문자 구분이 없다는 것이다. 따라서 \p{L}은 한글 글자와 부합하지만 \p{Lu}는 부합하지 않는다.

한정사	의미
?	0회 또는 1회 부합
{*n*}	정확히 *n*회 부합
{*n*,}	적어도 *n*회 부합
{*n*,*m*}	*n*에서 *m*회 사이의 부합

* 한정사는 그 앞의 문자 또는 그룹이 0회 이상 부합할 수 있음을 뜻한다. 예를 들어 다음 정규 표현식은 *cv.doc*뿐만 아니라 cv 다음에 버전 번호가 붙은 모든 파일 이름(이를테면 *cv2.doc*, *cv15.doc* 등)과도 부합한다.

```
Console.Write (Regex.Match ("cv15.doc", @"cv\d*\.doc").Success);  // True
```

파일 확장자 앞의 마침표를 역슬래시로 탈출시켜야 했음을 주목하기 바란다.

다음 정규 표현식은 *cv*와 *.doc* 사이에 그 어떤 문자들이 있어도 부합한다. 이는 `dir cv*.doc`에 해당한다.

```
Console.Write (Regex.Match ("cvjoint.doc", @"cv.*\.doc").Success);  // True
```

+ 한정사는 그 앞의 문자 또는 그룹이 1회 이상 부합함을 뜻한다. 예를 들면 다음과 같다.

```
Console.Write (Regex.Matches ("slow! yeah slooow!", "slo+w").Count);  // 2
```

{} 한정사로는 구체적인 횟수 또는 횟수의 범위를 지정할 수 있다. 다음 정규 표현식은 최고혈압과 최저혈압의 쌍과 부합한다.

```
Regex bp = new Regex (@"\d{2,3}/\d{2,3}");
Console.WriteLine (bp.Match ("예전에는 160/110이었는데 "));  // 160/110
Console.WriteLine (bp.Match ("지금은 115/75밖에 안 되네요."));   // 115/75
```

탐욕스런 한정사 대 게으른 한정사

기본으로 한정사들은 **게으르게**(lazy) 작용하는 것이 아니라 **탐욕스럽게**(greedy) 작용한다. 탐욕스러운 한정사는 허용되는 한에서 **최대한 많은** 문자 또는 그룹들과 부합하려 한다. 반대로 게으른 한정사는 허용되는 한에서 **최소한으로만** 부합하려 한다. 한정사를 게으르게 만들려면 한정사 뒤에 ? 기호를 붙이면 된다. 두 한정사의 차이를 보여주는 예로, 다음과 같은 HTML 조각이 있다고 하자.

```
string html = "<i>기본적으로</i> 한정사들은 <i>탐욕스러운</i> 녀석들이다";
```

여기서 이탤릭체로 표현되는(즉, <i> 태그로 감싸인) 두 문구만 추출하려면 어떻게 해야 할까? 그냥 다음처럼 하면,

```
foreach (Match m in Regex.Matches (html, @"<i>.*</i>"))
  Console.WriteLine (m);
```

부합이 두 개 나오는 것이 아니라 다음과 같은 부합 하나만 나온다.

```
<i>기본적으로</i> 한정사들은 <i>탐욕스러운</i>
```

이는 * 한정사가 탐욕스러워서 </i>를 만날 때까지 최대한 많은 문자와 부합하기 때문에 생긴 문제이다. 즉, 이 * 한정사는 첫 </i>를 지나쳐서 마지막 </i>에 도달해서야(즉, 패턴의 나머지 부분이 여전히 부합할 수 있는 **마지막 지점**까지 가서) 멈춘다.

원하는 결과를 얻으려면 한정사를 게으르게 만들어야 한다.

```
foreach (Match m in Regex.Matches (html, @"<i>.*?</i>"))
  Console.WriteLine (m);
```

이제 *는 패턴의 나머지가 부합할 수 있는 **첫** 지점(첫 번째 </i>)까지만 간다. 결과는 다음과 같다.

```
<i>기본적으로</i>
<i>탐욕스러운</i>
```

너비 0 단언

정규 표현식 문법에는 하나의 부합 **이전**이나 **이후**에 만족해야 하는 조건을 지정하는 패턴 구축 요소들이 있다. **전방탐색**(lookahead; 또는 미리보기), **후방탐색**(lookbehind; 또는 돌아보기), 앵커anchor, **단어 경계**(word boundary)가 바로 그것이다. 이들을 **너비 0**(zero-width) 단언이라고 부르는데, 이는 이들이 부합 자체의 너비(길이)를 늘리지 않기 때문이다.

전방탐색과 후방탐색

(?=*정규식*) 패턴은 그다음의 텍스트가 *정규식*과 부합하는지 점검하되, *정규식*은 결과에 포함하지 않는다. 이를 **양성 전방탐색**(positive lookahead)이라고 부른다. 다음은 "miles"라는 단어 앞에 있는 수치를 추출하는 예이다.

```
Console.WriteLine (Regex.Match ("say 25 miles more", @"\d+\s(?=miles)"));
```

출력:

```
25
```

패턴 부합을 **만족**하려면 반드시 텍스트에 "miles"가 있어야 하지만, 단어 "miles" 자체는 결과에 포함되지 않았음을 주목하기 바란다.

일단 **전방탐색** 조건이 만족되면, 마치 전방탐색이 없었던 것처럼 패턴 부합이 진행된다. 예를 들어 앞의 전방탐색 정규식에 다음처럼 **.***를 추가하면,

```
Console.WriteLine (Regex.Match ("say 25 miles more", @"\d+\s(?=miles).*"));
```

결과는 `25 miles more`가 된다.

전방탐색은 이를테면 강한 패스워드 규칙을 강제할 때 유용하다. 패스워드가 적어도 여섯 자이고 숫자가 적어도 하나는 있어야 한다고 하자. 전방탐색을 이용하면 그러한 규칙을 다음과 같이 구현할 수 있다.

```
string password = "...";
bool ok = Regex.IsMatch (password, @"(?=.*\d).{6,}");
```

이 예제의 정규식은 우선 문자열 어딘가에 숫자가 하나 있는지를 **전방탐색**을 이용해서 점검한다. 그것이 만족되면 마치 전방탐색이 일어나지 않았던 것처럼 원래 위치로 돌아가서, 문자열이 여섯 자 이상인지 판정한다. (이번 장의 '유용한 정규 표현식 예제 모음(p.1287)'에 좀 더 본격적인 패스워드 검증 예제가 나온다.)

음성 전방탐색(negative lookahead)은 양성 전방탐색과 의미가 반대이다. (?!*정규식*) 형태로 표기하는 음성 전방탐색은 이후의 텍스트가 *정규식*과 부합하지 않아야 만족된다. 예를 들어 다음 정규식은 텍스트에 "good"이 있어야, 그러나 그 다음에 "however"나 "but"이 없어야 부합한다.

```
string regex = "(?i)good(?!.*(however|but))";
Console.WriteLine (Regex.IsMatch ("Good work! But...",  regex));  // False
Console.WriteLine (Regex.IsMatch ("Good work! Thanks!", regex));  // True
```

다음으로, (?<=*정규식*)은 **양성 후방탐색**을 뜻한다. 양성 후방탐색은 현재 부합 위치 **이전**(문자열의 시작 방향)의 텍스트가 *정규식*과 부합해야 만족된다. 그 반대

인 음성 후방탐색은 (?<!*정규식*) 형태로 표기하며, 짐작했겠지만 현재 부합 위치 **이전**(문자열의 시작 방향)의 텍스트가 *정규식*과 부합하지 않아야 만족된다. 예를 들어 다음 정규식은 텍스트에 "good"이 있어야, 그러나 그 **이전**에 "however"가 없어야 텍스트와 부합한다.

```
string regex = "(?i)(?<!however.*)good";
Console.WriteLine (Regex.IsMatch ("However good, we...", regex)); // False
Console.WriteLine (Regex.IsMatch ("Very good, thanks!", regex));  // True
```

이 예제들에 **단어 경계 단언**(word boundary assertion)을 추가하면 더욱 정교한 패턴 부합이 가능하다. 단어 경계 단언은 잠시 후에 설명한다.

앵커

앵커는 ^와 $ 두 가지이다. 이들은 문자가 아니라 특정 **위치**와 부합한다. 기본적으로 이들의 의미는 다음과 같다.

^

문자열의 **시작**과 부합한다.

$

문자열의 **끝**과 부합한다.

문맥에 따라서는 ^가 **앵커**가 아니라 **문자 부류 부정 기호**를 뜻하기도 한다.
비슷하게, 문맥에 따라서는 $가 **앵커**가 아니라 **치환 그룹 표식**을 뜻하기도 한다.

다음은 이들을 사용하는 예이다.

```
Console.WriteLine (Regex.Match ("Not now", "^[Nn]o"));   // No
Console.WriteLine (Regex.Match ("f = 0.2F", "[Ff]$"));   // F
```

그런데 부합 메서드 호출 시 RegexOptions.Multiline을 지정하거나 정규식에 (?m)를 포함하면 이들의 의미가 약간 달라진다. 그런 경우,

- ^는 문자열의 시작 또는 한 **행**(line)의 시작(\n 바로 뒤)과 부합한다.
- $는 문자열의 끝 또는 한 **행**의 끝(\n 바로 앞)과 부합한다.

이러한 다중 행(multiline) 모드에서 $를 사용할 때 주의할 점이 있다. Windows에서는 줄바꿈(새 줄)을 거의 항상 \r\n으로 표시한다(그냥 \n이 아니라). 따라

서, 일반적인 경우 $를 제대로 사용하려면 다음과 같이 **양성 전방탐색**을 이용해서 \r도 부합할 필요가 있다.

```
(?=\r?$)
```

\r을 양성 전방탐색으로 점검하므로 \r 자체는 결과에 포함되지 않는다. 다음은 이를 이용해서 ".txt"로 끝나는 모든 행과 부합하는 정규식이다.

```
string fileNames = "a.txt" + "\r\n" + "b.doc" + "\r\n" + "c.txt";
string r = @".+\.txt(?=\r?$)";
foreach (Match m in Regex.Matches (fileNames, r, RegexOptions.Multiline))
  Console.Write (m + " ");
```

출력:

```
a.txt c.txt
```

다음 예제는 문자열 s에 있는 모든 빈 줄과 부합한다.

```
MatchCollection emptyLines = Regex.Matches (s, "^(?=\r?$)",
                                            RegexOptions.Multiline);
```

다음은 모든 빈 줄 또는 공백만 있는 줄과 부합한다.

```
MatchCollection blankLines = Regex.Matches (s, "^[ \t]*(?=\r?$)",
                                            RegexOptions.Multiline);
```

앵커는 문자가 아니라 위치와 부합하므로, 앵커 하나로 이루어진 패턴의 부합 결과는 빈 문자열이다.

```
Console.WriteLine (Regex.Match ("x", "$").Length);   // 0
```

단어 경계

단어 경계 단언 \b는 단어 문자(\w)와 단어 문자가 아닌 어떤 것, 즉

- 비단어 문자(\W) 또는
- 문자열의 시작/끝(^와 $)

사이의 위치와 부합한다. \b는 흔히 하나의 온전한 단어와 부합하는 용도로 쓰인다. 다음이 그러한 예이다.

```
foreach (Match m in Regex.Matches ("Wedding in Sarajevo", @"\b\w+\b"))
  Console.WriteLine (m);
```

출력:

```
Wedding
in
Sarajevo
```

다음은 단어 경계의 효과를 잘 보여주는 예이다.

```
int one = Regex.Matches ("Wedding in Sarajevo", @"\bin\b").Count; // 1
int two = Regex.Matches ("Wedding in Sarajevo", @"in").Count;     // 2
```

다음 정규식은 **양성 전방탐색**을 이용해서 "(sic)" 앞의 단어를 돌려준다.

```
string text = "Don't loose (sic) your cool";
Console.Write (Regex.Match (text, @"\b\w+\b\s(?=\(sic\))"));  // loose
```

그룹

하나의 정규 표현식을 일련의 부분 정규식 또는 **그룹**들로 분할하는 것이 유용할 때가 있다. 예를 들어 206-465-1918 같은 미국 전화번호를 나타내는 다음 정규식을 생각해 보자.

```
\d{3}-\d{3}-\d{4}
```

그런데 이를 지역 번호와 나머지 전화번호라는 두 그룹으로 나누고 싶다고 하자. 그러면 다음처럼 각 그룹을 괄호로 감싸면 된다.

```
(\d{3})-(\d{3}-\d{4})
```

이런 형태의 정규식을 적용하면 각 그룹의 부합 결과가 개별적으로 **갈무리**(capture)된다.

```
Match m = Regex.Match ("206-465-1918", @"(\d{3})-(\d{3}-\d{4})");

Console.WriteLine (m.Groups[1]);   // 206
Console.WriteLine (m.Groups[2]);   // 465-1918
```

0번 그룹은 부합 전체에 해당한다. 다른 말로 하면, 0번 그룹의 값은 부합(Match 객체)의 Value 속성과 같다.

```
Console.WriteLine (m.Groups[0]);   // 206-465-1918
Console.WriteLine (m);             // 206-465-1918
```

그룹은 정규 표현식 문법 자체가 지원하는 기능이다. 이 덕분에 정규 표현식 안에서 그룹을 지칭할 수도 있다. 정규식 안에서 n번 그룹을 지칭하려면 \n이라는 표기를 사용하면 된다. 예를 들어 (\w)ee\1은 deed나 peep 같은 문자열들과 부합한다. 다음 예제는 시작 글자와 끝 글자가 같은 모든 행을 찾는다.

```
foreach (Match m in Regex.Matches ("pop pope peep", @"\b(\w)\w+\1\b"))
  Console.Write (m + " ");  // pop peep
```

\w를 감싸는 괄호쌍은 정규 표현식 엔진에게 부분 부합(이 경우 글자(단어 문자) 하나)을 나중에 사용할 수 있도록 그룹에 갈무리하라고 지시한다. 그 그룹을 나중에 \1로 지칭한다. \1은 이 정규식의 첫(1번) 그룹을 뜻한다.

명명된 그룹

길거나 복잡한 정규식의 경우 그룹을 번호가 아니라 이름으로 지칭하면 정규식을 다루기가 좀 더 수월해진다. 다음은 앞의 예제를 'letter'라는 이름의 그룹을 이용해서 다시 작성한 것이다.

```
string regEx =
  @"\b"              +  // 단어 경계
  @"(?'letter'\w)"   +  // 첫 글자와 부합; 그 문자에 'letter'라는 이름을 부여
  @"\w+"             +  // 중간 글자들과 부합
  @"\k'letter'"      +  // 'letter'에 해당하는 마지막 글자와 부합
  @"\b";                // 단어 경계

foreach (Match m in Regex.Matches ("bob pope peep", regEx))
  Console.Write (m + " ");  // bob peep
```

갈무리된 그룹에 이름을 부여하는 구문은 다음과 같다.

```
(?'그룹-이름'그룹-정규식) 또는 (?<그룹-이름>그룹-정규식)
```

그리고 명명된 그룹을 지칭하는 구문은 다음과 같다.

```
\k'그룹-이름'  또는 \k<그룹-이름>
```

다음 예제는 요소 이름이 같은 시작/종료 태그를 찾는 방식으로 단순한(중첩되지 않은) XML/HTML 요소와 부합한다.

```
string regFind =
  @"<(?'tag'\w+?).*>" +  // 시작 태그와 부합; 요소 이름에 'tag'라는 이름을 부여.
  @"(?'text'.*?)"     +  // 텍스트 내용과 부합; 'text'라는 이름을 부여
  @"</\k'tag'>";         // 'tag'에 해당하는 종료 태그와 부합;
```

```
Match m = Regex.Match ("<h1>hello</h1>", regFind);
Console.WriteLine (m.Groups ["tag"]);          // h1
Console.WriteLine (m.Groups ["text"]);         // hello
```

중첩된 요소 등 모든 가능한 형태의 XML 구조와 부합하려면 이보다 훨씬 복잡한 정규 표현식이 필요하다. .NET의 정규 표현식 엔진에는 중첩된 태그들과의 부합에 도움이 되는 '부합 대칭(matched balanced)' 패턴이라는 정교한 확장 기능이 있다. 이에 관한 정보는 웹을 검색하거나 제프리 E. F. 프리델Jeffrey E. F. Friedl의 *Mastering Regular Expressions*를 참고하기 바란다.

텍스트 치환 및 분할

RegEx.Replace는 string.Replace와 비슷하되, 정규 표현식을 이용한다는 점이 다르다.

다음 예제는 "cat"을 "dog"로 치환한다. 이를 string.Replace로 구현했다면 "catapult"가 "dogapult"로 바뀌었겠지만, 이 예제는 단어 경계가 포함된 패턴을 사용하므로 그런 일이 발생하지 않는다.

```
string find = @"\bcat\b";
string replace = "dog";
Console.WriteLine (Regex.Replace ("catapult the cat", find, replace));
```

출력:

```
catapult the dog
```

치환 문자열 안에서 부합 문자열 전체를 치환 그룹 표식 $0으로 지칭할 수 있다. 다음은 문자열 안에 있는 수치들을 화살괄호(〈〉)로 감싸는 예이다.

```
string text = "10 더하기 20은 30";
Console.WriteLine (Regex.Replace (text, @"\d+", @"<$0>"));
```

출력:

```
<10> 더하기 <20>은 <30>
```

정규식에 그룹이 있는 경우, 치환 문자열에서 그 그룹들을 $1, $2, $3등으로 지칭할 수 있다. 명명된 그룹은 ${그룹-이름}으로 지칭하면 된다. 이러한 기능의 용도를 보여주는 예로, 이전에 나온 간단한 XML 요소와 부합하는 정규식을 생각해 보자. 치환 문자열에서 치환 그룹 표식들의 위치를 적절히 조정함으로써, 요소의 내용을 XML 특성으로 이동할 수 있다.

```
string regFind =
  @"<(?'tag'\w+?).*>" +  // 시작 태그와 부합; 요소 이름에 'tag'라는 이름을 부여.
  @"(?'text'.*?)"     +  // 텍스트 내용과 부합; 'text'라는 이름을 부여
  @"</\k'tag'>";         // 'tag'에 해당하는 종료 태그와 부합;

string regReplace =
  @"<${tag}"         +  // <tag
  @"value="""        +  // value="
  @"${text}"         +  // text
  @"""/>";              // "/>

Console.Write (Regex.Replace ("<msg>hello</msg>", regFind, regReplace));
```

결과는 다음과 같다.

```
<msg value="hello"/>
```

MatchEvaluator 대리자

Replace에는 MatchEvaluator 대리자를 받는 중복적재 버전이 있다. 이 대리자는 부합마다 호출된다. 이를 이용하면 정규 표현식 문법만으로는 표현할 수 없는 복잡한 치환을 C# 코드로 표현할 수 있다. 예를 들면 다음과 같다.

```
Console.WriteLine (Regex.Replace ("6은 10보다 작다", @"\d+",
                   m => (int.Parse (m.Value) * 10).ToString()) );
```

출력:

```
60은 100보다 작다
```

잠시 후의 예제 모음에는 MatchEvaluator를 이용해서 유니코드 문자를 HTML에 맞게 탈출시키는 예가 나온다.

텍스트 분할

정적 Regex.Split 메서드는 string.Split 메서드의 좀 더 강력한 버전으로, 정규식 패턴을 분리자(separator)로 사용한다. 다음은 임의의 숫자를 분리자로 사용해서 하나의 문자열을 여러 부분 문자열로 분할하는 예이다.

```
foreach (string s in Regex.Split ("a5b7c", @"\d"))
  Console.Write (s + " ");     // a b c
```

분할된 부분 문자열들에 분리자는 포함되지 않음을 주목하기 바란다. 분리자 정규식을 **양성 전방탐색**으로 감싸면 분리자도 포함시킬 수 있다. 다음은 단어들이 낙타 등 방식(camel-case)으로 연결된 문자열을 대문자를 분리자로 이용해서 개별 단어로 분할하는 예이다.

```
foreach (string s in Regex.Split ("oneTwoThree", @"(?=[A-Z])"))
  Console.Write (s + " ");    // one Two Three
```

유용한 정규 표현식 예제 모음

미국 사회보장번호(SSN)와 전화번호 부합

```
string ssNum = @"\d{3}-\d{2}-\d{4}";

Console.WriteLine (Regex.IsMatch ("123-45-6789", ssNum));      // True

string phone = @"(?x)
  ( \d{3}[-\s] | \(\d{3}\)\s? )
    \d{3}[-\s]?
    \d{4}";

Console.WriteLine (Regex.IsMatch ("123-456-7890",   phone));   // True
Console.WriteLine (Regex.IsMatch ("(123) 456-7890", phone));   // True
```

"이름=값" 쌍 추출(한 줄당 하나)

정규 표현식이 다중 행 지시자 (?m)로 시작함을 주의하기 바란다.

```
string r = @"(?m)^\s*(?'name'\w+)\s*=\s*(?'value'.*)\s*(?=\r?$)";

string text =
  @"id = 3
    secure = true
    timeout = 30";

foreach (Match m in Regex.Matches (text, r))
  Console.WriteLine (m.Groups["name"] + " is " + m.Groups["value"]);
```

출력:

```
id is 3 secure is true timeout is 30
```

강한 패스워드 규칙 점검

다음 예제는 주어진 패스워드가 적어도 여섯 자이고 숫자나 기호, 문장부호가 포함되어 있는지 점검한다.

```
string r = @"(?x)^(?=.* ( \d | \p{P} | \p{S} )).{6,}";

Console.WriteLine (Regex.IsMatch ("abc12", r));     // False
Console.WriteLine (Regex.IsMatch ("abcdef", r));    // False
Console.WriteLine (Regex.IsMatch ("ab88yz", r));    // True
```

적어도 문자 80개로 이루어진 행들

```
string r = @"(?m)^.{80,}(?=\r?$)";

string fifty = new string ('x', 50);
string eighty = new string ('x', 80);

string text = eighty + "\r\n" + fifty + "\r\n" + eighty;

Console.WriteLine (Regex.Matches (text, r).Count);   // 2
```

날짜 및 시간 파싱(N/N/N H:M:S AM/PM)

다음 정규 표현식은 다양한 수치 날짜 서식들과 부합한다. 연도가 처음에 오는 날짜 서식은 물론 마지막에 오는 날짜 서식도 문제없이 처리한다. (?x) 지시자를 사용했으므로 가독성을 위해 정규 표현식에 공백들을 임의로 집어넣을 수 있다. (?i)는 부합 시 대소문자를 구분하지 않게 하는 스위치이다(AM/PM과 am/pm을 위한 것이다). Groups 컬렉션을 통해서 각 부분 부합에 접근할 수 있다.

```
string r = @"(?x)(?i)
 (\d{1,4}) [./-]
 (\d{1,2}) [./-]
 (\d{1,4}) [\sT]
 (\d+):(\d+):(\d+) \s? (A\.?M\.?|P\.?M\.?)?";

string text = "01/02/2008 5:20:50 PM";

foreach (Group g in Regex.Match (text, r).Groups)
  Console.WriteLine (g.Value + " ");
```

출력:

```
01/02/2008 5:20:50 PM 01 02 2008 5 20 50 PM
```

(물론 이 정규 표현식이 주어진 날짜/시간의 유효성까지 점검하지는 않는다.)

로마 숫자 부합

```
string r =
  @"(?i)\bm*"         +
  @"(d?c{0,3}|c[dm])" +
  @"(l?x{0,3}|x[lc])" +
```

```
  @"(v?i{0,3}|i[vx])" +
  @"\b";

Console.WriteLine (Regex.IsMatch ("MCMLXXXIV", r));   // True
```

중복 단어 제거

다음 표현식은 dupe라는 이름의 그룹을 이용해서 중복 단어를 검출한다.

```
string r = @"(?'dupe'\w+)\W\k'dupe'";

string text = "In the the beginning...";
Console.WriteLine (Regex.Replace (text, r, "${dupe}"));
```

출력:

```
In the beginning...
```

단어 개수

```
string r = @"\b(\w|[-'])+\b";

string text = "It's all mumbo-jumbo to me";
Console.WriteLine (Regex.Matches (text, r).Count);   // 5
```

GUID 부합

```
string r =
  @"(?i)\b"             +
  @"[0-9a-fA-F]{8}\-" +
  @"[0-9a-fA-F]{4}\-" +
  @"[0-9a-fA-F]{4}\-" +
  @"[0-9a-fA-F]{4}\-" +
  @"[0-9a-fA-F]{12}"  +
  @"\b";

string text = "Its key is {3F2504E0-4F89-11D3-9A0C-0305E82C3301}.";
Console.WriteLine (Regex.Match (text, r).Index);                    // 12
```

XML/HTML 요소 파싱

정규식은 HTML 코드를 파싱할 때, 특히 형태가 불완전할 수도 있는 문서를 파싱할 때 유용하다.

```
string r =
  @"<(?'tag'\w+?).*>" +  // 시작 태그와 부합; 요소 이름에 'tag'라는 이름을 부여.
  @"(?'text'.*?)"     +  // 텍스트 내용과 부합; 'text'라는 이름을 부여
  @"</\k'tag'>";         // 'tag'에 해당하는 종료 태그와 부합;
```

```
string text = "<h1>hello</h1>";

Match m = Regex.Match (text, r);

Console.WriteLine (m.Groups ["tag"]);       // h1
Console.WriteLine (m.Groups ["text"]);      // hello
```

낙타 등 방식 단어 분할

분리자로 쓰이는 대문자를 부합에 포함하려면 양성 전방탐색이 필요하다.

```
string r = @"(?=[A-Z])";

foreach (string s in Regex.Split ("oneTwoThree", r))
  Console.Write (s + " ");    // one Two Three
```

유효한 파일 이름 얻기

```
string input = "My \"good\" <recipes>.txt";

char[] invalidChars = System.IO.Path.GetInvalidPathChars();
string invalidString = Regex.Escape (new string (invalidChars));

string valid = Regex.Replace (input, "[" + invalidString + "]", "");
Console.WriteLine (valid);
```

출력:

```
My good recipes.txt
```

HTML에 사용할 유니코드 문자 탈출

```
string htmlFragment = "© 2007";

string result = Regex.Replace (htmlFragment, @"[\u0080-\uFFFF]",
                m => @"&#" + ((int)m.Value[0]).ToString() + ";");

Console.WriteLine (result);        // &#169; 2007
```

HTTP 질의 문자열 안의 탈출 문자열 복원

```
string sample = "C%23 rocks";

string result = Regex.Replace (
    sample,
    @"%[0-9a-f][0-9a-f]",
    m => ((char) Convert.ToByte (m.Value.Substring (1), 16)).ToString(),
    RegexOptions.IgnoreCase
);
```

```
Console.WriteLine (result);   // C# rocks
```

웹 접속 로그에서 Google 검색어 추출

이 정규 표현식은 앞에 나온 질의 문자열의 탈출 문자 복원용 정규식과 함께 사용해야 할 것이다.

```
string sample =
  "http://google.com/search?hl=en&q=greedy+quantifiers+regex&btnG=Search";

Match m = Regex.Match (sample, @"(?<=google\..+search\?.*q=).+?(?=(&|$))");

string[] keywords = m.Value.Split (
  new[] { '+' }, StringSplitOptions.RemoveEmptyEntries);

foreach (string keyword in keywords)
  Console.Write (keyword + " ");       // greedy quantifiers regex
```

정규 표현식 언어 일람

표 26-2에서 26-12까지는 .NET 구현이 지원하는 정규 표현식 문법과 구문을 요약한 것이다.

표 26-2 문자 탈출

탈출 문자열	의미	해당 16진 문자 리터럴
\a	벨	\u0007
\b	백스페이스	\u0008
\t	탭	\u0009
\r	캐리지 리턴	\u000A
\v	수직 탭	\u000B
\f	폼 피드	\u000C
\n	새 줄	\u000D
\e	ESC	\u001B
nnn	8진수 ASCII 부호 *nnn*에 해당하는 문자(예: \n052는 *)	
\x*nn*	16진수 ASCII 부호 *nn*에 해당하는 문자(예: \x3F는 ?)	
\c*l*	ASCII 제어 문자 *l*(예: \cG는 Ctrl-G)	
\u*nnnn*	16진수 유니코드 부호 *nnnn*에 해당하는 문자(예: \u263A는 ☺)	
기호	기호 자체(위에 나온 탈출 문자들에 해당하지 않는 기호일 때)	

특수 사례: 정규 표현식 안에서 \b는 기본적으로 단어 경계를 뜻하지만, [ ] 문자 집합 안의 \b는 백스페이스 문자를 뜻한다.

표 26-3 문자 집합

정규식	의미	역(부정)
`[abcdef]`	나열된 문자들 중 하나와 부합한다.	`[^abcdef]`
`[a-f]`	주어진 **범위**에 있는 문자들 중 하나와 부합한다.	`[^a-f]`
`\d`	십진 숫자와 부합한다. `[0-9]`와 같다.	`\D`
`\w`	**단어**(word) 문자 하나와 부합한다(기본적으로 '단어 문자'의 의미는 CultureInfo.CurrentCulture의 설정을 따른다. 예를 들어 영어에서 단어 문자는 [a-zA-Z_0-9]와 같다).	`\W`
`\s`	공백 문자 하나와 부합한다.	`\S`
	`[\n\r\t\f\v ]`와 같다.	
`\p{`*범주*`}`	지정된 **범주**의 한 문자와 부합한다(표 26-6 참고).	`\P`
`.`	(기본 모드) `\n`를 제외한 모든 문자와 부합한다.	`\n`
`.`	(`SingleLine` 모드) 모든 문자와 부합한다.	`\n`

표 26-4 문자 범주

구문	의미
`\p{L}`	글자(단어 문자)
`\p{Lu}`	대문자
`\p{Ll}`	소문자
`\p{N}`	숫자
`\p{P}`	문장부호
`\p{M}`	분음 부호
`\p{S}`	기호(symbol)
`\p{Z}`	분리 문자
`\p{C}`	제어 문자

표 26-5 한정사

한정사	의미
*	0회 이상 부합
+	1회 이상 부합
?	0회 또는 1회 부합

한정사	의미
{*n*}	정확히 *n*회 부합
{*n*,}	적어도 *n*회 부합
{*n*,*m*}	*n*에서 *m*회 사이의 부합

임의의 한정사에 접미사 ?를 붙이면 **게으른** 한정사가 된다(**탐욕스러운** 한정사가 아니라).

표 26-6 치환 그룹 표식

표식	의미
$0	부합된 텍스트 전체로 치환된다.
$*그룹-번호*	해당 번호의 그룹과 부합한 부분 부합 텍스트로 치환된다.
${*그룹-이름*}	해당 이름의 그룹과 부합한 부분 부합 텍스트로 치환된다.

이 표식들은 치환 문자열 안에서만(검색 패턴이 아니라) 유효하다.

표 26-7 너비 0 단언

구문	의미
^	문자열의 시작(**다중 행** 모드에서는 한 행의 시작)
$	문자열의 끝(**다중 행** 모드에서는 한 행의 끝)
\A	문자열의 시작(**다중 행** 모드는 무시함)
\z	문자열의 끝(**다중 행** 모드는 무시함)
\Z	행 또는 문자열의 끝
\G	검색이 시작된 위치
\b	단어 경계
\B	단어 경계가 아닌 위치
(?=*정규식*)	*정규식*이 현재 검색 위치의 오른쪽 부분과 부합할 때에만 검색을 계속함(**양성 전방탐색**)
(?!*정규식*)	*정규식*이 현재 검색 위치의 오른쪽 부분과 부합하지 않을 때에만 검색을 계속함(**음성 전방탐색**)
(?<=*정규식*)	*정규식*이 현재 검색 위치의 왼쪽 부분과 부합할 때에만 검색을 계속함(**양성 후방탐색**)
(?<!*정규식*)	*정규식*이 현재 검색 위치의 왼쪽 부분과 부합하지 않을 때에만 검색을 계속함(**음성 후방탐색**)
(?>*정규식*)	역추적(backtracking) 없이 *정규식*과 한 번만 부합

표 26-8 그룹 지정

구문	의미
(*정규식*)	*정규식*과 부합하는 부분 문자열을 현재 그룹에 갈무리한다.
(?*번호*)	*정규식*과 부합하는 부분 문자열을 지정된 번호의 그룹에 갈무리한다.
(?'*이름*')	*정규식*과 부합하는 부분 문자열을 지정된 이름의 그룹에 갈무리한다.
(?'*이름*1-*이름*2')	*이름2*의 정의를 해제하고, 구간과 현재 그룹을 이름1에 저장한다. *이름2*가 정의되어 있지 않으면 역추적으로 부합을 적용한다. 이 경우 이름1은 생략할 수 있다.
(?:*정규식*)	그룹만 지정하고 갈무리는 하지 않는다.

표 26-9 역 참조

매개변수 구문	의미
번호	이전에 갈무리한, 해당 번호의 그룹을 참조한다.
\k<*이름*>	이전에 갈무리한, 해당 이름의 그룹을 참조한다.

표 26-10 대안

구문	의미
|	논리합(*OR*)
(?(*정규식*)*yes*|*no*)	만일 정규식이 부합하면 *yes*에 해당하는 문자열이, 그렇지 않으면 *no*에 해당하는 문자열이 갈무리된다.(|*no*는 생략 가능).
(?(*이름*)*yes*|*no*)	만일 지정된 이름의 그룹이 부합하면 *yes*에 해당하는 문자열이, 그렇지 않으면 *no*에 해당하는 문자열이 갈무리된다.(|*no*는 생략 가능).

표 26-11 기타 구문

구문	의미
(?#*주석*)	인라인 주석
#*주석*	줄의 끝까지 주석(`IgnorePatternWhitespace` 모드에서만 유효함)

표 26-12 정규 표현식 스위치

스위치	의미
(?i)	부합 시 대소문자를 구분하지 않는다(case-insensitive 또는 "ignore" case).
(?m)	다중 행(multiline) 모드. ^와 $가 문자열 전체가 아니라 문자열 안의 임의의 줄의 시작과 끝과 부합한다.
(?n)	이름 또는 번호가 명시적으로 주어진 그룹만 갈무리한다.
(?c)	IL로 컴파일한다.

스위치	의미
(?s)	단일 행 모드. 이 모드에서는 "."가 모든 문자(특히, 새 줄 문자 포함)와 부합한다.
(?x)	탈출되지 않은 공백들을 패턴에서 제거한다.
(?r)	오른쪽에서 왼쪽으로 검색한다. 정규 표현식 중간에 이 스위치를 지정할 수는 없다.

27장

C# 6.0 in a Nutshell

Roslyn 컴파일러

C# 6.0에는 완전히 C#으로 작성된 새로운 컴파일러가 있다. 새 컴파일러는 모듈식으로 구성되어 있어서, 소스 코드를 실행 파일이나 라이브러리로 컴파일하는 것 말고도 그 기능들을 다양한 방식으로 활용할 수 있다. "Roslyn로즐린"이라는 이름의 이 컴파일러 덕분에, 정적 코드 분석 도구나 리팩터링 도구, 구문 강조 기능과 코드 완성 기능을 갖춘 편집기, 그리고 C# 코드를 이해하는 Visual Studio 플러그인을 만들기가 좀 더 쉬워졌다.

Roslyn 라이브러리들은 NuGet에서 내려받을 수 있다. C#용 패키지뿐만 아니라 VB용 패키지도 있다. 두 언어는 일부 구조를 공유하므로, 의존하는 라이브러리들도 일부 겹친다. C# 컴파일러 라이브러리들의 NuGet 패키지 ID는 `Microsoft.CodeAnalysis.CSharp`이다.

Roslyn의 소스 코드는 Apache 2 오픈소스 사용권 하에 공개되어 있다. 이 소스 코드는 또 다른 가능성을 열어주는데, 예를 들면 C#을 커스텀 언어 또는 영역 국한 언어(domain-specific language)로 바꾸는 것도 가능하다. 소스 코드는 GitHub의 Roslyn 페이지(*https://github.com/dotnet/roslyn*)에서 내려받을 수 있다.

GitHub의 Roslyn 페이지에는 문서화와 예제들, 그리고 코드 분석과 리팩터링 방법을 보여주는 단계별 튜토리얼들이 있다.

> .NET Framework 4.6 배포 패키지에는 Roslyn 어셈블리들이 포함되어 있지 않다. 기본으로 설치되는 *csc.exe*를 실행하면 예전의 C# 5 컴파일러가 실행된다. 그러나 Visual Studio 2015를 설치하면 *csc.exe*가 C# 6 컴파일러(Roslyn)로 연결된다.

Visual Studio 2015를 설치하지 않더라도, Roslyn 어셈블리들을 내려받아서 프로젝트에 해당 참조를 추가하기만 하면 **프로그램 안에서** Roslyn 컴파일러를(그리고 그 서비스들을) 실행할 수 있다. 그러나 Visual Studio 2015를 설치하지 않으면, *csc.exe*는 여전히 .NET Framework와 함께 설치된 C# 5 컴파일러로 연결된다.

Roslyn C# 컴파일러 라이브러리를 구성하는 어셈블리들은 다음과 같다.

```
Microsoft.CodeAnalysis.dll
Microsoft.CodeAnalysis.CSharp.dll
System.Collections.Immutable.dll
System.Reflection.Metadata.dll
```

이 중 `Microsoft.CodeAnalysis.dll`은 VB 컴파일러에도 쓰이는 것으로, 구문 트리, 기호, 컴파일 등을 위한 공통 기반 형식들을 담고 있다.

이번 장의 모든 예제 코드는 LINQPad 5의 대화식 예제로도 제공된다. LINQPad 왼쪽 하단의 Samples 탭에서 “Download more samples”를 클릭하고 “C# 6.0 in a Nutshell”을 선택하면 된다.

Roslyn의 구조

Roslyn은 컴파일 과정을 다음 세 단계로 나누어서 진행한다.

1. 코드를 구문 트리로 파싱한다. 이 단계는 **구문층**(syntatic layer)에 해당한다.
2. 식별자들을 기호(symbol)들에 묶는다(바인딩). 이 단계는 **의미층**(semantic layer)에 해당한다.
3. IL 코드를 산출한다.

첫 단계에서 **파서**는 C# 코드를 읽어서 **구문 트리**(syntax tree)를 출력한다. 구문 트리는 소스 코드의 구조와 내용을 트리 형태로 구성한 DOM(Document Object Model; 문서 객체 모형)이다.

둘째 단계에서는 C#의 **정적 바인딩**(static binding)이 일어난다. 이 단계에서 컴파일러는 어셈블리 참조 정보를 마련해서, 이를테면 ‘Console’이라는 식별자가 *mscorlib.dll*의 `System.Console`을 지칭한다는 사실을 파악한다. 중복적재 해소와 형식 추론도 이 단계에서 일어난다.

셋째 단계는 출력 어셈블리를 만들어 낸다. 독자가 코드 분석이나 리팩터링을 위해 Roslyn을 사용할 계획이라면 이 셋째 단계는 필요하지 않을 것이다.

Visual Studio의 소스 코드 편집기는 구문층(첫 단계)의 결과를 이용해서 키워드와 문자열, 주석, 비활성화된 코드를 다른 색(기본적으로는 순서대로 청색, 적색, 녹색, 회색)으로 칠한다. 그리고 의미층의 결과는 환원(결정)된 형식 이름들에 색(기본은 청록색)을 칠한다.

작업 영역

이번 장은 새 Roslyn 컴파일러와 그 기능들을 설명한다. 그런데 컴파일러 위에는 **작업 영역**(workspace)이라고 부르는 또 다른 '계층'이 존재한다는 점을 알아둘 필요가 있다. 작업 영역 계층 라이브러리 역시 NuGet에서 얻을 수 있다. 패키지 ID는 `Microsoft.CodeAnalysis.CSharp.Workspaces`이다.

작업 영역 계층은 Visual Studio 솔루션, 프로젝트, 문서를 인식하며, 엄밀히 말해 컴파일 과정과 직접 연결된 것은 아닌 추가적인 서비스들(이를테면 코드 리팩터링)도 제공한다.

작업 영역 계층 라이브러리는 오픈 소스이며, 소스 코드를 살펴보면 컴파일 계층에 관해 좀 더 많은 것을 배울 수 있다.

구문 트리

구문 트리는 소스 코드를 서술하는 DOM이다. 구문 트리 API는 제8장의 '표현식 트리(p.483)'에서 설명한 `System.Linq.Expressions` API와는 완전히 개별적인 API이다. 두 API에 개념적으로 비슷한 점이 몇 가지 있긴 하다. 특히, 두 API 모두 C# 표현식을 DOM으로 표현할 수 있다. 그러나 Roslyn의 구문 트리에는 다음과 같은 고유한 특징이 있다.

- C# 표현식뿐만 아니라 C# 언어 전체를 표현할 수 있다.
- 주석과 공백(빈칸, 줄바꿈, 탭 등), 그리고 기타 '부수 요소'를 포함할 수 있으며, 구문 트리로부터 소스 코드를 원래 모습 그대로 충실하게 복원할 수 있다.
- 소스 코드를 구문 트리로 파싱하는 `ParseText` 메서드를 제공한다.

한편 `System.Linq.Expressions` API의 고유한 특징은 다음과 같다.

- .NET Framework에 통합되어 있다. 특히, C# 컴파일러 자체가 `Expression<T>`로 배정 변환되는 람다식을 `System.Linq.Expression` 형식들을 산출하도록 만들어져 있다.
- 대리자를 산출하는, 빠르고 가벼운 `Compile` 메서드를 제공한다. 반면 Roslyn 구문 트리를 컴파일하는 의미층은 완전한 프로그램 전체를 하나의 어셈블리로 컴파일하는 무거운 수단만 제공한다.

두 API의 또 다른 공통점은 구문 트리가 불변이(immutable)라는 점이다. 즉, 일단 트리를 생성하고 나면 트리의 노드들을 변경할 수 없다. 이 때문에 Visual Studio나 LINQPad 같은 응용 프로그램은 편집기에서 사용자가 키를 누를 때마다 구문 트리를 다시 생성해서 구문 강조와 자동 완성 서비스를 갱신한다. 다행히 이러한 잦은 갱신의 비용은 생각보다 높지 않다. 새 구문 트리를 만들 때 기존 트리의 요소들을 대부분 재활용할 수 있기 때문이다(이번 장의 '구문 트리의 변형(p.1314)' 참고). 그리고 어떤 객체를 변경할 수 없다는 가정이 있으면 그 객체를 다루는 API를 좀 더 간단하게 만들 수 있다. 또한, 이러한 불변이성 덕분에 여러 스레드가 자물쇠 없이도 구문 트리의 모든 부분에 안전하게 접근할 수 있어서 병렬화가 더 쉬워지고 빨라진다.

SyntaxTree 구조체

`SyntaxTree` 구조체로 대표되는 구문 트리의 주된 구성요소는 다음 세 가지이다.

노드(추상 `SyntaxNode` *클래스)*

노드는 표현식, 문장, 메서드 선언 같은 C# 코드 구축 요소를 나타낸다. 모든 노드에는 항상 적어도 하나의 자식 노드가 있다. 즉, 노드가 트리의 잎(leaf; 말단 노드)이 되는 일은 없다. 노드의 자식은 또 다른 노드일 수도 있고 토큰일 수도 있다.

토큰(`SyntaxToken` *구조체)*

토큰은 소스 코드에 쓰이는 식별자, 키워드, 연산자, 문장부호를 나타낸다. 토큰은 자식이 없거나, 있다면 반드시 선행/후행 부수 요소이다. 토큰의 부모는 항상 노드이다.

*부수 요소(*SyntaxTrivia *구조체)*

공백, 주석, 전처리기 지시문, 그리고 조건부 컴파일 때문에 비활성화된 코드를 통칭해서 부수 요소(trivia)라고 부른다. 부수 요소는 항상 바로 왼쪽(선행) 또는 오른쪽(후행)에 있는 토큰과 연관되며, 각각 토큰의 LeadingTrivia 속성 또는 TrailingTrivia 속성에 담긴다.

그림 27-1은 다음 코드의 구문 트리를 나타낸 것으로, 검은 칸은 노드, 회색 칸은 토큰, 흰 칸은 부수 요소이다.

```
Console.WriteLine ("Hello");
```

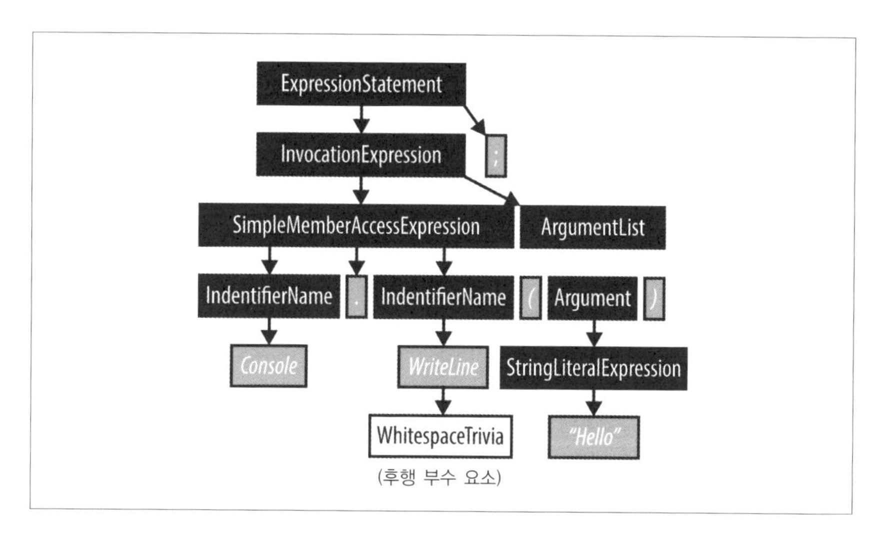

그림 27-1 구문 트리Syntax trees

SyntaxNode는 추상 클래스이다. C#용 Roslyn 라이브러리에는 C#의 구문 요소마다 개별적인 파생 클래스가 있다. 이를테면 VariableDeclarationSyntax나 TryStatementSyntax가 그러한 SyntaxNode 파생 클래스이다.

SyntaxToken과 SyntaxTrivia는 구조체이다. 즉, 이 두 형식이 모든 종류의 토큰과 부수 요소를 대표한다. 토큰이나 부수 요소의 구체적인 종류는 RawKind 속성 또는 Kind 확장 메서드로 표현된다(이 멤버들은 잠시 후에 설명한다).

시각화 도구를 이용하면 구문 트리를 아주 효과적으로 살펴볼 수 있다. Visual Studio는 디버거와 연동되는 시각화 도구를 제공하며(따로 내려받아야 함), LINQPad에는 시각화 기능이 이미 내장되어 있다. LINQPad의 출력 창에 있는 Tree 버튼을 클릭하면 현재 텍스트 편집기에 있는 코드에 대한 구문 트리가 자동으로 시각화된다. 또한, 프로그램 안에서 생성된 구문 트리를 LINQPad로 시각화할 수도 있다. 해당 트리 객체에 대해 DumpSyntaxTree를 (또는 노드에 대해 DumpSyntaxNode를) 호출하면 된다.

노드 형식의 이해

SyntaxNode의 파생 클래스들은 구문 파싱 결과를 반영하도록 설계되었으며, 그 후에 일어나는 바인딩의 결과로 생기는 의미론적 형식/기호 정보와는 무관하다. 예를 들어 다음 코드를 파싱한다고 하자.

```
using System;

class Foo : SomeBaseClass
{
  void Test() { Console.WriteLine(); }
}
```

Console.WriteLine()이라는 호출 구문이 MethodCallExpressionSyntax 같은 파생 형식의 노드가 될 것 같지만, 그런 클래스는 없다. 대신 이 메서드 호출은 InvocationExpressionSyntax 형식의 노드가 되며, 그 노드 아래에는 SimpleMemberAccessExpression 형식의 노드가 있다. 이는 파서가 형식들을 인식하지 못하기 때문이다. 즉, 파서는 Console이 하나의 형식이고 WriteLine이 하나의 메서드라는 점을 알지 못한다. 소스 코드의 '구문'만으로는 특정한 하나의 해석을 결정할 수 없다. 예를 들어 Console이 SomeBaseClass의 속성일 수도 있고, WriteLine이 어떤 대리자 형식의 이벤트나 필드, 또는 속성일 수도 있다. 구문에서 알 수 있는 것은, 그 코드가 하나의 멤버 접근(**식별자.식별자** 형태의) 다음에 인수가 없는 어떤 **호출**(invocation)이 오는 형태라는 점뿐이다.

공통의 속성과 메서드

노드와 토큰, 부수 요소에는 공통의 속성들과 메서드들이 있는데, 다음은 그 중 중요한 것들이다.

SyntaxTree *속성*

객체가 속한 구문 트리를 돌려준다.

Span *속성*

소스 코드 안에서 객체의 위치를 돌려준다(이번 장의 '위치로 자식 객체 찾기(p.1308)' 참고).

`Kind` *확장 메서드*

노드, 토큰, 부수 요소의 구체적인 종류를 나타내는 `SyntaxKind` 열거형의 값을 돌려준다. 이 열거형에는 `IntKeyword`, `CommaToken`, `WhitespaceTrivia` 등 수백 가지 값이 정의되어 있다. 노드, 토큰, 부수 요소 모두 동일한 `SyntaxKind` 열거형을 사용한다.

`ToString` *메서드*

노드나 토큰, 부수 요소의 텍스트(소스 코드)를 돌려준다. 토큰의 경우 이 메서드는 `Text` 속성과 같은 문자열을 돌려준다.

`GetDiagnostics` *메서드*

파싱 도중 발생한 오류나 경고 메시지들을 돌려준다.

`IsEquivalentTo` *메서드*

현재 객체가 주어진 노드나 토큰, 부수 요소 객체와 동일하면 `true`를 돌려준다. 비교 시 공백 문자도 고려한다(공백 문자를 무시하려면 비교 전에 `NormalizeWhitespace`를 호출해야 한다).

노드와 토큰에는 `FullSpan` 속성과 `ToFullString` 메서드도 있다. 이들은 부수 요소들을 고려하지만, `Span`과 `ToString`은 고려하지 않는다.

`Kind` 확장 메서드는 `int` 형식의 RawKind 속성을 `Microsoft.CodeAnalysis.CSharp.SyntaxKind` 형식으로 캐스팅해서 돌려주는 단축 수단이다. 그냥 `SyntaxKind` 형식의 `Kind` 속성을 두지 않은 이유는, 토큰 형식들과 부수 요소 형식들이 VB 구문 트리에도 쓰이는데 VB 구문 트리의 `SyntaxKind` 속성은 C#과는 다른 열거형이기 때문이다.

구문 트리 얻기

`CSharpSyntaxTree`의 정적 메서드 `ParseText`는 주어진 C# 코드를 파싱해서 `SyntaxTree`를 만든다.

```
SyntaxTree tree = CSharpSyntaxTree.ParseText (@"class Test
{
  static void Main() => Console.WriteLine (""Hello"");
}");

Console.WriteLine (tree.ToString());
```

```
tree.DumpSyntaxTree();    // LINQPad에서 구문 트리 시각화 창이 나타난다.
```

이 예제를 Visual Studio에서 실행하려면 `Microsoft.CodeAnalysis.CSharp` NuGet 패키지를 설치하고, 다음 이름공간들을 도입해야 한다.

```
using Microsoft.CodeAnalysis;
using Microsoft.CodeAnalysis.CSharp;
```

`ParseText`에는 다양한 중복적재 버전이 있는데, 예를 들어 `CSharpParseOptions` 객체를 전달해서 C# 언어의 특정 버전이나 전처리기 기호를 지정할 수도 있다. 또한, `DocumentationMode` 형식의 인수를 이용해서 XML 주석의 파싱 여부를 지정할 수도 있다(이번 장의 '구조적 부수 요소(p.1313)' 참고). 소스 코드의 종류를 나타내는 `SourceCodeKind` 형식의 인수를 받는 버전도 있다. 이 인수로 `Interactive`나 `Script`를 지정하면 파서는 프로그램 전체가 아니라 하나의 표현식 또는 문장(들)을 받아들인다. 단, 현재 버전의 Roslyn라이브러리는 `Interactive`나 `Script`를 지정하면 `NotSupportedException`(아직 지원하지 않는 기능임을 뜻하는 예외)을 던진다.

표현식과 문장의 파싱

프로그램 전체가 아니라 특정 표현식이나 문장(들)만 파싱하는 기능이 `Microsoft.CodeAnalysis.CSharp`에 들어 있긴 하지만, 아직 완전히 파악되지 않은 시나리오들이 남아 있어서(이를테면 await 표현식이 그렇다) 현재 그 기능은 비활성화되어 있다. 만일 이 기능을 시험해 보고 싶다면, 다음 두 방법 중 하나를 이용하면 된다.

- GitHub에서 Roslyn 소스 코드를 내려받아서 *CSharpParseOptions.cs*의 의 관련 점검 코드를 비활성화한 후 솔루션을 다시 빌드한다.
- `CSharpParseOptions` 인스턴스를 생성한 후 반영 기능을 이용해서 `SourceCodeKind`를 `Interactive`나 `Script`로 설정한다.

LINQPad는 'Language'가 *Expression*이나 *Statements*로 선택된 상태에서 구문 트리를 표시할 때 두 번째 방법을 이용한다.

구문 트리를 얻는 또 다른 방법은 노드들과 토큰들로 이루어진 객체 그래프를 인수로 해서 `CSharpSyntaxTree.Create`를 호출하는 것이다. 그러한 객체들을 생성하는 방법은 이번 장의 '구문 트리의 변형(p.1314)'에서 설명한다.

일단 구문 트리를 얻었다면, 트리에 대해 GetDiagnostics 메서드를 호출해서 파싱 과정에서 발생한 오류들과 경고들을 알아낼 수 있다. (이 메서드를 특정 노드나 토큰에 대해 호출해도 된다.)

> 파싱에서 예기치 않은 오류가 발생했다면, 트리가 예상과는 다른 구조일 수도 있다. 따라서 트리를 본격적으로 사용하기 전에 먼저 GetDiagnostics를 호출해서 오류를 점검하는 것이 바람직하다.

한 가지 멋진 기능은, 오류가 있는 트리를 다시 원래의 텍스트(동일한 오류들이 있는)로 바꿀 수 있다는 것이다. 그런 경우 파서는 의미층에 유용한 구문 트리를 제공하기 위해 최선을 다하며, 필요하다면 '유령 노드(phantom node)'들도 생성한다. 불완전한 코드에 대해서도 코드 완성 기능이 작동하는 것은 파서의 이러한 처리 덕분이다. (노드가 유령 노드인지는 IsMissing 속성을 보면 알 수 있다.)

이전 절의 예제에서 생성한 구문 트리에 GetDiagnostics를 호출하면 아무런 오류도 나오지 않는다. 사실 그 예제에는 오류가 있다. 바로, System 이름공간을 도입하지 않고도 Console.WriteLine을 호출한다는 것이다. 이는 구문 파싱과 의미 파싱의 차이를 잘 보여준다. 구문만 따지면 그 예제는 올바르다. 방금 말한 오류는 컴파일 후 어셈블리 참조들을 추가하고 **의미 모형**(semantic model)을 질의해서 바인딩이 일어나야 비로소 드러난다.

트리의 운행과 검색

SyntaxTree는 트리 구조를 감싸는 래퍼wrapper로 작용한다. SyntaxTree에는 하나의 뿌리(루트) 노드에 대한 참조가 있다. GetRoot 메서드를 호출하면 그 참조가 반환된다.

```
var tree = CSharpSyntaxTree.ParseText (@"class Test
{
  static void Main() => Console.WriteLine (""Hello"");
}");

SyntaxNode root = tree.GetRoot();
```

C# 프로그램 구문 트리의 뿌리 노드는 CompilationUnitSyntax 형식의 객체이다.

```
Console.WriteLine (root.GetType().Name);   // CompilationUnitSyntax
```

자식 객체 운행

SyntaxNode는 자식 노드들과 자식 토큰들을 운행(traversal)하는 데 사용할 수 있는 여러 LINQ 친화적 메서드를 제공한다. 가장 간단한 메서드들은 다음과 같다.

```
IEnumerable<SyntaxNode> ChildNodes()
IEnumerable<SyntaxToken> ChildTokens()
```

앞의 예제를 이어서, 뿌리 노드에는 클래스 선언을 나타내는 ClassDeclarationSyntax 형식의 자식 노드 하나가 있다.

```
var cds = (ClassDeclarationSyntax) root.ChildNodes().Single();
```

이 cds의 멤버들을 ChildNodes 메서드로 구할 수도 있고, 다음처럼 ClassDeclarationSyntax의 Members 속성으로 열거할 수 있다.

```
foreach (MemberDeclarationSyntax member in cds.Members)
  Console.WriteLine (member.ToString());
```

결과는 다음과 같다.

```
static void Main() => Console.WriteLine ("Hello");
```

또한, 더 깊게 내려가면서 자식들을 재귀적으로 운행하는 Descendant* 메서드들도 있다. 다음은 프로그램을 구성하는 모든 토큰을 DescendantTokens 메서드를 이용해서 열거하는 예이다.

```
foreach (var token in root.DescendantTokens())
  Console.WriteLine ($"{token.Kind(),-30} {token.Text}");
```

결과는 다음과 같다.

```
ClassKeyword                  class
IdentifierToken               Test
OpenBraceToken                {
StaticKeyword                 static
VoidKeyword                   void
IdentifierToken               Main
OpenParenToken                (
CloseParenToken               )
EqualsGreaterThanToken        =>
IdentifierToken               Console
DotToken                      .
IdentifierToken               WriteLine
OpenParenToken                (
StringLiteralToken            "Hello"
```

```
CloseParenToken                    )
SemicolonToken                     ;
CloseBraceToken                    }
EndOfFileToken
```

이 결과에 공백이 하나도 없음을 주목하기 바란다. token.Text를 token.ToFullString()으로 대체하면 공백(그리고 기타 모든 부수 요소)도 결과에 포함된다.

다음 예제는 DescendantNodes를 이용해서 메서드 선언에 해당하는 구문 트리 노드를 찾는다.

```
var ourMethod = root.DescendantNodes()
                    .First (m => m.Kind() == SyntaxKind.MethodDeclaration);
```

또는, 다음과 같이 해도 된다.

```
var ourMethod = root.DescendantNodes()
                    .OfType<MethodDeclarationSyntax>()
                    .Single();
```

후자에서 ourMethod는 MethodDeclarationSyntax 형식의 객체이다. MethodDeclarationSyntax는 메서드 선언과 관련된 여러 유용한 속성을 제공한다. 예를 들어 메서드 선언이 여러 개인 C# 프로그램의 구문 트리를 생성했다고 할 때, 다음 코드는 이름이 'Main'인 메서드의 선언을 찾는다.

```
var mainMethod = root.DescendantNodes()
                     .OfType<MethodDeclarationSyntax>()
                     .Single (m => m.Identifier.Text == "Main");
```

MethodDeclarationSyntax의 Identifier 속성은 메서드의 식별자(즉, 메서드 이름)에 해당하는 토큰을 돌려준다. 이 속성을 사용하지 않고 같은 결과를 얻으려면 다음과 같이 좀 더 복잡한 코드가 필요하다.

```
root.DescendantNodes().First (m =>
  m.Kind() == SyntaxKind.MethodDeclaration &&
  m.ChildTokens().Any (t =>
    t.Kind() == SyntaxKind.IdentifierToken && t.Text == "Main"));
```

SyntaxNode에는 또한 GetFirstToken과 GetLastToken 메서드가 있다. 이들의 반환값은 각각 DescendantTokens().First()와 DescendantTokens().Last()의 반환값과 같다.

DescendantTokens().Last()보다 GetLastToken()이 빠르다. 전자는 모든 후손을 열거해서 마지막 토큰을 찾지만, 후자는 마지막 토큰을 직접 돌려주기 때문이다.

하나의 노드의 자식 객체는 노드일 수도 있고 토큰일 수도 있으며, 또한 그 자식 노드들과 토큰들의 상대적 순서가 중요하므로, SyntaxNode는 자식 노드들과 자식 토큰들을 함께 열거하기 위한 메서드들도 제공한다.

```
ChildSyntaxList ChildNodesAndTokens()
IEnumerable<SyntaxNodeOrToken> DescendantNodesAndTokens()
IEnumerable<SyntaxNodeOrToken> DescendantNodesAndTokensAndSelf()
```

(ChildSyntaxList는 IEnumerable<SyntaxNodeOrToken>를 구현할 뿐만 아니라, 자식 객체 개수를 담은 Count 속성과 위치(색인)로 요소에 접근할 수 있는 인덱서도 제공한다.)

노드의 부수 요소들을 GetLeadingTrivia, GetTrailingTrivia, DescendantTrivia 메서드를 이용해서 직접 운행할 수 있지만, 부수 요소가 부착된 토큰의 LeadingTrivia 속성과 TrailingTrivia 속성을 이용해서 운행하는 것이 더 일반적이다. 또는, 노드로부터 텍스트(소스 코드)를 얻는 경우 ToFullString 메서드를 호출하면 결과에 부수 요소들도 포함된다.

부모 운행

노드와 토큰에는 SyntaxNode 형식의 Parent 속성이 있다.

부수 요소(SyntaxTrivia)의 경우 '부모'는 토큰이며, Token 속성을 통해서 그 토큰에 접근할 수 있다.

노드에는 또한 트리를 따라 위로 올라가는 메서드들도 있다. 그런 메서드들은 이름이 "Ancestor"로 시작한다.

위치로 자식 객체 찾기

모든 노드와 토큰, 부수 요소에는 TextSpan 형식의 Span 속성이 있다. 이 속성은 소스 코드 안에서 해당 요소가 차지한 구간(span)의 위치와 크기를 알려주는 문자 오프셋들을 제공한다. 노드와 토큰에는 FullSpan이라는 속성도 있는데, 이 속성은 해당 객체의 선행(leading) 부수 요소와 후행(trailing) 부수 요소도 포함한다. 반면 Span은 부수 요소들을 고려하지 않는다. 단, 노드의 Span은 자식 노드들과 토큰들을 포함한다.

TextSpan 다루기

TextSpan 구조체에는 Start, Length, End라는 정수 속성들이 있다. 이들은 소스 코드 안의 한 문자 구간의 시작 오프셋과 길이, 끝 오프셋(모두 문자 단위)에 해당한다. 이외에 Overlap, OverlapsWith, Intersection, IntersectsWith라는 속성들도 있다. 중첩(overlap)과 교차(intersection)의 차이는 문자 하나이다. 만일 한 구간이 끝나기 전에 다른 구간이 시작하면 **중첩**(<)이고, 두 구간이 그냥 맞닿아 있으면 **교차**(<=)이다.

SyntaxTree 클래스는 TextSpan 객체를 행 번호와 문자 오프셋으로 변환해주는 GetLineSpan이라는 메서드를 제공한다. 이 메서드는 소스 코드에 있는 모든 #line 지시자의 효과를 무시한다. GetMappedLineSpan 메서드는 변환 시 그 지시자들의 효과를 반영한다.

SyntaxNode의 FindNode, FindToken, FindTrivia 메서드를 이용하면 노드의 특정 자식 노드나 자식 토큰, 자식 부수 요소를 위치를 이용해서 찾을 수 있다. 이 메서드들은 인수로 주어진 구간을 완전히 포함하는 가장 작은 구간을 가진 후손 요소를 돌려준다. 또한, 후손 노드들과 후손 토큰들을 함께 검색하는 ChildThatContainsPosition이라는 메서드도 있다.

후손 노드를 검색했을 때 구간 길이가 같은 두 노드(흔히 자식 노드와 자식 노드의 자식 노드)가 나오면, FindNode 메서드는 바깥쪽(부모 쪽) 노드를 돌려준다. 단, 호출 시 선택적 매개변수 getInnermostNodeForTie에 true를 지정하면 안쪽 노드가 반환된다.

Find* 메서드들에는 fndInsideTrivia라는 bool 형식의 선택적 매개변수도 있다. 여기에 true를 지정하면 **구조적 부수 요소**(이번 장의 '부수 요소(p.1311)' 참고) 안에서 노드나 토큰을 찾는다.

CSharpSyntaxWalker 클래스

CSharpSyntaxWalker의 파생 클래스를 만들고 CSharpSyntaxWalker의 수백 가상 메서드 중 몇 개를 재정의해서 구문 트리를 운행할 수도 있다. 다음 클래스는 if 문의 개수를 센다.

```
class IfCounter : CSharpSyntaxWalker
{
  public int IfCount { get; private set; }

  public override void VisitIfStatement (IfStatementSyntax node)
  {
    IfCount++;
    // 자식들로 더 내려 가기 위해 기반 클래스의 메서드를 호출한다.
    base.VisitIfStatement (node);
  }
}
```

다음은 이 클래스의 사용법을 보여 주는 예제이다.

```
var ifCounter = new IfCounter ();
ifCounter.Visit (root);
Console.WriteLine ($"if 문 {ifCounter.IfCount} 개 발견");
```

다음 코드로도 같은 결과를 얻을 수 있다.

```
root.DescendantNodes().OfType<IfStatementSyntax>().Count()
```

지금 예제는 그렇지 않지만, 좀 더 복잡한 경우에서는 CSharpSyntaxWalker의 파생 클래스를 만들어서 여러 메서드를 재정의하는 것이 Descendant* 메서드들을 사용하는 것보다 쉬울 수 있다(부분적으로 이는 C#에 F# 같은 패턴 부합 라이브러리가 없기 때문이다).

기본적으로 CSharpSyntaxWalker는 노드들만 방문한다. 토큰이나 부수 요소를 방문하려면 SyntaxWalkerDepth 열거형으로 적절한 깊이를 지정해서 기반 생성자를 호출해야 한다. 여기서 깊이는 노드→토큰→부수 요소 순이다. 그리고 VisitToken과 VisitTrivia를 재정의하면 된다.

```
class WhiteWalker : CSharpSyntaxWalker   // 공백 문자들을 센다.
{
  public int SpaceCount { get; private set; }

  public WhiteWalker() : base (SyntaxWalkerDepth.Trivia) { }

  public override void VisitTrivia (SyntaxTrivia trivia)
  {
    SpaceCount += trivia.ToString().Count (char.IsWhiteSpace);
    base.VisitTrivia (trivia);
  }
}
```

WhiteWalker에서 기반 생성자 호출을 제거하면 VisitTrivia 콜백이 호출되지 않는다.

부수 요소

파싱된 구문 트리로부터 출력 어셈블리를 생성하는 과정에서 컴파일러가 완전히 무시하는 요소들이 바로 부수 요소(trivia)이다. 구체적으로, 공백, 주석, XML 문서, 전처리 지시문, 그리고 조건부 컴파일 때문에 비활성화된 코드가 부수 요소로 간주된다.

그런데 코드에 꼭 필요한 공백도 부수 요소로 간주된다. 그런 공백은 파싱에는 꼭 필요하지만, 일단 구문 트리가 만들어진 후에는 더 이상 필요하지 않다(적어도 컴파일러에게는 필요가 없다). 그러나 원래의 소스 코드를 다시 복원하는 데에는 부수 요소가 중요하다.

구문 트리 안에서 부수 요소는 인접 토큰에 속한다. 관례상, 파서는 한 토큰 다음에 나오는 모든 공백과 주석(현재 행의 끝까지)을 그 토큰의 후행 부수 요소로 둔다. 그리고 그다음의 모든 부수 요소는 그다음 토큰의 선행 부수 요소가 된다. (파일의 시작과 끝에서는 예외 규칙이 있다.) 토큰을 프로그램 안에서 생성할 때에는('구문 트리의 변형(p.1314)' 참고) 공백을 토큰 앞에 둘 수도 있고 뒤에 둘 수도 있다(소스 코드로 다시 변환할 것이 아니라면 공백을 아예 두지 않아도 된다).

```
var tree = CSharpSyntaxTree.ParseText (@"class Program
{
    static /*주석*/ void Main() {}
}");

SyntaxNode root = tree.GetRoot();

// static 키워드 토큰을 찾는다.
var method = root.DescendantTokens().Single (t =>
  t.Kind() == SyntaxKind.StaticKeyword);

// static 키워드 토큰 주변의 부수 요소들을 출력한다.
foreach (SyntaxTrivia t in method.LeadingTrivia)
  Console.WriteLine (new { Kind = "Leading " + t.Kind(), t.Span.Length });

foreach (SyntaxTrivia t in method.TrailingTrivia)
  Console.WriteLine (new { Kind = "Trailing " + t.Kind(), t.Span.Length });
```

출력은 다음과 같다.

```
{ Kind = Leading WhitespaceTrivia, Length = 1 }
{ Kind = Trailing WhitespaceTrivia, Length = 1 }
{ Kind = Trailing MultiLineCommentTrivia, Length = 6 }
{ Kind = Trailing WhitespaceTrivia, Length = 1 }
```

전처리기 지시문

전처리기 지시문은 컴파일 결과에 사소하지 않은 영향을 미치므로, 전처리기 지시문을 부수 효과로 간주하는 것이 좀 이상할 수도 있겠다.

전처리기 지시문을 부수 요소로 치는 것은, 이들의 의미를 실제 컴파일 과정 이전에 파서 자체가 처리하기 때문이다. 즉, 전처리는 파서의 몫이다. 일단 파싱이 끝나면, 컴파일러가 명시적으로 고려해야 할 전처리기 지시문은 없다(단, #pragma는 예외). 이 점을 보여주는 예로, 다음과 같은 조건부 컴파일 지시문들을 파서가 어떻게 처리하는지 살펴보자.

```
#define FOO

#if FOO
    Console.WriteLine ("FOO가 정의되어 있음");
#else
    Console.WriteLine ("FOO가 정의되어 있지 않음");
#endif
```

#if FOO에 도달한 파서는 FOO가 정의되어 있으므로 그다음 행을 정상적으로 파싱한다(노드들과 토큰들이 생성된다). 그리고 #else 지시자 다음의 코드는 DisabledTextTrivia로 만든다.

CSharpSyntaxTree.Parse를 호출하고 난 후, CSharpParseOptions 인스턴스를 이용해서 추가적인 전처리기 기호들을 구문 트리에 넣을 수 있다.

이처럼 조건부 컴파일 지시문들의 효과는 파싱 과정에서 발휘될 뿐이며, 일단 파싱이 끝나면 지시문 자체와 비활성 코드는 컴파일러가 완전히 무시할 수 있는 텍스트이다. 따라서 이들은 부수 효과로 취급해야 마땅하다.

#line 지시문 역시 파서가 읽어서 직접 처리한다. 이 지시문에 담긴 정보는 구문 트리에 대해 GetMappedLineSpan이 호출되었을 때 쓰인다.

#region 지시문은 의미론적으로 빈 지시문이다. 파서가 하는 유일한 역할은 #region 지시자에 대응되는 #endregion 지시자가 있는지 보는 것뿐이다. #error

와 #warning 역시 파서가 처리한다. 트리 또는 노드에 대해 GetDiagnostics를 호출하면 이들이 생성한 오류와 경고를 얻을 수 있다.

출력 어셈블리 산출 이외의 목적으로는 전처리기 지시문의 내용을 조사하는 것이 여전히 유용할 수 이다(이를테면 구문 강조 등). 그런 경우 **구조적 부수 요소**가 유용하다.

구조적 부수 요소

부수 요소는 두 종류로 나뉜다.

비구조적 부수 요소
: 주석, 공백, 그리고 조건부 컴파일 때문에 비활성화된 코드가 여기에 속한다.

구조적 부수 요소
: 전처리기 지시문과 XML 문서화가 여기에 속한다.

비구조적 부수 요소(unstructured trivia)는 그냥 텍스트로 취급되지만, 구조적 부수 요소(structured trivia)는 그 내용이 소형 구문 트리(miniature syntax tree)로 파싱된다.

SyntaxTrivia의 HasStructure 속성은 현재 부수 요소 객체가 구조적 부수 요소인지의 여부를 돌려준다. 그리고 GetStructure 메서드는 부수 요소의 소형 구문 트리를 돌려준다.

```
var tree = CSharpSyntaxTree.ParseText (@"#define FOO");

// LINQPad에서:
tree.DumpSyntaxTree();  // LINQPad가 구조적 부수 요소의 시각화 창을 표시한다.

SyntaxNode root = tree.GetRoot();

var trivia = root.DescendantTrivia().First();
Console.WriteLine (trivia.HasStructure);          // True
Console.WriteLine (trivia.GetStructure().Kind()); // DefineDirectiveTrivia
```

전처리기 지시문들은 SyntaxNode에 대해 GetFirstDirective를 호출해서 직접 열거할 수 있다. 또한, 주어진 노드에 전처리기 지시문 부수 요소가 포함되어 있는지를 알려주는 ContainsDirectives 속성도 있다.

```
var tree = CSharpSyntaxTree.ParseText (@"#define FOO");
```

```
SyntaxNode root = tree.GetRoot();

Console.WriteLine (root.ContainsDirectives);      // True

// directive는 구조적 부수 요소의 뿌리 노드이다.
var directive = root.GetFirstDirective();
Console.WriteLine (directive.Kind());             // DefineDirectiveTrivia
Console.WriteLine (directive.ToString());         // #define FOO

// 지시문이 더 있다면, GetNextDirective를 이용해서 얻을 수 있다.
Console.WriteLine (directive.GetNextDirective());    // (null)
```

다른 트리 요소 객체들과 마찬가지로, 일단 부수 요소 객체를 얻은 후에는 그것을 좀 더 구체적인 형식으로 캐스팅해서 속성들을 조회할 수 있다.

```
var hashDefine = (DefineDirectiveTriviaSyntax) root.GetFirstDirective();
Console.WriteLine (hashDefine.Name.Text);      // FOO
```

모든 노드와 토큰, 부수 요소 객체에는 IsPartOfStructuredTrivia라는 속성이 있다. 이 속성은 해당 객체가 구조적 부수 요소 소형 구문 트리의 일부인지(즉, 부수 요소 객체의 후손인지)의 여부를 나타낸다.

구문 트리의 변형

구문 트리의 노드와 토큰, 부수 요소를 '수정'하는 것도 가능하다. 이를 위한 메서드들은 이름이 다음과 같은 접두사들로 시작한다(이 메서드들은 대부분 확장 메서드이다).

```
Add*
Insert*
Remove*
Replace*
With*
Without*
```

그런데 구문 트리는 불변이(immutable)이므로, 이 메서드들은 모두 원래의 객체를 그대로 두고, 요청된 변경 사항을 반영한 새 객체를 돌려준다.

소스 코드 변경 반영

예를 들어 C# 편집기를 작성한다면, 소스 코드의 변경에 기초해서 구문 트리를 갱신해야 한다. 그런 상황에 딱 맞는 메서드가 SyntaxTree 클래스의 WithChangedText이다. 이 메서드는 SourceText(Microsoft.CodeAnalysis.Text 이름공간에 있다) 객체로 표현된 소스 코드 변경 사항에 기초해서 소스 코드를 부분적으로 다시 파싱한다.

SourceText 객체를 생성하는 한 가지 방법은 완전한 소스 코드를 인수로 해서 SourceText의 정적 메서드 From을 호출하는 것이다. 그런 다음 그 객체로 구문 트리를 생성할 수 있다.

```
SourceText sourceText = SourceText.From ("class Program {}");
var tree = CSharpSyntaxTree.ParseText (sourceText);
```

또는, 기존 트리에 대해 GetText를 호출해서 SourceText 객체를 얻을 수도 있다.

어떤 방법으로든 SourceText 객체를 마련했다면, Replace나 WithChanges 메서드로 소스 코드의 일부를 변경한다. 앞의 예제를 이어서, 다음은 코드의 처음 다섯 글자("class")를 "struct"로 고치는 예이다.

```
var newSource = sourceText.Replace (0, 5, "struct");
```

이제 변경된 SourceText 객체로 WithChangedText를 호출해서 구문 트리를 갱신한다.

```
var newTree = tree.WithChangedText (newSource);
Console.WriteLine (newTree.ToString());        // struct Program {}
```

SyntaxFactory를 이용해서 새 노드, 토큰, 부수 요소 생성

SyntaxFactory 클래스는 텍스트(소스 코드) 없이 노드, 토큰, 부수 요소를 직접 생성하는 여러 정적 메서드를 제공한다. 그런 식으로 생성한 노드, 토큰, 부수 요소는 기존 구문 트리를 '변형'하거나 새 구문 트리를 명시적으로 생성하는 데 사용할 수 있다.

이런 접근방식에서 가장 어려운 부분은 구체적으로 어떤 종류의 노드와 토큰을 생성해야 하는지 파악하는 것이다. 잘 모르겠다면, 먼저 예제 소스 코드 텍스트를 파싱해서 구문 트리를 생성한 후 그것을 구문 트리 가시화 도구로 살펴보면 매우 도움이 된다. 예를 들어 다음 코드에 해당하는 구문 트리 노드를 생성한다고 하자.

```
using System.Text;
```

다음 코드를 LINQPad에서 실행하면 위의 코드에 대한 구문 트리가 보기 쉬운 형태로 표시된다.

```
CSharpSyntaxTree.ParseText ("using System.Text;").DumpSyntaxTree();
```

("using System.Text;"이 오류 없이 파싱되는 이유는, 이 코드가 비록 하는 일은 없지만 그래도 하나의 완결적인 프로그램이기 때문이다. 그러나 다른 대부분의 예제 코드 조각들은 적당한 메서드나 형식 정의로 감싸주어야 제대로 파싱된다.)

출력은 다음과 같다. 우리가 관심을 둘 부분은 둘째 노드(즉, UsingDirective와 그 후손들)이다.

```
Kind                                Token Text
=================================   ==========
CompilationUnit (node)
  UsingDirective (node)
    UsingKeyword (token)            using
      WhitespaceTrivia (trailing)
    QualifiedName (node)
      IdentifierName (node)
        IdentifierToken (token)     System
      DotToken (token)              .
      IdentifierName (node)
        IdentifierToken (token)     Text
    SemiColonToken (token)          ;
  EndOfFileToken (token)
```

그 노드의 제일 안쪽을 보면 IdentifierName 노드가 두 개 있다. 그리고 두 노드의 부모는 QualifiedName이다. 이 노드를 다음과 같이 생성할 수 있다.

```
QualifiedNameSyntax qualifiedName = SyntaxFactory.QualifiedName (
  SyntaxFactory.IdentifierName ("System"),
  SyntaxFactory.IdentifierName ("Text"));
```

이 코드는 식별자 노드 두 개를 받는 QualifiedName의 중복적재 버전을 사용한다. 이 버전은 마침표 토큰을 자동으로 삽입해 준다.

이제 이 노드를 UsingDirective로 감싼다.

```
UsingDirectiveSyntax usingDirective =
  SyntaxFactory.UsingDirective (qualifiedName);
```

"using" 키워드나 후행 세미콜론에 해당하는 토큰들은 지정하지 않았음을 주목하기 바란다. 그러면 SyntaxFactory가 자동으로 그 토큰들을 생성해서 추가한다. 그런데 자동으로 생성된 토큰들에 공백 부수 요소가 포함되지는 않는다. 그 때문에 컴파일에 문제가 생기는 것은 아니지만, 구문 트리를 다시 텍스트로 되돌리면 다음과 같이 유효하지 않은 코드가 나온다.

```
Console.WriteLine (usingDirective.ToFullString());  // usingSystem.Text;
```

이 문제는 노드(또는 노드의 선조 중 하나)에 대해 NormalizeWhitespace를 호출하면 해결된다. NormalizeWhitespace를 호출하면 소스 코드 복원 시 공백 부수 요소들(정확한 구문을 위한 것들과 가독성을 위한 것들 모두)이 자동으로 추가된다. 또는, 만일 공백들을 좀 더 세밀하게 제어하고 싶다면 다음처럼 명시적으로 추가할 수도 있다.

```
usingDirective = usingDirective.WithUsingKeyword (
  usingDirective.UsingKeyword.WithTrailingTrivia (
    SyntaxFactory.Whitespace (" ")));

Console.WriteLine (usingDirective.ToFullString());  // using System.Text;
```

간결함을 위해, 이 코드는 노드의 기존 UsingKeyword를 "수확해서" 거기에 후행 부수 요소를 추가한다. SyntaxFactory.Token(SyntaxKind.UsingKeyword) 호출로도 같은 토큰을 얻을 수 있지만, 코드가 더 길어진다.

마지막으로 할 일은 이 UsingDirective 노드를 기존 구문 트리 또는 새 구문 트리에(좀 더 정확하게는 구문 트리의 뿌리 노드에) 추가하는 것이다. 기존 트리에 추가하는 경우에는 기존 트리의 뿌리 노드를 CompilationUnitSyntax 형식으로 변환한 후 AddUsings 메서드를 호출하면 된다. 그런 다음에는 변형된 컴파일 단위(CompilationUnitSyntax 객체)를 이용해서 새 구문 트리(기존 트리에 UsingDirective 노드가 추가된)를 생성한다.

```
var existingTree = CSharpSyntaxTree.ParseText ("class Program {}");
var existingUnit = (CompilationUnitSyntax) existingTree.GetRoot();

var unitWithUsing = existingUnit.AddUsings (usingDirective);

var treeWithUsing = CSharpSyntaxTree.Create (
  unitWithUsing.NormalizeWhitespace());
```

> 한 구문 트리의 모든 부분이 불변이임을 기억하기 바란다. AddUsings 호출은 새로운 노드를 돌려줄 뿐, 기존 노드는 전혀 변경하지 않는다. 이런 메서드 호출의 반환값을 무시하는 우를 범하기 쉬우니 조심해야 한다.

이 예는 컴파일 단위에 대해 NormalizeWhitespace를 호출한다. 이후 트리에 대해 ToString을 호출하면 문법적으로 정확하고 읽기 쉬운 소스 코드가 나온다. 또는, 다음처럼 새 줄 부수 요소를 usingDirective에 명시적으로 추가할 수도 있다.

```
.WithTrailingTrivia (SyntaxFactory.EndOfLine("\r\n\r\n"))
```

완전히 새로운 컴파일 단위와 구문 트리에 노드를 추가하는 방법도 이와 비슷하다. 가장 쉬운 접근방식은 빈 컴파일 단위로 시작해서 앞에서처럼 AddUsings를 호출하는 것이다.

```
var unit = SyntaxFactory.CompilationUnit().AddUsings (usingDirective);
```

더 나아가서, 형식 정의를 만들어서 추가하는 것도 비슷한 방식으로 진행하면 된다. 단, 형식 정의를 추가할 때에는 AddMembers 메서드를 사용한다.

```
// 간단한 빈 클래스 정의를 생성, 추가한다.
unit = unit.AddMembers (SyntaxFactory.ClassDeclaration ("Program"));
```

마지막으로, 지금까지 만든 컴파일 단위를 이용해서 새 구문 트리를 생성한다.

```
var tree = CSharpSyntaxTree.Create (unit.NormalizeWhitespace());
Console.WriteLine (tree.ToString());
```

출력:

```
using System.Text;

class Program
{
}
```

CSharpSyntaxRewriter 클래스

구문 트리를 좀 더 복잡한 방식으로 변형해야 한다면 CSharpSyntaxRewriter의 파생 클래스를 작성해서 적용하는 것도 한 방법이다.

CSharpSyntaxRewriter는 이전에 살펴본 CSharpSyntaxWalker 클래스와 비슷하다. 단, Visit* 메서드들이 구문 노드(SyntaxNod)를 받을 뿐만 아니라 돌려주기도 한다는 점이 다르다. 전달된 구문 노드와는 다른 구문 노드를 돌려주면, 결과적으로 구문 트리를 "고쳐 쓰는(rewrite)" 것이 된다.

예를 들어 다음의 CSharpSyntaxRewriter 파생 클래스는 선언된 메서드 이름을 대문자로 바꾼다.

```
class MyRewriter : CSharpSyntaxRewriter
{
  public override SyntaxNode VisitMethodDeclaration
    (MethodDeclarationSyntax node)
  {
    // 메서드의 식별자를 대문자 버전으로 "대체한다".
    return node.WithIdentifier (
      SyntaxFactory.Identifier (
        node.Identifier.LeadingTrivia,            // 기존 부수 요소는 유지한다.
        node.Identifier.Text.ToUpperInvariant(),
        node.Identifier.TrailingTrivia));         // 기존 부수 요소는 유지한다.
  }
}
```

다음은 이 클래스를 사용하는 방법을 보여주는 예이다.

```
var tree = CSharpSyntaxTree.ParseText (@"class Program
{
  static void Main() { Test(); }
  static void Test() {         }
}");

var rewriter = new MyRewriter();
var newRoot = rewriter.Visit (tree.GetRoot());
Console.WriteLine (newRoot.ToFullString());
```

출력:

```
class Program
{
  static void MAIN() { Test(); }
  static void TEST() {         }
}
```

Main 메서드 안의 Test() 호출은 대문자로 바뀌지 않았음을 주목하기 바란다. 이는 이 파생 클래스가 단지 멤버 **선언**들만 방문할 뿐, **호출**들은 방문하지 않기 때문이다. 호출에 쓰인 이름까지 바꾸려면 Main()이나 Test() 같은 호출이 실제로 Program 형식을(다른 어떤 형식이 아니라) 지칭하는지 점검해야 하는데, 구문 트리만으로는 불가능하다. **의미 모형**도 있어야 한다.

컴파일 공정과 의미 모형

하나의 컴파일 공정에는 구문 트리들과 참조들, 그리고 컴파일 옵션들이 쓰인다. 컴파일의 목적은 두 가지이다.

- 라이브러리나 실행 파일을 만들어 낸다(**산출**(emit) 단계).
- 기호 정보(바인딩 단계에서 얻은)를 제공하는 **의미 모형**(semantic model)을 노출한다.

의미 모형은 기호 이름 바꾸기나 편집기의 코드 완성 목록 제공 같은 기능을 구현할 때 꼭 필요하다.

컴파일 객체 생성

목적이 의미 모형을 질의하는 것이든 아니면 이진 코드를 산출하는 것이든, 첫 단계는 컴파일 공정을 대표하는 `CSharpCompilation` 객체(이하 간단히 컴파일 객체)를 생성하는 것이다. 이때 생성할 어셈블리의 이름(단순명)을 지정해야 한다.

```
var compilation = CSharpCompilation.Create ("test");
```

어셈블리를 산출하려는 것이 아니어도 어셈블리의 단순명을 꼭 지정해야 한다. 이는 그 이름이 컴파일 객체 안에 있는 형식들을 식별하는 데 쓰이기 때문이다.

기본적으로 컴파일 객체는 라이브러리를 출력하도록 설정되어 있다. 다른 종류의 출력(Windows 실행 파일, 콘솔 실행 파일 등)을 원한다면 다음처럼 `WithOptions` 메서드를 호출해 주어야 한다.

```
compilation = compilation.WithOptions (
  new CSharpCompilationOptions (OutputKind.ConsoleApplication));
```

호출의 인수로 쓰인 `CSharpCompilationOptions` 클래스의 생성자에는 *csc.exe* 도구의 명령줄 옵션들에 대응하는 십여 개의 선택적 매개변수들이 있다. 예를 들어 컴파일러 최적화들을 활성화하고 어셈블리에 강력한 이름을 부여하려면 다음과 같이 하면 된다.

```
compilation = compilation.WithOptions (
  new CSharpCompilationOptions (OutputKind.ConsoleApplication,
    cryptoKeyFile:"myKeyFile.snk",
    optimizationLevel:OptimizationLevel.Release));
```

이제 컴파일 객체에 구문 트리들을 추가해 보자. 각 구문 트리는 컴파일에 포함되는 '파일'에 해당한다.

```
var tree = CSharpSyntaxTree.ParseText (@"class Program
{
```

```
    static void Main() => System.Console.WriteLine (""Hello"");
  }");

  compilation = compilation.AddSyntaxTrees (tree);
```

다음으로 할 일은 참조들을 추가하는 것이다. 가장 간단한 C# 프로그램은 *mscorlib.dll* 하나만 참조한다. *mscorlib.dll*에 대한 참조를 다음과 같이 추가할 수 있다.

```
compilation = compilation.AddReferences (
  MetadataReference.CreateFromFile (typeof (int).Assembly.Location));
```

`MetadataReference.CreateFromFile` 메서드는 지정된 어셈블리의 내용을 메모리에 읽어 들이는데, 보통의 반영 기능을 사용하지는 않는다. 대신 이 메서드는 *System.Reflection.Metadata*라는 고성능의 이식성 있는 어셈블리 판독기를 사용한다(NuGet에서 구할 수 있다). 이 판독기는 부수 효과를 발생하지 않는다. 특히, 어셈블리를 현재 응용 프로그램 도메인에 적재하지 않는다.

> `MetadataReference.CreateFromFile`이 돌려주는 `PortableExecutableReference` 객체는 메모리를 상당히 많이 소비할 수 있으므로, 필요하지 않은 참조들을 너무 오래 유지하지 않도록 하는 데 신경을 써야 한다. 또한, 같은 어셈블리에 대한 참조를 여러 번 만들어야 한다면 참조를 캐시에 담아 두는 것이 바람직하다(이런 용도로는 약한 참조들을 담는 캐시가 이상적이다).

구문 트리들과 참조들, 그리고 옵션들을 받도록 중복적재된 `CSharpCompilation.Create`를 이용한다면 이상의 모든 것을 한 번의 호출로 수행하는 것도 가능하다. 아니면, 다음과 같이 "유창한" 형태의 표현식 하나로 만드는 것도 가능하다.

```
var compilation = CSharpCompilation.Create ("...")
  .WithOptions (...)
  .AddSyntaxTrees (...)
  .AddReferences (...);
```

진단

구문 트리에 오류가 없어도 그것을 컴파일하면 오류나 경고가 나올 수 있다. 예를 들어 필요한 이름공간을 도입하지 않았거나, 형식이나 멤버 이름에 오타가 있거나, 매개변수 형식의 추론에 실패하면 오류가 발생한다. 발생한 오류들과 경고들은 컴파일 객체에 대해 `GetDiagnostics`를 호출해서 얻을 수 있다. 이 메서드가 돌려주는 객체에는 구문 오류들도 포함되어 있다.

어셈블리의 산출

출력 어셈블리를 생성하는 것은 간단하다. 컴파일 객체에 대해 Emit 메서드를 호출하면 된다.

```
EmitResult result = compilation.Emit (@"c:\temp\test.exe");
Console.WriteLine (result.Success);
```

만일 이 메서드가 돌려준 EmitResult의 Success 속성(지금 예제의 result.Success)이 false이면 산출이 실패한 것이다. 그런 경우 산출 도중 발생한 오류들을 Diagnostics 속성으로 확인할 수 있다. 단, 만일 파일 입출력 오류 때문에 산출에 실패하면 Emit는 EmitResult를 돌려주는 대신 예외를 던진다.

Emit 메서드 호출 시 *.pdb* 파일(디버그 정보가 저장됨)의 경로나 XML 문서화 파일의 경로를 지정할 수도 있다.

의미 모형 질의

컴파일 객체에 대해 GetSemanticModel을 호출하면 지정된 구문 트리에 대한 의미 모형이 반환된다.

```
var tree = CSharpSyntaxTree.ParseText (@"class Program
{
  static void Main() => System.Console.WriteLine (123);
}");

var compilation = CSharpCompilation.Create ("test")
  .AddReferences (
     MetadataReference.CreateFromFile (typeof(int).Assembly.Location))
  .AddSyntaxTrees (tree);

SemanticModel model = compilation.GetSemanticModel (tree);
```

(GetSemanticModel 호출 시 특정 구문 트리를 지정해야 하는 이유는, 하나의 컴파일 객체에 여러 개의 구문 트리가 있을 수 있기 때문이다.)

의미 모형이라는 것이 구문 트리와 비슷하되 속성들과 메서드들이 더 많고 그 구조가 좀 더 자세한 어떤 것이라고 추측하는 독자도 있을 것이다. 그러나 실제로는 그렇지 않다. 의미 모형을 서술하는 DOM은 없다. 대신, 구문 트리의 특정 위치나 노드에 관한 의미론적 정보를 돌려주는 일단의 메서드들이 있을 뿐이다.

다른 말로 하면, 구문 트리를 "운행"하듯이 의미 모형을 탐색할 수는 없다. 의미 모형을 사용하는 것은 스무고개 놀이와 비슷하다. 어려운 점은 어떤 질문을 던지느냐이다. 의미 모형과 관련된 메서드와 확장 메서드는 50개가 넘는다. 이번 절에서는 그중 가장 흔히 쓰이는 몇 개를 소개한다. 특히, 의미 모형 활용의 원리를 보여주는 메서드들을 주로 살펴보겠다.

이전 예제를 이어서, 다음은 식별자 "WriteLine"에 관한 기호 정보를 얻는 예이다.

```
var writeLineNode = tree.GetRoot().DescendantTokens().Single (
  t => t.Text == "WriteLine").Parent;

SymbolInfo symbolInfo = model.GetSymbolInfo (writeLineNode);
Console.WriteLine (symbolInfo.Symbol);   // System.Console.WriteLine(int)
```

SymbolInfo 클래스는 기호를 대표하는 클래스이다. 그럼 지금까지의 논의에서 가끔 등장한 기호라는 것을 좀 더 구체적으로 살펴보자.

기호

"System"이나 "Console", "WriteLine" 같은 이름을 **식별자**(identifier)라고 부른다. 구문 트리에서 식별자는 IdentifierNameSyntax 형식의 노드로 존재한다. 식별자는 그 자체로는 별 의미가 없다. 구문 파서는 단지 식별자를 언어의 다른 키워드들과 구분할 뿐, 식별자를 "이해하려" 하지는 않는다.

의미 모형은 식별자에 형식 정보(바인딩 단계에서 얻은)를 부여해서 **기호**(symbol)를 만들어 내는 능력을 가지고 있다.

모든 종류의 기호는 ISymbol 인터페이스를 구현하는 특정한 기호 클래스로 대표된다. 그런데 각 기호 종류마다 좀 더 구체적인 인터페이스가 존재한다. 예를 들어 다음은 지금 예제의 "System", "Console", "WriteLine"에 해당하는 기호들을 대표하는 형식들이다.

```
"System"       INamespaceSymbol
"Console"      INamedTypeSymbol
"WriteLine"    IMethodSymbol
```

그리고 이러한 기호 형식 중 일부는 System.Reflection 이름공간의 형식들에 대응된다. 예를 들어 IMethodSymbol은 System.Reflection의 MethodInfo와 대응된다. 그러나 INamespaceSymbol처럼 대응되는 반영 정보 형식이 없는 기호 형식들도 있다. 이는 Roslyn의 형식 체계가 기본적으로 컴파일러를 위한 것이지만 반영 기능의 형식 체계는 CLR(소스 코드가 녹아 없어진 이후에 작동하는)을 위한 것이기 때문이다.

그런 차이가 있긴 하지만, ISymbol 구현 형식들의 사용법은 제19장에서 설명한 반영 API 사용법과 여러모로 비슷하다. 앞의 예제를 이어서, 다음은 "WriteLine"에 관한 정보를 얻는 예이다.

```
ISymbol symbol = model.GetSymbolInfo (writeLineNode).Symbol;

Console.WriteLine (symbol.Name);                    // WriteLine
Console.WriteLine (symbol.Kind);                    // Method
Console.WriteLine (symbol.IsStatic);                // True
Console.WriteLine (symbol.ContainingType.Name);     // Console

var method = (IMethodSymbol) symbol;
Console.WriteLine (method.ReturnType.ToString());   // void
```

마지막 행의 출력은 반영 API와의 미묘한 차이점을 보여준다. 출력의 "void"가 모두 소문자임을 주목하기 바란다. 이는 C#에서 쓰이는 이름이다(반면 반영 API는 언어 중립적이다). 마찬가지로, System.Int32에 대한 INamedTypeSymbol 객체에 대해 ToString을 호출하면 "int"가 반환된다. 다음도 반영 API로는 못하는 일의 예이다.

```
Console.WriteLine (symbol.Language);                // C#
```

구문 트리 API에서는 C#을 위한 구문 노드 형식들과 VB를 위한 구문 노드 형식들이 따로 있다(두 부류 모두 추상 SyntaxNode 기반 형식을 공유하긴 하지만). 두 언어의 어휘 구조(lexical structure)가 다르므로 이는 당연한 일이다. 반면 ISymbol과 그 파생 인터페이스들은 C#과 VB 공통이다. 단, 내부의 구체적인 구현 클래스들은 언어마다 **다르다**. 그리고 해당 메서드들과 속성들의 출력은 언어에 고유한 차이점들을 반영한다.

의미 모형에서는 또한 주어진 기호의 출처를 알아낼 수 있다.

```
var location = symbol.Locations.First();
Console.WriteLine (location.Kind);                  // MetadataFile
Console.WriteLine (location.MetadataModule
                   == compilation.References.Single()  // True†
```

† (옮긴이) 원서 정오표에 보고되어 있듯이, 이 문장은 주석과는 달리 True가 아니라 False를 출력한다. 사실 등호의 양변은 상등 판정이 가능하다는 것이 이상할 정도로 다른 형식들이다. 본문의 "주어진 기호의 출처를 알아낼 수도 있다"에 대한 예로 제시한 코드이므로, 그냥 주석의 True를 False로 고친다고 해결되지는 않는다. 2016년 9월 현재 이 사항에 대한 저자의 답변은 아직 올라오지 않았는데, 나중에라도 저자가 구체적인 수정안을 제시하면 번역서 출판사 홈페이지 또는 역자 홈페이지를 통해서 독자들에게 알리겠다.
덧붙이자면, "주어진 기호의 출처를 알아낼 수도 있다"가 틀린 말은 아니다. MetadataModule의 속성들을 살펴보면 "WriteLine"이 mscorlib 어셈블리에서 비롯된 것임을 알 수 있으며, Single()이 돌려주는 객체의 속성들을 살펴보면 mscorlib 어셈블리가 담긴 DLL 파일의 절대 경로를 알 수 있다.

기호가 우리 자신의 소스 코드(즉, 하나의 구문 트리)에 정의되어 있던 것이면, Location 객체의 SourceTree 속성은 그 구문 트리를 돌려주고 SourceSpan은 트리 안에서의 식별자의 위치를 돌려준다.

```
Console.WriteLine (location.SourceTree == null);    // True
Console.WriteLine (location.SourceSpan);            // [0..0)
```

부분 형식은 정의가 여러 개일 수 있다. 그런 경우에는 Location이 여러 개이다.

다음 질의는 WriteLine의 모든 중복적재 버전을 돌려준다.

```
symbol.ContainingType.GetMembers ("WriteLine").OfType<IMethodSymbol>()
```

또한, 기호 객체에 대해 ToDisplayParts를 호출할 수도 있다. 그러면 전체 이름을 구성하는 '부품'들의 컬렉션이 반환된다. 지금 예제에서 System.Console.WriteLine(int)라는 이름은 기호 네 개에 문장부호들이 섞인 형태이다.

SymbolInfo 클래스

편집기의 코드 완성 기능을 구현한다면, 불완전하거나 부정확한 코드의 기호들을 얻어야 한다. 예를 들어 다음과 같은 미완성 코드를 생각해 보자.

```
System.Console.Writeline(
```

WriteLine 메서드는 중복적재되어 있으므로, 지금으로서는 WriteLine을 구체적인 하나의 ISymbol에 대응시킬 수 없다. 대신, 여러 '후보'들을 사용자에게 제시해야 한다. 이때 유용한 것이 의미 모형의 GetSymbolInfo 메서드이다. 이 메서드가 돌려주는 ISymbolInfo 구조체에는 다음과 같은 속성들이 있다.

```
ISymbol Symbol
ImmutableArray<ISymbol> CandidateSymbols
CandidateReason CandidateReason
```

오류나 중의성이 있다면 Symbol 속성은 널을 돌려주며, CandidateSymbols 속성은 현재 상황과 부합하는 중복적재 버전들을 담은 컬렉션을 돌려준다. CandidateReason 속성은 무엇이 잘못되었는지를 말해주는 열거형 값을 돌려준다.

코드의 특정 구간에 대한 오류와 경고 정보를 얻으려면, 의미 모형에 대해 GetDiagnostics를 호출할 때 TextSpan 객체를 지정하면 된다. 인수 없이 GetDiagnostics를 호출하는 것은 CSharpCompilation 객체에 대해 GetDiagnostics를 호출하는 것과 같다.

기호의 접근성

ISymbol에는 DeclaredAccessibility라는 속성이 있다. 이 속성은 주어진 기호의 접근성(public, protected, internal 등등)을 나타낸다. 그런데 이 속성만으로는 소스 코드의 특정 위치에서 그 기호에 접근할 수 있는지를 확실하게 판단할 수 없다. 예를 들어 지역 변수는 선언된 범위 안에만 유효하며, 보호된 클래스 멤버는 해당 클래스 또는 그것을 상속한 형식의 코드에서만 접근할 수 있다. 다행히 SemanticModel의 IsAccessible 메서드를 이용하면 특정 기호의 접근 가능 여부를 쉽게 파악할 수 있다.

```
bool canAccess = model.IsAccessible (42, someSymbol);
```

만일 소스 코드의 오프셋 42에서 someSymbol에 접근할 수 있으면 이 호출은 true를 돌려준다.

선언된 기호

형식 선언이나 멤버 선언에 대해 GetSymbolInfo를 호출하면 널이 반환된다. 예를 들어 다음의 Main 메서드에 대한 기호를 얻는다고 하자.

```
var mainMethod = tree.GetRoot().DescendantTokens().Single (
  t => t.Text == "Main").Parent;

SymbolInfo symbolInfo = model.GetSymbolInfo (mainMethod);
Console.WriteLine (symbolInfo.Symbol == null);            // True
Console.WriteLine (symbolInfo.CandidateSymbols.Length);   // 0
```

이 규칙은 형식/멤버 선언에만 적용되는 것이 아니라, 기존 기호를 **소비**하는 것이 아니라 새 기호를 **도입**하는 모든 종류의 노드에 적용된다.

선언 노드에 대한 기호를 얻으려면 GetSymbolInfo 대신 GetDeclaredSymbol 메서드를 호출해야 한다.

```
ISymbol symbol = model.GetDeclaredSymbol (mainMethod);
```

경우에 따라 여러 후보를 제시하기도 하는 GetSymbolInfo와는 달리 GetDeclaredSymbol은 주어진 요청에 정확히 부합하는 노드의 기호 하나만 돌려주며, 그런 노드가 없으면 널을 돌려준다.

또 다른 예로, Main 메서드가 다음과 같다고 하자.

```
static void Main()
{
  int xyz = 123;
}
```

xyz의 형식을 다음과 같이 알아낼 수 있다.

```
SyntaxNode variableDecl = tree.GetRoot().DescendantTokens().Single (
  t => t.Text == "xyz").Parent;

var local = (ILocalSymbol) model.GetDeclaredSymbol (variableDecl);
Console.WriteLine (local.Type.ToString());           // int
Console.WriteLine (local.Type.BaseType.ToString());  // System.ValueType
```

TypeInfo 클래스

명시적인 기호가 없는 표현식이나 리터럴의 형식 정보를 알고 싶을 때도 있다. 다음 예를 생각해 보자.

```
var now = System.DateTime.Now;
System.Console.WriteLine (now - now);
```

now - now의 형식을 파악하려면 의미 모형에 대해 GetTypeInfo라는 메서드를 호출해야 한다.

```
SyntaxNode binaryExpr = tree.GetRoot().DescendantTokens().Single (
  t => t.Text == "-").Parent;

TypeInfo typeInfo = model.GetTypeInfo (binaryExpr);
```

이 메서드가 돌려주는 TypeInfo에는 Type과 ConvertedType이라는 두 속성이 있다. 후자는 임의의 암묵적 변환이 적용된 후의 형식에 해당한다.

```
Console.WriteLine (typeInfo.Type);            // System.TimeSpan
Console.WriteLine (typeInfo.ConvertedType);   // object
```

Console.WriteLine의 중복적재 버전 중 object를 받는 것은 있지만 TimeSpan을 받는 것은 없으므로, now - now는 암묵적으로 object로 변환된다. typeInfo.ConvertedType이 object인 것은 바로 그 때문이다.

사용 가능한 기호 찾기

의미 모형의 한 가지 강력한 기능은 소스 코드의 특정 지점이 속한 범위 안의 모든 기호를 열거하는 것이다. 예를 들어 IntelliSense는 사용자가 사용 가능한 기호들을 요청했을 때 바로 이러한 기능을 이용해서 기호들의 목록을 얻는다.

목록을 얻으려면 그냥 소스 코드 오프셋을 인수로 해서 LookupSymbols를 호출하면 된다. 다음은 이 메서드의 사용법을 보여주는 예제이다.

```
var tree = CSharpSyntaxTree.ParseText (@"class Program
{
  static void Main()
  {
    int x = 123, y = 234;
  }
}");

CSharpCompilation compilation = CSharpCompilation.Create ("test")
  .AddReferences (
    MetadataReference.CreateFromFile (typeof(int).Assembly.Location))
  .AddSyntaxTrees (tree);

SemanticModel model = compilation.GetSemanticModel (tree);

// 소스 코드의 제6행 시작 지점(닫는 중괄호 이전)에서 사용할 수 있는 기호들을 찾는다.
int index = tree.GetText().Lines[5].Start;

foreach (ISymbol symbol in model.LookupSymbols (index))
  Console.WriteLine (symbol.ToString());
```

결과는 다음과 같다.

```
y
x
Program.Main()
object.ToString()
object.Equals(object)
object.Equals(object, object)
object.ReferenceEquals(object, object)
object.GetHashCode()
object.GetType()
object.~Object()
object.MemberwiseClone()
Program
Microsoft
System
Windows
```

(System 이름공간을 도입했다면 그 이름공간에 있는 형식들의 기호 수백 개도 출력되었을 것이다.)

예제: 기호 이름 바꾸기

지금까지 살펴본 기능들의 활용법을 보여주기 위해, 기호 이름을 바꾸는 메서드를 작성해 보자. 이 메서드는 대부분의 용법에 대해 안정적으로 작동한다. 특히,

- 형식과 멤버뿐만 아니라 지역 변수, 구간(range), 루프 변수에 해당하는 기호의 이름도 변경할 수 있다.
- 기호가 사용된 노드뿐만 아니라 기호가 선언된 노드로도 기호를 지정할 수 있다.
- (클래스나 구조체의 경우) 정적 생성자들과 인스턴스 생성자들의 이름도 변경한다.
- (클래스의 경우) 종료자(소멸자)의 이름도 변경한다.

간결함을 위해, 새 이름이 이미 쓰이고 있는 이름인지 확인하거나 이름 변경이 실패할 만한 특별한 경우에 해당하는 기호인지 확인하는 등의 몇 가지 점검은 생략했다. 그리고 다음 서명에서 보듯이, 이 메서드는 하나의 구문 트리만 고려한다.

```
public SyntaxTree RenameSymbol (SemanticModel model, SyntaxToken token,
                                string newName)
```

이 메서드를 구현하는 자명한 방법 하나는 CSharpSyntaxRewriter의 파생 클래스를 만들어서 사용하는 것이지만, 그보다 더 우아하고 유연한 접근방식이 있다. 바로, 이름을 바꿀 텍스트 구간(text span)들을 직접 찾아내는 것이다. 이를 위해, 그런 구간들을 찾아서 돌려주는 다음과 같은 저수준 메서드를 작성하기로 하자.

```
public IEnumerable<TextSpan> GetRenameSpans (SemanticModel model,
                                             SyntaxToken token)
```

예를 들어 소스 코드 편집기를 만드는 경우, 편집기가 이 GetRenameSpans 메서드를 직접 호출해서 소스 코드에서 변경된 부분만('취소(Undo)' 트랜잭션 범위 안에서) 적용한다면 편집기 상태가 소실되어서 소스 코드 전체를 다시 파싱해야 하는 사태를 피할 수 있다.

주된 작업을 GetRenameSpans가 수행하므로, RenameSymbol은 간단히 구현할 수 있다. 다음에서 보듯이, RenameSymbol은 GetRenameSpans가 돌려준 일련의 텍스트 변경들을 SourceText의 WithChanges 메서드를 이용해서 적용하면 된다.

```
public SyntaxTree RenameSymbol (SemanticModel model, SyntaxToken token,
                                string newName)
{
  IEnumerable<TextSpan> renameSpans = GetRenameSpans (model, token);
```

```
    SourceText newSourceText = model.SyntaxTree.GetText().WithChanges (
      renameSpans.Select (span => new TextChange (span, newName))
                 .OrderBy (tc => tc));

    return model.SyntaxTree.WithChangedText (newSourceText);
  }
```

만일 변경들의 순서가 맞지 않으면 WithChanges는 예외를 던진다. OrderBy로 변경들을 정렬하는 것은 그 때문이다.

이제 GetRenameSpans를 구현해 보자. 우선 할 일은 이름을 바꾸고자 하는 토큰에 해당하는 기호를 찾는 것이다. 그 토큰은 선언의 일부일 수도 있고 실제로 사용되는 코드의 일부일 수도 있다. 일단은 GetSymbolInfo를 호출해서 찾고, 만일 그 결과가 널이면 GetDeclaredSymbol을 호출한다.

```
  public IEnumerable<TextSpan> GetRenameSpans (SemanticModel model,
                                               SyntaxToken token)
  {
    var node = token.Parent;

    ISymbol symbol = model.GetSymbolInfo (node).Symbol
                  ?? model.GetDeclaredSymbol (node);

    if (symbol == null) return null;   // 이름을 바꿀 기호가 없음
```

다음으로는 기호의 정의를 찾아야 한다. 기호가 정의된 장소는 기호의 Locations 속성으로 알아낼 수 있다. (부분 클래스와 부분 메서드 때문에 여러 장소를 고려하긴 하지만, 사실 부분 정의를 제대로 처리하려면 여러 개의 구문 트리를 검색하도록 이 예제를 확장해야 할 것이다.)

```
  var definitions =
    from location in symbol.Locations
    where location.SourceTree == node.SyntaxTree
    select location.SourceSpan;
```

다음으로, 기호가 쓰인 곳들을 찾아야 한다. 이를 위해, 우선 기호의 이름과 일치하는 이름을 가진 후손 토큰들을 찾는다. 이렇게 하면 해당 기호와 무관한 토큰들 대부분을 빠르게 배제할 수 있다. 그런 다음에는 각 토큰의 부모 노드에 대해 GetSymbolInfo를 호출해서, 해당 기호가 우리가 이름을 바꾸고자 하는 기호인지 점검한다.

```
  var usages =
    from t in model.SyntaxTree.GetRoot().DescendantTokens()
```

```
    where t.Text == symbol.Name
    let s = model.GetSymbolInfo (t.Parent).Symbol
    where s == symbol
    select t.Span;
```

Roslyn 라이브러리에서 기호 정보 조회 등 바인딩과 관련된 연산들은 그냥 텍스트나 구문 트리를 조사하는 연산들보다 느린 경향이 있다. 이는, 바인딩을 고려하려면 어셈블리에서 형식들을 검색하고, 형식 추론 규칙들을 적용하고, 확장 메서드들을 점검하는 등의 고비용 연산이 필요하기 때문이다.

기호가 이름이 붙은 형식 이외의 토큰(지역 변수, 범위 변수 등)에 대한 기호이면 추가적인 처리는 필요 없다. 기호가 정의된 곳들과 기호가 쓰인 곳들을 합쳐서 반환하면 그만이다.

```
  if (symbol.Kind != SymbolKind.NamedType)
    return definitions.Concat (usages);
```

기호가 이름이 붙은 형식(클래스 등)이면 생성자들과 소멸자들이 있는지 확인해서 그것들의 이름도 바꾸어야 한다. 이를 위해, 우선 후손 노드들을 열거하면서 바꿀 이름과 같은 이름의 형식 선언들을 찾고, 해당 노드의 **선언된** 기호를 얻어서 그 기호의 이름이 우리가 바꾸려는 기호의 이름과 같은지 점검한다. 만일 같다면 생성자 메서드들과 소멸자 메서드들을 찾아서 해당 텍스트 구간들을 다른 텍스트 구간들(기호가 정의된 곳들과 기호가 쓰인 곳들)에 합친 후 반환한다.

```
  var structors =
    from type in model.SyntaxTree.GetRoot().DescendantNodes()
                                     .OfType<TypeDeclarationSyntax>()
    where type.Identifier.Text == symbol.Name
    let declaredSymbol = model.GetDeclaredSymbol (type)
    where declaredSymbol == symbol
    from method in type.Members
    let constructor = method as ConstructorDeclarationSyntax
    let destructor = method as DestructorDeclarationSyntax
    where constructor != null || destructor != null
    let identifier = constructor?.Identifier ?? destructor.Identifier
    select identifier.Span;

  return definitions.Concat (usages).Concat (structors);
}
```

다음은 이상의 두 메서드의 사용법을 보여주는 예제이다. 두 메서드의 완전한 정의도 포함되어 있다.

```
void Demo()
{
  var tree = CSharpSyntaxTree.ParseText (@"class Program
  {
  static Program() {}
  public Program() {}

  static void Main()
  {
    Program p = new Program();
    p.Foo();
  }

  static void Foo() => Bar();
  static void Bar() => Foo();
}
");

  var compilation = CSharpCompilation.Create ("test")
    .AddReferences (
       MetadataReference.CreateFromFile (typeof(int).Assembly.Location))
    .AddSyntaxTrees (tree);

  var model = compilation.GetSemanticModel (tree);

  var tokens = tree.GetRoot().DescendantTokens();

  // Program 클래스의 이름을 Program2로 바꾼다.
  SyntaxToken program = tokens.First (t => t.Text == "Program");
  Console.WriteLine (RenameSymbol (model, program, "Program2").ToString());

  // Foo 메서드의 이름을 Foo2로 바꾼다.
  SyntaxToken foo = tokens.Last (t => t.Text == "Foo");
  Console.WriteLine (RenameSymbol (model, foo, "Foo2").ToString());

  // 지역 변수 p의 이름을 p2로 바꾼다.
  SyntaxToken p = tokens.Last (t => t.Text == "p");
  Console.WriteLine (RenameSymbol (model, p, "p2").ToString());
}

public SyntaxTree RenameSymbol (SemanticModel model, SyntaxToken token,
                                string newName)
{
  IEnumerable<TextSpan> renameSpans =
    GetRenameSpans (model, token).OrderBy (s => s);

  SourceText newSourceText = model.SyntaxTree.GetText().WithChanges (
    renameSpans.Select (s => new TextChange (s, newName)));

  return model.SyntaxTree.WithChangedText (newSourceText);
}

public IEnumerable<TextSpan> GetRenameSpans (SemanticModel model,
                                             SyntaxToken token)
```

```
{
  var node = token.Parent;

  ISymbol symbol =
    model.GetSymbolInfo (node).Symbol ??
    model.GetDeclaredSymbol (node);

  if (symbol == null) return null;   // 이름을 바꿀 기호가 없음

  var definitions =
    from location in symbol.Locations
    where location.SourceTree == node.SyntaxTree
    select location.SourceSpan;

  var usages =
    from t in model.SyntaxTree.GetRoot().DescendantTokens ()
    where t.Text == symbol.Name
    let s = model.GetSymbolInfo (t.Parent).Symbol
    where s == symbol
    select t.Span;

  if (symbol.Kind != SymbolKind.NamedType)
    return definitions.Concat (usages);

  var structors =
    from type in model.SyntaxTree.GetRoot().DescendantNodes()
                                          .OfType<TypeDeclarationSyntax>()
    where type.Identifier.Text == symbol.Name
    let declaredSymbol = model.GetDeclaredSymbol (type)
    where declaredSymbol == symbol
    from method in type.Members
    let constructor = method as ConstructorDeclarationSyntax
    let destructor = method as DestructorDeclarationSyntax
    where constructor != null || destructor != null
    let identifier = constructor?.Identifier ?? destructor.Identifier
    select identifier.Span;

  return definitions.Concat (usages).Concat (structors);
}
```

찾아보기

기호

ㄴ

ㄹ

ㅁ

ㅂ

ㅇ

ㅈ

ㅊ

ㅋ

ㅎ

A

B

C

D

E

F

G

H

I

J, K

L

M

N

Q

R

S

T

U

V

W

X

Y, Z